D1488647

LE GRAND ROMAN INDIEN

Comme l'indique Shashi Tharoor dans une note liminaire, *Le Grand Roman indien* s'inspire de l'épopée du *Mahabharata*, ce texte fabuleux de 200 000 vers répartis en dix-huit « livres » – division ici respectée. On retrouve le thème central du *Mahabharata*, celui de la lutte entre deux clans rivaux, ainsi que l'explication de l'origine et de la préparation du combat. Le combat devenant en l'occurrence celui de la Partition orchestrée par les Anglais entre l'Inde et le Pakistan, avec les chefs ennemis Dhritarashtra (Nehru) et Karna (Mohammed Ali Jinnah), la satanique Priya Duryodhani (Indira Gandhi), les batailles menées par les Pandavas, leur commune épouse Draupadi Mokrasi (née des amours de Lady Drewpad / Mountbatten et Dhritarashtra) et leur divin allié Krishna.

Rien de plus décapant que l'ironie avec laquelle la désintégration du Raj britannique est décrite. Une débandade qui eut pour moteur principal l'ineffable Mahaguru Gangaji (Gandhi) dont Ved Vyas le narrateur (calqué sur le Vyasa de l'original), nous conte l'irrésistible ascension déclenchée par la Marche des mangues et achevée sous le couteau d'un assassin travelo.

Le récit, d'une richesse foisonnante, n'hésite pas à mêler tous les styles avec une verve et une adresse qui laissent le lecteur pantois et ravi. On ne lit pas ce livre, on s'y baigne avec un rare plaisir.

Shashi Tharoor

LE GRAND
ROMAN INDIEN

ROMAN

*Traduit de l'anglais
par Christiane Besse*

Éditions du Seuil

TEXTE INTÉGRAL

TITRE ORIGINAL
The Great Indian Novel

ÉDITEUR ORIGINAL
Vicking, Londres

ISBN original : 0-670-82744-4
© Shashi Tharoor, 1989

ISBN 2-02-056488-2
(ISBN 2-02-013550-7, 1ʳᵉ publication)

© Éditions du Seuil, mars 1993, pour la traduction française.

www.seuil.com

A propos du titre

Un bref démenti est dû à ceux d'entre les lecteurs qui pourraient fort justement trouver que le livre n'est ni grand, ni authentiquement indien, ni même vraiment un bon roman. *Le Grand Roman indien* doit son titre non pas à l'évaluation que l'auteur fait de son contenu, mais à un hommage rendu à sa source première d'inspiration, l'ancien poème épique du *Mahabharata*. En sanscrit, *Maha* veut dire « grand » et *Bharata* « Inde ».

S.T.

A propos du titre

Un bref démenti est dû à ceux d'entre les lecteurs qui pourraient fort justement trouver que le livre n'est ni grand, ni authentiquement indien, ni même vraiment un bon roman. *Le Grand Roman indien* doit son titre non pas à l'évaluation que l'auteur fait de son contenu, mais à un hommage rendu à sa source première d'inspiration, l'ancien poème épique du *Mahabharata*. En sanscrit, *Maha* veut dire « grand » et *Bharata* « Inde ».

S.T.

Le *Mahabharata* n'a pas seulement influencé la littérature, l'art, la sculpture et la peinture de l'Inde, il a aussi modelé le caractère même du peuple indien. Les personnages de cette grande épopée [...] sont encore des noms populaires [qui] incarnent des vertus ou des vices privés ou publics [...]. En Inde, il est difficile de trouver une controverse philosophique ou même politique qui ne se réfère pas à la pensée du *Mahabharata*.

C.R. Deshpande, *Transmission of the Mahabharata Tradition.*

L'indispensable *Mahabharata* représente tout ce qui est pertinent pour nous dans la seconde moitié du vingtième siècle. Aucune poésie épique, aucune œuvre d'art n'est sacrée en soi : si elle n'a pas de signification pour moi maintenant, elle n'est rien, elle n'existe pas.

P. Lal, *The Mahabharata of Vyasa.*

Nos problèmes passés, présents et futurs sont beaucoup plus riches que nous le croyons [...]. Je pense qu'en Inde certaines histoires devraient être maintenues vivantes par la littérature. Les écrivains ont une autre vue de l'Histoire, de ce qui se passe, une autre compréhension du « progrès » [...]. La littérature doit rafraîchir la mémoire.

Günter Grass, discours à Bombay.

La grande famille indienne

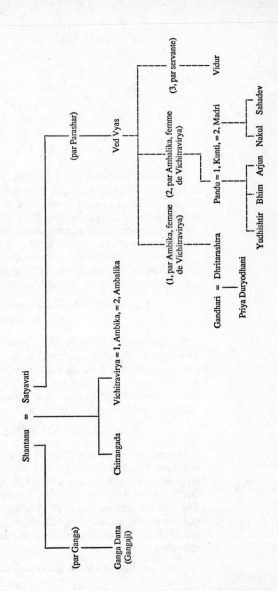

Ce qui suit est l'histoire de Vyasa,
    grand Vyasa qui mérite le respect ;
une histoire dite et redite,
    que les gens ne cesseront jamais de raconter ;
une source de sagesse
    dans le ciel, sur la terre et en enfer,
une histoire que les régénérés connaissent ;
    une histoire pour les savants,
adroite de style, variée en vers,
    consacrée au dialogue humain et divin.

P. Lal, *The Mahabharata of Vyasa.*

LE PREMIER LIVRE

L'histoire revécue

1

Ils me disent que l'Inde est un pays sous-développé. Ils assistent à des séminaires, se produisent à la télévision, viennent même me voir, accrochés à leurs attachés-cases de plastique moulé, froissant leurs costumes à huit cents roupies, pour annoncer sur un ton infiniment entendu que l'Inde n'est pas encore développée. Foutaises. Ces types sont du genre à ne pas savoir distinguer leur *kundalini** d'un ver de terre en décomposition, et je ne le leur envoie pas dire. Je leur dis qu'ils n'ont aucune connaissance de l'Histoire, et encore moins de leur propre héritage. Je leur dis que si seulement ils lisaient le *Mahabharata* et le *Ramayana*, s'ils étudiaient l'âge d'or des Mauryas et des Guptas, ou même de ces musulmans-là, les Moghols, ils se rendraient compte que l'Inde n'est pas un pays sous-développé, mais au contraire une nation hautement développée dans un état de décadence avancée. Ils me rient au nez d'un air de pitié, se dandinent d'un pied sur l'autre, incapables de dissimuler leur impatience, et je leur dis qu'en réalité tout en Inde est surdéveloppé, en particulier la structure sociale, la bureaucratie, l'appareil politique, le système financier, le réseau universitaire, et les femmes par-dessus le marché. Quelle vieille baderne !

* Les mots indiens en italique sont expliqués dans le glossaire en fin de volume. (*N.d.T.*)

17

les entends-je chuchoter, tandis qu'ils partent. Et, bien entendu, il n'y a plus de place pour moi sur les listes électorales du parti, plus de place dans leurs élucubrations législatives. Je suis fini, un homme qui vit dans le passé, un type qui a eu son heure de gloire. Je n'entrerai pas dans le vingt et unième siècle avec eux.

Mais je suis loin d'en avoir terminé. En vérité, je commence à peine. « J'ai beaucoup à dire, ai-je informé mon vieil ami Brahm, et si ces gars-là ne veulent pas écouter, eh bien, j'entends me trouver une audience plus vaste. Le seul problème, c'est que ma vieille main me lâche, elle a tendance à trembler un peu, comme un bulletin de vote entre les doigts d'un député qui trahit, alors pourrais-tu me trouver quelqu'un à qui je puisse dicter, un porte-plume ? »

Brahm me parut tout d'abord un rien dubitatif : « Vois-tu, V.V., dit-il, tu as plutôt la réputation d'un patron un peu difficile. Tu te rappelles ce qui est arrivé à la dernière pauvre fille que je t'ai envoyée ? Elle m'est revenue en larmes avec sa démission, affirmant qu'elle ne voulait plus jamais entendre parler de l'agence Apsara. Je ne peux pas me permettre un autre incident de ce genre, et puis, d'ailleurs, qu'est-ce que c'est que cette histoire de bouquin ? Tu devrais t'allonger sur ces coussins, profiter d'une retraite sereine, laisser les autres s'agiter pour toi et jouir de l'adulation que te vaut une belle vie bien vécue. Après tout, à quoi servent les lauriers sinon à se reposer dessus ? »

Je lui ai passé un drôle de savon, je vous le garantis :
« Alors tu crois que je ne serai pas à la hauteur, hein ? m'écriai-je. Nom d'un chien, ce que je vais dicter, ce sont les souvenirs de ma vie et de mon temps, et tu sais ce qu'ont été ma vie et mon temps. Brahm, dans mon épopée je parlerai du passé, du présent et de l'avenir, de l'existence et du trépas, de la floraison et du dépérissement, de la mort et de la résurrection, de ce qui est, de ce qui fut, de ce qui aurait dû être. Ne me ramène pas une fille larmoyante dont les ongles dérapent sur la sténo : donne-moi un homme, un de tes meilleurs, quelqu'un avec une

constitution et un cerveau à la hauteur de ce que j'ai à offrir.

– Hum, eh bien, si tu insistes, répliqua Brahm, je pense à un type qui est presque aussi exigeant que toi mais qui peut se sortir des missions les plus compliquées. Ménage-le et tu ne seras pas déçu. »

C'est ainsi que, le lendemain, l'homme apparut, le porte-plume. Du nom de Ganapathi, un Indien du Sud, je pense, un grand nez et le regard acéré, intelligent. Qu'il pose sur moi telle une chouette tandis que je lui dicte ces mots. Brahm avait raison de dire qu'il était exigeant. Après m'avoir écouté calmement lui expliquer qu'il n'aurait pas moins pour tâche que de transcrire dans ma prose le Cantique de l'Inde moderne, il a immédiatement posé une condition outrageante : « Je le ferai, déclara-t-il sans ciller, à condition que vous travailliez à mon propre rythme. J'habiterai chez vous et, tant que j'y serai disposé, vous ne devrez pas vous arrêter de dicter. »

Quelque chose en lui, une démarche éléphantine, un vaste front et tout ce qui s'ensuit m'impressionnèrent. J'acceptai. Et il revint dans l'après-midi, traînant son énorme malle, remplie de quoi passer plus d'un an avec moi, je n'en doute pas. Mais je n'ai pas cédé sans réfléchir. J'ai posé ma propre condition : c'est qu'il devrait comprendre chaque mot de ce que je disais avant de le transcrire. Et je ne me fiais pas simplement à ma capacité d'articuler mes souvenirs et pensées avec une lenteur et une complexité qui lui donneraient à réfléchir. Je savais que chaque fois qu'il ferait une pause pour remplir ce ventre considérable, ou même irait pisser dans un coin, je pourrais gagner du temps en dictant sur mon petit magnétophone japonais. Ainsi, vois-tu, Ganapathi, jeune homme, tu n'auras pas simplement à affronter des injures et des remarques personnelles. Mais la technologie moderne en plus.

Oui, oui, note-moi tout ça. Chaque mot que je prononce. Nous ne sommes pas ici en train de pondre un banal roman policier à l'occidentale. Ceci est mon histoire, l'histoire de Ved Vyas, quatre-vingt-huit printemps et plein d'inconséquences, mais elle pourrait bien devenir rien de moins que *Le Grand Roman indien*.

2

Je suppose que je dois commencer par moi. Je naquis avec le siècle, un bâtard, mais un bâtard dans la bonne tradition, le rejeton d'une pécheresse séduite par un sage ambulant. Système de transports primitifs ou pas, nos brahmanes se déplaçaient beaucoup à l'époque. Nul besoin de réserver à l'hôtel. Tout chef de famille se sentait honoré par la visite d'un saint homme porteur d'un fil sacré et de son savoir pour tout bagage. Il lui offrait son hospitalité, sa nourriture, son lit et souvent, car on était beaucoup plus compréhensif en ce temps-là, sa fille en prime. Et le brahmane acceptait ces offrandes, l'abri, le riz, la couche et la fille, puis poursuivait sa route, laissant parfois derrière lui plus que la poussière de ses sandales. L'Inde est jonchée de la progéniture de ces commis voyageurs reconvertis dans le salut, et je suis fier d'en faire partie.

Les circonstances de sa séduction en disent long sur ma mère Satyavati. Elle se trouvait sur la rivière ce jour-là, le pan mouillé de son mince sari de coton rejeté sur une épaule, l'ourlet relevé haut sur sa cuisse, l'odeur de sa transpiration se mêlant à celle du poisson qu'elle hissait à bord de sa barque, quand Parashar, un sage qui passait par là, l'aperçut. Il fut cloué sur place, me raconta-t-il plus tard, par la hardiesse d'une beauté qui transcendait toute considération olfactive : « Jolie dame, dit-il avec la plus grande politesse, acceptez mon amour », et, venant d'un brahmane, surtout si distingué, c'était là une offre qu'aucune femme n'aurait pu refuser.

Mais ma mère n'était ni légère ni folle et ne désirait aucunement se faire pareille réputation. « Des gens nous surveillent sur les deux rives de la rivière, dit-elle, alors comment voulez-vous que je me donne à vous ? »

Le brahmane n'était pas un novice dans l'art de la séduction : il avait repéré, en amont du fleuve, une petite île déserte dont le centre se cachait derrière un épais taillis. Il fit signe à la belle de pagayer dans cette direction tandis que lui-même gagnait l'île à la nage en quelques brasses puissantes et rapides.

Satyavati suivit en rougissant. Elle n'avait pas l'intention de résister au sage : la brume qui entourait l'île, déjà cernée d'arbres, dissipa sa modeste hésitation. (Lorsqu'elle me raconta l'histoire, elle m'affirma que Parashar avait fait surgir un nuage magique sur l'île afin de la protéger des regards indiscrets, ce qui me sembla une preuve d'exagération féminine compréhensible.) L'obéissance était, bien entendu, un devoir, et aucune jeune fille ne souhaitait attirer une sainte malédiction sur sa tête. Mais Satyavati n'était pas une idiote et elle comprit que, pour une vierge célibataire, il y avait une différence entre coucher avec un brahmane de son plein gré et se voir offrir audit brahmane par son père ; ce qui ne risquait guère d'arriver car les sages ne s'arrêtaient pas beaucoup dans les huttes de pêcheurs ; et on ne pouvait pas s'attendre à ce que Parashar consentît à une forme de mariage sanctifiant son accouplement avec une fille de cette caste. « Je n'ai jamais encore fait l'amour, souffla Satyavati. Je suis encore vierge et mon père sera furieux si je cesse de l'être. Si vous me prenez, que deviendrai-je ? Comment pourrai-je me montrer devant les miens ? Qui m'épousera ? Je vous en prie, aidez-moi », ajouta-t-elle en battant des paupières, histoire de faire comprendre que si sa chair était faible, son esprit ne l'était point suffisamment.

Parashar, en proie au désir, lui sourit pour la rassurer. « Ne vous inquiétez pas, répliqua-t-il, la virginité n'est pas irrécupérable. Je ferai en sorte que nul ne doute de la vôtre même après que vous m'aurez cédé. Vous n'avez pas à avoir peur. »

Et son ardeur mit fin à la conversation.

Même les hommes du monde – et peu, dans cette catégorie, peuvent égaler celui qui se situe justement au-dessus du monde – éprouvent de la tendresse à l'égard de ceux qu'ils ont aimés. Et donc, après, étendu à son côté, Parashar demanda à Satyavati la date de ses dernières règles. Et quand elle lui eut répondu, il n'essaya pas d'échapper à ses responsabilités. « Un enfant naîtra de notre union, dit-il simplement, mais je tiendrai parole et je m'assurerai que ta vie normale parmi ton peuple ne soit pas troublée. »

Refusant de la laisser s'affoler, Parashar mena Satyavati à la hutte paternelle, où il fut reçu avec la déférence requise.

« Ta fille, que j'ai rencontrée près de la rivière aujourd'hui, possède en elle une étincelle de grâce, dit-il au pêcheur d'un ton sentencieux. Avec ta permission, je voudrais qu'elle m'accompagne durant une brève période en qualité de servante afin que je puisse l'instruire. Naturellement, je te la renverrai dès qu'elle sera en âge d'être mariée.

– Comment puis-je être sûr qu'il ne lui arrivera rien ? répliqua, surpris, le père, qui n'avait rien non plus de l'idiot du village.

– Je suis connu dans cette région, répondit Parashar avec hauteur. Ta fille te reviendra dans l'année et elle te reviendra vierge. Tu as ma parole. »

Il n'arrivait pas souvent qu'un pêcheur, et même un chef-pêcheur, ce qu'était le père de Satyavati, mît en doute la parole d'un brahmane. L'homme baissa la tête et dit au revoir à sa fille.

Satyavati s'en sortit très bien. Parashar l'emmena loin des environs avant que sa grossesse ne se vît. Je naquis dans la maison d'une vieille sage-femme au milieu de la forêt.

« Nous devons nommer l'enfant Dvaipayana – Celui qui fut créé sur une île – », dit Satyavati, sentimentale, à mon père. Il acquiesça, mais il ne jugea pas que ce fût un nom destiné à me rester. « Ah, les femmes, me dit-il un jour, des années après, en secouant la tête d'un air de tolérance amusée. Imagine, un nom pareil pour le fils d'un brahmane errant, en Inde britannique ! Non. Ved Vyas est beaucoup plus facile. J'ai toujours voulu un fils nommé Ved Vyas. » Et Ved Vyas ce fut, et, comme j'étais plutôt petit, V.V. devint mon diminutif.

Après moins d'un mois, on m'enleva du sein de ma mère, qui entreprit son voyage de retour. Mon père lui avait enseigné plusieurs leçons puisées dans les textes anciens, dont une ou deux sur les voies impénétrables de la virginité. Dès son arrivée, pour étouffer toute rumeur dans le village, son père fit examiner Satyavati par la doyenne des sages-femmes. Son hymen fut déclaré intact.

Les brahmanes en connaissaient un bout dans ce temps-là.

3

Ce fut tout aussi bien car Satyavati au parfum de poisson était destinée à devenir l'épouse d'un roi. Oui, nous avions des rois à l'époque, quatre cent trente-cinq, jouissant de titres tel maharadjah ou nawab, que seules utilisent aujourd'hui les publicités des lignes aériennes et les capitaines d'équipe de cricket. Les Britanniques les soutenaient et leur disaient ce qu'il fallait faire et, plus souvent, ne pas faire, mais ils étaient, malgré tout, de vrais rois, avec palais, principautés et vingt et un coups de canon ; enfin, vingt et un coups pour certains, mais le nombre des boulets gaspillés sur vous diminuait en proportion de votre importance, et l'homme que ma mère éblouit ne valait que quatorze, voire onze coups. Il s'appelait Shantanu et il avait fait un fâcheux mariage avec une délicieuse maharané, qui, après sept fausses couches successives, mit au monde un fils au terme d'une huitième grossesse, puis disparut.

Des années plus tard, inexplicablement, le roi, désormais d'âge mûr, revint d'un voyage sur les rives du fleuve avec un beau garçon du nom de Ganga Datta, annonça qu'il était son fils égaré et en fit son héritier présomptif ; et bien que cela fût une position qui exigeait l'approbation du résident britannique, il était clair que le jeune homme possédait en abondance les qualités et l'éducation requises pour un dauphin, et la nomination apparemment excentrique du maharadjah ne fut jamais remise en cause. Du moins jusqu'à ce que ma mère entre en scène.

Elle se trouvait dans les bois sur la rive du fleuve quand Shantanu la rencontra. Il fut d'abord frappé par le parfum unique qui émanait d'elle, une concoction d'herbes et d'essence de rose – une recette brahmane – qui avait remplacé les émanations poissonneuses de l'époque pré-Parashar, et, comme mon père, il tomba immédiatement amoureux. Les rois ayant, socialement, moins de complexes que les brahmanes, Shantanu n'hésita pas à se rendre tout droit dans la cabane du chef-pêcheur pour lui demander la main de sa fille.

« Certes, votre majesté, ce serait un grand honneur, répondit mon grand-père maternel, mais je crains d'avoir à poser une condition. Dites-moi que vous l'acceptez et je serai ravi de vous donner ma fille.

– Je ne fais pas de promesses à l'aveuglette, répliqua le maharadjah, un tantinet déconcerté. Que veux-tu exactement ? »

Le ton du pêcheur se durcit :

« Il est possible que je ne puisse trouver de meilleur époux que vous pour ma Satyavati, mais au moins ses enfants hériteraient sans aucun doute tout ce que son mari posséderait. Pouvez-vous lui faire la même promesse, votre majesté : que son fils, et aucun autre, sera votre héritier ? »

Bien entendu, Shantanu, avec l'illustre Ganga Datta installé dans sa capitale, ne put rien faire de la sorte et il regagna son palais fort abattu. Soit parce qu'il ne put cacher son trouble, soit parce qu'il ne le voulut point, il devint évident pour chacun à la Cour ou ailleurs que le maharadjah était colossalement malade d'amour. Il évitait les gens, snoba à deux reprises le résident britannique et ses moustaches, et ne se montra pas un beau matin pour donner *darshan*. C'en était trop pour le jeune dauphin, qui finalement se décida à tirer les vers du nez de son père.

« L'amour ? Ne sois pas idiot, petit, répondit Shantanu à la question typiquement directe de son fils. Je vais te dire de quoi il retourne. Je m'inquiète de l'avenir. Tu es mon seul fils. Ne te méprends pas, tu m'importes plus que cent rejetons, mais il n'en demeure pas moins que tu es le seul. Que se passerait-il s'il devait t'arriver quelque chose ? Bien entendu, nous prenons toutes les précautions nécessaires, mais tu sais combien, de nos jours, la vie est incertaine. Ce fichu résident a déjà écrasé trois personnes avec son infernale nouvelle machine à roues. Je ne dis pas que ça pourrait t'arriver, mais on ne sait jamais, pas vrai ? J'espère, certes, que tu vivras longtemps et que tu ajouteras nombre de branches à notre arbre généalogique, mais, vois-tu, quand j'étais petit, on disait qu'avoir un fils unique revenait à ne pas en avoir du tout. Quelque chose arrive, et hop ! les Anglais foncent et s'emparent de votre royaume sous le prétexte d'un manque d'héritier légitime. Ils n'ont toujours pas fini de ronchonner à propos de la manière dont je t'ai ramené, selon eux, de nulle part. Alors que se passera-t-il si tu te disputes avec quelqu'un ou si tu te fais tirer dessus au cours d'une partie de chasse par un Angliche maladroit ? Ce sera la fin d'une vieille dynastie, et voilà. Comprends-tu pourquoi je suis si préoccupé ces jours-ci ?

– Oui, je vois, répliqua Ganga, certain de ne pas y voir très clair. C'est la postérité qui vous fait souci.

– Naturellement, dit Shantanu, tu ne penses pas que c'est pour moi que je m'inquiète, n'est-ce pas ? »

C'était tout juste ce que pensait Ganga Datta, bien entendu, et sans doute ce que le vieux maharadjah souhaitait qu'il pensât, car le prince héritier n'était pas

25

homme à laisser courir les choses. Les rois, il le savait, ne se promenaient pas seuls dans les forêts ; il se trouvait toujours des serviteurs pour être témoins de la plus solitaire des escapades royales. Quelques questions au sujet de la récente excursion du maharadjah conduisirent rapidement le jeune homme à la vérité et à la cabane du patron pêcheur.

Ganga Datta ne se déplaçait pas tout seul non plus. Des années plus tard, il devait se faire accompagner par une armée pacifique de *satyagrahi*, de sorte que les compartiments de troisième classe – il insistait pour y voyager – étaient remplis de l'élite élégamment sacrificielle de ses disciples, plutôt que de pauvres hères aux vêtements tachés de sueur. Mais, à cette occasion, c'est une bande de ministres et de courtisans qu'il emmena avec lui voir le père de Satyavati. Ganga D. avait toujours tendance à accomplir ses gestes les plus spectaculaires devant un auditoire de taille. Il devait même un jour mourir devant une foule.

« Ainsi, c'est ce que tu veux, dit-il au pêcheur. C'est tout ? Eh bien, écoute-moi. Je fais ici le vœu, en des termes que personne avant moi n'a jamais égalés et que personne après moi ne pourra jamais répéter, que si tu autorises ta fille à épouser mon père, son fils sera le prochain roi.

– Voyons voir, dit le pêcheur mal à l'aise, jetant un œil inquiet sur les armes cérémoniales des visiteurs postés en demi-cercle autour de lui, ça va bien pour vous d'affirmer tout ça. Je suis sûr que vous ferez tout pour accomplir votre vœu, mais, franchement, c'est pas terrible, en fait de promesse, pas vrai ? Bon, peut-être que vous renoncez au trône et le reste, mais vos enfants pourraient bien avoir d'autres idées. Et vous ne pouvez pas les obliger à respecter votre vœu à vous. »

Sentant ses invités se hérisser, il se hâta d'ajouter :

« Excusez-moi, excellences, je ne veux offenser personne. C'est juste que je suis un père aussi, et vous savez comment peuvent se conduire les enfants.

– En réalité, je n'en sais rien, répliqua Ganga Datta avec douceur. Mais j'ai fait un vœu et je m'assurerai qu'il soit respecté. Je viens de renoncer à mes droits au trône. A présent, devant tous ces nobles du royaume, je jure de ne jamais avoir d'enfants. Je ne me marierai pas, je renoncerai aux femmes, et donc les enfants de ta fille n'auront rien à redouter de moi. »

Il regarda autour de lui, ravi de l'horreur peinte sur les visages de ses compagnons.

« Je sais ce que vous pensez : vous vous demandez comment je peux espérer aller au paradis sans avoir produit d'héritier ici-bas. Eh bien, vous n'avez pas besoin de vous inquiéter. Voilà ce à quoi je n'ai nulle intention de renoncer. J'entends bien aller au paradis – et sans aucun descendant pour m'y faire monter. »

Le pêcheur n'en revenait pas de la tournure prise par la conversation. « Satyavati ! appela-t-il, fou de joie. Le roi peut se la prendre, ajouta-t-il de manière superflue. Et je serai le grand-père d'un maharadjah », l'entendit-on ensuite marmonner dans sa barbe.

Le vent frémit dans les arbres, annonçant la venue des pluies de la mousson et froissant les vêtements des courtisans consternés. Une rafale perdue arrosa de pétales la belle tête de Ganga Datta, qui les balaya d'un geste vif.

« Il nous faut repartir », annonça-t-il.

Un des courtisans se baissa pour ramasser les fleurs.

« C'est un présage, dit-il. Le Ciel admire votre courage, Ganga Datta ! Désormais vous serez connu sous le nom de Bhishma, Celui qui a fait un vœu terrible.

– Ganga est bien plus facile à prononcer, répliqua l'ex-dauphin. Et je suis certain que vous en savez beaucoup plus sur les présages que moi, mais je crois que celui-ci signifie que nous allons nous faire rapidement saucer si nous ne prenons pas aussitôt le chemin du retour. »

Rentré au palais, où la nouvelle l'avait précédé, Ganga fut accueilli avec soulagement et admiration par son père et roi.

« Voilà une belle action, mon fils, dit Shantanu, incapable de dissimuler son plaisir. Un geste de très loin supérieur à tout ce que j'aurais pu faire. Je ne sais que penser de cette histoire de célibat, mais je suis sûr que ça te fera beaucoup de bien en fin de compte. Je vais te dire, mon fils : je n'ai pas le moindre doute que cela t'assurera la longévité. Tu ne mourras pas à moins et jusqu'à ce que tu veuilles vraiment mourir.

– Merci infiniment, père, dit Ganga Datta. Mais pour l'heure je crois qu'il vaudrait mieux commencer à essayer de faire entériner cet arrangement par le résident-*sahib*. »

4

« Tout à fait inconvenant ! décréta le résident en entendant parler de Satyavati. Une fille de pêcheur femme de maharadjah ! Cela couvrirait de ridicule tout l'Empire britannique !

– Pas vraiment, sir, simplement la partie indienne, répliqua calmement Ganga Datta. Et je ne peux m'empêcher de me demander si l'autre choix ne serait pas pire.

– Un autre choix ? Pire ? Ne soyez pas absurde, jeune homme. Vous êtes l'autre choix et je ne vois pas ce qui cloche avec vous, sinon quelques... hum... lacunes dans votre passé.

– Alors peut-être est-il temps de combler certaines de ces lacunes », répondit Ganga en baissant la voix.

On ne possède pas les minutes de cette conversation, mais des courtisans qui écoutaient aux portes jurèrent avoir entendu les mots « Afrique du Sud », « défi des lois anglaises », « arrestation », « prison », et « expulsion » fuser en sifflements alarmés à divers moments. A la fin de la discussion, Ganga Datta n'était plus prince héritier et l'étrange alliance de Shantanu avec Satyavati recevait l'approbation officielle du gouvernement de Sa Majesté.

Ce ne fut pas là, certes, la fin du bizarre jeu de conse-
quences qu'entraînèrent les errances forestières de ma
malodorante maman. Le nom de G. Datta fut rayé de la
liste des invitations impériales et une superbe queue-
de-pie fut bientôt placée sur un feu de joie nationaliste.
Un jour, Ganga Datta abandonnerait sa garde-robe pour
un pagne et atteindrait à la gloire sous le simple nom de
Gangaji.

Mais cela est une autre affaire, hein, Ganapathi ?
A laquelle nous viendrons au moment voulu. N'aie pas
peur, tu peux aussi plonger ton nez fureteur dans cette
tranche de notre histoire. Mais mettons d'abord un peu
d'ordre dans nos généalogies.

5

Satyavati donna à Shantanu ce qu'il désirait : du bon
temps et deux fils de plus. Avec notre goût national pour
les noms d'une époustouflante simplicité, on les appela
Chitrangada et Vichitravirya, mais nul besoin pour mes
lecteurs éberlués de tenter de les retenir, vu que mes deux
frères bien nés figurent peu dans le récit qui va suivre. Chitrangada était intelligent et courageux mais ne fit qu'un
trop bref séjour sur le trône de son père, avant de succom-
ber aux maux de ce monde. Son cadet, Vichitravirya, lui
succéda, avec Gangaji pour régent et ma mère, désormais
veuve, lui prodiguant ses conseils, cachée derrière un
rideau de brocart.

Quand le temps vint pour Vichitravirya de prendre
femme, Gangaji, mû par l'enthousiasme des abstinents
décida de proclamer les bans avec non pas une, mais trois
demoiselles de haut rang, les filles d'un prince mineur
régnant sur une région éloignée. Les sœurs étaient
connues comme suffisamment pourvues, dans tous les
sens du terme, pour permettre à leur père de rester dans

son palais à recevoir leurs soupirants. Néanmoins, la surprise fut grande quand Ganga annonça son intention de rendre visite au radjah pour le compte de son demi-frère.

Il s'était de plus en plus plongé dans les grandes œuvres du passé et du présent, lisant les *Veda* et Tolstoï avec la même application, étudiant les immuables lois de Manu et l'excentrique philosophie de Ruskin et, pourtant, s'arrangeant pour s'occuper, comme il l'avait toujours fait, des affaires de l'État. Son comportement tenait de plus en plus de l'autre monde, tandis que ses nécessaires entretiens demeuraient très terre à terre, et il étonnait souvent son auditoire par des déclarations qui le conduisaient à se demander dans quel siècle il vivait parfois. Mais le sujet qui ne suscitait aucune contestation était son célibat, dont on reconnaissait partout qu'il l'avait observé. Sa passion toujours plus grande pour la philosophie religieuse et son abstinence sexuelle permanente amenèrent un plaisantin du cru à composer un refrain un temps fort populaire

> *Ah, ce vieux Gangaji*
> *est bon hindou aussi*
> *Car, s'il violait un de nos bœufs,*
> *il violerait aussi son vœu.*

L'intérêt inattendu de Ganga pour les fortunes conjugales de son pupille provoqua donc quelque curiosité, et sa décision de s'embarquer pour une mission trigame de fourniture d'épouses suscita d'intenses conjectures à la Cour. A l'époque, les hindous n'étaient pas mariés à la monogamie ; en fait, cette coutume barbare ne devait s'établir qu'après l'indépendance et, par conséquent, l'idée de variété matrimoniale ne présentait rien de scandaleux en soi. Mais quand Gangaji, avec son crâne chauve et ses bésicles, pénétra dans le hall où le radjah recevait les prétendants de chacune de ses filles et annonça qu'il venait pour les trois, il provoqua des commentaires grivois déplaisants.

« Autant pour Bhishma Au Vœu Terrible, dit quelqu'un à voix haute sur un fond de rires moqueurs. En fin de compte, c'est un vœu qui s'avère vraiment terrible.

– Peut-être quelqu'un a-t-il glissé un exemplaire du *Kamasutra* entre les pages des *Veda*, suggéra un autre au milieu des ricanements.

– Oh, Gangaji, es-tu venu ici pour faire les noces ou faire la noce ? » s'enquit un humoriste anonyme perdu dans la foule.

Ganga, qui s'était approché du père des jeunes filles, cligna des yeux, releva son *dhoti* sur ses jambes maigrichonnes et déclara d'une voix censée se faire entendre aussi bien du radjah que de la masse des aristocrates ricaneurs :

« Nous sommes un pays de traditions, de traditions auxquelles même les Anglais n'ont pas osé toucher. Dans nos coutumes, il existe plusieurs manières de donner une fille en mariage. Nos textes anciens nous disent qu'elle peut être présentée, parée et munie de sa dot, à un invité ; ou bien échangée contre un nombre convenable de vaches ; ou encore avoir la permission de choisir son compagnon au cours d'une cérémonie *swayamvara*. En pratique, certains ont recours à l'argent, d'autres exigent des vêtements, des maisons ou des terres ; certains cherchent à s'assurer la préférence de la fille, d'autres la draguent ou la droguent, d'autres encore sollicitent la permission des parents. Dans l'Antiquité, les filles étaient offertes en cadeau aux brahmanes pour les assister dans l'exécution de leurs rites et rituels. Mais, dans tous nos livres sacrés, les plus grandes louanges vont au mariage d'une fille enlevée de force à une royale assemblée. Je me prévaux de ces louanges. J'emmène ces demoiselles avec moi, que cela vous plaise ou non. Essayez donc de m'en empêcher. »

Par-dessus ses fines lunettes, son regard alla du radjah à la foule, et ce fameux regard, qui devait un jour désarmer les Anglais, désarma l'assistance – littéralement, car les jeunes filles émergèrent de derrière les paravents à claire-voie, à travers lesquels elles avaient observé les préten-

31

dants sans être vues, et se rassemblèrent en silence, comme hypnotisées. Les princes ravalèrent leurs protestations, leurs bras dressés par la colère retombèrent et les portiers royaux s'écartèrent sans bruit pour laisser le passage à l'étrange procession.

L'affaire fut considérée comme une victoire à la Pyrrhus pour Ganga. Certes, elle marqua le commencement de sa réputation de triomphateur non violent. Mais elle ne se déroula pas sans problèmes. Un homme, le radjah Salva de Saubal, champion d'escrime à Cambridge et un des membres les plus modernes de cette aristocratie féodale, eut la force de se jeter à la poursuite des fuyards. Tandis que l'imposante Rolls de Ganga disparaissait au loin, Salva se précipita hors du palais, beuglant qu'on lui avance sa voiture, et se retrouva très vite au volant d'une Hispano-Suiza personnalisée, dont il fit pétarader le moteur avec rage.

Bientôt, les deux véhicules se retrouvèrent de front sur la route de campagne. « Stop ! hurla Salva. Arrête-toi, salopard de kidnappeur ! » D'un brusque coup de volant, il força l'autre voiture à freiner brutalement. Les deux automobiles firent halte en trépidant et Salva ouvrit sa portière pour sauter à terre.

Tout se passa alors très vite. Personne n'entendit rien sauf le crissement aigu des pneus, mais la main de Ganga surgit brièvement à travers une vitre à moitié baissée et Salva recula en titubant, son Hispano-Suiza s'affaissant derrière lui tandis que l'air s'échappait de ses pneus en sifflant. La Rolls se remit tranquillement en marche, son moteur ronronna de contentement tandis que le radjah de Saubal brandissait un poing impuissant en direction de ses feux arrière qui disparaissaient au loin.

« Que c'est assommant, ces têtes brûlées ! » fut le seul commentaire que fit Ganga, se renfonçant dans son siège après s'être essuyé le front.

6

Vichitravirya jeta un œil sur les femmes que le régent lui avait ramenées et éclata de gratitude envers son demi-frère. Mais un jour, alors que tout avait été organisé en consultation avec sa (ma) mère Satyavati, les invitations imprimées et une date choisie qui combinait les préférences des astrologues et (tout aussi important) du résident britannique, Amba, l'aînée des trois filles, entra dans le bureau de Ganga et tira la porte derrière elle.

« Que faites-vous au juste, ma fille ? s'enquit le saint régent en refermant brusquement un traité sur l'importance des lavements pour atteindre à la pureté spirituelle. ("Le chemin de l'âme d'un homme passe par ses intestins", devait-il répéter plus tard, au grand étonnement de tous.) Ne savez-vous pas que j'ai fait le vœu de renoncer aux femmes ? Et que, d'ailleurs, vous êtes promise à un autre homme ?

— Je ne suis pas venue... pour cela, dit Amba, quelque peu confuse. (Depuis son vœu, Ganga était devenu un rien obsédé par son célibat, bien qu'il fût le seul à le juger constamment menacé.) Mais au sujet de l'autre chose.

— Quelle autre chose ? s'enquit Ganga alarmé, sa grande culture livresque et son manque total d'expérience se combinant avec éclat dans son imagination.

— Sur le fait d'être promise à un autre homme, répondit Amba, battant en retraite vers la porte.

— Ah ! s'écria Ganga, rassuré. Eh bien, ne craignez rien, ma chère, vous pouvez approcher et confier toutes vos angoisses à votre oncle Ganga. Quel est donc le problème ? »

La petite princesse tordit nerveusement ses mains, le regard fixé sur ses bracelets plutôt que sur l'aimable vieillard en face d'elle.

« Je me suis déjà donnée, dans mon cœur, au radjah Salva, et il devait m'épouser. Nous l'avions même dit à papa, qui allait le... l'annoncer ce jour-là quand.. quand... »

Elle s'arrêta, confuse et désemparée.

« Voilà donc pourquoi il nous poursuivait, dit le sage détaché des biens de ce monde, comprenant enfin. Eh bien, il faut cesser de vous inquiéter, ma chère. Remontez dans votre chambre faire vos bagages. Vous retournerez à votre radjah par le prochain train. »

Pour le salut de Gangaji, je voudrais bien que ce soit la fin de cette anecdote, mais il n'en est rien. Et ne me regarde pas ainsi, jeune Ganapathi. Je sais qu'il s'agit là d'une digression, mais ma vie et d'ailleurs ce monde ne sont qu'une série de digressions. Dispense-toi donc de tes regards désapprobateurs et note ceci. Tu es là pour ça. Bon, où en étions-nous ? C'est cela, dans un train royal spécial sur le chemin de Saubal, avec la jolie Amba retournant à son amant comme Ganga l'avait promis.

Si Gangaji pensait que tout ce qui lui restait à faire désormais était de réimprimer les invitations avec un nom de moins sur la liste des impétrants, il se trompait lourdement. Car, lorsque Amba arriva à Saubal, elle découvrit que son Roméo avait déserté son balcon.

« Ce vieil excentrique décrépit m'a battu, humilié, disgracié en public. Il t'a emmenée en me laissant étalé sur la carcasse de ma voiture. Tu as passé Dieu sait combien de nuits dans son fichu palais. Et à présent tu t'attends à ce que j'oublie tout ça et que je te prenne pour femme ? » Sentant sa lèvre trembler, l'impassible diplômé de Cambridge tourna le dos à Amba. « Je fais raccrocher ton wagon au train de retour. Va voir Ganga et fais ce qu'il te dit. C'est terminé pour nous. »

Et c'est ainsi qu'à travers les barreaux d'une petite fenêtre du compartiment un visage barbouillé de larmes contemplait le paysage stérile noyé sous les rayons de la pleine lune, tandis que le train regagnait imperturbablement Hastinapur, la capitale de Ganga.

« Tu plaisantes, Ganga-*bhai*, je ne peux pas, moi, maintenant l'épouser ! s'exclama Vichitravirya en déchiquetant de ses dents tachées de vin la blanche chair d'une caille. La fille s'est donnée à un autre homme. Ce n'est pas moi qui ai eu l'idée de lui faire faire un aller-retour à Saubal par transport public au vu et au su du monde entier. Mais c'est fait : tout un chacun aujourd'hui est au courant de sa disgrâce. » Il s'envoya une rasade. « Tu ne peux pas me demander, à moi, Vichitravirya de Hastinapur, fils du maharadjah Shantanu et de la maharané Satyavati, bientôt roi de plein droit et membre de la Chambre des princes, d'accepter de reprendre de la marchandise avariée comme un commerçant *banian* de Porbandar. Tu ne peux pas être sérieux, Ganga-*bhai* ! » Il leva les yeux au ciel d'horreur et frappa dans ses mains pour appeler un serviteur. « Qu'on amène les danseuses ! » cria-t-il.

« Alors il faut que vous m'épousiez vous-même ! dit Amba, désespérée, après que Ganga lui eut confessé l'échec de sa démarche auprès du petit prince têtu. Vous êtes responsable de tout cela. Vous avez ruiné ma vie, le moins que vous puissiez faire maintenant, c'est de me sauver de la honte et d'un célibat éternel. »

Gangaji cligna les yeux d'incrédulité.

« Voilà qui m'est impossible, répliqua-t-il fermement. Je ne peux pas briser mon vœu, si navré que je sois pour vous, ma chère enfant.

– Au diable votre vœu ! s'écria Amba dans sa détresse. Et moi alors ? Personne ne m'épousera désormais, vous le savez. Ma vie est finie – tout ça à cause de vous.

– Voyez-vous, à votre place je ne me tourmenterais pas autant, répondit Gangaji avec calme. Une vie de célibat est une vie de grande richesse. Vous devriez l'essayer, ma chère. Elle vous rendra très heureuse. Je suis sûr que vous la trouverez profondément exaltante du point de vue spirituel.

– Espèce de bâtard narcissique satisfait ! hurla Amba, le visage ruisselant de larmes brûlantes. Vous ressembler, à vous, avec vos lavements et vos pagnes ? Jamais ! »

Et elle s'enfuit de la pièce en claquant la porte au nez du sage stupéfait.

Elle essaya ensuite elle-même d'implorer d'abord Vichitravirya, puis Salva, tous deux en vain. Après six ans d'efforts persistants et futiles pour obtenir une bénédiction nuptiale, elle oublia tout sauf sa haine ardente à l'endroit de son kidnappeur bien intentionné et se mit sérieusement en quête de quelqu'un pour le tuer. Mais déjà la célébrité de Gangaji avait dépassé les frontières de Hastinapur et aucun assassin dans l'Inde entière ne voulut accepter son contrat. C'est alors qu'elle résolut de le tuer elle-même...

7

Mais, ainsi que l'indique Ganapathi par le plissement de son grand front, j'anticipe. La vengeance d'Amba à l'endroit de Gangaji, les actes extraordinaires qu'elle commit pour l'obtenir et ce qu'elle accepta de subir elle-même sont encore éloignés de plusieurs années. Nous en étions à Vichitravirya se rendant coupable de bigamie, bigamie inspirée par Gangaji et sanctionnée par la religion, la loi et les autorités britanniques. Un autre exemple de l'échec de Gangaji à juger le monde réel d'hommes vicieux, car son débauché de demi-frère n'avait pas besoin de plus grand stimulant que ce choix étourdissant de compagnes nocturnes. Ambika et Ambalika auraient suffi chacune à un roi, avec leurs poitrines pleines et rondes faites pour peser sur un homme et leurs peaux d'or brûlé pour l'embraser, leurs corps assez longs pour enlacer un monarque et leurs hanches assez pleines pour l'inviter à y entrer : à elles deux, elles mirent Vichitravirya dans un état fatalement priapique. Oui, c'est de concupiscence incurable qu'il mourut, encore que d'aucuns l'aient baptisée consomption et qu'une variété de médications miracles vite fait bien fait clic-clac eussent été proposées autour de son lit de douleur.

Il rendit son sceptre au début de la septième année de son règne, en plein milieu de ce que le résident, dans sa lettre de condoléances, décrivit comme « sa belle jeunesse », et il mourut sans enfant, me donnant ainsi une chance de réintégrer ce récit.

Lorsque, au temps du Raj, les rois mouraient sans héritier, les conséquences risquaient d'être calamiteuses. Tandis que, dans le passé, la maison royale se contentait d'adopter un enfant mâle pour assurer l'emprise continue de la famille sur le trône, il n'en allait pas aussi facilement sous les Britanniques, qui tendaient à déclarer le trône vacant et à s'annexer le territoire. (Nous fîmes même une petite guerre autour de ce principe en 1857 – mais les Anglais gagnèrent et annexèrent quelques royaumes de plus.) Satyavati, dont le désir de voir ses rejetons monter sur le trône avait privé Gangaji de bien plus qu'une couronne, se tourna, anxieuse, vers lui.

« Tout dépend entièrement de vous, dit-elle. Si les Anglais le veulent, ils peuvent s'emparer de Hastinapur. Mais une chose peut les arrêter : l'annonce qu'une des reines était enceinte au moment de la mort de Vichitravirya et que son héritier légitime est en route. Oh, Ganga, les épouses de mon fils sont encore jeunes et belles ; elles peuvent produire les héritiers dont nous avons besoin. Faites votre devoir de frère, de fils de mon mari, et prenez dans votre couche Ambika et Ambalika. » Puis, voyant son expression : « Oh, Ciel, vous allez encore me parler de votre vœu, n'est-ce pas, Ganga ? Après tout, vous l'avez fait à cause de moi. Je vous demande aujourd'hui d'y renoncer pour le bien de la famille, pour le salut de la dynastie de votre père.

– Mais je ne le puis, mère, répliqua pieusement Ganga. Un vœu est un vœu. Je préférerais abandonner ma position, ce royaume, le monde lui-même plutôt que de violer ma promesse.

– Personne n'a besoin de le savoir, protesta Satyavati avant d'ajouter, avec un peu d'hésitation : sauf les jeunes femmes elles-mêmes.

– C'est déjà bien trop, dit Ganga, mais peu importe que quelqu'un le sache ou pas. L'essentiel, c'est de demeurer fidèle à ses principes. Jamais mon vœu n'a été mis à telle épreuve, mais je suis navré, mère, je refuse de commettre un mensonge pour quelque raison que ce soit. (Il s'efforça de ne pas paraître trop pompeux en disant ces mots et faillit réussir.) Mais ne désespérez pas, l'idée est bonne et je ne suis pas seul à pouvoir l'exécuter. N'oubliez pas que nous avons une longue tradition de brahmanes venant à la rescousse de *Kshatriya* stériles. L'usage s'en est peut-être un peu perdu récemment, mais il pourrait bien se révéler de nouveau utile aujourd'hui.

– Dvaipayana ! s'exclama-t-elle. Mais bien entendu : mon fils Ved Vyas ! Je n'y avais pas pensé. S'il ressemble le moins du monde à son père, il pourra faire le nécessaire. »

Et, en effet, je le pus. Nous, fils de brahmanes, ne contredisons jamais nos mères et ne manquons jamais de nous montrer à la hauteur de ces circonstances. Je me montrai. Je vins.

Permettez à un vieil homme de s'abandonner à sa minute de nostalgie. Le palais de Hastinapur était un vaste édifice à l'époque, un hommage rose et blanc à l'union de l'architecture occidentale et du goût oriental. Des pièces hautes de plafond et de grands passages soutenus par d'énormes colonnes se succédaient sur une immensité de mosaïques et de marbres. Dans la cour poussiéreuse, au-delà du portique d'entrée, trônait une limousine solitaire, prête pour tout caprice royal, son chauffeur moustachu somnolant au volant. Les autres véhicules étaient rangés dans les garages, plus loin, sous les quartiers des domestiques, où la lessive séchait gaiement, étendue sur les murs de brique rouge – saris, *dhoti* et, surtout, les uniformes éloquents des nombreux serviteurs en livrée, dont les boutons de cuivre étincelaient au soleil. Le domaine n'était que pelouses luxuriantes et sentiers fleuris ; le visiteur prenait conscience d'un sentiment d'espace, privilège dans un pays surpeuplé. A l'intérieur, le marbre frais, les escaliers majestueux, les grandes salles, les meubles qui semblaient avoir été achetés pour devenir anciens en imposaient plus qu'ils ne séduisaient. Mais l'on pouvait se promener dans le palais en paix avec soi-même, n'entendant pour tout bruit que le pas feutré des domestiques aux pieds nus, les rires de femmes cristallins s'échappant du *zenana* et les pépiements mélodieux des oiseaux dans le jardin apportés à l'intérieur par la tendre brise de l'après-midi. Et parfois, quand ma vieillissante mais toujours exquise mère se laissait aller, on percevait un autre bruit, le son aigu, grêle, d'un gramophone, le seul et unique de Hastinapur, égrenant une valse incongrue dont une tête solitaire battait sans mot dire la mesure.

La nuit, le silence descendait sur les lieux où le bruit avait régné et des sons nouveaux se faisaient entendre là où le calme dominait durant le jour. Des rires tapageurs traversaient les portes closes, traduisant le plaisir du jeune roi : une grosse musicienne jouait de l'harmonium tout en poussant la chansonnette du bout de ses lèvres teintées par le bétel, et de souples bayadères faisaient cliqueter leur *payal* à clochettes à chaque coup ferme de leurs talons passés au henné. Et Vichitravirya, rejetant la tête en arrière de plaisir, lançait des pièces d'or et d'argent, parfois un bijou ou un collier, aux pieds de la houri de service, ou bien, enivré par la musique et l'ambroisie, lui fourrait sa récompense dans les profondeurs de son décolleté et la fille minaudait de reconnaissance. Suivaient alors tous les ébats et toutes les folies de l'ivresse – qui se terminèrent finalement par la mort de mon demi-frère princier.

C'est dans ce lieu que je me rendis et c'est là que ma mère m'expliqua avec anxiété pourquoi elle m'avait fait quérir. « Bien sûr, je vous aiderai, mère, l'assurai-je, à condition que mes royales belles-sœurs soient consentantes. Car elles ne m'ont jamais vu et, après une vie, même courte, passée à jouer le sage brahmane voyageur, prêcheur de sédition, je ne suis pas beau à voir. »

Ma mère contempla ma *kurta* auréolée de sueur, mon visage noirci par une constante exposition au soleil, les talons fendillés de mes pieds habitués à la marche et la cicatrice livide due à une récente rencontre politique avec les matraqueurs du Raj. « Je vois ce que tu veux dire, soupira-t-elle. Mais Ganga leur parlera. »

A eux deux, ma mère et Ganga obtinrent l'agrément des veuves – l'idée de succession dynastique est, comme le sait aujourd'hui tout téléspectateur, un puissant aphrodisiaque. Quelques questions discrètes et les enseignements de mon père me permirent de calculer le jour exact requis pour la production d'un rejeton. Au moment convenu, Ambika, baignée de frais et richement parée, s'allongea sur un lit à colonnes et je pénétrai dûment dans la chambre et en elle. Mais elle fut si atterrée par la mine de son ravisseur qu'elle ferma très fort les yeux tout au long de ce qu'on aurait pu appeler, jusqu'à ce que les Américains ne compliquent les choses, l'acte de l'Union. Ambalika fit preuve de meilleure volonté, mais fut tout aussi effrayée et pâlit de peur en me voyant approcher. En conséquence, prévins-je ma mère en allant prendre congé d'elle, les produits de nos unions risquaient fort d'être respectivement aveugle et pâle. Et donc, lors de ma dernière nuit, Satyavati me renvoya Ambika dans l'espoir de faire mieux. Mais Ambika avait eu sa dose et elle m'expédia une remplaçante, une de ses servantes vêtue des habits de sa maîtresse. Quand je découvris la fraude – et quelle agréable fraude ! –, il était trop tard. Mais j'avais fait le plan de partir le lendemain matin et je filai donc aussi silencieusement et discrètement que j'étais venu, laissant le secret de ma visite scellé dans trois ventres.

D'Ambika naquit Dhritarashtra, l'Aveugle, héritier du trône de Hastinapur ; d'Ambalika sortit Pandu le Pâle, son frère ; de la servante émergea Vidur le Sage, futur conseiller des rois. De tous je demeurai le père inconnu. Oui, Ganapathi, c'est l'heure des aveux.

Le duel avec la Couronne

8

Tu me suis, Ganapathi, jusqu'ici ? Tu as tout compris ? Je le suppose, autrement tu ne l'aurais pas noté, pas vrai ? Enfin, d'après nos accords, je veux dire.

Mais tu dois me discipliner, Ganapathi. Je dois apprendre à contrôler mes propres excès d'expression. C'est bien beau, à ce point de ma vie et de ma carrière, de me laisser aller à lâcher quelques épithètes lapidaires choisies, engrangées à cet effet. Mais cela serait aller à l'encontre de ce qui maintenant est devenu la tradition autobiographique indienne, établie par une succession de chauves éminents, de Rajaji à Chagla. Le principe est simple : plus le vieil homme est mauvais coucheur, et ses souvenirs discutables, plus son écriture est figée, conventionnelle

D'accord, Ganapathi ? Nous en avons donc terminé avec les généalogies, ma progéniture jonche le palais de Hastinapur et ce bon vieux Ganga est toujours solidement en place comme régent. Non, en y repensant, il vaut mieux que tu supprimes cet adverbe, Ganapathi. « Solidement » ne serait pas exact. Un nouveau résident britannique, successeur de l'automobiliste moustachu, est là, pas du tout certain d'aimer ce qui se passe.

Imagine-toi un peu la situation. Gangaji, l'homme en charge de Hastinapur, aussi mince qu'une tige de papaye, déjà plus chauve que je ne le suis aujourd'hui, vous regardant derrière ses lunettes rondes qui lui donnent l'air d'une chouette interloquée. Et le reste de son apparence n'était guère ce qu'on appellerait engageant. A cette époque il avait déjà mis au feu son smoking et fait cadeau des élégants costumes copiés pour lui par le maître tailleur de la Cour dans les meilleurs magazines de mode anglais ; et pour ne rien arranger, il avait désormais pour habitude de se débarrasser, en toute occasion sauf cérémonies exceptionnelles, d'une plus ou moins grande partie de ses vêtements traditionnels. Les gens n'arrêtaient pas d'entrer à l'improviste dans son bureau et de le trouver à poil, à part un pagne. « Excusez-moi, j'étais en train de me préparer un lavement », disait-il avec un petit sourire, comme si cela expliquait tout. Tu l'imagines, ça ne faisait qu'ajouter au désarroi des visiteurs.

Mais ce n'étaient pas seulement les excentricités personnelles du régent qui suscitaient des inquiétudes à la résidence, sur la colline, en face du palais. Des rumeurs commençaient à se répandre à propos de ses idées radicales, voire dangereuses, quant au monde qui l'entourait.

« Il a renoncé au sexe, bien entendu, mais nous le savions déjà », dit, un soir sur sa véranda, le nouveau représentant du roi-empereur à son aide de camp, alors qu'un de mes hommes, pendu à une branche d'arbre au-dessus, écoutait. (Nous, les « séditieux fakirs voyageurs », comme nous appela un jour cette vieille outre bavarde et ignorante de Winston Churchill, avions besoin d'avoir nos sources, vois-tu. Nos hommes n'étaient pas tous ravis de leur tenue sac de cendres mais, ensemble, nous en avons bien plus appris avec un bâton et un bol sous les Britanniques que moi après être devenu ministre dans l'Inde indépendante.) « Le problème, c'est qu'il va plus loin. Prêche un tas de foutaises sur l'égalité et la justice, et le reste. Et vous me dites qu'il nettoie lui-même ses cabinets au lieu de laisser ça à son foutu *bhisti*.

– *Jamadar*, sir Richard, dit en toussant poliment l'aide de camp, un jeune homme maigre au visage pâle et tiré. Un *bhisti* n'est qu'un porteur d'eau.

– Vraiment ? (Le résident parut surpris.) Je croyais que ceux-là s'appelaient des *lota*.

– Très juste, sir. (L'aide de camp toussa encore plus fort cette fois.) Les *lota* sont ces petits récipients dans lesquels vous portez l'eau, enfin, je veux dire, ils portent l'eau, sir Richard, tandis que...

– Un *bhisti* est celui qu'ils portent en équilibre sur leur tête, je suppose, le coupa sir Richard. Un langage sacrément compliqué, cet hindoustani. Des mots différents pour tout.

– Oui, sir... ou plutôt non, sir », commença l'aide de camp, doublement malheureux du choix de ses mots. Il voulait expliquer qu'un *bhisti* était une personne, pas un récipient. « Ce que je veux dire...

– Et différents genres aussi, poursuivit sir Richard. Enfin, diable, y a-t-il une seule bonne raison pour laquelle une table devrait être du féminin et un lit du masculin ? Pensez-vous que ça a un rapport avec ce que l'on fait dessus ?

– Eh bien, non, sir, pas exactement. » Le jeune homme commença sa réponse avec précautions, incertain que la question en exigeât une. « C'est en réalité une affaire de désinences, voyez-vous, sir, et...

– Ah, *boy*, le coupa le résident en plein élan, tandis qu'un serveur à chemise et cheveux blancs s'approchait pieds nus, un plateau à la main. Il est grand temps, hein ? »

Le soleil avait entamé sa descente précipitée dans l'inconnu et l'horizon s'embrasait d'orange, tel du safran éparpillé sur une mer houleuse. Dans l'obscurité montante les insectes ressuscitaient, bourdonnaient, pépiaient, mordaient dans la pâleur marbrée de la chair coloniale. C'était l'heure où les esprits anglais se prenaient à songer à boire. Le crépuscule ne dure jamais en Inde, mais sa venue équivalait à l'heure d'ouverture des pubs que nos maîtres avaient laissés derrière eux. La nuit tombait et le moral remontait ; l'odeur âpre du tonique à la quinine inventé par des planteurs solitaires pour noyer et justifier leurs gins solitaires se mêlait à la senteur des frangipaniers de leurs jardins feuillus et ravagés d'insectes, et le cliquetis apaisant de la glace contre le verre n'était troublé, de temps à autre, que par la claque d'une paume frustrée sur un bout de peau rougissant, tout juste évacué par un moustique anglophage.

« *Boy*, whisky *lao*. *Chhota* whisky, *burra* eau, compris ? Que prendrez-vous, Heaslop ?

– Un whisky léger me conviendra parfaitement aussi, sir Richard.

– Bien. Deux whiskies, *do* whiskies, *boy*. Et une grande carafe d'eau, compris ? Pas un peu de *lota*, hein ? Apporte-la dans un bhisti. *Bhisti men lao*. »

Il gratifia d'un sourire satisfait le boy, qui lui adressa un regard ahuri avant de sortir à reculons à grand renfort de courbettes et de saluts.

« Heu... puis-je vous faire remarquer, sir...

– C'est simple comme bonjour, en réalité, poursuivit sir Richard. Ces langues indigènes ne sont pas très compliquées, vous savez. Et ce n'est pas comme si vous deviez composer des poèmes avec. Quelques mots essentiels, assez d'anglais en guise de lest, et vogue tranquillement la galère. En fait (son ton se fit confidentiel), j'ai même deux ou trois tours dans mon sac. » Il se pencha vers son jeune compagnon, les yeux, la bouche et le visage tout ronds de concentration. « *Cervoise et bon croc*, entonna-t-il d'une voix sonore. *Cervoise et collet*. Pas mal, hein ? J'ai appris ça sur le bateau. On dirait de l'excellent urdu, m'a-t-on affirmé. » Il se tut et fronça le sourcil. « L'embêtant, c'est de se rappeler lequel signifie "ferme la porte" et lequel ordonne de l'ouvrir. Enfin, peu importe, dit-il tandis que son compagnon ouvrait la bouche pour lui venir timidement en aide, on n'est pas là pour une leçon de linguistique. Je parlais de ce foutu régent que nous avons ici. Que pensez-vous de lui, hein ?

– Eh bien, sir, il est très capable, pas de doute là-dessus, répondit Heaslop. Et les gens semblent avoir un certain respect pour lui.

– Forcément, avec toutes ces idées qu'il leur met dans la tête. Toutes ces foutaises d'égalité et de nettoyage de tinettes. Si je comprends bien, il suggère de supprimer les distinctions de castes. Z'avons toujours pensé qu'elles étaient la base de la société indienne, pas ? Et voilà qu'un type surgit de je ne sais où, un héritier de la caste régnante, et proclame que les Intouchables sont aussi bien que lui. Comment se propose-t-il de mettre cette petite idée en pratique, vous le savez, vous ?

– Il paraît croire à la force de l'autorité morale, sir. Il nettoie lui-même ses commodités pour bien montrer que ça n'a rien de honteux en soi d'accomplir une tâche normalement réservée, comme vous le savez, aux Intouchables. »

Sir Richard émit un son provoqué soit par une attaque en piqué sur son oreille, soit par l'enthousiasme sous-jacent de Heaslop pour l'attitude de Ganga. Modérant prudemment le ton, le jeune homme reprit :

« Il paraît penser qu'en s'abaissant à leur niveau il les rendra plus acceptables à la population dans son ensemble. L'intouchabilité est désormais illégale en Hastinapur, mais le régent sait qu'il est encore impossible à un cordonnier d'entrer dans le grand temple. Il se fait donc un devoir d'inviter chaque semaine un Intouchable, un "Enfant de Dieu", comme il les appelle, à partager son repas dans son bureau. Comme vous pouvez l'imaginer, sir, ça fait jaser.

– Favorablement ?

– Je dirais que l'opinion publique est équitablement divisée entre l'admiration et le ressentiment, sir. Le ressentiment provenant surtout des castes supérieures, bien entendu.

– Bien entendu. Et comment prend-on tout ça au palais ? Régent ou non, il doit y en avoir pas mal qui ne souscrivent pas à ses idées. Nettoyer soi-même ses chiottes, par exemple.

– Absolument, sir. On a entendu dire qu'il avait essayé d'obliger les veuves royales à nettoyer leurs toilettes, sir, et qu'elles avaient éclaté en sanglots. Ou qu'elles l'avaient fichu à la porte du *zenana*. Ou les deux. (L'aide de camp s'éclaircit la gorge.) Les vieux interdits ont la vie dure, sir.

Selon nos informations, s'il reçoit les Intouchables dans ses propres appartements, c'est qu'il a rencontré trop de résistance à son désir de les recevoir dans une des salles à manger du palais. Et les domestiques qui les servent ont instruction de casser les assiettes aussitôt après, de manière que personne ne risque de les utiliser ensuite.

– Hum. Et nous ?

– Heu... nous ?

– Oui, Heaslop, nous. »

L'aide de camp parut interloqué.

« Non, sir, je ne pense pas qu'ils cassent les assiettes dans lesquelles on nous sert. Mais je n'ai pas vérifié. Voulez-vous que je le fasse ?

– Non, Heaslop. » La voix du résident s'aiguisait sous l'effet du bourdonnement incessant autour de son oreille et de son désir croissant d'un verre. « Je veux dire, que pense-t-il de nous ? Le Raj britannique ? Le roi-empereur ? Est-il un loyaliste, un foutu traître ou quoi ?

– Je l'ignore, sir. » L'aide de camp remua un peu les fesses sur son fauteuil d'osier. « Ce n'est pas un homme facile à cerner, franchement. Comme vous le savez, sir Richard, il fut un temps où nous le considérions plutôt d'un bon œil. Parmi les plus fidèles sujets de Sa Majesté, en fait. Il était un familier de nos réceptions. Il a même été à l'origine d'une collecte importante en faveur de l'Association des ambulances au cours de la dernière guerre. Mais, récemment, on l'a entendu tenir certains propos au sujet du *swaraj*, l'autonomie. Et du nationalisme panindien. Personne ne semble savoir ce qui l'a poussé sur cette voie. On dit qu'il lit énormément.

– Vérité première en ce qui concerne les colonies, Heaslop. Chaque fois qu'il y a des problèmes, vous pouvez mettre ça sur le compte des livres. Trop d'idées mauvaises fourrées dans la tête de la mauvaise sorte de gens. Si jamais l'empire est détruit, Heaslop, rappelez-vous ce que je vous dis, ce sera la faute des éditeurs britanniques. »

Heaslop fut sur le point de commenter ce pénétrant aperçu, puis se ravisa. Le résident tendit le bras vers son

verre et se rendit compte qu'il n'en avait toujours pas.
« *Boy* ! » cria-t-il.

Il n'y eut pas de réponse. Sir Richard fronça son front
rubicond.

« Et ce Ganga Din, ou Machinchose, dit-il, furieux,
comment se comporte-t-il ? Nous a-t-il créé des problèmes ? C'est une position trop importante pour y laisser
quelqu'un de cet acabit, non ? Peut-être devrais-je faire
quelque chose à ce propos.

– Le régent s'est toujours comporté de manière très
correcte, sir Richard. En fait (Heaslop se lécha une lèvre
nerveuse), je crois qu'il a été autrefois notre candidat au
trône. Votre prédécesseur a plutôt regretté que les choses
aient pris un tour différent, au moment du second mariage
du défunt maharadjah. Mais il semble que c'était ce que
Ganga Datta souhaitait lui-même.

– J'ai vu les dossiers, acquiesça le résident. Que diable
est-il arrivé à nos boissons ? *Boy* ! *Boy* ! »

Le doyen des serviteurs, haletant et couvert de poussière, finit par se montrer.

« J'arrive, *sahib*, j'arrive, *sahib*, déclara-t-il sans qu'il
en fût besoin.

– Qu'est-ce qui, diable, t'a pris si longtemps ? Où est
notre whisky ?

– Je l'apporte tout de suite, assura le serviteur. Moi
chercher *bhisti* comme *sahib* voulait. J'ai maintenant
trouvé. Je fais entrer, *sahib* ?

– Naturellement que tu peux apporter l'eau », fulmina
sir Richard.

Le serviteur frappa dans ses mains. Une silhouette
crasseuse dans une chemise sale et un pagne encore plus
dégoûtant pénétra sur la véranda, trimbalant un sac de toile
cirée noire dont une extrémité laissait échapper un filet
d'eau qui s'écoulait implacablement sur le sol carrelé.

« *Bhisti, sahib*, annonça fièrement le serviteur, tel un
prestidigitateur montrant un lapin qu'il vient de sortir d'un
minuscule chapeau.

– Que diable ?... »

Le résident frôlait l'apoplexie.
Heaslop gémit.

9

Retournons à ma progéniture, hein, Ganapathi ? Peux pas négliger ces petits loustics car, vois-tu, ceci est en réalité leur histoire. Dhritarashtra, Pandu et Vidur : ah, comme leurs noms évoquent encore le souvenir de la gloire de Hastinapur à cette époque-là ! Leur naissance parut signaler la résurrection de l'État. La prospérité rayonna autour du palais, Ganapathi : les récoltes furent toutes exceptionnelles, le blé avait des odeurs de jasmin et les femmes riaient en travaillant dans les champs. Pas de sécheresses, Ganapathi, pas plus que d'inondations ; les pluies vinrent juste au bon moment, après que les fermiers eurent fait leurs semailles et dit leurs prières, et jamais pour plus longtemps qu'on ne le souhaitait. Les fruits mûrissaient au soleil, les fleurs s'épanouissaient sous les doux zéphyrs, les oiseaux gazouillaient en faisant leurs nids à l'ombre et ne lâchaient leurs crottes que sur les passantes anglaises. Les vaches elles-mêmes donnaient un lait qu'aucun *doodhwala* n'aurait supporté de couper. Les villes et la capitale de Hastinapur regorgeaient de négociants et de boutiquiers, de coolies et d'ouvriers, de prophètes itinérants et de commis voyageurs. Oui, Ganapathi, la splendeur de ces jours me pousse à versifier :

> Avec la naissance des garçons
> ce fut la joie dans les maisons
> du royaume de Hastinapur ;
> les drapeaux furent hissés
> car tous se réjouissaient,
> riches et pauvres, sans détour.

(Pas très fameux, hein, Ganapathi ? Quoique, si tu faisais moins la grimace, ça pourrait peut-être s'améliorer.)

Les récoltes furent fort bonnes,
la nourriture poussait par tonnes,
la terre se montra généreuse,
les pluies tombèrent en masse
pour nettoyer toute la crasse
et réjouir les moissonneuses.

Le paysan derrière sa charrue,
l'oiseau sur sa branche feuillue
chantaient leur paix et leur bonheur ;
et les fruits sur les arbres géants,
les fleurs, le soleil et le vent
s'entendaient à ravir les cœurs.

(Eh bien, essaie de faire mieux, Ganapathi. A la réflexion,
non – tu pourrais réussir, et ce sont « mes » Mémoires.)

Dans la cité surpeuplée
où toute peur avait cessé
biens et richesses abondaient
et, quoique le Taj
fût encore sous le joug du Raj,
la gloire des Indes triomphait.

Les citoyens travaillaient dur
(gagnant mon estime à coup sûr),
on ne commettait plus de crimes
car de délicieux curries
effaçaient tous nos soucis
et nous rendaient magnanimes.

Oui, la naissance des garçons
fut des dieux le meilleur des dons
pour d'un grand peuple accomplir le karma ;
Sous un sage régent, un nouvel essor
lui fit connaître un âge d'or –
le tour de la roue de Dharma.

C'est en effet Gangaji qui éleva mes fils – comme ses
propres enfants, je dois l'admettre. Bien que le régent

adoptât de plus en plus des mœurs d'ascète, il n'épargna aucune extravagance pour donner aux garçons la meilleure éducation, le confort matériel et toutes les occasions de réussite. Chacun devint à sa manière l'incarnation d'une espérance hors du commun, un atout princier pour Hastinapur.

Mince, le nez aquilin et l'allure aristocratique, Dhritarashtra était un jeune homme fort bien de sa personne. Sa cécité était un sérieux handicap, mais il apprit très tôt à la traiter en quantité négligeable. Enfant, il trouva l'éducation en Inde une expérience harrowssante (oui, oui, je sais, mais comment résister, Ganapathi ?), ce qui sans nul doute est la raison pour laquelle on l'envoya à Eton. Le gamin s'adapta au système britannique de *a* jusqu'à *a*, en passant par le *t* (le meilleur Darjeeling qu'il recevait chaque mois de chez Fortnum & Mason et préparait dans une théière d'argent frappée aux armes de Hastinapur). Il acquit rapidement deux douzaines de complets, une paire de chaussures pour chaque jour de la semaine, un vocabulaire formidable et l'air vaguement distrait des suréduqués. Muni de ces atouts, il fut admis (faute d'un Prince's College) au King's College, à Cambridge ; dans l'impossibilité de se livrer au canotage et à la bombance, il s'appliqua à développer une autre sorte de vision et devint, successivement, imbattable débatteur, licencié ès lettres et socialiste fabien. Je me suis souvent demandé ce qui serait arrivé s'il avait été capable de voir le monde autour de lui comme nous autres le voyons. L'histoire de l'Inde en aurait-elle été changée ?

Pandu – ah, Pandu le Pâle, dont la mère était devenue blême en me voyant –, Pandu ne manqua jamais de force ni de courage. (Ni d'ailleurs, au contraire de son demi-frère, de vision, bien qu'il se fût mis à porter les curieux petits verres ronds qui lui donnaient l'air d'un instituteur bengali ou d'un amiral japonais.) Ce que Pandu n'eut jamais beaucoup, c'est de la jugeote – ou alors, comme certains de ses admirateurs préfèrent l'interpréter, de la chance. Il aurait pu lui aussi bénéficier de l'éducation britannique qu'aima tant Dhritarashtra, mais il n'en acheva même pas la version indienne. Après avoir insisté, avec plus d'orgueil que de jugement, pour poursuivre ses études en Inde et non en Angleterre, il fut expulsé d'un des meilleurs collèges du pays pour avoir frappé un professeur, un Anglais, qui avait traité les Indiens de « chiens ». Oui, nous, Indiens, possédons un certain nombre de caractéristiques canines, telles que remuer la queue devant les Blancs qui nous menacent d'un bâton, et nos aboiements sont en général plus impressionnants que nos morsures. Mais Pandu ne put résister à la tentation de montrer au professeur Kipling un attribut de l'espèce que la plupart d'entre nous, y compris le distingué universitaire, avions négligé : les dents. Ce fut un système de conduite qui devait lui durer toute sa vie.

Finalement, fermant comme toujours la marche (pour des raisons de généalogie et rien d'autre), venait mon fils Vidur Dharmaputra. En dons intellectuels et capacités administratives il surpassait ses deux frères, mais, sachant depuis le début qu'il ne pouvait prétendre à un trône, il développa un sens de la modestie et de l'effacement qui devait accroître son efficacité dans la carrière qu'il entama Car Vidur devint la plus précieuse et la plus sous-estimée des créatures : le bureaucrate. Il réussit à ses examens, avec mention très bien partout et, en compagnie de nombre des esprits les plus brillants de ce pays, posa sa candidature à l'Indian Civil Service, autrement dit l'administration de l'Inde anglaise.

Peu après la révolte de 1857 (que les Anglais préférèrent appeler une « mutinerie »), la reine Victoria avait ouvert en grand les portes de l'ICS aux « indigènes ». Personne ne savait dans quelle mesure la Grande-Bretagne entendait moins régner sur son empire, mais deux Indiens, tous deux bengalis, Satyendra Nath Tagore et Surendra Nath Banerjee, eurent l'honneur miraculeux d'être acceptés dans le Service. L'exaltation indienne tourna néanmoins bientôt à la résignation lorsque Banerjee fut viré à grand tapage, quelques années plus tard, sur la foi d'une série d'accusations truquées. Cependant, dès le début du siècle, les choses commencèrent à changer. A l'époque où Vidur se présenta, un plus grand nombre d'Indiens étaient admis dans l'Administration, ajoutant leur métal censément plus grossier à l'« ossature d'acier » du Raj. Vidur obtint les meilleures notes aux épreuves écrites de l'ICS, dont les copies ne portaient pas le nom des candidats ; à l'oral, hélas, le même degré d'anonymat ne régnant pas, Vidur fut promptement déclassé, mais pas au point de rater sa sélection. Il vint donc se fondre dans l'alliage naissant de l'ICS et, très vite, entama sa montée au firmament du ministère en charge des États princiers – parmi lesquels Hastinapur.

Tu vois, Ganapathi, après tout, la semence du vieil homme que tu as devant toi ne fut pas gaspillée, hein ? Quoi que les gens puissent en penser. Tiens, passe-moi ce mouchoir, veux-tu ? Mes yeux s'embrument malgré moi.

10

Mais revenons à notre histoire. Où en étions-nous, Ganapathi ? Ah, oui – mes fils. Lorsque les trois garçons furent en âge de se marier, Gangaji les convoqua dans son bureau.

« Vous êtes l'espoir de Hastinapur, dit-il avec sagesse. Je vous ai élevés afin de continuer notre noble lignée et, quand vous assumerez vos responsabilités de gouvernants, je voudrais être libre de me consacrer à d'autres tâches. Mais je ne peux pas abandonner la régence et faire retraite dans un *ashram* sans m'assurer d'abord de votre accession mais aussi de votre succession. On ne saurait jamais être trop prudent. J'ai fait quelques recherches discrètes et j'ai trouvé trois jeunes femmes, de familles irréprochables et d'une beauté hautement célébrée, que je souhaite vous faire épouser. Qu'en pensez-vous ? »

Vidur parla le premier ; on pouvait toujours compter sur Vidur pour sentir et dire ce qu'il fallait au bon moment. « Vous avez été à la fois un père et une mère pour nous, Gangaji, répliqua-t-il avec déférence. Vous nous avez appris à suivre vos conseils en tous les domaines. Les *Shastra* disent que la parole d'un guru fait loi pour ses disciples. Pourquoi en serait-il autrement aujourd'hui ? Si vous souhaitez que nous épousions les demoiselles de votre choix, ce sera un honneur autant qu'un devoir que de vous obéir. »

Pandu jeta à son frère d'humble naissance un regard éloquent, comme Dhritarashtra l'aurait fait, en eût-il été capable. Mais tous deux demeurèrent silencieux, d'autant que Gangaji, sautant sur la réponse de Vidur avec une satisfaction à peine dissimulée, commençait déjà à exposer ses plans.

« Pour toi, l'aîné, Dhritarashtra, j'ai trouvé une fille appartenant à une très bonne famille d'Allahabad. Elle s'appelle Gandhari et elle a, me dit-on, d'éclatants yeux noirs. Non pas, se hâta-t-il d'ajouter, que cela ait de l'importance. Non, de notre point de vue, le principal attrait de cette ravissante jeune femme, c'est qu'elle descend d'une lignée très prolifique. Sa mère a eu neuf enfants et sa grand-mère dix-sept. On raconte dans la famille que Gandhari a obtenu du seigneur Shiva la faveur de n'avoir pas moins de cent fils. »

Voyant Dhritarashtra un tantinet accablé par cette idée, Gangaji reprit d'une voix plus sévère :

« On ne peut jamais être trop prudent avec ces Anglais, mon petit. Ils ont des visées sur Hastinapur depuis des années

– A vos ordres, Bishma », répondit Dhritarashtra, usant délibérément du nom qui rappelait le terrible vœu de célibat de Gangaji.

Celui-ci lui lança un regard pénétrant, mais Dhritarashtra resta impassible derrière ses lunettes noires.

« Pour toi, Pandu, je propose Kunti Yadav », poursuivit Gangaji, notant avec plaisir le brusque sursaut du jeune homme car la beauté de miss Yadav était célèbre dans tout le pays. Et bien qu'elle ne fût princesse que par adoption, plus d'un important radjah n'aurait pas détesté la greffer sur son arbre généalogique, n'eût été le léger parfum de scandale qui s'attachait à son nom.

« Je suis ravi, cela va de soi, répliqua Pandu, le teint plus pâle que de coutume. Mais, Gangaji...

– N'en dis pas plus. » Le saint homme en pagne leva la main. « Je sais ce que tu vas me demander. Et j'ai, bien entendu, fait ma petite enquête. » Il ajusta ses bésicles sur son nez et défit le ruban rouge d'un classeur. « En dépit de son indubitable beauté et de l'excellente réputation de sa famille adoptive, miss Kunti Yadav n'a reçu jusqu'à ce jour aucune, je le répète, aucune demande en mariage. La raison : il semblerait qu'elle ait commis... euh... une certaine imprudence dans le passé. »

Gangaji fixa Pandu, qui, la sueur au front et pendu à ses lèvres, ne cessait de regarder tour à tour son oncle et le classeur ouvert devant lui. « Il semble donc, reprit-il, que miss Yadav aurait eu une liaison brève et parfaitement malavisée avec un certain Hyperion Helios, un étranger en visite au palais de son père. Il appert que Mr Helios était un homme du monde très charmant et très riche, rayonnant de présence et de chaleur. Il est aisé d'imaginer qu'une jeune fille impressionnable et inexpérimentée ait pu être séduite par les flatteries de cet étranger enjôleur. Personne ne sait ce qui se passa entre eux, mais Mr Helios fut sommairement expulsé du palais par son hôte et (Gangaji regarda un Pandu dévoré d'anxiété) miss Yadav disparut quasiment pendant plusieurs mois. Certaines gens tirent de tout cela des conclusions peu flatteuses pour la jeune personne. En ce qui me concerne, je ne vois pas comment on pourrait blâmer la princesse Kunti. Si nous devions tous être punis pour nos erreurs de jeunesse, le monde deviendrait un endroit bien sinistre. Certes, il n'y a pas eu depuis la moindre suggestion du plus petit écart de conduite chez la jeune dame, mais nos marieuses princières ont des cœurs impitoyables. Je pense que nous, en Hastinapur, avons un esprit un peu plus généreux. L'accepteras-tu, Pandu ?

– Si vous êtes, sire, prêt à l'admettre dans notre famille, je ne serai que trop heureux d'en faire de même, répondit Pandu, avec un rien de solennité.

– Alors, c'est réglé, dit Gangaji en refermant son dossier. Mais je ne veux pas que ta réputation souffre à cause de mes, euh... idées progressistes. Et pour qu'il ne soit pas dit que tu es en aucune manière inférieur à ceux qui jusqu'ici ont dédaigné la main de Kunti Yadav, j'ai décidé pour toi d'une seconde alliance avec une princesse peut-être moins séduisante mais irréprochable. » Devant le sourcil levé et la mine rougissante de Pandu, le vieux célibataire se permit un gloussement : « Les Britanniques ont mis fin à notre coutume de brûler les veuves sur les bûchers funéraires de leurs époux, mais ils n'ont guère touché au reste de nos pratiques. Qui vous épousez, votre âge, le prix ou le nombre de femmes sont des questions auxquelles ils ont eu la sagesse de refuser de se mêler. J'ai donc trouvé une bonne seconde épouse pour toi, Pandu. C'est Madri, la sœur du maharadjah de Shalya. La maison royale de Shalya a la tradition singulière d'exiger une dot du prétendant plutôt que l'inverse, et ses femmes ont la réputation d'être quelque peu obstinées mais je suis prêt à passer par-dessus ces deux détails si tu l'es, Pandu.

– Oh, je le suis, Gangaji, je le suis ! affirma Pandu avec ferveur.

– Bien, dit le régent. Je me rendrai moi-même à Shalya pour arranger l'affaire. »

Il se tourna enfin vers le plus jeune. (Le plus jeune de quelques jours, mais dans les maisons régnantes chaque minute compte. C'est un des miracles de la monarchie qu'aucun roi n'ait jamais commencé par engendrer des jumeaux, mais crois-moi sur parole, Ganapathi, si le cas s'était présenté, le second à sortir du ventre de sa mère n'aurait jamais eu un instant l'occasion d'oublier sa place.)

« Quant à toi, Vidur, j'ai découvert une jeune demoiselle dont la situation est parfaitement assortie à la tienne. Le radjah Devaka, un prince d'importance, a une épouse de caste inférieure qui lui a donné une fille fort souple et élégante, nommée Devaki. Elle n'est pas d'une très haute lignée, mais elle a été élevée au couvent de Loreto et parle couramment l'anglais, ce qui ne peut être qu'un atout dans ta carrière.

– Je suis satisfait », dit humblement Vidur.

Le sage poussa un profond soupir.

« Bon, eh bien, nous y sommes enfin, dit-il. Une fois tous ces mariages organisés, je remettrai les rênes du royaume à Dhritarashtra et à Pandu, sachant aussi que Vidur, au ministère des États, gardera un œil sur Hastinapur. Et je pourrai me consacrer à de plus vastes projets.

– Que ferez-vous, sire ? s'enquit poliment Vidur.

– Beaucoup de choses, mon fils, répliqua l'homme-au-terrible-vœu. Je poursuivrai la Vérité, dans toutes ses manifestations, y compris politiques et sexuelles. Je chercherai à me perfectionner, un processus que j'ai entamé il y a fort longtemps dans ce palais même. Et je me lancerai à la poursuite de la Liberté. »

11

Comment la raconter, Ganapathi ? C'est une si longue histoire, une épopée en soi, et nous avons tant à décrire. Parlerai-je de l'arme étrange de la désobéissance dont Ganga, insistant sur l'obéissance, à commencer par la sienne, fit une arme de guerre morale contre l'étranger ? Chanterai-je les louanges des mystérieuses munitions de la force-vérité, le pouvoir des manifestants désarmés psalmodiant des slogans et tombant sans défense sous les coups de matraque des policiers, la puissance de ces vagues successives d'hommes et de femmes vêtus de coton, bras et voix levés, marchant menottes aux mains vers leur prison ? Raconterai-je, Ganapathi, et écriras-tu la victoire de la non-violence sur la violence organisée de l'État ; le triomphe des pieds nus sur les godillots à clous ; la défaite de la législation par la terrible force du silence ?

Je vois, Ganapathi, que tu n'as pas d'opinion à m'offrir. Tu souhaites, comme d'habitude, te renfoncer dans ton siège, ton front réfléchi menaçant de concentration, ton long nez tordu autour de mes idées, et me laisser choisir mes propres pensées, mes propres mots. Enfin, je suppose que tu as raison. Il s'agit, après tout, de mon histoire, l'histoire de Ved Vyas, si gâteux et décrépit que tu me croies, et pourtant il s'agit aussi de l'histoire de l'Inde, ton pays et le mien. Vas-y, Ganapathi, renfonce-toi. Je te raconterai tout.

Quelle vie que celle de Gangaji ! Et comme nous la connaissons bien, car il ne nous en épargna aucun détail, n'est-ce pas ? Pas une seule pensée, une seule crainte, un seul rêve qui n'ait été enregistré, pas un seul espoir, ni un seul mensonge, ni un seul lavement. Tout était là dans ses écrits ; dans les caractères minuscules de son autobiographie, dans le désordre imprimé de sa feuille de chou hebdomadaire ; dans ces lettres innombrables – où trouvait-il le temps de les écrire ? – à ses disciples, à ses critiques, aux fonctionnaires du gouvernement ; dans les conversations qu'il eut (parfois, durant ses jours de silence, en gribouillant au crayon au revers d'une enveloppe) avec chaque futur biographe et chaque journaliste. Oui, il nous a tout raconté, Gangaji, depuis ces zones d'ombre dans sa jeunesse qui inquiétèrent tant les Britanniques jusqu'à ses expériences de chasteté, vers la fin de sa vie, quand il persuada ces jeunes femmes de se déshabiller et de s'allonger à côté de lui afin de mettre à l'épreuve son adhésion à son terrible vœu. Il nous a tout raconté, Ganapathi, et pourtant nous nous rappelons si peu, nous comprenons si peu, nous nous en soucions si peu.

Te souviens-tu, Ganapathi, du centenaire de sa naissance ? La nation paya tribut à sa mémoire ; des discours furent prononcés avec une verbosité infatigable, des expositions organisées, des conférences tenues autour de sa vie mouvementée. On discuta de la signification de son végétarisme, de ses profondes implications philosophiques, bien que, je le sais, il refusait simplement de mordre dans du cadavre – et il n'y a pas de quoi en faire de la philosophie, pas vrai ? On disserta de son opinion sur des sujets dont il ignorait tout, depuis l'énergie solaire jusqu'aux relations avec l'étranger, alors que, pour lui, les relations étrangères étaient ce qu'on acquérait en se mariant ailleurs qu'en Inde. On alla même sortir les rouets en bois et fer rouillé qu'il voulait que chacun utilisât pour filer le *khadi* au lieu d'acheter des cotonnades anglaises, et chacun tissa à son tour quelques centimètres symboliques. Pourtant, je sais qu'à ses yeux le rouet n'avait rien de symbolique, que son usage relevait du terre à terre et du pratique. Ainsi donc on célébra un centenaire que Ganga aurait pu vivre si Amba, la frustrée d'époux, n'avait pris, après tant d'austérité, sa grotesque revanche.

Nous, Indiens, ne pouvons nous empêcher de forcer les jeunes à porter nos fardeaux, comme tu le sais, Ganapathi, toi qui portes le mien. On demanda donc aux institutions pédagogiques, écoles et collèges, de marquer le centenaire avec encore plus de discours, d'assemblées académiques, mais aussi de parades, de défilés et de concours de rédaction pour les petits enfants bien propres, héritiers de la liberté pour laquelle Gangaji s'était tant battu.

Et que découvrit-on, Ganapathi ? On découvrit que les légataires en savaient très peu sur leur bienfaiteur spirituel et politique ; qu'en dépit des leçons des manuels scolaires, en dépit de l'hypocrisie rituelle des politiciens et des éditorialistes, le message n'avait pas pénétré les petites cervelles des moutards élucubrateurs. « Gangaji est important parce qu'il est le père de notre Premier ministre », écrivit un gamin de dix ans avec un meilleur sens de l'opportunité que de l'exactitude. « Gangaji est un vieux

saint qui vécut il y a longtemps et s'occupa de vaches »,
suggéra un autre. « Gangaji est un personnage du *Mahabharata*, nota un troisième. Il était si pauvre qu'il n'avait
pas de quoi s'habiller. »

Bien entendu, Ganapathi, il est facile d'arracher des
bourdes aux écoliers, surtout à ceux dont on bourre le crâne
dans les institutions bâtardes que les Britanniques nous ont
léguées, mais l'ignorance innocente de ces jeunes Indiens
démontrait une vérité plus importante. Deux décennies
seulement s'étaient écoulées depuis la mort de Gangaji et
pourtant ces enfants étaient déjà incapables de le relier à
leur vie. Il aurait pu tout aussi bien être un personnage du
Mahabharata, Ganapathi, tant ils l'avaient relégué dans les
brouillards embrouillés de la légende historique.

Soyons honnêtes : Gangaji fut la sorte de personne qu'il
est plus commode d'oublier. Les principes qu'il défendit et
sa manière de les affirmer furent toujours plus faciles à
admirer qu'à suivre. Tant qu'il fut vivant, il fut impossible
de ne pas le remarquer ; une fois mort, il fut impossible de
l'imiter.

Lorsqu'il s'adressa à ses trois jeunes pupilles tremblant
devant lui, au seuil de l'âge adulte, il ne mentait pas ni
ne prenait de pose. C'était bien la Vérité qu'il recherchait
– mets un V majuscule, Ganapathi, la Vérité. La Vérité
était son principe cardinal, l'étalon auquel il mesurait
toute action et toute phrase. Aucun dictionnaire n'imprègne ce mot de la signification profonde que Gangaji
lui donnait. Sa Vérité naissait de ses convictions : elle
signifiait tout à la fois ce qui était exact et ce qui était
juste, et par conséquent bon. La Vérité ne pouvait être
obtenue par des moyens « mensongers », injustes ou violents. Tu comprends pourquoi Dhritarashtra et Pandu,
chacun à sa manière, se trouvèrent incapables de vivre
conformément à ses préceptes, même de son vivant.

Mais il ne se contenta pas de nier la réalité par idéalisme. Certains Anglais ont la méchante habitude de
décrire sa philosophie comme celle de la « résistance pas-
sive ». Foutaises : il n'y eut rien de passif dans sa résis-

tance. La vérité de Gangaji exigeait de l'activisme et non de la passivité. Si vous croyez à la Vérité et vous inquiétez suffisamment de l'obtenir, affirmait Ganga, vous devez être activement prêt à souffrir pour elle. Il était essentiel d'accepter volontairement la punition afin de démontrer la force de ses convictions.

C'est là où Ganga se fit le porte-parole du génie d'une nation ; nous, Indiens, possédons un grand talent pour tirer des positifs de négatifs. Non-violence, non-coopération, non-alignement, tous ces mots signifient plus, beaucoup plus que les concepts qu'ils nient. « V.V., me dit-il un jour, alors qu'assis par terre à côté de lui je le regardais filer assidûment ce dont il ceindrait ses hanches le lendemain, on doit défendre la Vérité en infligeant la souffrance non à son adversaire mais à soi-même. » En fait, il n'utilisa pas le terme « soi-même » mais « son propre moi », ce qui montre avec quel soin il pesait ses idées et ses mots.

Je me rappelle encore le premier des grands incidents associé à Gangaji. Il n'était plus régent et habitait sur la rive d'un fleuve dans une modeste maison qu'il appelait un *ashram* et à laquelle le résident britannique – qui désormais refusait d'user de mots « indigènes » là où d'excellents substituts anglais existaient – se référait comme à « cette communauté ». Il vivait là avec un petit nombre de disciples de toutes castes, y compris ses Enfants de Dieu dont il découvrait qu'ils étaient aussi péniblement humains que leurs contreparties « touchables », et il menait la vie simple qu'il avait toujours recherchée en vain au palais : il écrivait, filait, lisait et recevait des visiteurs qui avaient entendu parler de ses idées radicales et de son désir de les mettre en pratique. Un jour, juste après le repas de midi – un simple plat végétarien conclu par le seul luxe qu'il se permettait, une grappe de dattes achetée pour lui au marché de la ville éloignée de plusieurs kilomètres –, un homme vint à l'*ashram* se jeter aux pieds de Gangaji.

Nous étions tous assis sur la véranda – oui, Ganapathi, j'étais là en visite – par une journée torride, la chaleur montant de la terre desséchée en brume tremblante, la sorte de journée dont vous remerciez le Ciel de la passer dans un *ashram* plutôt que sur la route. C'est alors qu'un paysan, les sandales et les vêtements couverts de la poussière du voyage, les lèvres gercées par la sécheresse, entra, cria le nom de Gangaji, s'avança en titubant vers lui et tomba à genoux. Il venait de faire cent cinquante kilomètres à pied et n'avait pas mangé depuis trois jours.

Nous lui donnâmes de quoi boire et se rassasier et Rajkumar, le paysan, nous raconta son histoire. Il arrivait d'un coin perdu sur la frontière entre Hastinapur et l'Inde anglaise, mais du côté britannique. Il voulait que Ganga vienne avec lui voir les terribles conditions de vie de ses semblables et s'évertue à convaincre les Anglais de procéder à des changements.

« Pourquoi moi ? demanda Gangaji avec raison. Je n'ai plus de position officielle en Hastinapur. Je ne peux tirer aucune ficelle pour vous.

– On dit que vous croyez en la justice pour les riches et les pauvres, humbles et hautes castes tout pareil, répliqua le paysan simplement. Aidez-nous. »

Son obstination finit par émouvoir Gangaji et, malgré sa réticence, il se rendit dans la pauvre région de Rajkumar. Et ce qu'il vit là le changea, lui et le pays, au-delà de toute mesure.

12

J'y étais, Ganapathi, j'y étais, entassé avec lui dans un wagon de troisième classe – la seule qu'il consentît à utiliser –, nous frayant un chemin au coude à coude parmi les ouvriers suants et transpirants accrochés à leurs pathétiques mais combien précieux petits balluchons contenant tout ce qu'ils possédaient au monde, les femmes aux vastes poitrines et au nez plat avec des anneaux dans les narines, les porteurs en chemise rouge et brassard de cuivre numéroté trimbalant sur leurs têtes enturbannées des malles en acier, les vendeurs d'eau nous hurlant à l'oreille : « *Hindu pani ! Mussulman pani !* », car dans ce temps-là même l'eau avait une religion, et probablement aussi une caste ; je nous revois bravant les cris assourdissants des colporteurs, des passagers, des parents venus leur dire au revoir, des mendiants profitant du désir anxieux de dernière minute des voyageurs d'apaiser les dieux par un acte de charité et, enfin, les sifflets des contrôleurs. Oui, Ganapathi, j'y étais, propulsant notre croisé à moitié nu dans le compartiment, tandis que notre *vahana* rouillé, crachotant la vapeur, s'ébranlait sur ses roues de fer dans les cahots et les éternuements et nous emmenait, poussif et bruyant, sur le chemin de l'Histoire.

Le Motihari ressemblait à beaucoup d'autres régions de l'Inde – vaste, aride, surpeuplé d'humains en guenilles arrachant de quoi mal vivre à une terre dont la surface inflexible n'avait déjà été que trop grattée. On mourait de faim au Motihari, non pas simplement parce que la terre ne produisait pas assez de nourriture pour ses laboureurs, mais parce qu'elle ne pouvait pas, sous les lois colonialistes, être consacrée entièrement à leur survie. Les trois dixièmes des terres de chaque paysan devaient être réservés à l'indigo car les Anglais exigeaient plus de cultures de rapport que de blé. Ce qui aurait pu présenter quelque avantage si les gens en avaient tiré un profit quelconque. Mais non, aucun. Car il fallait vendre l'indigo aux planteurs britanniques à un prix fixe : fixe et fixé par l'acheteur.

Ganga vit la situation de ses yeux trop longtemps accoutumés, malgré son idéalisme, au palais de Hastinapur. Il vit des hommes dont la fatigue enfonçait le regard et creusait les joues. Il vit des femmes vêtues jour après jour du même sari crasseux parce qu'elles n'en possédaient pas un second à mettre le temps de laver le premier. Il vit des enfants privés de nourriture, de livres, de jouets, des petites créatures morveuses dont le ventre distendu moquait l'estomac vide. Et, au club des planteurs, il vit les

Anglais et les Écossais en smoking et robe du soir, dont les rires s'égrenaient derrière les notes du piano tandis que les serviteurs passaient leurs plateaux surchargés autour de tables décorées de fleurs.

Il vit tout cela de l'extérieur, car le portier chrétien à la peau sombre, vestale du racisme du club, lui en refusa l'accès. Il s'attarda sur les marches, perçant de son regard brûlant les vitres de verre épais, puis un garde en uniforme vint le prendre par le bras et lui ordonna de circuler. Je m'attendais à ce que Ganga réagisse vivement, repousse l'homme ou libère son bras, mais je l'avais une fois de plus sous-estimé. Il se contenta de toiser l'offenseur ; un regard suffit : honteux, le garde retira sa main, baissa les yeux et Ganga descendit les marches. Le lendemain matin, il annonça sa campagne de protestation.

Et quelle campagne ce fut, Ganapathi ! Elle figure désormais dans les livres d'Histoire, et les équivalents modernes des moutards morveux du Motihari l'ont au programme de leur examen sur le mouvement nationaliste. Mais que peut leur dire le terne noir sur blanc de leurs livres de classe sur l'enivrante excitation de cette époque ? Sur nos visites à travers les champs desséchés aux plus pauvres des hommes dans leurs huttes pour écouter leurs souffrances et leur annoncer leurs espoirs ; sur nos réunions publiques dans les villages où, pour la première fois, les paysans vinrent parler de l'injustice de leur vie à des gens décidés à la changer ; sur le défi lancé aux lois de l'indigo lorsque Ganga lui-même arracha la première plante pour semer à sa place une symbolique poignée de blé ?

Même nous, ses compagnons, avons pris alors conscience de l'aube d'une ère nouvelle. Les étudiants quittèrent leurs collèges des villes pour accourir en masse aux côtés de Gangaji ; des avocats de province abandonnèrent la sécurité de leurs gains réguliers aux assises pour servir la bonne cause ; des journalistes délaissèrent les salles vides des chambres prétendument consultatives pour découvrir le vrai cœur de la politique nouvelle. Une nation émergeait, avec à sa tête un saint chauve à demi nu.

Imagine un peu ça, Ganapathi. Le frêle et binoclard Gangaji défiant la puissance de l'Empire britannique, allant de village en village pour proclamer le droit des gens à vivre plutôt qu'à cultiver de la teinture. Je le revois encore partant sur un chemin vicinal creusé d'ornières, grimpé sur le dos d'un éléphant oscillant gentiment – car les éléphants étaient dans le Motihari un moyen de transport aussi commun qu'un char à bœufs ailleurs –, semblant tout aussi à l'aise que sur le siège arrière de la Rolls de Hastinapur, menant notre procession bigarrée en quête de justice. Il fait chaud mais une brise spasmodique caresse les fronts de sa tiédeur, tel le souffle d'un dragon mourant. Du haut de son *howdah* improvisé, Ganga sourit aux paysans sur la route, aux fermiers courbés sur leurs charrues et même à la calèche qui veut le doubler. L'éléphant de Ganga fait bruyamment halte ; le passager de la calèche surgit et fourre un bout de papier dans la main de l'ex-régent, qui se penche pour l'examiner avec ses yeux de myope avant de se laisser glisser, maladroit, de sa monture. Car il s'agit d'un message de la police provinciale lui ordonnant d'interrompre son voyage et de se rendre sur-le-champ au commissariat.

Panique ? Peur ? Rien de tout cela. Gangaji arbore un sourire encore plus radieux sur le siège arrière de la calèche qui le ramène, et nous le suivons gaiement, soutenus par le courage de ses convictions.

Gangaji pénètre dans le *thana* de police avec nous sur ses talons. L'homme en uniforme ne paraît pas très content, soit de nous, soit du bout de papier devant lui.

« Il est de mon devoir, répond Ganga avec calme, de vous informer que je n'entends pas me soumettre à vos ordres. Je n'ai aucune intention de quitter la province avant la fin de mon enquête.

– Enquête ? s'étonne le policier. Quelle enquête ?

– Mon enquête sur les conditions sociales et économiques des habitants du Motihari, réplique Ganga, enquête que vous avez interrompue si inopportunément ce matin. »

Ah, Ganapathi, quel superbe culot ! Ganga comparaît devant un tribunal et tu ne peux imaginer les foules à l'extérieur alors qu'il se montre, saluant, souriant et brandissant ses mains jointes en direction de son public. C'est une star – chauve, maigre, amateur de lavements et nettoyeur de chiottes –, notre Ganga, avec son terrible vœu de célibat et sa manie de marier les autres, notre Ganga est une star !

Le procès s'ouvre, dehors la foule serine des slogans, la chaleur est encore plus oppressante à l'intérieur que sous le soleil de midi. Les policiers, figés dans un garde-à-vous inquiet à la porte du tribunal, certains casqués et montés sur des chevaux anti-émeutes, ne peuvent plus y tenir. Leur commandant, un jeune officier rougissant natif des Cotswolds, leur ordonne d'attaquer la foule pacifique mais bruyante des protestataires. Ils foncent, sabots ferrés et matraques d'acier en l'air. La foule ne résiste pas, ne panique pas, ne fuit pas. Ganga nous a dit comment nous comporter et, dans la cohue, des volontaires assurent le maintien de la discipline qu'il nous a enseignée. Nous faisons donc face et les coups pleuvent sur nos épaules, nos corps, nos têtes, mais nous encaissons sans broncher ; le sang coule, mais nous ne bougeons pas ; les os se brisent, mais nous restons là ; les *lathi* font le bruit mat du bois réduisant la chair en pulpe et nous continuons à demeurer sur place jusqu'à ce que les policiers et le jeune officier rougeaud, les mains et les yeux rougis aussi à présent, le rouge au cœur et au front, se rendent compte qu'il se passe quelque chose qu'ils n'ont jamais encore connu...

Tu penses que j'exagère, pas vrai, Ganapathi ? L'hyperbole des vieux, l'héroïsme des nostalgiques, voilà ce que tu te dis. Tu ne peux pas savoir, toi, avec tes cartes de rationnement, ton marché noir et le matérialisme cynique de ta génération, à quoi ça ressemblait en ce temps-là, ce que ce fut de découvrir une cause, de participer à une croisade, de *croire*. Mais moi je le peux, comprends-tu ?

Je peux m'adosser à ces foutus traversins mal rembourrés, sous tes petits yeux porcins incrédules, et me retrouver là-bas, devant le tribunal de Motihari, tandis que les matraques s'abattent, que les hommes demeurent debout, fiers et dignes, et qu'à l'intérieur – surprise, surprise – le procureur demande un ajournement. Oui, le procureur, Ganapathi, l'avocat du gouvernement, suant sur son dossier, et qui s'avance en titubant vers le président et demande le renvoi du procès.

Mais, tiens, tiens, qu'entends-je ? L'accusé refuse tout net ! Le magistrat est sur le point d'accepter la requête quand Gangaji s'écrie du box des accusés : « Inutile d'ajourner l'audience, monsieur le président, je veux plaider coupable. »

Consternation dans le tribunal. Brouhaha de voix. Le président fait retentir son inefficace marteau. Gangaji reprend la parole ; le silence se fait dans la foule qui tend l'oreille pour entendre la voix flûtée : « Monsieur le président, j'ai certes désobéi à l'ordre m'expulsant de Motihari. Je souhaite vous lire une brève déclaration pour ma défense et puis j'accepterai volontiers la sentence que vous voudrez m'imposer. »

Le magistrat jette un regard égaré autour de lui comme pour chercher une inspiration, divine ou officielle, mais rien à l'horizon. « Vous pouvez procéder », lance-t-il enfin à l'accusé, faute de savoir quoi dire d'autre.

Gangaji lui sourit béatement, rajuste ses lunettes sur son nez et tire des plis de son pagne un bout de papier froissé, couvert d'une écriture serrée, hachée, qu'il entreprend de lisser contre la barre du box des accusés. « Ma déclaration », annonce-t-il au magistrat avant d'approcher la feuille de son visage et de commencer à lire à haute voix.

« Je suis venu dans la région, dit-il dans un silence absolu, afin d'accomplir un service humanitaire en réponse à une requête des paysans du Motihari, qui estiment ne pas être traités justement par l'Administration, laquelle défend les intérêts des planteurs d'indigo. Je ne pouvais pas rendre de service utile à la communauté sans étudier d'abord le problème. C'est précisément ce que j'ai tenté de faire. Je me serais attendu, en l'occurrence, à l'aide de l'administration locale et des planteurs dans mes efforts pour le bien commun, mais, hélas, je n'en ai reçu aucune. » Devant cette suave insolence, les yeux du magistrat lui sortent des orbites, mais Ganga poursuit, impavide : « Je suis ici dans l'intérêt public et je ne crois pas que ma présence puisse constituer un danger quelconque pour la paix de la région. Je peux certes affirmer avoir une expérience considérable en matière de gouvernement, bien qu'à une autre fonction. » Le ton de Ganga est modeste mais son allusion claire. Le juge se tortille, mal à l'aise, sur son siège. L'air à l'intérieur du tribunal est aussi immobile que dans une cave et le *punkah-wallah* accroupi par terre, sa main sur la corde du ventilateur, est bien trop fasciné pour se souvenir de tirer dessus.

« En tant que citoyen respectueux des lois (et ici Gangaji lève innocemment les yeux vers le magistrat au bord de l'apoplexie), mon instinct, en recevant l'ordre des autorités de cesser mes activités, me pousserait à obéir. Mais cet instinct est entré en conflit avec un instinct supérieur, celui de respecter mes obligations à l'égard de la population du Motihari, que je suis ici pour servir. Entre obéir à la loi et obéir à ma conscience, je ne peux choisir que celle-ci. Je suis cependant prêt à faire face aux conséquences de mon choix et à me soumettre sans protester à toute punition que vous voudrez m'infliger. »

Cette fois, c'est à nous, ses partisans et disciples, de le contempler avec une surprise inquiète. L'idée d'un défi glorieux est une chose, celle de notre Gangaji subissant les rigueurs de la loi en est une autre. Contrairement à sa variante post-indépendance, avec ses directeurs corruptibles et ses gardiens sociables, la prison britannique en Inde n'était pas un lieu que quiconque souhaitait connaître de l'intérieur.

« Dans l'intérêt de la justice et de la cause que je suis ici pour servir, reprend Gangaji, je refuse d'obéir à l'ordre de quitter le Motihari (une pause, tandis qu'il regarde le juge droit dans les yeux) et accepte volontiers votre sentence. Je souhaite toutefois, par cette déclaration, répéter que ma désobéissance n'est pas due à un manque de respect envers les autorités légales, mais à mon obéissance à une loi supérieure, la loi du devoir. »

Le silence règne. On entendrait voler une mouche. Gangaji replie son bout de papier et le reglisse dans les plis de son mince vêtement. Il s'adresse de nouveau au magistrat : « J'ai fait ma déclaration. Vous n'avez plus besoin d'ajourner l'audience. »

Le magistrat ouvre la bouche pour parler, mais aucun mot ne sort. Il jette un regard impuissant à l'avocat général, qui, la sueur au front, marine dans son jus, puis un autre, presque désespéré, à son accusé, visiblement enchanté. Enfin le juge s'éclaircit la gorge et, d'une voix rauque et tendue : « Le jugement est remis, déclare-t-il, ponctuant le tout d'un coup de marteau. La séance est levée. »

Des bravos éclatent dans la foule à mesure que le sens de cette décision lui devient clair : le juge ne sait pas quoi faire !

Nous portons Ganga sur nos épaules ensanglantées. Les chevaux reculent en hennissant ; les soldats battent en retraite, honteux de leur sauvage triomphe ; les blessés se remettent debout en titubant ; et notre héros, devant l'adulation de la foule portée par un crescendo d'espoir, notre héros pleure en voyant la manière dont les êtres sans défense ont appliqué à la lettre ses principes.

Ah, Ganapathi ! Que n'aurions-nous pas pu accomplir en ce temps-là ! Le juge eut raison de ne pas vouloir rendre sentence car, lorsqu'on apprit dans la capitale de la province ce qui s'était passé, le lieutenant-gouverneur envoya sur-le-champ instruction d'abandonner les poursuites. Ce ne fut pas tout : l'administration locale se vit intimer l'ordre d'aider pleinement Gangaji dans son enquête. Peux-tu imaginer ça ? Le *satyagrahi* arrive dans une région, hurle à la justice, refuse d'obéir aux autorités et de partir, rend son défi public et fait tellement honte aux oppresseurs que ceux-ci acceptent de coopérer avec lui pour révéler leurs propres méfaits. Quelle technique, Ganapathi !

Car – voilà la beauté de la chose – cette technique réussit à corriger le problème de fond. Après les rencontres avec les paysans, l'audience tenue avec la participation des autorités de la région et un certain nombre de déclarations sous serment, le lieutenant-gouverneur nomma Gangaji membre d'un comité d'enquête officiel qui, à l'unanimité – à l'unanimité, tu imagines ? –, recommanda l'abolition du système responsable de ces injustices. Les planteurs reçurent l'ordre de payer des compensations aux pauvres paysans qu'ils avaient exploités ; la loi exigeant la culture de l'indigo fut annulée. La désobéissance de Gangaji l'avait emporté. Oui, Ganapathi, l'histoire des paysans du Motihari eut une fin heureuse.

C'est là la merveille de Gangaji. Ce qu'il fit dans le Motihari, il le refit avec ses disciples dans une centaine de petites villes et villages à travers l'Inde. Certes, il n'obtint pas toujours le même degré de coopération des autorités. A mesure que ses méthodes devenaient familières, Ganga rencontra plus de résistance ; il trouva des magistrats moins faciles à intimider et des gouverneurs provinciaux moins dociles. Dans ces cas-là, il allait en prison sans protester, forçant invariablement ses geôliers honteux à le libérer vite fait.

Le procédé ne se contentait pas d'être moralement juste, Ganapathi ; comme je ne le soulignerai jamais assez, il a réussi. Là où le terrorisme sporadique et le constitutionnalisme modéré s'étaient révélés tous deux inefficaces, Ganga présenta aux gens la question de la liberté comme un problème de choix entre le bien et le mal – la loi contre la conscience – et leur donna une méthode à laquelle les Britanniques n'avaient pas de réponse. En s'abstenant de toute violence, il ravit à ces derniers l'avantage moral. En enfreignant la loi pacifiquement, il en démontra l'injustice. En acceptant les sentences imposées par la loi, il confronta les colonialistes à leur propre brutalité. Et, face à toute injustice transcendante, que ce fût en prison ou à l'extérieur, un tort que ses méthodes habituelles ne pouvaient pas redresser, il n'abandonnait pas la non-violence mais la retournait contre lui.

Oui, contre lui, Ganapathi. Ganga nous stupéfia tous en nous démontrant jusqu'où il était prêt à aller pour défendre ce qu'il considérait comme juste. Comment ? me demanderas-tu, et je te répondrai. Mais pas tout de suite, ô mon impatient copiste. Ainsi que disent les Bengalis quand on leur offre de la morue, nous avons d'autres poissons à faire frire.

La mousson

13

« Ça, c'est le foutu pompon ! » s'écria le résident.

Il arpentait de long en large sa véranda, un Heaslop nerveux sur ses talons.

« Une enquête sur l'indigo, vraiment ! Je vais le crucifier, ce salaud.

– Oui, sir, dit l'aide de camp d'un ton malheureux. Euh... si je puis me permettre... *comment*, sir ?

– Comment ? » Sir Richard se retourna à moitié, sans interrompre sa marche, l'air de ne pas comprendre la question. « Comment ça, comment ?

– Euh... je veux dire, comment, sir ? Comment allez-vous, hum, le crucifier ?

– Eh bien, je n'ai pas l'intention de le clouer sur une croix au milieu du bazar du village, si c'est ce que vous me demandez, rétorqua sèchement le résident. Ne soyez pas idiot, Heaslop !

– Oui, sir, c'est-à-dire non, sir, bégaya l'aide. Je veux dire, ce n'est pas ce que je voulais dire, sir.

– Alors, que vouliez-vous dire ? »

La rudesse de sir Richard rendait invariablement le jeune homme encore plus nerveux.

« Je veux dire que lorsque je vous ai demandé comment, je ne voulais pas vraiment dire, enfin, physiquement, sir. En disant comment, je voulais plutôt dire, voyez-vous, qu'entendez-vous exactement par, euh, le crucifier... sir », termina Heaslop, maladroit.

Le résident s'arrêta, fit demi-tour et le regarda avec incrédulité :

« Que diable me chantez-vous là, Heaslop ?

– Rien, sir », répliqua l'infortuné Heaslop, battant en retraite et souhaitant être de retour sur la frontière nord-ouest, en train de se faire canarder par les Waziris. Au moins, là-bas, il savait comment esquiver les coups.

« Eh bien alors, taisez-vous, lui ordonna sir Richard. Il n'y a rien de plus irritant quand j'essaye de réfléchir que de vous entendre discourir à propos de bottes. Asseyez-vous, voulez-vous, et versez-vous un verre bien tassé. »

Il désigna d'un geste une table roulante chargée de bouteilles et de siphons qui demeurait désormais en permanence sur la véranda.

Heaslop s'installa gauchement sur un fauteuil de bambou garni d'un coussin mal rembourré et se concentra sur la confection de sa boisson. Sir Richard poursuivit ses allées et venues, ses favoris blancs trop longs frémissant d'émotion.

« Ce type a publiquement défié, en fait humilié le Raj. Ce qui, en pratique, veut dire le roi-empereur. Que je représente. Ce qui signifie qu'il m'a humilié, *moi*.

– Euh, je ne prendrais pas cela aussi personnellement, sir..., commença Heaslop.

– Fermez-la, Heaslop, faites-moi plaisir, voulez-vous ? l'interrompit le résident, dont les joues rouges rebondies lui donnaient l'air d'un chérubin à la retraite, mais un chérubin aux ailes piétinées par un Jéhovah négligent. Quand j'aurai besoin de votre avis, je vous le demanderai. »

L'aide de camp retomba dans un silence boudeur.

« Il m'a humilié, moi, poursuivit son supérieur. Et il a fait pire en attirant l'attention sur son ancienne position, ce qui signifie que je serai désormais *persona non grata* dans tous les clubs de planteurs d'ici à Bettiah. » Il devint écarlate en songeant à l'énormité de cette privation. « Jamais, dans toute l'histoire de ma famille en Inde, rien de tel n'est arrivé à aucun d'entre nous. Même pas à mon frère David, qui passe son temps à dessiner des animaux. »

Il fit halte devant le jeune homme, qui buvait goulûment son whisky. « Je dois sévir contre cet agitateur, marmonna-t-il. Se permettre d'usurper les fonctions légitimes de l'administration de la région ! Se montrer à demi nu devant le représentant de Sa Majesté en le mettant au défi de punir son mépris ouvert de la loi ! Se faire nommer membre de la prétendue commission d'enquête et priver les honnêtes planteurs de leur gagne-pain ! Il faut que toutes ces foutaises cessent ! »

Heaslop ouvrit la bouche pour répondre machinalement mais se ravisa.

« Les choses vont déjà assez mal ainsi, poursuivit sir Richard. Nous avons des avocats indigènes s'élevant contre notre autorité dans tous les forums législatifs, même quand, pour la plupart, ils ont été nommés à leur siège en tant que prétendus loyaux sujets de l'empire. Nous avons eu un sale petit boycott des produits britanniques : de la belle cotonnade du Lancashire jetée au feu. Nous avons même eu des bombes lancées par ce terroriste bengali, Aurobindo, et sa bande de voyous. Mais il ne s'agissait là que d'actions limitées, aux effets limités. Ganga Datta offre tous les symptômes d'un cas différent.

– En quel sens, sir ? ne put s'empêcher de demander Heaslop, intrigué.

– Ce type défie les règles mêmes du jeu, aboya le résident. Paradoxalement, en les utilisant à son propre bénéfice. Il connaît bien la loi et invite, je dirai même recherche sa sanction en la violant délibérément – attention, délibérément – au nom d'une vérité supérieure. Foutaises, bien entendu. Mais dangereuses, Heaslop. Il séduit les gens ordinaires d'une manière impossible pour les types en costume trois pièces du Conseil du vice-roi. Dans le Motihari, ils se sont précipités vers lui, quelle que soit leur caste ou leur religion. Intouchables, musulmans, banians, tous au coude à coude dans sa campagne, Heaslop. Et il s'exhibe devant eux enveloppé de son drap de lit et jouit de leur adulation. »

Heaslop demeura muet.

« Savez-vous ce que ce gaillard a eu le culot de dire lorsque le président du club des planteurs a fait un commentaire sur son manque de tenue vestimentaire ? » Sir Richard fouilla dans ses poches et en tira une coupure de journal. « "Mon vêtement, lut-il avec une indignation croissante, est la tenue qui convient le mieux au climat indien et qui, par la simplicité de son art et son coût minime, n'a pas de rivale sur la face de la terre. Et, surtout, elle répond aux exigences de l'hygiène bien mieux que le costume européen. Sans leur faux orgueil et des idées tout aussi fausses de prestige, les Anglais ici l'auraient depuis longtemps adoptée." Non mais je vous demande un peu ! Votre précieux Mr. Ganga Datta voudrait mettre le vice-roi en pagne, Heaslop. Qu'est-ce que c'est que ce bruit que vous faites, sapristi ? »

Ravagé par la vision des solides mollets dénudés de lord Chelmsford dans le Durbar's Hall de Delhi, Heaslop postillonnait dans son verre.

« Il faut prendre des mesures drastiques, Heaslop, poursuivit sir Richard, nullement amusé. J'en suis convaincu. Il faut donner une leçon à ce type.

– Comment cela, sir ? » risqua une fois de plus Heaslop.

Le résident lui jeta un regard acéré. « C'est précisément ce à quoi j'essaye de réfléchir, Heaslop. » Puis, baissant le ton : « Nous avons déjà capitulé trop souvent. Songez à cette terrible erreur de la partition du Bengale. Nous avons divisé l'État pour notre commodité administrative, ces prétendus nationalistes crient et hurlent à l'assassinat, et que fait-on ? On cède et on efface les lignes que nous avons tracées comme si de rien n'était. Ça pourrait être fatal, Heaslop, fatal. Une fois que vous commencez à annuler les ordres, vous cessez d'être capable de les donner. Rappelez-vous ce que je vous dis. » Il s'arrêta de marcher de long en large et fit face à son aide de camp. « Quelle mesure prendre ? Il faut que ce soit une mesure que je puisse adopter ou recommander au ministère des États, une action en rapport avec la gravité de sa conduite. S'il était encore régent, je me ferais une descente de lit de sa peau. Mais c'est trop tard pour ça, je suppose.

– Oui, sir, acquiesça Heaslop, pensif. A moins que...

– A moins que ? l'interrompit sir Richard avec empressement.

– A moins qu'il ne soit pas trop tard, dit Heaslop. J'ai l'idée que, si c'est de notre compétence à agir contre lui qu'il retourne, nous pourrions peut-être bien le coincer sur un point technique.

– Allez-y, continuez, souffla le résident.

– Voyez-vous, quand Ganga Datta a abandonné le règne, je veux dire les rênes de Hastinapur aux princes Dhritarashtra et Pandu, avant de se retirer dans son *ashram*, il aurait dû nous informer de manière officielle qu'il avait cessé d'être régent, expliqua Heaslop avec soin. Mais il était sans doute si occupé par l'organisation du mariage de ses pupilles qu'il a tout bonnement oublié.

– Oublié ?

– Eh bien, ça arrive, sir. En temps ordinaire, nous n'y aurions guère prêté attention. Nombre d'États princiers sont peu consciencieux quant à l'observation des petits détails dans leurs rapports avec nous. Les Indiens n'ont absolument pas développé notre... euh... sens du rituel. »

Sir Richard lui jeta un regard soupçonneux. Heaslop ne cilla pas.

« Mais la cour de Hastinapur n'emploie-t-elle pas un Anglais du genre secrétaire censé s'occuper de ces choses ?

– Eh bien, oui, il y a Forster, sir, qui sort tout juste de Cambridge, je crois. Mais il semble, euh, préférer donner des leçons particulières aux jeunes gens plutôt que de se consacrer à des tâches administratives moins crépitantes. J'ai l'impression qu'il ne prend pas beaucoup d'initiatives, sir. Il n'a pas réussi à se faire une idée précise de ce qu'est l'Inde. Il la considère comme un mystère et une embrouille, du moins c'est ce qu'il affirme. Il attend de faire ce qu'on lui dit, et je soupçonne que si le régent n'a pas pensé à cette affaire de notification, le malheureux Forster n'y a pas songé non plus.

– Hum. » L'espoir se peignit sur le visage joufflu du résident. « Et ceci me permet exactement quoi, Heaslop ?

– Eh bien, sir (Heaslop se redressa avant de choisir ses mots avec soin), si nous n'avons pas été notifiés que Ganga Datta cessait d'être le régent, alors, techniquement, en ce qui nous concerne, il l'est toujours. Bref, en dépit de toute évidence du contraire, nous avons le droit de le considérer comme exerçant les pleins pouvoirs de la régence jusqu'à ce que nous ayons été formellement avisés qu'il en va autrement. Est-ce que vous me suivez, sir ? S'il est toujours régent...

– Il n'a pas à aller prêcher la rébellion hors des frontières de l'État, compléta sir Richard avec délices. Conduite inadmissible pour un souverain indigène. Ça me plaît, Heaslop, ça me plaît.

– Il n'y a qu'un hic, sir, ajouta l'aide de camp sur un ton un peu moins assuré.

– Lequel ? » La peur de la chute ajouta des octaves au timbre du résident. « Ne me dites pas que vous avez négligé quelque chose, Heaslop.

– Non, sir. C'est que ce qu'il a fait, sir, au Motihari, n'était pas précisément criminel, sir. L'affaire s'est terminée par un non-lieu. Sur les ordres directs du lieutenant-gouverneur de l'État. Après quoi, on l'a invité à faire partie de la commission d'enquête. Nous risquons peut-être d'aller trop loin, sir, en l'attaquant pour un acte que Delhi ne juge pas séditieux.

– Taratata, Heaslop, taratata, répliqua sir Richard d'un ton ferme. Il n'y aurait pas eu de non-lieu si le marché de l'indigo n'était pas déjà dans les choux. Votre héros nationaliste a simplement fourni une bonne excuse à l'abolition d'un règlement désormais inutile, tout en nous faisant bien voir de ces messieurs. » Sir Richard prit un air menaçant : « Et n'allez pas faire l'erreur de croire que le point de vue de Delhi est unanime sur une pareille question. Pas du tout. Pour chaque lieutenant-gouverneur Scott avec un faible pour ces indigènes arrogants, il y en a dix dans l'état-major du vice-roi qui ne songent qu'à les remettre à leur place. D'ailleurs, Paul Scott et les types de sa sorte ne peuvent pas nous lier les mains à propos d'une affaire concernant les États princiers. Ça ne les regarde foutrement pas.

– Si vous le dites, sir. » Heaslop tenta de dissimuler l'angoisse qu'il sentait poindre dans sa voix. Il commençait à se sentir dans les souliers de Pandore après l'ouverture de la boîte. « Que proposez-vous de faire, sir ?

– Un tapis de sa peau, compléta sir Richard, se rappelant sa métaphore. Je ne suis pas assez fou pour demander son renvoi d'un poste qu'il n'exerce plus, Heaslop. Je ne suis pas à la recherche d'une victoire symbolique. Je veux donner à mister Datta et à ses pareils une leçon qu'ils n'oublieront jamais.

– Puis-je demander comment, sir ? »

La voix de Heaslop était faible.

« Certainement, Heaslop, certainement, et je vous répondrai par un mot, un seul, répliqua sir Richard en se frottant les mains avec une satisfaction anticipée. Annexion. »

14

« Je ne suis pas très sûr de vouloir *cent* fils, dit Dhritarashtra à son épouse. Mais je serais ravi d'en avoir une demi-douzaine. »

Ils étaient à demi allongés sur une énorme balancelle, de la taille d'un canapé, pendue au plafond de leur chambre royale. Le prince aveugle était couché sur le côté, soutenu par un traversin, la tête appuyée en partie sur son coude et en partie sur la hanche drapée d'un sari de Gandhari. Ses mots ne suscitèrent ni sourire ni regard chez la nouvelle princesse, qui jouait avec les mèches de cheveux prématurément clairsemées de son époux. Gandhari la Lugubre, comme on l'appelait déjà dans le quartier des domestiques, n'aurait d'ailleurs pas pu regarder Dhritarashtra car ses yeux étaient recouverts d'un bandeau de la soie la plus pure.

« Tu auras un fils, dit-elle doucement, qui sera fort et brave, un meneur d'hommes. Et il verra assez bien et assez loin pour nous deux. »

Son époux soupira.

« Très chère Gandhari, chuchota-t-il, tendant sa main libre vers le visage de la jeune femme et rencontrant le bandeau de satin, pourquoi t'infliger cela ?

– Je te l'ai déjà dit. » Elle écarta résolument sa main. « Ton univers est le mien et je ne souhaite pas en voir davantage que toi. Il n'est pas convenable pour une épouse de posséder quoi que ce soit de plus que son époux. »

Une odeur d'essence de rose vint caresser les narines de Dhritarashtra. C'était un des signes par lesquels il pouvait détecter la présence de son épouse dans une pièce, cette senteur et le tintement argentin des *payal* à ses chevilles. « Combien de fois devrai-je te répéter que tu me serais plus utile telle que tu es ? » demanda-t-il tristement.

Il ne cessait de s'étonner de la force de caractère de cette femme. Pour une jeune fille, à la veille de ses noces et de l'âge adulte, jurer de ne jamais plus voir l'univers ! Quel sacrifice cela avait dû être pour elle, de se couper du monde afin de se conformer à une idée du mariage encore plus sévère et plus passionnée que celle transmise par des générations ! Quelle raison l'avait poussée à cet acte extrême ? Pas la simple tradition, car même la tradition de la femme de devoir, la Sati Savitri des contes et légendes, n'en exigeait pas autant. Pas l'amour, puisqu'elle n'avait jamais rencontré Dhritarashtra avant son mariage ; ni l'admiration, car les jours de gloire de son époux n'avaient pas encore sonné. Non, c'était une force intérieure mystérieuse qui avait conduit cette adolescente à se condamner à la cécité, à délaisser la beauté du soleil et des fleurs, à renoncer aux splendeurs embrasées des *gulmohar* ou des menaçants orages des moussons, à devoir juger un sari à son toucher plutôt qu'à sa couleur, un espace par le son plutôt que par la surface, un homme par ses mots plutôt que par son physique. C'était un sacrifice dont on aurait pensé peu de gens capables, sans parler de ce délicat petit bout de femme.

« Utile ? Ce n'est pas le rôle d'une épouse que d'être utile. » Gandhari eut un mouvement de tête dédaigneux. « Si c'est l'utilité que tu souhaites, tu peux engager des assistants, des secrétaires, des lecteurs, des scribes, des cuisiniers, des domestiques et même des femmes de petite vertu. Comme, j'en suis persuadée, tu l'as fait chaque fois que tu en as eu besoin. » Elle passa la main dans les cheveux de son mari pour effacer tout soupçon d'offense. « Non, mon seigneur et maître, une *dharampatni* n'est pas censée être utile. Son devoir est de partager la vie de son époux, ses joies, ses triomphes et ses chagrins, d'être à ses côtés en permanence et de lui donner des fils. » Une note d'inflexible regret se glissa dans sa voix. « Cent fils. »

Jamais Dhritarashtra n'avait rencontré pareille femme en Angleterre. Il tenta d'introduire un peu de gaieté dans la conversation : « Pas une centaine. Ce serait épuisant ! »

Sa calme épouse ne rit pas. C'était là un sujet qu'elle ne traitait pas à la légère.

« Qui sait ? C'est ce que l'astrologue a prédit. Il faudrait beaucoup de temps pour produire cent fils.

– Certes. »

Dhritarashtra le sceptique, à qui son incrédulité acquise à Cambridge ne permettait pas d'imaginer qu'on pût lire dans les étoiles plus que dans les feuilles du thé qu'il buvait en permanence, gloussa et tendit les bras vers sa femme. Cette fois, ses mains rencontrèrent un tissu différent et, au-delà, une réaction chaleureuse. « Alors, qu'attendons-nous ? »

Ses doigts la chatouillèrent et elle rit enfin. La balancelle oscilla au rythme de leurs ébats, d'abord doucement, puis de plus en plus vite, jetant sur les murs des ombres mouvantes qu'aucun d'eux ne pouvait voir.

15

Un peu de tenue, Ganapathi. Que veux-tu dire, comment pouvais-je savoir ? Tu ne t'attends pas à ce que je te décrive tout en détail, non ? Je sais, un point c'est tout. Je sais un tas de choses que les gens ne savent pas que je sais, et ça devrait te suffire, jeune homme.

Entre-temps, comme on dit dans ces torchons illustrés que toute ta génération lit aujourd'hui, je suppose, Pandu s'envoyait en l'air avec ses deux épouses. La scandaleuse Kunti était tout aussi exquise que sa réputation le suggérait et Madri la Stéatopyge compensait son manque de proportions par sa manière inventive de faire l'amour. Pandu fut toujours une âme quelque peu physique, si tu vois ce que je veux dire, et il se délectait des joies de la bigamie, prenant grand soin que ses plaisirs ne fussent pas interrompus prématurément par des grossesses.

C'était trop beau pour durer. Cela, Ganapathi, est une des lois non écrites de la vie que j'ai observée au cours d'une longue incursion dans les recoins du destin. Et c'est parce que nous la comprenons instinctivement que nous, hindous, encaissons si bien la défaite. Nous constatons avec philosophie que le type là-haut, le Grand Arbitre cosmique, possède un sens développé du pervers.

Tu ne pensais pas que je m'y connaissais autant en cricket, hein ? Comme je te l'ai déjà dit, Ganapathi, j'en connais un bon bout sur pas mal de choses. Telle l'Inde elle-même, je suis chez moi dans les taudis et les palais, Ganapathi, je me traîne dans les chars à bœufs et je me propulse dans l'espace, je lis les *Veda* et je cite les règles du cricket. Je me déplace, mon gros jeune homme, en tenue de soirée impeccable, au rythme d'un raga matinal.

Mais de quoi parlions-nous donc ? Il ne faut pas me laisser m'égarer, Ganapathi, ou bien tu seras ici pour l'éternité. N'étais-je pas en train de commenter l'incommensurable inscrutabilité de la Providence ? Oui ? Plus ou moins ? Eh bien, dans le cas de Pandu, elle se manifesta très vite. Il se trouvait un jour couché avec ses deux épouses, s'essayant à quelque chose d'ineffablement imaginatif, quand une douleur indescriptible lui traversa la poitrine et le bras, avant de l'enserrer tout entier. Il retomba en arrière, incapable de prononcer les mots exprimant sa torture et, un bref instant, ses compagnes crurent que leurs soins l'avaient amené à un point d'extase jusque-là inconnu. Mais un rapide coup d'œil vers le bas du corps de leur époux les convainquit qu'il en allait différemment. Elles appelèrent frénétiquement au secours.

« Infarctus du myocarde, déclara le docteur Kimindama, tandis que Pandu, plus pâle que jamais, gisait sous la tente à oxygène. Ou, pour parler un bon hindoustani, gigantesque attaque cardiaque. Il a de la chance d'être vivant. Sans votre prompte intervention, ajouta-t-il en regardant avec admiration les deux dames un rien décoiffées qui se tenaient au chevet du lit, je ne suis pas certain que nous aurions pu le sauver. »

Pandu se remit ; son grand cœur surmonta le choc et se rafistola. Mais, alors qu'il s'apprêtait à reprendre une vie normale, le médecin le prit à part et lui annonça la terrible nouvelle :

« Je crains, dit le docteur Kimindama, que dans votre cas il y ait une interdiction absolue que je doive vous imposer. Les circonstances de votre attaque et l'état actuel de votre cœur rendent impératif que vous renonciez complètement – et je le répète : complètement – aux plaisirs de la chair.

– Vous voulez dire que je dois m'arrêter de manger de la viande ? » s'enquit Pandu.

Le médecin soupira devant l'échec de son euphémisme.

LE GRAND ROMAN INDIEN

« Ça signifie que vous devez cesser de faire l'amour, traduisit-il carrément. Votre cœur ne peut plus supporter les tensions d'un rapport sexuel. Si vous voulez vivre, Votre Altesse, vous devez vous abstenir de toute activité érotique. »

Pandu se renversa lourdement sur ses oreillers.

« C'est aussi grave que ça, docteur ? demanda-t-il, d'un ton sourd.

– C'est aussi grave que ça, confirma le médecin. Votre prochain orgasme sera le dernier. »

Pense un peu, Ganapathi ! Être marié aux deux des plus délicieuses compagnes jamais sorties de la cuisse d'Adam et pourtant se voir refuser, comme un vulgaire joueur de solitaire, les plaisirs de l'accouplement ! Tel fut le sort de mon pâle fils Pandu, un sort qui aurait pu marquer la fin d'un homme moins brave. Mais, ne l'oublie pas, Ganapathi, le sang de Ved Vyas coulait dans ses veines et il tourna résolument le dos à son infortune et à ses épouses. Son père putatif était mort de sa luxure et Pandu n'éprouvait aucun désir de suivre son exemple.

« Ceci est un signal, expliqua-t-il à ses épouses effondrées de chagrin. Je dois relever mes bretelles, tourner la page et faire quelque chose de ma vie, si je veux trouver le salut. Le sexe et les désirs matériels ne servent qu'à ligoter un homme. Je suis décidé à me mettre au travail, sans oublier de me ceindre les reins, tant que j'y suis. Je pratiquerai l'abstinence et le yoga et me consacrerai aux bonnes causes. Ah oui, j'oubliais, et désormais je dormirai tout seul. »

16

Ah, quels jours de grand chagrin
quand Pandu ressuscita des morts
car, sans même attendre le lendemain,
il dut renoncer au plus beau des sports.

Le toubib ne lui donna d'option
qu'entre ce monde et l'au-delà
pour vivre (sans interruption),
adieu le sexe et les nanas.

Pour le jeune Pandu, on l'imagine,
ce fut un abominable drame ;
il ne pouvait éviter sa ruine
qu'en ne touchant plus une dame.

A ses épouses, pour les satisfaire,
il n'offrirait qu'un chaste baiser,
alors autant vivre en enfer,
sans autre espoir de félicité.

Oui, après ces nuits remplies de plaisir,
de caresses, d'ivresse et de joies,
il n'avait plus que le loisir
de se mirer dans l'au-delà.

Bonnes actions, telle serait la devise
du reste de sa vie ici-bas.
Finis pattes en l'air et bibises,
papouilles et luxurieux ébats.

Plus rien sauf une tenue d'ascète
et, outre des exercices de yoga,
du bien et du juste l'incessante quête,
avec un guru pour l'y mener droit.

Ainsi Pandu cessa de passer son temps
à assouvir sa passion et son vice
et, abandonnant sa luxure d'antan,
décida de lutter pour la justice.

Et où pouvait-il aller, Ganapathi, sinon chez son oncle
Ganga, maintenant installé dans son *ashram* sur la rive
du fleuve ? Bien entendu, Pandu, le tout récent sybarite,
n'était pas prêt à s'enrôler dans la communauté et à
prendre gaiement son tour de vaisselle et de corvée de

latrines : il resta, au début, un externe, venant écouter les
discours de Ganga quand il le pouvait, avant de retourner
au confort (car il était encore le frère d'un maharadjah
aveugle) et aux responsabilités du palais.

Cela se passait à l'époque du Motihari, juste après en
fait, et l'*ashram* attirait déjà une jolie foule de parasites.
Tu connais le genre, Ganapathi :

> Groupies avec roupies et casques coloniaux,
> boulangers, faux culs, amateurs de clystères,
> journalistes défendant la cause avec leurs plumeaux,
> tous se voulaient favoris de ce phalanstère !

Pandu rejoignit cette foule bigarrée aux pieds de Ganga,
écoutant ses idées et s'émerveillant du dévouement de ses
disciples. Il s'instruisit de la politique et de la philosophie
gangajiennes :

> d'opposition aux castes,
> divisions néfastes
> (les *Sudra* ne sont pas des bêtes) ;
> de méditation
> et d'hygiénisation
> (avec nettoyage des tinettes).

> Il apprit à prier
> avec simplicité
> (Ganga l'aida dans cette tâche),
> à secourir les sans-le-sou
> à bien tendre l'autre joue
> (et à protéger les vaches).

> Très vite il ressembla plus
> à son mentor dévêtu
> que l'élève le plus zélé.
> Il répétait les mots de Ganga,
> mangeait sans piper son rata
> et pâlissait à vue de nez.

Il ne souffrait pas de débat
sur les causes de son célibat
(du Sagittaire un trait commun).
Son ardente défense
d'une totale abstinence
suscita des végétariens.

De la poésie, Ganapathi, mais ce n'est pas suffisant pour chanter la transformation de Pandu sous la tutelle de Ganga. Non, il faut recourir à la prose, la prose des biographies de Bharatiya Vidya Bhavan et des manuels scolaires. Qu'en penses-tu, ô long nez ? Son discours se fit érudit, son ton mesuré. Dans les débats, il pensait haut et visait bas. Il devint expert en religion, généreux en philanthropie et serein dans sa continence. Non ? Ça ne te plaît pas ? Eh bien, note-le quand même. Il faut avancer : Pandu a commencé à citer les *Shastra* à des moments invraisemblables, appliquant les plus compliqués de nos anciens concepts aux circonstances de la vie quotidienne, et il ne faudrait pas les passer sous silence.

17

Où rejoindrons-nous Pandu ? Il se mit, vois-tu, à animer sa conversation de légendes et de fables – un mythe, à son sens, valait tout autant qu'un sourire –, et ses contes moraux auraient fait frémir les pages du *Kama-sutra*. L'importunerons-nous au moment où il parle à sa Madri, toute rougissante, du lubrique Vrihaspati, qui, imposant ses prévenances à Mamta, sa belle-sœur enceinte, trouva son éjaculation bloquée par les embryons de pieds de son futur neveu ? Ou du jeune brahmane qui se transforma en une sorte de daim pour avoir la liberté de forniquer dans la forêt jusqu'à ce qu'il soit abattu par un prince, adroit fusil, au cours d'une chasse solitaire ? Ou bien préfére-

rons-nous prêter une oreille indiscrète à notre pâle protagoniste tandis qu'il pontifie sur les vertus du célibat à
l'adresse de son omni-soupirante compagne Kunti ?

« Mais il faut tout de même que j'aie des fils », déclara
un beau matin Pandu, après une soigneuse lecture des
livres sacrés. Outre Gangaji, il avait passé quelque temps
avec sa grand-mère Satyavati et – dois-je le dire – avec
moi, et nous avions tous, comme tu le sais maintenant,
Ganapathi, des idées assez souples sur le sujet. Souples
mais sanctifiées par les Écritures, ainsi que Pandu l'expliqua à sa Kunti aux yeux de biche.

« J'ai appris à vivre sans faire l'amour, comme Gangaji
depuis bien plus longtemps, mais je ne peux pas, à son
exemple, espérer mon salut dans l'autre vie sans un fils.
Sa vie à lui est une vie de pureté et de mérite exception-
nels, et aussi de bonnes œuvres ; sans qu'il ait jamais
besoin de répandre sa semence, un millier de fils s'avanceront pour allumer son bûcher funéraire. Je ne suis pas
aussi fortuné, Kunti. Aucun rite, aucun sacrifice, aucune
offrande, aucun vœu ne m'aidera à atteindre la *moksha*
refusée à l'homme sans fils. »

Il contempla sa femme de ses yeux chagrinés – non
Ganapathi, change ça en « pleins de chagrin » – et parla
avec la fermeté d'un précepteur, détaché du sujet de son
discours : « J'ai consulté nos sages et lu les Écritures, et
tous me disent qu'un homme peut avoir douze sortes de
fils. Six d'entre eux peuvent devenir ses héritiers : le fils
né normalement de son épouse légitime ; le fils conçu
par sa femme avec la semence d'un homme bon agissant
sans vil motif ; le fils semblablement conçu mais avec
un homme payé pour ses services ; le fils posthume ; le
fils né d'une mère vierge et enfin le fils d'une femme
impudique. »

Kunti écoutait sans mot dire, les yeux grands ouverts.
Son savant époux poursuivit, impitoyable : « Les six qui
ne peuvent pas devenir ses héritiers sont : le fils donné
par un autre ; le fils adoptif ; le fils choisi au hasard parmi
des orphelins ; le fils né d'une femme déjà enceinte au

moment de son mariage ; le fils d'un frère et le fils d'une femme de caste inférieure. Puisqu'il me faut un héritier, il est clair que je ne saurais adopter un fils ; tu dois m'en donner un. »

Kunti le regarda avec ce que le poète – et ne me demande pas quel poète, Ganapathi, écris simplement « le poète » – appellerait des yeux remplis d'une folle supposition. Elle commençait à voir où son époux voulait en venir et elle n'était pas certaine de beaucoup aimer le vent qui le poussait.

« Je ne peux pas, tu le sais, te faire un fils. J'ignore comment obtenir les services d'un père subrogé. Mais je t'en charge, Kunti. Trouve un homme qui me soit ou égal ou bien supérieur, et fais-toi engrosser par lui. »

Kunti se couvrit la bouche, horrifiée.

« Ne me demande pas ça, le supplia-t-elle. Depuis notre rencontre, je t'ai été complètement fidèle. Tu sais les ragots que répandaient déjà les gens avant notre mariage. Ne leur donne pas matière à recommencer, mon chéri. D'ailleurs, nous pouvons avoir des enfants ensemble. Quoi que le docteur prétende. Ne crois-tu pas ? En prenant beaucoup de précautions ?

– Non, pas question, répliqua Pandu, et tu sais que je ne peux absolument pas m'y risquer. Écoute, Kunti, c'est très bien de ta part de vouloir me rester fidèle et je l'apprécie, franchement. Mais tu dois comprendre que, pour un bon hindou, il est beaucoup plus important d'avoir un fils, en fait plusieurs, que de mettre une ceinture de chasteté à sa femme. »

Kunti, encore choquée – car tu connais le conservatisme de nos Indiennes, Ganapathi, elles s'accrochent en permanence aux traditions du siècle dernier en oubliant celles du précédent millénaire –, Kunti, donc, se prépara à l'inévitable exégèse des *Shastra*. Qui ne tarda pas à arriver. Pandu rectifia sa position en lotus, cala ses pieds plus confortablement sous ses cuisses et poursuivit d'une voix retentissante : « Vois-tu, si tu lis les Écritures, tu verras qu'il y eut un temps où les femmes de notre pays étaient libres de faire l'amour avec qui leur chantait sans être jugées immorales. Il existait même des règles à ce sujet : les sages avaient décrété qu'une femme mariée devait coucher avec son mari durant sa période fertile, mais qu'elle était libre de prendre son plaisir ailleurs le reste du temps. Au Kerala, les hommes de la communauté nair ne visitent leurs épouses que si les sandales d'un autre ne se trouvent pas devant la porte. Notre conception actuelle de la moralité n'est nullement hindoue, mais l'héritage superposé de l'invasion musulmane et de la pruderie victorienne infligé à un peuple déjà puritanisé par le *purdah*. Un homme marié à une seule femme, tous deux restant fidèles l'un à l'autre, est une idée nouvelle qui n'est pas sanctionnée par la coutume. (D'où mon absence totale de réticence à prendre deux épouses.) Il m'est donc égal que tu couches avec un autre homme pour me donner un fils. Ça peut te paraître drôle, mais plus je me plonge dans nos traditions et plus je deviens libéral. »

Il voyait bien qu'elle n'était pas convaincue. « Écoute, je vais te dire quelque chose qui risque même de te choquer mais qui est pourtant en parfait accord avec nos Saintes Écritures et antiques coutumes. C'est un secret de famille jalousement gardé, que je n'ai moi-même appris qu'en devenant homme. Vichitravirya, le mari de ma mère, n'est pas mon père. Ni celui de Dhritarashtra, d'ailleurs. A la mort de leur époux, nos mères ont couché avec Ved Vyas, son demi-frère, pour assurer sa postérité. » Pandu comprit que cette histoire avait produit son effet. « Bon, tu vois ? Tu ne feras que suivre la tradition familiale. Tu as toujours fait ce que je te demandais, alors va te trouver un bon brahmane et donne-moi un fils. »

Kunti cessa enfin de résister.

« En vérité, commença-t-elle, eh bien, je ne sais pas trop comment te dire ça, mais j'en ai déjà un.

– Quoi ? » Ce fut le tour de Pandu d'exprimer un étonnement offensé. « Toi ? Tu as un fils ? De qui ? Quand ?

Et comment pouvais-tu discourir avec autant d'aise de ta fidélité à mon égard ?

– Je t'en prie, mon cher époux, ne te fâche pas, implora Kunti. Je n'en parle que parce que tu as soulevé le sujet. Et je t'ai été fidèle. Mon fils est né avant que nous nous rencontrions, avant que ta famille ne demande ma main pour toi. »

La compréhension se peignit sur le pâle visage de Pandu : « Hyperion Helios, dit-il entre ses dents. Le magnat voyageur. Ainsi donc les mauvaises langues avaient raison. »

Kunti baissa sa ravissante tête en signe d'acquiescement.

« Et où est ton fils aujourd'hui ?

– Je l'ignore, avoua Kunti, malheureuse. J'ai eu si honte à sa naissance – bien que je n'eusse pas dû, car c'était un exquis petit garçon, au teint doré et radieux comme le soleil – que je l'ai mis dans un petit berceau d'osier que j'ai laissé partir sur le fleuve.

– Sur le fleuve ?

– Sur le fleuve.

– Alors inutile d'en parler, pas vrai ? dit Pandu non sans un peu de cruauté.

– Quelqu'un a dû le trouver, répliqua Kunti avec défi. Je suis sûre qu'il est toujours vivant. Et je sais que je le reconnaîtrai dès que je le verrai. A son teint – il est si extraordinaire que personne par ici ne peut rien avoir de pareil. Et puis il y a sa marque de naissance : une petite demi-lune brillante juste au milieu de son front. Pas question qu'il ait pu s'en débarrasser. » Elle se tourna vers Pandu : « Si tu veux un fils, je sais que nous pouvons le retrouver. Faisons faire une enquête dans la région. »

A ces mots, Ganapathi, un vent se leva qui agita les feuilles, la poussière, les ombres, les vêtements ; les cils battirent d'espoir, une époque soupira.

« Désolé, répliqua Pandu. Rien à faire. Un fils que tu as mis au monde avant même que nous soyons mariés, même si nous le retrouvions, comment pourrait-il être mon héritier ? Non, il te faudra trouver quelqu'un d'autre,

Kunti. » Et avec une note dure dans la voix : « Ça ne devrait pas présenter trop de difficultés. Après tout, tu as de l'expérience. »

Kunti parut sur le point de rétorquer ; puis son visage se figea. « Comme vous voudrez, mon époux, répliqua-t-elle. Vous aurez votre fils. »

18

Je me rappelle, Ganapathi, je me rappelle encore la nuit où notre défunt Leader naquit. C'était par une nuit de mousson, la pluie nous cinglait et un vent hurlant arrachait les branches des arbres, faisait voler les toits des taudis, retournait nos pathétiques parasols et poussait l'eau dans les maisons. J'arrivai au palais dégoulinant, tendis les restes de mon parapluie au serviteur plié en deux et montai l'escalier menant aux appartements des femmes. Une servante sortit de la chambre de Gandhari juste au moment où j'atteignais le palier. Son expression me fit craindre le pire.

« Comment va-t-elle ? demandai-je à voix basse.

– Encore en plein travail, monsieur. »

J'acquiesçai d'un signe de tête, à la fois troublé et soulagé. Encore en plein travail : mais ça faisait vingt-quatre heures déjà, largement le temps pour moi d'être informé et de me frayer un chemin à travers la rage croissante de la tempête jusqu'au palais. Et elle en était toujours à ce stade : étendue sur sa couche, Gandhari la Lugubre suait et souffrait. J'eus la vision de ce petit corps fragile aux proportions délicates tendu et arqué dans la plus grotesque des contorsions tandis qu'une centaine de fils braillards se battaient pour sortir de son ventre béant...

Et puis, derrière la porte fermée de Gandhari, juste au bout du couloir, fusa un long cri plaintif. Nous demeurâ-mes, la servante et moi, cloués sur place. C'était le cri d'un bébé, mais c'était aussi plus que cela : un cri rare, perçant, très aigu, comme celui d'un âne en rut, et alors qu'il résonnait dans le palais, un son s'éleva dehors comme pour lui répondre, un gémissement étrange, animal, et puis les sons augmentèrent, les ânes se mirent à braire au loin, les juments à hennir dans leurs écuries, les chacals à hurler dans les forêts ; à travers cette cacophonie nous entendîmes des battements d'ailes contre les fenêtres, les croassements de corbeaux caqueteurs et, déchirant l'obscurité, les vociférations des vautours tournant au-dessus du palais de Hastinapur.

« Qu'est-ce que c'était, seigneur ? demanda la servante, la terreur peinte sur son visage.

– L'héritier de Dhritarashtra est né », répondis-je.

J'avais raison. Le médecin sortit de la chambre de Gandhari, gris de fatigue. Le plus difficile accouchement de sa vie, dit-il, et terriblement dur pour la courageuse jeune mère, qui avait survécu mais ne pourrait plus jamais avoir d'enfant. Cet enfant serait son seul et unique.

« Un fils, bien entendu ? » demanda au médecin Dhritarashtra, anxieusement appuyé sur une canne, ses beaux traits tendus d'impatience. Des semaines durant, les sages-femmes avaient répété que tous les signes indiquaient un héritier mâle : la forme des seins de Gandhari au huitième mois, la position de l'utérus au neuvième.

« Comment va-t-il ?

– Une fille, répliqua sèchement le docteur. Et qui se porte très bien. »

La canne glissa des mains de Dhritarashtra et tomba avec bruit. Un domestique se pencha pour la ramasser et le jeune père s'adossa au mur en respirant profondément.

Je me faufilai avec discrétion dans la chambre et refermai la porte derrière moi.

« C'est moi, mon enfant, dis-je. Je suis venu vous féliciter.

– Une fille ! »

La tête de Gandhari disparaissait dans son oreiller et la sueur perlait encore sur son visage. Même pour voir son enfant, elle avait refusé d'ôter le bandeau qui lui collait aux paupières. Une étonnante pâleur accentuait encore son air lugubre, comme si elle avait perdu tout son sang au cours de l'accouchement.

« Est-ce tout ce que j'aurai à montrer, mon oncle, en guise des cent fils que vous m'aviez promis ? »

Je la contemplai, la pitié l'emportant sur l'admiration que j'avais toujours éprouvée pour cette femme ardente. Je sentis la fatigue de cette longue nuit ruisselante, l'épuisement généré par cette longue et difficile naissance ; et mon esprit est encore hanté par l'image de cette pauvre et lugubre Gandhari, la tête enfouie dans son oreiller parce qu'elle n'avait pas réussi à produire le fils qu'il fallait à son époux. L'Histoire, Ganapathi, abonde en ironies cruelles.

« Ta fille, Gandhari, dis-je, prenant sa main dans la mienne, sera égale à un millier de fils. Cela, je te le promets. »

Je ne pus rien voir dans ces yeux clos ; je savais qu'elle ne me croyait pas. Pas plus qu'elle n'aurait cru ce que le destin réservait à son enfant péniblement fabriquée. Gandhari ne devait pas vivre pour le voir, mais sa fille à l'œil noir, Priya Duryodhani, régnerait un jour sur l'Inde entière

LE QUATRIÈME LIVRE

Un quatuor du Raj

19

La nouvelle de l'annexion de Hastınapur par les Britanniques fut annoncée un matin par un bref communiqué. Rien de la subtile préparation à laquelle on aurait pu s'attendre, Ganapathi ; pas d'anecdotes soigneusement distillées à la presse sur le souci des autorités concernant les agissements du palais, aucun semblant d'outrage éditorial quant au degré d'inconduite politique toléré de la part d'un régent en place ; même pas la vaste distribution bureaucratique de propositions, notes et minutes, que Vidur, à présent jeune fonctionnaire au ministère des États, en en prenant connaissance, aurait pu tenter de prévenir. Non, Ganapathi, aucune finesse cette fois-ci, rien de cette légendaire affabilité britannique du style permettez-moi-de-vous-ôter-vos-lunettes-avant-que-je-vous-casse-la-gueule. La veille, Hastinapur était un État princier comme un autre, avec son drapeau, son blason et son salut à onze coups ; le lendemain, il tombait sous l'autorité de la résidence britannique de Marabar, privé de ses moyens d'action, son poste frontière – tout de forme – démantelé. et l'Union Jack flottant sous les fenêtres de la chambre de Gandhari.

Sir Richard, ex-résident de Hastinapur, devenu représentant spécial du vice-roi en charge de l'Intégration, et grand favori à la succession du gouverneur de Marabar à la veille de la retraite, prit ce matin-là un excellent petit déjeuner, composé d'œufs et de *kedgeree*, qui lui fit gargouiller le ventre de satisfaction. Il venait de s'essuyer les lèvres avec sa serviette damassée quand un Heaslop agité arriva en coup de vent.

« Entrez, entrez, Heaslop, dit sir Richard, fort accueillant mais sans nécessité, car l'aide de camp était déjà à un éternuement de distance de la poivrière. Du thé ?

– Non, merci, sir. Désolé de vous interrompre ainsi, sir, mais je crains que la situation ne tourne au vilain. Votre intervention pourrait être requise.

– Que diable me contez-vous là, mon vieux ? Asseyez-vous, asseyez-vous et déballez votre sac. » Son front rose creusé d'un pli soucieux, sir Richard tendit la main vers la théière : « Êtes-vous certain de ne pas vouloir de thé ?

– Absolument certain, sir. Les habitants de Hastinapur n'ont pas très bien réagi à la nouvelle de l'annexion, sir. Depuis l'annonce à la radio ce matin, ils sont descendus en masse dans les rues, tournant en rond, écoutant les harangueurs au coin des rues dénoncer le joug impérialiste. Les magasins sont fermés, les enfants ne sont pas allés à l'école ni les parents au travail et l'atmosphère du centre-ville et du *maidan* est à tout le moins troublante. »

Sir Richard sirotait son thé élégamment, mais deux de ses multiples mentons tremblotaient :

« De la violence ?

– Un peu. Quelques vitrines d'entreprises britanniques brisées, jets de pierres, ce genre d'incidents. Pas beaucoup de cibles, évidemment, dans un État princier. Il y a encore une chose, sir. On raconte que Ganga Datta s'adressera cet après-midi à un énorme rassemblement au sujet de l'annexion, sir. Dans les jardins de Bibigarh. Les gens déferlent de tous les coins de l'État, des heures avant que le régent, c'est-à-dire l'ex-régent, soit censé arriver.

– Ganga Datta ? Dans les jardins de Bibigarh ? Vous en êtes sûr ?

– Aussi sûr que l'on peut l'être dans les circonstances, sir.

– Il faut les arrêter, Heaslop, grommela sir Richard.

– Oui, sir. J'ai pensé que vous voudriez envisager cela, sir, c'est pourquoi je suis ici. Je crains toutefois que nous ne puissions pas bloquer les rues menant aux jardins. Les policiers ne sont pas très efficaces et, en l'occurrence, je ne me fierais pas trop à leur loyauté.

– Que conseilleriez-vous, Heaslop ?

– Eh bien, sir, je me demande si nous ne risquons pas de perdre plus à tenter d'interdire un meeting que nous ne pouvons pas effectivement empêcher de prendre place.

– Oui, alors ?

– Mon idée serait donc une sorte de retraite stratégique, sir. Laissons-les tenir leur meeting, que ça leur serve de soupape.

– Vous voulez dire ne rien faire ?

– Oui, pour ainsi dire, sir. Mais les passions s'apaiseront. Une fois qu'ils auront eu l'occasion d'écouter quelques discours et de hurler quelques slogans, ils retourneront très vite à leur vie habituelle.

– Allons donc, quelle bêtise, Heaslop ! Une fois qu'ils auront entendu les discours de Ganga Datta et de sa bande de traîtres, impossible de dire ce qu'ils feront. Incendier la résidence, vraisemblablement. Non, il faut empêcher ce rassemblement. Mais vous avez raison pour la police. Elle en sera incapable.

– C'est ce que j'ai pensé, sir, dit Heaslop, malheureux. Alors nous ne pouvons pas faire grand-chose.

– Oh que si ! répliqua fermement sir Richard. Il n'y a qu'une seule solution, Heaslop. Allez me chercher le colonel Rudyard à la caserne. Cette situation exige l'intervention de l'armée. »

20

Les jardins de Bibigarh n'étaient pas un chef-d'œuvre de paysagiste, Ganapathi, mais le seul endroit dans Hastinapur qui pût passer pour un parc public. Le pluriel venait de ce que Bibigarh était moins un jardin qu'une succession de modestes lotissements de tailles diverses, séparés par de hauts murs et des haies. Les enclos permettaient à la municipalité l'aimable prétention de créer différents effets dans chaque jardin : petit bassin rectangulaire entouré par une allée pavée dans l'un, fontaines et parterres de roses dans l'autre, mini-parc pour les enfants dans le troisième. Il y avait même un endroit réservé aux dames, dans lequel les femmes en et hors *purdah* pouvaient se promener en voiture ou prendre l'air, à l'abri des regards indiscrets des mâles ; ici la haie était particulièrement haute et épaisse. Les jardins communiquaient grâce à d'étroits portails, juste assez larges normalement pour les entrées et sorties solennelles des *ayah* poussant les landaus et des soupirants en balade. Ce jour-là, pourtant, ils se révélèrent désespérément insuffisants.

Un des jardins, un espace modérément large et cerné d'un haut mur de brique, était utilisé comme une sorte de forum. C'était l'endroit habituel (le *maidan* étant trop vaste) pour les quelques réunions publiques qu'on se souciait de tenir en Hastinapur. Elles consistaient en *mushaira* présentant les talents poétiques du cru ou une pièce de théâtre populaire sur une scène rudimentaire, dont aucune n'attirait plus de quelques centaines de spectateurs. Mais le simple fait d'avoir été le théâtre d'événements de ce genre qualifiait les jardins de Bibigarh pour cette occasion plus importante.

Quand, le jour de l'annexion, la nouvelle se répandit d'un éventuel discours de Gangaji, Bibigarh parut le lieu logique où se diriger. Bientôt les jardins furent envahis, Ganapathi, non par quelques centaines, non par un millier, mais par dix mille personnes, hommes, femmes et même quelques enfants, écrasés les uns contre les autres sans se plaindre, attendant avec la patience instillée en eux durant des siècles innombrables.

Lorsque le colonel Rudyard, du 5ᵉ Baluch, arriva sur place avec un détachement, il ne lui fallut pas longtemps pour prendre la mesure des choses. Il vit en la foule des pères, mères, frères, sœurs, fils et filles debout, assis, bavardant, mais nullement agités, une populace menaçante. Il vit aussi très clairement – plus clairement que Dieu ne permet de voir au reste d'entre nous – ce qu'il avait à faire. Il ordonna à ses hommes de prendre position sur les hauteurs tout autour de l'enceinte, juste derrière le mur en brique.

Il est possible que ses instructions aient été moins que précises. Peut-être supposait-il que les habitants de Hastinapur avaient déjà été sommés de ne se rassembler sous aucun prétexte et que ces gens étaient par conséquent des fauteurs de troubles. Peut-être n'avait-il eu droit qu'à un aboiement de sir Richard lui enjoignant de mettre un terme à une réunion illicite, et son esprit militaire imagina-t-il le meilleur moyen de remplir sa mission. Ou peut-être se contenta-t-il d'agir selon la simple logique dictée par le colonialisme, d'après laquelle les règles de l'humanisme ne s'appliquent qu'aux gouvernants, car les gouvernants sont des gens, alors que les gouvernés sont des objets. Objets à contrôler, discipliner, garder à leur place et dresser comme autant d'animaux : oui, la mission civilisatrice entreprise par Rudyard et sa tribu faisait des sauvages de nous tous et d'eux aussi.

Quoi qu'il en soit, Ganapathi – et qui sommes-nous pour conjecturer, des dizaines d'années plus tard, sur ce qui se passait dans la tête d'un homme que nous n'avons jamais connu et ne comprendrons jamais ? –, le colonel Rudyard demanda à ses hommes de mettre en joue la foule à cent mètres de là et de tirer.

Il n'y eut aucun avertissement, aucun rappel au portevoix de l'illégalité de leur assemblée, aucun ordre de quitter paisiblement les lieux : rien. Rudyard ne commanda même pas à ses hommes de tirer en l'air ou aux pieds de leurs cibles. Ils tirèrent, sur ses ordres, en plein dans les poitrines, les visages et les ventres d'une foule désarmée et confiante.

Les historiens ont baptisé cet événement le massacre de Hastinapur. Comme les étiquettes mentent ! Un massacre évoque la fièvre d'un carnage, la boucherie accomplie par les combattants assoiffés du sang d'un adversaire vaincu. Il ne se passa rien de tel aux jardins de Bibigarh ce jour-là. Les soldats de Rudyard s'alignèrent avec calme, une sorte de routine : ils n'étaient ni désorientés ni menacés par la foule ; il s'agissait juste d'un travail, encore que pas ordinaire. Ils chargèrent leurs fusils et tirèrent froidement, sans émotion aucune, ni hâte, ni passion, sueur ou fureur, leurs armes appuyées sur le haut des murs de brique édifiés avec tant de prévenance sous le règne éclairé de Shantanu, vidant leurs cartouchières sur les êtres humains en face d'eux avec une précision clinique. Je me suis souvent demandé, Ganapathi, s'ils entendirent les cris de la foule, s'ils remarquèrent le sang, les hurlements angoissés des femmes, la débandade des villageois pris de panique et fuyant la grêle mortelle qui s'abattait soudain sans pitié sur eux. Entendirent-ils les cris des bébés écrasés sous les pieds des malheureux mourants se battant avec leurs bras en bouillie pour essayer de passer par ces portails tragiquement trop étroits ? Je ne peux pas le croire, Ganapathi, je préfère ne pas le croire, et je pense au massacre des jardins de Bibigarh comme à l'image arrêtée d'un film muet en noir et blanc, un Guernica indien.

Les soldats tirèrent exactement 1 600 balles ce jour-là, Ganapathi. Ce fut si machinal, si précis : ils n'utilisèrent que les munitions qu'on leur avait allouées, rien ne fut gaspillé, aucun supplément réclamé. Exactement 1 600 balles dans la foule désarmée et, quand ils eurent terminé, oh, disons dix minutes plus tard, 379 personnes gisaient mortes et 1 137 blessées, beaucoup grotesquement mutilées. En apprenant les chiffres, Rudyard exprima sa satisfaction à ses hommes : « Seulement 84 balles perdues, dit-il. Pas mal du tout. »

D'ailleurs, même ces chiffres étaient anglais ; pour beaucoup d'entre nous, le véritable bilan ne serait jamais connu, car, à mesure que l'histoire se racontait, bien plus de gens perdirent la vie que les Anglais, la presse et la commission d'enquête ne le reconnurent jamais. Qui sait, Ganapathi, peut-être que chacune des balles de Rudyard expédia plus d'une âme dans l'autre monde, comme elles le firent pour les prétentions du Raj à la justice et à la décence ?

21

Quand Gangaji, arrivant plus tard, à l'heure fixée pour son discours, vit ce qui s'était passé, il se tordit de douleur et vomit dans une fontaine d'ornement. Il s'avança en titubant parmi les corps, entendant les cris des blessés et les gémissements des mourants, sans cesser de se parler à lui-même en sanscrit. J'étais là, Ganapathi, et j'ai saisi ses paroles : « *Vinasha kale, viparita buddhi* », notre équivalent du proverbe grec : « Les Dieux rendent d'abord fou celui dont ils veulent la perte. »

C'était la force de Gangaji que de découvrir une signification à la plus irréfléchie et la plus perverse des actions humaines, et ce jour-là il eut à la fois tort et raison. Tort, car le massacre n'était pas un acte de délire frénétique mais une affirmation consciente et délibérée de la volonté coloniale : raison pourtant, car ce fut pure folie de la part des Britanniques que de l'avoir permis. Non pas, Ganapathi, comprends-moi bien, que les Anglais aient eu coutume d'aller chaque jour de la semaine tirer sur les Indiens dans des jardins clos. Ni que Rudyard ait été un particulièrement mauvais bougre en soi : il ne représentait que la méchanceté des hommes sans imagination, la cruauté des êtres prosaïques, la brutalité des gens sans nuances. Et, parce qu'il n'était pas mauvais en soi, il en arriva à symboliser la perversité du système qui autorisa ses actions. Avoir permis aux Indiens de comprendre cela, voilà où réside la vraie folie du massacre de Hastinapur. Massacre qui devint le symbole de ce que le colonialisme pouvait signifier du pire. Et par lequel les Britanniques franchirent ce point de non-retour qui n'existe que dans l'esprit des hommes, ce point que, dans tout rapport d'inégalité, maître et sujet apprennent également à respecter.

Cela ne fut peut-être pas aussi évident sur le moment. L'événement laissa la population dans un état de choc ; si tu penses qu'il provoqua une violente réaction, tu te trompes, Ganapathi, car aucun père de famille ne se met volontairement devant la ligne de feu s'il sait ce que les balles peuvent lui faire. Après Bibigarh, personne ne l'ignorait et les gens se replièrent dans la soumission.

Gangaji me raconta plus tard que le massacre confirma pour lui la sagesse des principes de non-violence qu'il nous avait prêchés et fait pratiquer au Motihari. « Il n'y a aucune raison, dit-il avec candeur, de choisir une méthode qui avantagerait forcément l'adversaire. Nous devons nous battre avec des armes qui soient plus fortes que les leurs – les armes de la Morale et de la Vérité. » Exprimé ainsi, ça peut paraître un peu fumeux, je sais, Ganapathi, mais n'oublie pas que ça avait marché au Motihari. L'espoir que cela réussisse encore ailleurs et la conviction que rien d'autre ne pourrait défaire la puissance de l'empire sur lequel le soleil ne se couchait jamais, voilà ce qui nous fit accourir en masse vers Gangaji. Hastinapur lui donna, au sens véritable du terme, la direction de notre mouvement national.

Et le colonel Rudyard, le grand héros britannique de Bibigarh ? Son efficacité embarrassa ses supérieurs de Whitehall : il existe après tout ce qui s'appelle l'excès de zèle. Rudyard fut mis prématurément à la retraite, encore qu'avec une pension complète. Non pas qu'il en ait eu besoin : car dans tout l'empire du Raj, en long et en large, dans les clubs de planteurs et les associations impériales, dans les thés de dames et les fêtes de régiment, des fonds furent recueillis par des visages roses patriotiques, outrés de l'insulte faite à un homme qui avait accompli si magnifiquement son devoir et remis à leur place ces indigènes insolents. Les sommes ainsi rassemblées et offertes au colonel sur le départ, au cours d'une cérémonie à laquelle assistaient les meilleurs et les plus blancs, se montèrent à un quart de million de livres sterling, oui, Ganapathi, deux cent cinquante mille, deux *lakh* et demi de livres sterling, ce qui, même au taux de change déprécié d'aujourd'hui, équivaut à quarante *lakh* de roupies, une somme que le président de l'Inde mettrait trente-cinq ans à gagner. Il fallut à Rudyard moins de trente-cinq minutes, beaucoup moins. Ce don, que son gouvernement dispensa d'impôts, lui rapporta plus de cent soixante livres par Indien mort ou blessé ; on entendit un des piliers de l'establishment murmurer, au moment où l'on annonçait ces chiffres : « J'ignorais qu'un indigène valût aussi cher ! »

D'une certaine manière, ce geste contribua encore davantage à rendre impossible tout espoir de réconciliation de l'Inde avec l'autorité britannique. Il persuada Gangaji, qui tirait sa morale autant des enseignements du christianisme que de n'importe quelle autre source, que le Raj n'était pas seulement mauvais, mais satanique. Le massacre et sa récompense firent des Indiens de nous tous, Ganapathi. Ils transformèrent les loyalistes en nationalistes et les constitutionnalistes en révolutionnaires, conduisirent un poète lauréat du prix Nobel à renoncer au titre de noblesse conféré par le roi et complétèrent la conversion absolue de Gangaji à la cause de la liberté. Désormais Gangaji considéra la Liberté comme inséparable de la Vérité et il n'hésita jamais plus dans son engagement à libérer l'Inde de l'empire du Mal. Il n'y aurait pas de compromis, pas de détour, pas de marchandage. Il ne pensa à la phrase que des années plus tard, mais son message aux Anglais fut dès ce jour-là très clair : « Quittez l'Inde ! »

Rudyard se retira dans une maison de campagne en Angleterre. Je me demande s'il fut jamais troublé par la pensée de la haine et des insultes dont il était l'objet dans le pays qu'il venait juste de quitter. Ou par le fait que tant de jeunes têtes brûlées avaient juré, au cours de meetings, dans d'innombrables temples, mosquées et *gurudwara*, de se venger dans le sang. J'aime à penser que Rudyard passa quantité de nuits sans sommeil, à s'imaginer avec angoisse qu'une ombre étrange sur le volet pouvait être celle d'un assassin, à se redresser à chaque bruit inhabituel, terrifié qu'il puisse s'agir du messager personnel de Yama. Mais je n'en suis pas certain, Ganapathi, parce qu'il connaissait, tout comme Gangaji, les limites de notre peuple en matière de violence. Les jeunes gens qui juraient une revanche immortelle ignoraient comment s'y prendre pour tenir leur serment, et même où aller. Deux seulement eurent en fin de compte l'intelligence et les moyens de traverser les mers à la recherche de leur proie. Et lorsqu'ils atteignirent Blighty, après s'être renseignés sur un spécialiste des Indes lié de manière déplaisante à Hastinapur, ils découvrirent leur homme et, dans le bruit et le sang, ils le firent exploser.

Ne te réjouis pas, Ganapathi, car ce n'est pas Rudyard dont ils répandirent la cervelle en bouillie dans la grand-rue de Kensington. Non, pas Rudyard, mais la victime d'une simple erreur d'identité : pour un brave Punjabi, un nom anglais ressemble beaucoup à un autre, les gens questionnés s'embrouillèrent facilement aussi, et ce n'est pas Rudyard mais Kipling que nos garçons tuèrent. Oui, Kipling, le même professeur Kipling un jour assez imprudent pour faire allusion aux qualités canines du peuple indien et qui, pour cette imprudence, avait été giflé par mon pâle, mon audacieux fils Pandu. Cela soulève des questions, n'est-ce pas, Ganapathi, sur l'impénétrabilité de la Providence, le sens de la justice de notre Divinité. Nos deux jeunes gens montèrent gaiement à la potence, un slogan nationaliste s'étouffant sur leurs lèvres alors que le nœud se resserrait autour de leur cou, bienheureusement inconscients d'avoir gagné leur martyre en se trompant de victime. Ou peut-être n'était-ce pas une erreur : peut-être le Sort avait-il décidé tout au long que Kipling serait puni pour son mépris ; peut-être le Grand Juge avait-il décrété que la sentence de mort frapperait non pas l'homme qui avait commandé à ses soldats de tirer sur une assemblée sans défense, mais celui qui avait si bassement insulté une nation entière. Peu importe, Ganapathi : aux yeux de l'Histoire, tout ce qui compte, c'est que nous ayons finalement pris notre revanche.

22

C'est donc ainsi que ma famille entra en politique, Ganapathi. Gangaji y était déjà plus ou moins, bien entendu, puisque sa croisade pour la justice l'avait fait buter de front à l'injustice de la loi étrangère, mais ce jour-là Dhritarashtra, avec ses lunettes noires et sa canne blanche, et Pandu, que son célibat avait fait grossir, embrassèrent la cause à plein temps.

Vidur aussi aurait pu les imiter ; en fait, il le voulut. Il arriva de Delhi le lendemain de l'annexion et du massacre et annonça à Gangaji et à ses frères qu'il avait donné sa démission.

« Quoi ? s'exclama Dhritarashtra. Ta démission ?

– Bonne chose, dit Pandu. Bravo, Vidur ! Tu n'aurais jamais dû t'enrôler chez ces salauds pour commencer.

– Reprends-la immédiatement », dit Gangaji.

Vidur cilla d'étonnement. « Reprendre ma démission ? Mais je ne peux vraiment pas le faire.

– Pourquoi pas ? L'ont-ils déjà acceptée ?

– Non, admit Vidur, ils ne l'ont même pas encore vue. J'ai mis ma lettre sur le plateau du courrier du sous-secrétaire et il la trouvera à son arrivée au bureau lundi matin.

– Non, il ne la trouvera pas, dit Dhritarashtra, l'esprit toujours vif, parce que tu vas repartir pour Delhi tout de suite et l'ôter de son plateau avant qu'il ne la voie.

– Mais pourquoi ? s'écria Vidur, désespéré. Vous ne pouvez pas sérieusement souhaiter que je serve ce gouvernement étranger, un gouvernement qui a fait ça à notre peuple ?

– Que tu serves le gouvernement ou bien le peuple qu'il a blessé n'est qu'une question d'opinion, répliqua Ganga, sentencieux. Explique-le-lui, Dhritarashtra.

– Ne vois-tu donc pas, Vidur ? dit Dhritarashtra, qui, malgré sa cécité ou peut-être à cause d'elle, adorait les métaphores optiques. Nous avons besoin de toi là-bas... Si nous devons combattre efficacement le Raj, nous aurons besoin de nos amis et alliés à l'intérieur de l'édifice. Et si nous gagnons, ajouta-t-il, sa voix prenant ce ton rêveur que les dames de Bloomsbury avaient trouvé irrésistible au temps de ses études, nous aurons toujours besoin d'Indiens capables et expérimentés pour gouverner l'Inde. »

C'est ainsi que, non sans réticences, Vidur demeura dans l'ICS ; ayant hérité nombre des bonnes qualités de son père, il grimpa rapidement l'échelle du ministère des États. Son éducation princière lui avait donné le talent de traiter avec les monarques indiens. Il connaissait leurs caprices et leurs désirs, avait de l'indulgence pour leurs excentricités et les interprétait avec sympathie auprès des Britanniques. Il finit par devenir un intermédiaire de confiance entre les maîtres à peau rose et leurs bruns sujets, de plus en plus outrecuidants.

Mais il nous faut écarter Vidur un instant, Ganapathi, pour mieux examiner Gangaji et ses deux disciples princiers tandis qu'à leur tour ils montaient au sommet du mouvement nationaliste.

Ses espoirs déçus de paternité et la santé défaillante de sa lugubre épouse conduisirent Dhritarashtra à se jeter complètement dans l'arène politique, où il surprit tout le monde par son talent. Il avait ce don de l'aveugle de voir le monde non pas tel qu'il est, mais comme il le souhaite. Mieux encore, il était capable de convaincre chacun de la supériorité de sa vision. Très vite il devint, malgré son handicap, le guide lumineux du Parti kaurava, rédigeant ses communiqués de presse et messages officiels au gouvernement, formulant ses positions sur les affaires étrangères et s'instaurant lui-même le porte-parole le plus éloquent et le plus séduisant sur tous les sujets à propos desquels le fabianisme mouture Cambridge lui avait façonné une opinion.

Gangaji, le mentor politique et spirituel du parti, ne faisait pas secret de sa préférence pour le jeune homme mince et assuré. Pandu, en l'occurrence, le prit assez bien. Il voyait le monde très différemment de son demi-frère aveugle. Son flirt récent avec l'ange de la mort et son immersion subséquente dans les Saintes Écritures l'avaient rendu plus traditionaliste que l'idéaliste Dhritarashtra, et la solidité de son apparence témoignait d'un être aux pieds bien plantés sur la terre ferme. Pandu croyait en l'inventaire de la réalité, de préférence avec un poing serré et un œil derrière la tête. Il équilibrait une heure de méditation par une heure d'arts martiaux. « Naturellement, je crois à la non-violence, expliquait-il. Mais je veux être prêt juste au cas où la non-violence ne croirait pas en moi. »

Ses devoirs, en qualité d'organisateur en chef du parti, étaient un peu à l'origine de ses différends politiques avec Dhritarashtra. La mise en place d'une structure pour le parti et d'un encadrement destiné à le faire fonctionner face à l'hostilité colonialiste le persuada que discipline et organisation étaient des vertus très supérieures aux doctrines et idéaux. La classique déformation, Ganapathi, dont notre Leader serait lui-même un jour la victime, la priorité des moyens sur les fins, des méthodes sur les aspirations. Tant que Gangaji fut là, il mit finement les talents opposés de mes deux fils au service de la cause commune. Mais quand son emprise commença à se relâcher...

Bon, vois-tu, Ganapathi, de nouveau j'anticipe. Il faut que tu m'en empêches. Je ne t'ai pas encore raconté l'histoire de Kunti, l'épouse fidèlement infidèle de Pandu, ni comment elle satisfit à l'extraordinaire exigence de progéniture formulée par son mari. Car ce n'est pas seulement Gandhari la Lugubre qui assura la nouvelle génération de leaders indiens par ses laborieuses couches. Après tout, Ganapathi, comme tu le sais bien, nous allions développer un système pluraliste, et il fallait donc pour le faire fonctionner que naisse une pluralité de leaders.

Cesse de prendre cet air lubrique, jeune homme. Je n'ai pas l'intention de te faire tenir la chandelle au chevet de Kunti. Des faits, c'est tout ce que je veux rapporter, des faits et des noms. Je donne dans l'Histoire, ne l'oublie pas, et non dans la pornographie.

En réalité, si ça t'intéresse, Pandu contribua au choix du mélange génétique dont ses fils hériteraient. Le premier amant post-marital (oui, le premier : il y en eut d'autres, mais j'y viendrai un peu plus tard) fut le plus jeune juge indien de la Haute Cour. Appelons-le Dharma, afin de ne pas heurter certaines sensibilités, encore que ceux qui savent de qui je parle n'auront aucun doute quant à sa véritable identité. Dharma était instruit, distingué, de cette beauté que seuls les hommes acquièrent lorsque leurs tempes commencent à grisonner, et d'une famille hautement respectable. Homme de principes, il fut fortement torturé par son adultère et encore plus lorsque Kunti l'abandonna brusquement, dès qu'elle eut (mais ceci, il ne le sut jamais) confirmation de sa grossesse.

Un fils naquit de cette union, un garçon gentil, au menton fuyant et au grand front, qu'on décida d'appeler Yudhishtir. Pandu jure qu'au moment où Kunti finissait d'accoucher il entendit en pleine méditation une voix céleste proclamer que le gamin deviendrait célèbre pour sa sincérité et sa vertu. Mais j'ai toujours soupçonné que Pandu avait tout bonnement lu bien trop tard dans la nuit une biographie de George Washington et qu'il avait rêvé tout ça.

A la naissance de Yudhishtir, Hastinapur était encore aux mains de la famille et Pandu était convaincu de la nécessité d'une plus grande – comment dirais-je ? – « assurance-progéniture » pour mieux consolider la succession. Mais il ne voulait pas d'une trop longue association entre Kunti et Dharma, et la jeune dame était elle-même attirée par l'idée de la variété. (Peu de femmes, Ganapathi, qui ne soient pas excitées à la pensée de produire des enfants avec des hommes différents ; c'est l'ultime confirmation de leur puissance créatrice. Toutefois, heureusement pour l'humanité, ou peut-être malheureusement, moins encore ont le courage de mettre leurs fantaisies en pratique.) Cette fois, son compagnon nocturne privilégié fut un militaire, le major Vayu, de la garde du palais de Hastinapur, garde qui serait bientôt dissoute.

Vayu était un personnage grand, fort, violent, plein d'énergie mais d'humeur changeante. Il entra et sortit en coup de vent de la vie de Kunti, avec une ardeur exprimée plus en rafales qu'en profondeur, laissant en elle la semence du fils cadet de Pandu, Bhim. Bhim le Brave, devait-on le surnommer dans le quartier des domestiques, mais aussi Bhim le Lourd pour ses nourrices épuisées, car il eut une enfance musclée. Son front étroit, ses yeux rapprochés et ses sourcils joints démontraient qu'il ne partagerait jamais les succès intellectuels de son aîné ni la beauté de sa mère, mais que, de toute évidence, peu de gens égaleraient sa force. Le médecin accoucheur se fractura un poignet avant de décider de procéder à une césarienne ; Kunti cessa de le nourrir quand elle se découvrit dans l'incapacité de se lever au bout d'une minute de tétée ; on dut lui fabriquer un lit de fer après qu'il eut démoli deux berceaux en bois d'un seul vigoureux coup de pied ; et une kyrielle d'*ayah* meurtries durent finalement être remplacées par un homme, un ex-champion de catch. La dernière des nounous démissionna après un incident dont elle ne cessa plus jamais de parler : ayant laissé tomber par mégarde le nourrisson fort lourd sur un rocher dans le jardin, elle avait vu avec horreur la pierre se réduire en poussière. Cette fois, Ganapathi, la voix céleste ne prononça qu'un mot : « Aïe ! »

Mais Pandu, propriétaire absent du ventre de son épouse, n'était toujours pas satisfait : il voulait un fils qui combinât le cerveau de Yudhishtir et les biceps de Bhim. Il se plongea de plus en plus dans le yoga et la méditation, maîtrisa l'*asana* préféré du Ciel, qui consiste à rester debout sur un pied de l'aube au crépuscule, demanda à

Kunti d'économiser ses énergies pendant une année entière (ce que, avec Bhim dans les parages, elle fut ravie de faire) et de prier pour un tel fils. Finalement, quand il jugea l'heure venue, il invita le divin et révéré brahmane Devendra Yogi à partager les plaisirs de la couche de son épouse. La divine expertise du yogi rendit pour Kunti l'expérience gratifiante de plus d'une manière. Et c'est ainsi, Ganapathi, que naquit Arjun, Arjun au corps souple et aux muscles nerveux, Arjun à l'esprit acéré et à l'œil perçant, Arjun aux traits fins et au pied agile. Oh, d'accord, je sais que je me laisse de nouveau emporter, mais le garçon le mérite, Ganapathi. La voix céleste proclama que le troisième fils serait aimé aussi bien de Vishnu, le Sauveur, que de Shiva, le Destructeur. Et, cette fois, Kunti, à son tour, entendit la voix, alors qu'elle gisait drainée de ses forces sur son lit d'accouchée ; les *rishi* sur les pentes de l'Himalaya l'entendirent aussi ; les ouvriers dans les usines levèrent le nez de dessus leurs machines bruyantes et l'entendirent ; et moi, m'arrêtant au milieu d'un vibrant prêche de rébellion à un village panchayat, je l'entendis. Et Ganapathi, ô Ganapathi, elle nous remplit tous de joie.

C'est l'étonnante découverte de l'intérêt céleste pour ses maternités qui amena Kunti à mettre un terme à ses expérimentations amoureuses. Pandu, remarqua-t-elle avec inquiétude, était même plus fier de ses fils que s'il les avait personnellement engendrés, et il parlait déjà d'un quatrième candidat à son cocufiage quand Kunti tapa de son joli pied. « Tout cela te va très bien, dit-elle carrément, mais ce n'est pas toi qui gonfles, grossis, t'alourdis, vomis dans l'évier tous les matins et dois abandonner *byriani*, vin et balancelles parce que ça rend malade, et puis subir la douleur, les palpitations et le martyre d'un millier de doigts brûlants tirant sur tes entrailles. » Kunti frémit. Elle était devenue une élégante femme du monde ; tout en parlant, elle inséra une cigarette turque dans un long fume-cigarette d'ébène et attendit, mais Pandu, désapprobateur, s'abstint de la lui allumer. « Je ne pense pas que même tes sages m'en demanderaient davantage. »

Pandu était sur le point de se redresser de toute sa hauteur quand Kunti riva définitivement son clou : « J'ai lu moi aussi pas mal de *Shastra*, dit-elle, ménageant son petit effet, et j'ai découvert que les opinions que tu cites ne sont pas les seules et uniques sur le sujet. D'après ce que je vois, les Saintes Écritures disent qu'une femme qui se donne à cinq hommes est impure et que celle qui couche avec six est une putain. Cela ne t'a pas échappé, n'est-ce pas, mon seigneur et maître ? »

Pandu ouvrit la bouche comme pour parler, puis la referma avec un soupir. « Très bien, comme tu voudras », répliqua-t-il.

Il se serait peut-être montré beaucoup plus insistant si Madri, sa seconde épouse, n'était déjà venue lui faire de gentils reproches : « Ze ne voudrais pas paraître me plaindre ou ze ne ssais quoi, zozota la princesse au grand cœur, mais il me semble que tu pensses beaucoup plus à Kunti qui de toute façon n'est que la fille adoptive d'un maharadza. Enfin, ce n'est pas que ze veuille faire des comparaissons, mais ze ssuis une véritable princesse et ze ssuis ssûre que tu aimerais avoir un héritier de moi ausssi. »

Pandu l'avait gentiment éconduite avec des petits mots d'amour et des déclarations sur sa réticence à souiller sa chasteté (déclarations tout à fait sincères car la perspective de se faire cocufier par ses *deux* épouses ne le réjouissait nullement), mais, à la suite de la rébellion de Kunti, il changea d'avis.

« Très bien, Madri, dit-il à sa compagne aux seins lourds. Mais une seule liaison, c'est tout, autrement mon nom sera la risée de Hastinapur.

– Oh, merci, mon pauvre Pandu séri, s'exclama Madri, son remarquable décolleté tout tremblant d'excitation (Pandu ressentit un pincement au cœur et détourna les yeux). Une seule liaisson, ze te promets. »

Madri se cantonna certes à une seule liaison, comme promis. Mais n'étant rien de moins que très imaginative,

elle séduisit une paire de jumeaux identiques et inséparables. Ashvin et Ashwin faisant toujours tout ensemble,
Madri eut la double satisfaction de tenir sa promesse et
de se délecter de sa violation. Le résultat de ses efforts
fut aussi doublement gratifiant : non pas un mais deux
fils. Rejetant comme trop prévisibles Lav et Kush, les
prénoms des légendaires jumeaux du Ramayana, Pandu
baptisa Nakul et Sahadev les fils de Madri.

« Ah, n'es-tu pas content, Pandu séri ? s'attendrit
Madri, penchée sur le berceau des jumeaux. Des
zumeaux ! Maintenant les méssants Anglais ne peuvent
plus rien contre la ssussession. Ou bien crois-tu, Pandu,
crois-tu (et ici ses petits yeux ronds brillèrent à cette idée)
que zuste pour être tout à fait ssûre, ze ne devrais pas
recommencer une fois ? Zuste une sseule fois ? »

« Ne t'avise pas de la laisser faire, prévint Kunti, mise
au courant de la requête. La prochaine fois, elle produira
des triplés, et de quoi aurai-je l'air ? N'oublie pas que je
suis ta première épouse, après tout. Depuis son arrivée
dans la maison, cette Madri n'a pas cessé de vouloir me
damer le pion. L'intrigante ! »

Et nous avions là, Ganapathi, comme tu peux bien l'imaginer, les éléments d'un drame familial de première classe,
avec sentiments bouillonnants et jalousie fiévreuse. Mais il
fut prévenu par l'événement qui rendit superflue l'entière
question de ces maculées conceptions : l'annexion de
Hastinapur

LE CINQUIÈME LIVRE

Les puissances du silence

23

Bon, Ganapathi, j'y suis, n'est-ce pas ? Je t'ai bien décrit la série rapidement croissante des personnages ? J'imagine que ce n'est pas très facile pour toi à suivre, hein, tant de *dramatis personnæ*, tant de destinées. Mais c'est qu'il s'agit de l'histoire d'une nation entière, une nation de huit cents millions d'habitants (et Dieu sait de combien elle s'est augmentée pendant que je te parlais). Ça pourrait être bien pire.

Voyons un peu, maintenant. Il y a encore tant à dire sur Gangaji. Il y a toujours tant à dire sur Gangaji. Bien que, le Ciel m'est témoin, je ne sois pas un hagiographe, je ne dois quand même pas le laisser tomber complètement dans ces Mémoires. Je n'ai pas l'intention de retracer sa carrière dans tous ses détails, tu peux me croire sur parole. D'autres l'ont déjà trop fait, par les livres, les ondes ou la pellicule, pour que je veuille me joindre à la queue. Mais j'ai promis – pas vrai ? – il y a quelques jours, de te raconter comment Gangaji dirigea sa non-violence contre lui-même, comment il nous étonna d'abord en démontrant jusqu'où il était prêt à aller pour défendre ce qu'il jugeait juste. Je vais maintenant m'appliquer, Ganapathi, à ton indubitable consternation, à remplir cette promesse.

Cela se passa au cours d'une campagne soutenue par Gangaji, peu de temps après le Motihari. Mais cette fois, au lieu de paysans cultivateurs d'indigo, il était venu en

119

aide à des ouvriers travaillant dans une usine de jute, à Budge Budge, aux abords de Calcutta. Le jute, la fibre du *Corchorus capsularis* (et aussi, de crainte qu'on ne m'accuse de peindre un tableau incomplet, du *Corchorus olitorus*), fut peut-être la plus importante contribution de l'Inde à la prospérité de l'Écosse. Cultivé dans les marais du Bengale de l'Est, il était expédié en vastes quantités à Dundee, où on le transformait en sacs, tapis et cabas, renvoyés tout droit avec un gros profit vers, entre autres, les Bengalis qui avaient cueilli la plante pour commencer. Cette plaisante petite combine – champs au Bengale, usines en Écosse – aurait pu durer indéfiniment sans le kaiser Guillaume II, auquel tous les Bengalis sont redevables d'une dette majeure. Il envahit la Belgique et déclara la Première Guerre mondiale : la guerre quintupla la demande de jute car les Européens l'utilisaient pour fabriquer les sacs de sable avec lesquels protéger leurs tranchées et barricader leurs rues ; et comme il était plus rapide, plus sûr et meilleur marché de transformer le jute là où il poussait, le Bengale acquit une industrie du jute. Les usines furent enfin édifiées sur le sol indien et la banlieue de Dundee le céda à la banlieue de Dum Dum.

Mais si la géographie assura un triomphe à l'Inde, l'Histoire et l'économie laissèrent le butin aux mains des Britanniques. Les usines appartenaient aux fils d'Écosse plutôt qu'aux frères du Bengale. Et, ainsi que Gangaji le découvrit, les indigènes qui manœuvraient les métiers mécaniques étaient payés les proverbiales roupies de sansonnet (*leur* proverbe, Ganapathi, *nos* roupies) qui leur permettaient à peine de survivre parmi la saleté et la puanteur des bidonvilles.

C'est une longue histoire, Ganapathi, et je n'ai pas l'intention de la raconter en entier ici, alors tu peux arrêter ces bâillements caverneux et te concentrer sur ce que je te dis. Bref, en simplifiant les questions en jeu, au risque d'offenser les historiens et les *jute-wallahs*, les syndicalistes processionnaires et les défenseurs professionnels, voici ce qui arriva. Quelqu'un d'autre – une femme éclairée, une Anglaise en vérité, la sœur d'un propriétaire de filature – avait fait acquérir aux ouvriers un remarquable avantage, durant une épidémie qui avait ravagé les bidonvilles après une mousson particulièrement violente. Sarah Moore, car tel était son nom, avait persuadé son frère et ses collègues d'offrir un bonus aux ouvriers qui viendraient travailler pendant l'épidémie, et ce bonus se montait à presque 80 % des salaires normaux. Il fallut la peste pour leur faire gagner des gages décents, mais, les ayant obtenus, les ouvriers bravèrent la mort et la maladie pour les mériter.

Une fois l'épidémie terminée, les filateurs décidèrent de supprimer le bonus sous prétexte qu'il ne se justifiait plus. Les travailleurs, menés par la veuve anglaise, leur porte-parole, affirmèrent qu'ils ne pouvaient pas survivre sans le bonus et réclamèrent une augmentation, sinon de 80 %, du moins de 50 %. Les employeurs refusèrent et déclarèrent un lock-out.

Lorsque Gangaji arriva à Budge Budge, la situation frisait le désespoir. Les ouvriers n'étaient plus payés du tout. Leurs familles mouraient de faim. Je n'ai pas besoin de décrire, Ganapathi, à l'enfant d'une cité indienne que tu es sans aucun doute, ce que vit Gangaji de ses yeux : les taudis puants, la saleté, l'abattement et le délabrement ; les enfants jouant dans des fossés fétides, les trous à rat sans eau ni électricité dans lesquels des êtres humains vivaient à plusieurs au mètre carré. C'est maintenant l'image classique de l'Inde – n'est-ce pas ? – et les cinéastes français cessent parfois de filmer les formes dévêtues de leurs femmes afin de concentrer leurs objectifs avec une tendre pitié sur les silhouettes nues de nos enfants. Ils auraient pu le faire plus tôt, eux et leurs confrères manieurs de plume d'une époque plus ancienne, mais il semble qu'alors les observateurs étrangers n'aient pu se résoudre à décrire autre chose que la splendeur de l'Empire britannique. Non pas celle des tisserands indiens dont les Anglais avaient coupé les doigts afin de protéger les machines du Lancashire ; non pas celle des paysans

121

indiens dont les terres avaient été données aux *zamindar* qui garantissaient aux colons la paix sociale indispensable au gouvernement du pays ; ni celle de la déchéance et de la faim auxquelles cette politique réduisait les Indiens. Souffre la fureur d'un vieil homme, Ganapathi, et écris ceci : les Anglais ont tué l'artisan indien, ils ont créé le « travailleur sans terre » indien, ils ont exporté notre emploi à plein temps et ils ont inventé notre pauvreté.

Il est difficile pour toi, qui vis aujourd'hui au milieu de l'évidence de ce dénuement et qui le prends pour naturel, de concevoir une Inde autre que pauvre, injuste et misérable. Mais c'est pourtant ce qu'était l'Inde avant l'arrivée des Anglais, ou alors pourquoi seraient-ils venus ? Crois-tu que les marchands, les aventuriers et les commerçants de la Compagnie des Indes orientales auraient fait voile vers un pays de disette et de misère ? Non, Ganapathi, ils sont venus dans une Inde fabuleusement riche et prospère, ils sont venus en quête de fortune et de profit, et ils prirent ce qu'ils purent prendre, laissant les Indiens se vautrer dans leurs restes. Ganga savait, en pataugeant dans la gadoue et la merde des taudis ouvriers, que tout cela n'existait pas avant l'arrivée des Anglais et représentait une négation de cette idée de Vérité en laquelle il croyait si passionnément.

La misère urbaine a quelque chose de particulièrement démoralisant. La pauvreté du Motihari avait eu, après tout, pour décor la luxuriante splendeur des contreforts himalayens, les verts et les bruns tachetés de soleil faisant du dénuement quelque chose de temporel, de séparé, d'autre. Mais Budge Budge était différent : dans un bidonville, la nature n'offre nul contraste consolant propre à compenser l'horreur sécrétée par l'homme. Dans ces ruelles étroites, sans air, il est impossible d'échapper au malheur ambiant. Gangaji, maître de Hastinapur, vétéran du Motihari, le découvrit pour la première fois et, durant des heures, il fut incapable de parler.

Pourtant, ce qui le toucha le plus, ce ne fut pas l'abjecte pauvreté, Ganapathi, non, et même pas les écuelles presque vides que raclaient les enfants à l'heure du souper, mais l'air d'infini désespoir sur les visages des ouvriers victimes du lock-out. C'était ce que Ganga avait vu de plus semblable au néant : pas d'argent, pas de nourriture, pas de vêtements, pas de travail, pas de salaire, pas d'avenir, en bref aucune raison de vivre, et il en fut ému et terrifié comme par rien d'autre auparavant.

Accompagné de l'idéaliste Mrs Moore, Ganga alla parler à son frère et aux autres filateurs, du moins ceux qui consentirent à le recevoir. Ils formaient un étrange couple, la solide Anglaise à la mâchoire ferme et décidée et le frêle sage indien mince et chauve, s'avançant pour défendre une cause que ni l'un ni l'autre n'avaient l'obligation de faire leur. Un couple qui soulèverait l'étonnement et la colère pendant les années à venir.

« Je ne vois pas en quoi le problème vous concerne, mister Datta, dit d'un ton accablé Montague Rowlatt lorsqu'ils l'abordèrent dans son bureau frais et haut de plafond. Il s'agit d'un différend entre mes employés et moi, dans lequel je n'ai nul besoin de l'intervention d'un tiers, celui-ci me fût-il apparenté. » Il jeta un regard éloquent à sa sœur, qui refusa de se laisser troubler. « Cependant, puisque vous me le demandez, je n'hésite pas à vous dire que mon associé, Morley, et moi-même avons discuté de la situation. Nous avons décidé, avec nos confrères propriétaires d'usines de tissage, de faire une offre équitable aux ouvriers. Pas leurs ridicules 80 %, bien entendu, et certainement pas 50 %, mais le chiffre généreux de 20 %.

– 20 % ! » Sarah Moore bondit sur ses pieds, des éclairs dans les yeux. « Ça n'est pas une offre, Montague, et tu le sais parfaitement. Venez, mister Datta, il semble que nous aurons à pousser cette affaire plus loin ! »

Stupéfait, Ganga rajusta les plis de son pagne et sortit sur les talons de l'Anglaise. Et il résolut de prendre en charge la cause des ouvriers.

24

Mais tout d'abord Gangaji dut faire sienne cette cause. Il convoqua une réunion des travailleurs à l'ombre d'un « arbre des conseils » sur les rives du Hooghly, à l'endroit où, passé Budge Budge, le fleuve traîne son cours boueux vers la baie. Et quand il leur demanda s'ils étaient prêts à adopter ses méthodes dans leur lutte pour la justice et à ne jamais dévier du chemin de la vérité, ils répondirent dans un grand cri unanime :

« Oui !

– Très bien, dit Gangaji de son ton studieux. La première chose à laquelle nous allons procéder, c'est reformuler nos demandes. Vous avez, par la voix de Sarah-*behn* ici présente (oui, Ganapathi, *behn*, car Ganga, avec son joyeux mépris de l'ethnicité, des apparences et de l'histoire coloniale, avait déjà fait de Sarah sa sœur), demandé une augmentation de salaire de 50 %. Vos employeurs offrent 20 %. Comme, à la poursuite de la Vérité, nous ne devons pas rechercher un avantage injuste aux dépens de notre adversaire, j'ai décidé que nous exigerions maintenant 35 %. C'est un chiffre raisonnable, les filateurs peuvent le payer, c'est mieux que ce que vous avez et ça coupe la poire en deux. »

Cette fois, les cris d'approbation de la foule furent un peu moins bruyants. Mais les ouvriers, ayant accepté Gangaji pour chef, acceptèrent aussi sa nouvelle version de leur revendication. Le combat commençait.

Et Ganga le mena à sa manière à lui. Cette fois il n'y eut pas de dépositions à faire, de voyages à entreprendre, d'éléphants à dépasser. A la place, chaque matin, il parcourait les bidonvilles, serrant une main ici, caressant un front là. Puis il se reposait, sa frêle ossature perdue sous les couvertures de l'énorme lit à colonnes que Sarah Moore lui avait installé dans une chambre de sa maison.

Chaque après-midi, à cinq heures précises, il arrivait sous le *peepul* dans la torpédo Overland de Mrs Moore. Une foule s'était déjà rassemblée pour le rituel, et le chauffeur de l'Anglaise, son impassibilité professionnelle ne trahissant rien de son opinion quant à cette inhabituelle mission, devait jouer de l'avertisseur pour se frayer un chemin jusqu'au pied de l'arbre. Ganga et sa « sœur » – un mot qui finit bientôt par signifier tout à la fois « amie », « hôtesse », « protectrice » et « disciple » – descendaient alors de voiture. Ganga, un châle drapé parfois autour de ses maigres épaules pour le protéger de l'hiver bengali, ses lunettes perchées sur le nez, commençait à parler à la foule.

Peu importait, ou presque, ce qu'il disait car il haussait rarement la voix pour haranguer son auditoire et les mots n'atteignaient jamais les derniers rangs. Et, dans le cas contraire, peu l'auraient compris. Mais on aurait dit que par sa simple présence et son effort pour communiquer avec eux il transmettait un message plus puissant que les mots. Sa personne faisait passer ses propres impulsions aux gens rassemblés devant lui, une onde de force, une inspiration et une conviction qui soutenaient les ouvriers dans leur défi affamé.

Je vois de nouveau ce pli soucieux creuser ton front, Ganapathi. Tu penses que cela ne ressemble absolument pas au Ganga que nous connaissons, le Ganga des compartiments de troisième classe et des actes d'abnégation. Mais que puis-je dire, jeune homme, excepté que c'est la vérité ? On se serait attendu qu'il s'installe en plein milieu des taudis sordides, mais il demeura dans le confort de la civilisation coloniale ; on se serait attendu à ce qu'il vienne à pied jusqu'au *peepul* (écris ça comme tu voudras, Ganapathi, *peepul* ou *peuple*, l'idée est la même), au lieu de quoi il s'y rendait dans la voiture d'une femme blanche. Et pourtant rien de tout ça ne l'empêchait de prêcher aux travailleurs l'importance de maintenir leur revendication, même s'ils devaient mourir de faim pour la peine.

Cela se poursuivit durant plusieurs jours, Ganapathi, plus de deux semaines en fait ; Ganga prononçait ses discours, les ouvriers devenaient de plus en plus affamés et désespérés et les employeurs refusaient de céder d'un pouce. Dieu sait combien de temps ç'aurait pu continuer et si, au bout du compte, nous aurions eu une histoire intéressante à raconter. Mais le Sort a l'habitude d'intervenir juste au bon moment pour résoudre ces crises, laisser tomber une pomme sur une tête endormie, transformer un courant à la dérive en une marée déferlante. Les grandes découvertes, Ganapathi, sont souvent le résultat d'une grosse erreur commise au bon moment. Demande un peu à Christophe Colomb.

Cela se produisit quand les filateurs, décidant que leurs employés avaient désormais atteint le point de moindre résistance, annoncèrent la fin du lock-out : les portes des usines étaient maintenant ouvertes à quiconque était désireux d'accepter les 20 %. Ganga répliqua lors de sa réunion de cinq heures que si le lock-out des propriétaires était terminé, la grève des travailleurs venait juste de commencer. Ils ne retourneraient pas à leurs machines, déclara-t-il, jusqu'à l'obtention des 35 %. Sa déclaration fut accueillie par quelques bravos disséminés et de vastes plages de silence. Chez les ouvriers, les gargouillis des estomacs étouffaient le défi des voix.

Non pas qu'ils fussent moins résolus à tenir le coup. Non, Ganapathi, ils avaient tenu, obéissant aux exhortations quotidiennes de Gangaji. Et, dans les chansons frustes et grossières qu'ils avaient improvisées après ses discours, dans les rythmes cadencés de leurs processions qui les ramenaient du *peepul* vers leurs taudis, ils exprimaient leur courage et leur détermination :

> J'ai rêvé cette nuit du paradis
> où chaque homme était libre,
> où les ouvriers chantaient, travaillaient et priaient
> aux pieds de Gangaji,
> aux pieds de Gangaji.

Et Gangaji disait : Ce bonheur est à vous
parce que vous avez tenu jusqu'au bout,
parce que vous avez résisté avec courage
et catégoriquement refusé de céder,
et catégoriquement refusé de céder.

Oui, mes frères et amis, nous gagnerons ;
c'est en restant fidèles à nos convictions,
à notre cause et notre foi que nous vaincrons
et que Dieu nous donnera notre dû,
et que Dieu nous donnera notre dû.

Simples refrains, Ganapathi, chantés simplement par un chœur en haillons, avec des mots improvisés chaque soir pour refléter le thème principal du dernier discours de Gangaji. Ils chantaient souvent faux, Dieu sait, mais avec cette harmonie intérieure toujours présente chaque fois que c'est le cœur qui s'exprime. Mais peu de choses peuvent mettre davantage à l'épreuve le courage de l'esprit que les besoins de la chair. Lorsque les filateurs ouvrirent les portes des usines et offrirent de réembaucher les ouvriers affamés, le défi des travailleurs vacilla au bord de l'effondrement.

Gangaji comprit que même si une poignée de ses protégés retournaient à l'usine, sa cause – leur cause – échouerait et les semaines d'obstination qui leur avaient maintenu le ventre vide n'auraient servi à rien. Alors il ajouta une mesure pratique à ses harangues : il avança l'heure de ses sessions journalières sous le *peepul* de cinq heures de l'après-midi à sept heures et demie du matin, le moment précis où résonnait le sifflet de l'usine et où les portes s'ouvraient pour accueillir les ouvriers revenus travailler.

Un geste audacieux : les portes de l'usine faisaient face à la rive sur laquelle se dressait l'arbre de Gangaji. Il confronta ses adeptes à la source de leur propre tentation et leur enseigna à la rejeter comme le mal.

Cela marcha le premier jour. Le sifflet retentit, l'immense portail s'ouvrit avec fracas ; un contremaître rubicond en short kaki s'avança à l'entrée et, l'air de les attendre, regarda les ouvriers rassemblés. La tentation se peignit sur les visages, mais la foule de Gangaji tint bon ; aucun homme n'allait franchir cet accueillant portail sous l'œil de ses camarades. Un genre de piquet de grève primitif, je suppose, sans la certitude, en ces temps présyndicaux, que le piquet tiendrait. Ganga représentait le guide sage et désintéressé que les travailleurs avaient appelé de leurs vœux ; mais son désintéressement le disqualifiait aussi. En affirmant ses principes moraux, en soutenant les règles abstraites de la Vérité et de la Justice, il ne risquait rien d'autre que ses croyances. Tandis qu'eux, en continuant leur jeûne forcé, risquaient leurs vies.

25

Tard dans l'après-midi, après la première séance de sept heures et demie, un des volontaires de Gangaji – d'accord, Ganapathi, tu l'as deviné à travers mes essais de reportage, c'était moi – visitait un *bustee*, un coin de bidonville, pour essayer de soutenir le moral des ouvriers et de leurs familles. Mais leurs visages maussades, leurs réponses à moitié marmonnées, leurs regards détournés disaient que les gens avaient commencé à perdre foi en ce que Gangaji tentait de faire. Et soudain un homme, berçant sa petite fille malade sur ses genoux, éclata en plaintes amères : « C'est très joli pour Gangaji de nous conseiller de ne pas céder. Après tout, qu'est-ce que ça lui coûte ? Il mange de la bonne nourriture dans les assiettes de Moore-*memsahib* et se promène dans une voiture qui vaut des années de salaire. »

Ces mots firent mouche. A l'abri de sa propre sincérité, Gangaji n'avait pas songé que la profondeur de son engagement serait jamais mise en doute. Je retournai en hâte chez Moore-*memsahib* pour informer Gangaji de ce qu'un homme avait dit et ce que d'autres sans aucun doute pensaient.

Même moi, j'ignorais comment il réagirait à cette accusation. Moi ou toi, Ganapathi, nous l'aurions peut-être traitée par le mépris ou alors nous aurions cherché à nous expliquer avec les ouvriers, et les deux méthodes auraient finalement abouti à la perte de crédibilité qui coûte leur autorité à tant de meneurs d'hommes. Un politicien moderne aurait peut-être tenté de remédier à la source du mécontentement des ouvriers et trouvé de quoi nourrir leurs familles auprès de riches donateurs ; mais Gangaji avait déjà refusé de nombreuses offres d'aide de la part de riches Indiens sous le prétexte que les travailleurs devaient livrer eux-mêmes leur propre combat. (« S'ils gagnent, malgré la faim, ce sera un triomphe beaucoup plus vrai qu'une victoire construite sur la charité d'étrangers », me déclara-t-il. Oui, Ganapathi, Gangaji pouvait être dur, dur jusqu'à l'insensibilité.) Et, finalement, il y avait la possibilité – même si, d'après ce que je savais de Gangaji, elle était très mince – qu'il abandonnât son entière croisade sous le prétexte que ses disciples n'étaient pas dignes de lui.

N'importe laquelle de ces réactions eût été concevable chez un autre homme. Mais Gangaji réagit d'une manière qui reflétait et définissait son caractère unique.

« A partir de cette minute, annonça-t-il d'un ton qui me rappela cet autre terrible vœu qu'il avait fait, je ne mangerai, ni ne boirai, ni ne me déplacerai dans aucun véhicule jusqu'à ce que les demandes des ouvriers aient été acceptées. »

Ni manger ni boire ? Nous fûmes atterrés. « Ganga, protestai-je, tu ne peux pas faire ça. Nous avons besoin de toi, les ouvriers ont besoin de toi. »

Mais Ganga ne se laissa pas émouvoir. Sarah-*behn*, moi-même, d'autres volontaires, tous nous nous offrîmes à prendre sa place : non seulement il nous envoya promener, mais il nous refusa même la permission de nous joindre à son jeûne. « C'est ma décision, prise par moi seul et pour moi seul, dit-il. Les ouvriers m'ont suivi jusqu'ici en tant que leader et maintenant qu'ils hésitent, c'est moi en tant que leur chef qui dois tenir bon. » Puis, de ce ton par lequel il désarmait ses interlocuteurs, il ajouta ces mots fameux, ces mots immortels qui lui ont gravé sa place dans tous les recueils de citations : « Jeûner, dit-il, est mon affaire. »

Jeûner est mon affaire. Que de manières de lire ces mots, Ganapathi ! *Jeûner* est mon affaire ; jeûner est *mon* affaire ; jeûner est mon *affaire* ; et aussi (pourquoi pas ?) jeûner *est* mon affaire. Et même ceux qui les entendirent de leurs propres oreilles ne peuvent s'accorder à désigner le mot sur lequel le Grand Homme mit l'accent. Peu importe. Peut-être, de mystérieuse façon, fit-il passer les quatre significations, et bien d'autres nuances au-delà, dans son interprétation de cette phrase classique. Une phrase qui aujourd'hui est passée dans l'Histoire, un slogan, une légende usée par un emploi excessif, abâtardie par l'imitation. Pourtant, une fois qu'elle fut sortie de sa bouche, Gangaji lui-même ne l'utilisa plus jamais.

Le lendemain matin, il se leva avant l'aube pour faire à pied les douze kilomètres qui séparaient la confortable résidence de Sarah Moore du *peepul* en face de l'usine. Il avait besoin d'une canne à présent, mais il s'agissait d'un accessoire plus au sens théâtral qu'au sens physique. Tous nous l'accompagnâmes, et alors que l'étrange procession arrivait devant les masures des ouvriers, des enfants accoururent pour voir ce qui se passait et rapportèrent la nouvelle à leurs pères. « Gangaji a fait un vœu », le mot fut susurré d'une lèvre à l'autre. « Bhishma a fait un vœu. » A sept heures vingt-cinq, quand il atteignit l'arbre, une foule plus nombreuse que jamais s'était rassemblée pour l'accueillir.

« Frères et sœurs, dit Ganga, joignant ses mains dans un respectueux *namaste*, je sais que j'ai exigé de vous de grands sacrifices. Certains ont pu commencer à sentir qu'ils ne pourraient pas continuer, que la bataille était trop inégale. Pourtant, je vous ai demandé d'être forts, car celui qui cède maintenant non seulement avoue sa faiblesse, mais affaiblit la force des autres. Quelques-uns parmi vous peuvent se demander pourquoi ils devraient suivre mes conseils quand je ne sais que vous offrir des mots. A ceux-là et à vous tous je fais le serment solennel de ne jamais manger, ni boire, ni me déplacer autrement que sur mes jambes, jusqu'à ce que vous ayez repris votre travail avec une augmentation de salaire de 35 %. »

Telle la première bouffée d'un volcan nerveux, un grand soupir de soulagement s'échappa de la foule ; puis le silence se fit et chacun, hommes et femmes, tendit l'oreille pour entendre la suite du discours de Gangaji.

« Je vous ai souvent dit dans le passé que notre cause valait qu'on lui sacrifiât notre vie. Ce n'étaient pas des mots en l'air, mes amis ; j'y crois. Aujourd'hui, je vous déclare à tous que si la Vérité ne triomphe pas, si la Justice nous est refusée, je suis prêt à mourir. »

Le volcan gronda, Ganapathi. Il explosa en une brûlante coulée de lave humaine, tandis que, l'un après l'autre, les hommes se levaient pour hurler leur gratitude et leur respect au Grand Maître. Les louanges se mêlèrent aux prières, les cris aux slogans, jusqu'à ce que Ganga, binoclard et tranquille, installé dans sa pose habituelle sous l'arbre, parût s'élever sur un nuage d'adulation. Dans la confusion, un tisserand musulman vêtu de brocart et coiffé d'un fez rouge vif bondit en brandissant un couteau. Il voulait dire, semble-t-il, qu'il était prêt à mourir sur-le-champ pour la cause, si nécessaire ; mais certains crurent sans aucun doute qu'il menaçait d'en finir avec les exploiteurs anglais et une immense clameur de soutien salua son geste. Si, de toute évidence, la philosophie de Ganga n'avait pas été entièrement comprise, il était clair qu'il avait néanmoins atteint son but.

Le reste de l'Inde se redressa enfin et prit note de ce que Ganga accomplissait dans cette bourgade obscure du Bengale nommée Budge Budge. Le nationalisme indien avait engendré son lot d'agitateurs, de boycotteurs et de pourvoyeurs de feux de joie ; ses chefs avaient utilisé les textes de lois, les saints sacrements et les bombes ; mais jamais aucun n'avait encore essayé de se laisser mourir de faim. La curiosité fut soulevée à l'échelle nationale et l'opinion inévitablement divisée. Des étudiants radicaux signalèrent leur soutien en mettant le feu aux cantines universitaires, encore que d'aucuns aient pu interpréter ce geste comme un commentaire sur la qualité de la cuisine. L'éminente Écossaise qui dirigeait la Ligue de l'autonomie indo-irlandaise télégraphia à Ganga, le pressant de ne pas gaspiller sa vie pour une cause aussi banale que des salaires. Le journal principal de la présidence du Bengale consacra six centimètres à l'affaire dans une page intérieure, juste sous sa rubrique « Nature ». Un aimable professeur américain vint demander à Ganga sous son arbre s'il en avait toujours voulu à son père.

Les filateurs écossais frôlaient l'apoplexie. « Pour l'amour de Dieu, Sarah, dis-lui de ne pas faire l'imbécile, plaida Montague auprès de sa sœur. Tout ceci est puéril. Comme un gamin à qui on refuserait une sucette et qui menacerait de ne plus respirer. Et cette fichue affaire ne le regarde même pas ! C'est une histoire entre nous et nos ouvriers. Et qu'est-ce que sa vie a à faire avec ça, sapristi ! »

26

« Du chantage, dit Sarah-*behn* à Gangaji penché sur ses livres à l'ombre du *peepul*. Voilà leur commentaire à l'Association des filateurs. Du chantage.

– Ils ont tort, ma sœur. » La voix de Ganga était rauque de soif, affaiblie par la faim, mais elle s'éleva avec vivacité. « Mon jeûne n'a rien à voir avec leur décision. Je ne jeûne pas pour les faire changer d'avis. Ça, ce serait du chantage et ce serait mal. A quoi servirait-il que les filateurs acceptent de payer les 35 % juste pour sauver ma vie ? Ils n'agiraient pas en accord avec la Vérité ni parce qu'ils croient juste la cause des travailleurs. Ce serait une fausse victoire. Non, Sarah-*behn*, je jeûne pour renforcer la détermination des ouvriers, pour leur montrer combien fermement ils doivent s'accrocher à leurs croyances s'ils veulent qu'elles triomphent. Mon jeûne démontre ma conviction, c'est tout. Et certes pas une menace pour quiconque, encore moins pour vos frères, les filateurs. Dis-le-leur, Sarah-*behn*. »

Elle essaya. Sarah comprenait intuitivement Ganga. Un des plus étranges mystères de l'histoire indienne fut que la personne la plus prompte à se mettre sur la même longueur d'onde ne fut pas l'un de nous, natifs de Hastinapur, qui trouvions tous les excentricités du Maître si difficiles, mais cette bourgeoise anglaise au teint de betterave pas mûre.

Elle le comprit en partie parce qu'elle avait fini par comprendre un peu de la tradition indienne telle qu'elle était vécue dans les huttes et les taudis des pauvres et des classes inférieures, cette fraction de la population que le nationalisme indien avait si complètement négligée jusqu'à ce que Ganga vienne lui donner sa place au soleil. Chez les petits employés d'usine, dont elle se donnait la peine de visiter les épouses en des temps de deuil ou de joie, Sarah avait fini par admirer la capacité indienne à l'abnégation altruiste. Tu sais, Ganapathi, de quelle façon les Indiens jeûnent certains jours de la semaine, se privent de leurs mets favoris, éliminent des composantes essentielles de leur régime, tout cela pour accumuler un crédit moral plutôt que physique. Là où une femme occidentale saute un repas dans l'intérêt de sa silhouette, sa sœur indienne sacrifie sa faim à une cause, généralement une cause mâle. (Son mari ou son fils, cela va de soi, ne lui rend jamais la pareille : il manifeste son appréciation d'un tel sacrifice en s'offrant une plus large portion de sa cuisine.)

Sarah jugea l'action de Gangaji dans ce contexte et y vit une assertion plutôt qu'un chantage. Mais son frère et ses amis de l'Association des filateurs n'étaient pas plus capables de penser en ces termes que de se convertir à l'hindouisme. Et ils refusèrent de l'écouter.

Gangaji s'affaiblissait chaque jour davantage. Sa maigreur, déjà remarquable durant ses derniers mois en Hastinapur, frisait péniblement le ridicule ; ses traits se creusèrent, jusqu'à ce qu'on ne puisse plus discerner sous les repousses de barbe la peau percée d'yeux au regard fixe. Les visiteurs affluèrent, leur souci de sa santé méritant des manchettes de hauteur croissante dans les journaux. Les foules toujours plus nombreuses à l'extérieur de son abri se montraient moins curieuses que furieuses. Les filateurs, nerveux, envoyèrent un médecin, qui prit le faible pouls de Gangaji et déclara que son état s'aggravait terriblement. A moins d'une intervention rapide, il serait très vite désespéré et le nationalisme indien aurait son premier martyr non violent.

Nous qui avons maintenu une veille incessante tout au long de ces jours et de ces nuits, nous ne les oublierons jamais, Ganapathi. Nous le suppliâmes de nous écouter, de renoncer à son action suicidaire, de boire un peu, d'accepter un compromis. Il demeura intraitable : son jeûne continuerait jusqu'à ce que les ouvriers obtiennent leurs 35 %. Au bout d'un moment, il cessa tout net de répondre à nos prières, détournant son visage dès que l'un de nous abordait la question. Je l'avoue, Ganapathi, le dixième jour, nous avions pratiquement abandonné. Je n'oublierai jamais la brève vision que j'eus de Sarah-*behn* quittant le chevet de Ganga ce soir-là, le visage gonflé et ruisselant de pleurs.

Enfin, les autorités britanniques décidèrent de prendre l'affaire en main. Les conséquences de l'inaction étaient trop horribles à envisager. Un message sec du gouverneur du Bengale parvint à l'Association des propriétaires de filatures : « Cédez. »

« 35 % ! hurla Sarah-*behn*, ses joues pâles rouges d'excitation, en brandissant un bout de papier, une vraie feuille de paix, sous le nez de Ganga. Vous avez gagné !

– Non, ma chère sœur », croassa la voix affaiblie, un léger sourire perçant sous l'épuisement. Gangaji écarta les mains dans un geste englobant la foule hurlant de délire qui avait résisté avec lui : « Ce sont eux qui ont gagné. »

On lui apporta un jus d'orange et il pencha la tête pour boire au verre que tenait Sarah-*behn*. Alors que les gouttes humectaient sa gorge desséchée, la foule laissa échapper un rugissement d'extase, comme si le mouvement de sa pomme d'Adam équivalait à l'arrivée d'une bouée de sauvetage près d'une embarcation en danger. Cette année-là, les oranges étaient acides, Ganapathi, mais le goût de la victoire et de la survie fut délicieusement doux.

27

Tu imagines, Ganapathi, le soulagement qui fut le nôtre, outre un sentiment de triomphe. Des années plus tard, dans sa candide autobiographie, Ganga écrivit que l'instant où il décida soudain d'entreprendre un jeûne avait été pour lui un instant « sacré ». L'inspiration, dit-il, lui vint en un éclair aveuglant : il sut, un point c'est tout, ce qu'il devait faire pour passer son épreuve du feu. Les ouvriers avaient juré de le suivre et de se laisser guider par lui ; il devait jeûner pour les empêcher de manquer à leur serment. Et de l'annoncer, écrit Ganga, changea aussitôt et pour toujours le cours de son combat. « Le meeting, jusqu'ici sans réaction, reprit vie comme par miracle », tels sont ses mots je crois. C'est lui, bien sûr, qui le ranima et lui redonna vie. Sa vie.

Et pourtant, Ganapathi, quel modeste résultat apporta ce premier jeûne capital. Trente-cinq pour cent ? Oui, mais 35 % pour un jour seulement. Car telle était la formule astucieuse concoctée par le gouvernement britannique pour les filateurs. Ganga avait dit qu'il jeûnerait jusqu'à ce que les ouvriers puissent reprendre le travail avec une augmentation de 35 %. Mais ils ne purent conserver cet avantage au-delà du premier jour. Le lendemain, ce fut 20 %, et pour chaque jour suivant jusqu'au verdict du médiateur gouvernemental : 27,5 %. Il faut admirer l'astuce de la formule, Ganapathi. Les 35 % mirent fin au jeûne de Ganga et à la grève ; les 20 % empêchèrent les filateurs d'avoir à concéder leur défaite, ce qui aurait pu encourager d'autres ouvriers à envisager la grève ; et les 27,5 % parurent équitables à l'égard des deux parties, tout en donnant au médiateur le chiffre le plus évident pour sa solution. Les travailleurs de Budge Budge qui avaient commencé par réclamer 80 %, puis étaient descendus à 50 %, avant de se résigner à n'accepter que 35 %, durent finalement se contenter de 27,5 %. Le sens de la justice qui avait conduit Ganga à « couper la poire en deux » entre les deux positions originales ne servit qu'à réduire le règlement final, lorsque le médiateur divisa aussi de nouveau la différence. La morale politique, Ganapathi, ne fait pas toujours de la bonne arithmétique.

Mais ces détails ne semblèrent pas tourmenter les ouvriers, qui chantèrent et dansèrent pour célébrer leur victoire. Ils remercièrent Ganga, se prosternèrent à ses pieds et le submergèrent de guirlandes de fleurs. Ses humbles volontaires furent fêtés avec du lait de coco et des poissons du fleuve. Quelqu'un produisit un cadeau spécial pour Sarah-*behn*, un sari de coton de Shantipuri, de couleur crème, avec une étroite bordure noire. Elle l'accepta, les joues ruisselantes de larmes : ce sari signifiait qu'elle était maintenant l'une d'entre nous. Elle le porta le soir même et nous ne la revîmes plus jamais dans les jupes de son passé occidental.

Comment t'expliquer, Ganapathi, ce que ce premier jeûne signifia pour Gangaji et pour nous tous ? Ce fut un événement spontané, impromptu, avec une organisation minimale et, il faut bien l'admettre à la lumière des 27,5 %, un résultat marginal. Mais, dans la nuit de notre assujettissement, il brilla tel un phare d'espoir et de force, une déclaration d'intention, de courage, de foi. Ce qui se passa à Budge Budge confirma la vigueur de la révolution non violente entreprise par Ganga.

En jeûnant, en dirigeant la force de ses convictions contre lui-même, Gangaji nous enseigna à résister à l'injustice avec des armes que personne ne pouvait nous prendre. L'usage du jeûne par Gangaji fit de notre faiblesse même un moyen de combat. Il frappa l'imagination de l'Inde comme aucun discours, aucune prière, aucune bombe ne l'avait fait. Bientôt, les jeûnes de Gangaji ralentirent les battements du cœur du pays ; sachant que le Grand Maître ne mangeait pas, des étudiants affamés repoussèrent leurs assiettes ; des villages entiers refusèrent d'allumer leurs chandelles afin de partager sa nuit. Lors de cette première occasion, l'intérêt était limité. Il fallut le gagner. Gangaji le gagna, et avec lui l'attention, et la dévotion, du pays. Il avait compris que le meilleur moyen de faire vivre ses principes était, paradoxalement, d'être prêt à mourir pour eux.

C'est dans cette conviction que résidait la force ultime du mouvement national. La volonté de Gangaji de sacrifier sa vie donna le ton pour d'autres sacrifices, qui, finalement, rendirent la liberté possible, en fixant trop haut le prix que les Britanniques auraient eu à payer pour rester.

Les jeûnes, Ganapathi, n'ont jamais aussi bien marché qu'en Inde. Seuls les Indiens pouvaient mettre au point une méthode de marchandage politique fondée sur la menace à l'égard de soi-même plutôt que de l'adversaire. Bien sûr, comme de toutes les grandes innovations de notre pays, on a abusé honteusement des jeûnes. En tant qu'armes, les jeûnes ne sont efficaces que dans la mesure où votre cible juge votre vie plus précieuse que ses convictions ou, du moins, sent que la société dans son ensemble l'estime ainsi. Ils convenaient donc idéalement à un leader national non violent, honnête, tel que Gangaji. Mais utilisés par de moindres mortels, sans grand titre à l'élévation morale ni grand dévouement aux principes, les jeûnes deviennent une autre forme insidieuse de chantage, usée et abusée dans notre pays agité.

Cela aurait pu être pire. Si plus d'hommes politiques, Ganapathi, avaient eu le courage de jeûner face à ce qu'ils considéraient comme une injustice transcendante, les gouvernements indiens auraient pu se trouver dans l'impossibilité de gouverner. Mais trop de candidats au jeûne proclament leur abnégation et puis se retirent derrière le rideau pour dîner subrepticement, ce qui rend leurs demandes faciles à repousser puisqu'il n'y a pas à redouter qu'ils se fassent du mal.

Ce n'est pas le plus terrible, Ganapathi. Quel héritage plus pathétique pour Ganga, qui risqua sa vie pour 27,5 %, que ces jeûnes qui ont reçu l'ultime sort indien d'être réduits au symbole ? Quoi de plus absurde que le « relais-jeûne » largement pratiqué par nos politiciens d'aujourd'hui, où différents individus sautent un repas tour à tour en public ? Personne ne souffrant d'inanition assez longtemps pour poser problème à lui ou aux autres, toute la substance de l'idée originale de Gangaji est perdue. Il ne nous reste plus que le drame sans le sacrifice, et n'est-ce pas là une métaphore de la politique indienne aujourd'hui ?

LE SIXIÈME LIVRE

Le fruit défendu

28

Laissons Gangaji de côté un instant – même si cela, tu peux t'en rendre compte, Ganapathi, n'est jamais facile : tu vois bien comme il ne cesse de prendre la vedette de notre histoire – et revenons à ses pupilles, les *nouveaux principicules* et géniteurs de Hastinapur. Ils n'ont pas jusqu'ici figuré dans les épisodes de la vie de Gangaji que je viens de raconter pour la simple raison qu'ils n'étaient pas là, encore que le dire sera probablement jugé hérétique aujourd'hui par leurs nombreux dévots respectifs. Nos hagiographes contemporains voudraient nous faire croire que Dhritarashtra, avec ses lunettes noires et sa canne blanche, fut partout aux côtés de Gangaji dans le combat pour l'indépendance, ainsi que Pandu, jusqu'à son désaccord avec son mentor. Eh bien, Ganapathi, je te l'assure, ce n'est pas vrai, car la plupart des événements capitaux de la vie et la carrière de Gangaji furent ceux où il a agi seul, résolvant les diktats de sa conscience hyperactive en lui-même et par lui-même.

Non pas que ses disciples, plus tard nos dirigeants, soient demeurés entièrement oisifs à l'époque. Après tout, l'indépendance ne fut pas gagnée par une série d'incidents isolés, mais par les actions incessantes, inlassables, de milliers, de centaines de milliers d'hommes et de femmes à travers le pays. Nous avons tendance, Ganapathi, à regarder l'Histoire comme s'il s'agissait d'une pièce de théâtre, une scène succédant à l'autre, notre héros passant d'un acte au suivant dans son inexorable marche vers le dénouement. Mais la vie n'est jamais ainsi. Si la vie était une pièce, les bruits en coulisse, et d'ailleurs les bruits du public, étoufferaient les paroles des acteurs principaux. Cela ne ferait pas un récit très excitant, et donc le récit de l'Histoire n'est que l'ordre que nous imposons artificiellement à la vie pour permettre à ses leçons d'être plus clairement comprises.

Et c'est ainsi, Ganapathi, que dans ces Mémoires nous éclairons un seul coin de notre passé collectif à la fois, nous nous concentrons sur les actions d'un seul homme, la passion d'un seul village, le devoir d'un seul colonel, mais, pendant ce temps-là, la vie continue ailleurs, Ganapathi : tandis que les coups de fusil retentissent dans les jardins de Bibigarh, des enfants naissent, des nationalistes sont fourrés en prison, des maris se querellent avec leurs femmes, des plaintes sont déposées aux tribunaux, des pierres sont jetées sur des policiers et de zélés jeunes étudiants indiens, à Londres, passent des examens qui leur permettront de gouverner leurs propres concitoyens au nom d'un roi étranger. Ce n'est pas différent pour les protagonistes de notre histoire, la poignée d'individus et de familles choisie parmi les brumes de la mémoire d'un vieil homme pour représenter un passé dans lequel d'autres aussi ont joué un rôle significatif mais oublié. Le temps ne s'arrêta pas pour eux tandis que Gangaji parcourait le Motihari ou jeûnait si utilement à Budge Budge. Non, Ganapathi, pendant ce temps-là nos amis aussi vivaient, respiraient, pensaient, travaillaient et (Pandu excepté) copulaient, leurs efforts non rapportés dans ces mots que tu as si laborieusement transcrits. L'Histoire a poursuivi sa marche, ne laissant que quelques empreintes sur nos pages. De ses traces profondes sur d'autres sables tu ne sais rien, parce que j'ai choisi de me laver dans les eaux qui les ont balayées.

En d'autres termes, Ganapathi, tandis que notre histoire se développait sur tes notes et mes petites cassettes, Pandu et Dhritarashtra travaillaient activement en Hastinapur, à Bombay, à Delhi, à organiser et promouvoir respectivement l'institution qui un jour transformerait la vision de Gangaji en une nation tangible – le Parti kaurava.

Pour commencer, leurs chemins ne divergèrent point. En fait, n'eût été le malheureux handicap de Dhritarashtra, j'aurais pu dire qu'ils voyaient invariablement les choses du même œil. Jusqu'à ce que mes descendants au sang bleu se jettent dans la mêlée à la suite de Gangaji, le Parti kaurava avait été un forum distingué et remarquablement inefficace pour l'articulation rhétorique d'un mécontentement anglophile à l'égard des Britanniques. Des messieurs victoriens à la peau brune, souvent en costume trois pièces, une chaîne de montre barrant élégamment leur gilet (déjà déplorable pour des raisons culturelles, climatiques et esthétiques, mais, pour ne rien arranger, Ganapathi, cela se passait des dizaines d'années avant l'avènement de la climatisation), proclamaient dans la langue de Macaulay, cet impérialiste ignorant, et avec l'accent d'Oxbridge, cette oligopole surévaluée, leurs aspirations à jouir des droits des Anglais. L'Angleterre écoutait, mais sans prêter grande attention. Le Parti kaurava était une soupape utile pour les frustrations des gens éduqués à l'anglaise – ces frustrations étant toujours exprimées avec la retenue née de cette éducation : elles ne représentaient aucune menace. Le parti, après tout, avait été fondé par un Écossais libéral, qui l'avait baptisé suivant une interprétation fumeuse de la mythologie indienne et l'avait consacré à la perpétuation du règne constitutionnel de sa souveraine sur l'Inde, l'idée radicale étant l'adjectif « constitutionnel ». Quand Gangaji se lança dans la politique, le Parti kaurava existait depuis trente ans et les Britanniques n'avaient pas fait trente pas vers l'autonomie de l'Inde. Avec la venue de mes Hastinapuris, tout cela changea.

Dhritarashtra, pour commencer, comme tu le sais déjà, Ganapathi, avait acquis en Angleterre les traces du bon accent avec des traînées des mauvaises idées. Il était revenu enflammé par le fabianisme, qui enseignait que tout le monde a droit à l'égalité et à la justice et qui (avec un typique manque de précision) oubliait d'exclure les païens de la définition de « tout le monde ». Les fabiens avaient conçu une philosophie qui embrassait tous les domaines, dans le but, au fond, de démontrer que c'était le devoir de l'État que de fournir le gaz et l'eau courante au travailleur anglais et, tandis que le travailleur anglais passait rapidement à des revendications moins élémentaires, la philosophie se propageait jusqu'à des peuples lointains qui n'avaient jamais entendu parler de gaz ni d'eau courante. Dhritarashtra était l'un de ses propagateurs. Il entendit des discours destinés à inciter Westminster à aider les ouvriers de Wigan Pier et en tira la conclusion qu'il était aussi du devoir des autorités en Inde de se mettre au service de l'Indien ordinaire. Une telle idée n'avait jamais traversé l'esprit de ceux qui avaient instauré ce régime en Inde pour l'amusement et le profit des indigènes d'Ipswich, de sorte que Dhritarashtra en tira le corollaire que le gouvernement indien ne pouvait accomplir son devoir s'il ne devenait pas un gouvernement de l'Inde dirigé par des Indiens pour le bien des Indiens. Cette modeste proposition, Ganapathi, le conduisit bien au-delà des préceptes de son parti. C'était une doctrine défendue avec ardeur et conviction par le visionnaire aveugle. Très vite, il conquit les hauteurs idéologiques d'une institution fort plate en idées.

Il y réussit, bien entendu, parce que les succès spectaculaires et non orthodoxes de Gangaji avaient secoué les vérités stériles du passé du parti et l'avaient ouvert à la conquête. Auparavant, les seules – et sporadiques – opérations nationalistes efficaces avaient été le lancement de bombes et les émeutes, mais les dirigeants du parti s'en étaient écartés. A présent, dans les actions que j'ai décrites et nombre d'autres, Gangaji démontrait qu'il n'était pas nécessaire d'être un vandale pour être efficace. La non-violence, se faire volontairement arrêter, jeûner même, voilà qui était plus acceptable pour les rejetons de familles respectables. Les constitutionnalistes pouvaient difficilement critiquer quelqu'un qui agissait dans le cadre des lois et acceptait d'être puni pour leur violation. Les méthodes de Gangaji alimentèrent la flamme du vrai nationalisme chez tous ceux qui avaient répugné à la violence et l'illégalité. Ce fut cette chaleur qui accueillit Dhritarashtra lorsqu'il commença à les prêcher. Il trouva ces gens mûrs pour la conversion et son lien avec Hastinapur le fit bénéficier des reflets du halo de Gangaji. Si les croyances socialistes allèrent bien au-delà de tout ce que Gangaji lui-même avait jamais exprimé, il n'y eut jamais aucun doute sur l'approbation dont jouissait son aveugle protégé de la part du Grand Maître. Les membres du Kaurava furent toujours persuadés que Dhritarashtra était l'homme de Gangaji.

Il en fut de même au début pour Pandu. D'une certaine manière, il aurait pu paraître un héritier plus naturel pour Gangaji, avec ses lectures sacrées, ses marottes, son célibat (encore que forcé). Gangaji gâtait Dhritarashtra et comptait sur Pandu. C'était Pandu qui portait les bannières du parti dans les villages les plus reculés pendant que Dhritarashtra faisait la tournée des salles de conférences et de réunions de l'Inde urbaine. Cela était peut-être inévitable, étant donné à la fois les forces et le handicap de Dhritarashtra. Mais tandis que Pandu pataugeait en *dhoti* dans la gadoue et la crasse de la campagne, tandis que Pandu menait les processions prolétaires de *satyagrahi* stoïques en *dharna* de défi, tandis que Pandu prenait sur la tête les coups de *lathi* – les longs bras de bois de la loi –, Dhritarashtra n'endurait guère plus que les cris enroués de chahuteurs professionnels, la fatigue de longs discours à des réunions de masse, les laborieuses nuits de dictée de ses pamphlets à des scribes remplis d'adoration. Ce fut Gangaji qui décida, ratifia, sanctifia cette division du travail ; résultat : Dhritarashtra devint très vite le plus célèbre leader indien après Gangaji, alors que les partisans de Pandu se limitaient essentiellement aux activistes qui avaient œuvré avec lui dans les villages. Quand, des années plus tard, Duryodhani évoquait d'un ton lugubre les sacrifices que son père et elle avaient accompli pour la nation, je songeais au pauvre Pandu depuis longtemps réduit en cendres et pratiquement oublié, ce pauvre Pandu, coriace, plein de cicatrices et de callosités, l'odeur de la sueur sur son front et la poussière de l'Inde sur ses sandales. Et je méditais, Ganapathi, sur les injustices du Sort.

Certes, Dhritarashtra aussi fit des sacrifices pour le pays. Sa cause menait aussi sûrement en prison que celle de Pandu, et tous deux passèrent plusieurs années dans les geôles britanniques. Tout bien pesé, les condamnations de Dhritarashtra, en tant que criminel de conscience, furent plus longues que celles de Pandu. Mais il mit son emprisonnement à profit, dictant des livres et des lettres (et des lettres qui devinrent des livres) tout au long de son séjour comme invité de Sa Majesté, œuvres qui ne cessèrent de révéler au monde la profondeur de son savoir et la largeur de sa vision. La prison restreignit les autres, mais, dans le cas de Dhritarashtra, elle confirma seulement sa réputation de premier chef nationaliste indien, après Gangaji. La régularité avec laquelle chacun de ses passages derrière les barreaux résultait en un livre amena un caricaturiste britannique à le représenter dans son box d'accusé s'adressant au juge : « Pourquoi ai-je violé la loi ? C'est que, Votre Honneur, mes éditeurs commençaient à s'impatienter... »

Était-il inéluctable, Ganapathi, que Pandu se rebellât ? Ton front lourd, ton regard fixe n'offrent pas de réponse. Ce que l'Histoire a d'inéluctable est du domaine des idéologues et des fatalistes, et j'ai appartenu, je suppose, à un moment ou un autre, aux deux catégories. Oui, Ganapathi, c'était inéluctable. Je les observai, mes fils doués et imparfaits ; je les observai de loin, comme un humble membre du Parti kaurava ; je les observai de près, en membre plus distingué de l'état-major du parti ; et je compris la nécessité de leur séparation. Pandu commença à ne plus supporter les certitudes oratoires de Dhritarashtra, ses nobles convictions et son ambition démesurée. De son côté, Dhritarashtra n'avait pas grand-chose à faire du traditionalisme atavique de Pandu, sa vision politique terre à terre, sa fierté quant aux cinq fils de ses épouses. (Ceux qui n'ont pas de fils attachent rarement de l'importance aux priorités de ceux qui en ont, mais ils éprouvent un profond ressentiment à leur égard.) Si Gangaji devina cela, il n'en montra rien. Il poursuivit sa route toujours aussi oublieux des dilemmes des autres, sans rien faire pour éviter un désaccord croissant.

29

Qu'il y eût désaccord devint impossible à cacher. Pandu se mit à prendre des positions différentes de celles de Dhritarashtra. Il insistait constamment sur l'adoption d'une ligne contre les Britanniques, plus dure que celle que le parti, avec sa stratégie guidée par la sagesse de Gangaji et l'astuce de Dhritarashtra, était prêt à prendre. Quand le prince de Galles, un garçon sans cervelle au sourire engageant, vint inspecter le plus précieux joyau de la couronne qui allait bientôt lui échoir, Pandu préconisa le boycott de la visite royale. Mais Dhritarashtra au contraire persuada le parti de lui permettre de présenter au prince une pétition. (Ne fais pas la grimace, Ganapathi, l'allitération est mon seul vice et, après tout, elle est praticable en sanskrit.) Quand alors le gouvernement de Londres envoya une commission de sept Blancs pour décider si les « réformes » dérisoires antérieures de quelques années aidaient les Indiens à progresser vers l'autonomie (ou bien, ainsi que Whitehall le pensait et souhaitait l'entendre, les réformes « avaient déjà été trop loin » et devaient être reformulées), Pandu proposa une manifestation pacifique sur les quais afin d'empêcher les sept indésirables de débarquer sur le sol indien. Mais cette fois Dhritarashtra voulut que le parti se contente (oui, Ganapathi, tu l'as deviné) d'un boycott ; et une fois de plus, avec pour viatique le sourire édenté et la bénédiction de Gangaji, Dhritarashtra l'emporta. Il devint clair pour Pandu que les triomphes de Dhritarashtra étaient en réalité dus à Gangaji et que nombre de membres, peut-être la majorité, du Parti kaurava soutenaient son demi-frère non pas à cause d'une foi intrinsèque en ses idées, mais parce qu'elles s'exprimaient avec la bénédiction de l'homme que sir Richard s'était mis désagréablement à décrire comme l'*Enema** public numéro 1.

Je perçus moi-même une bouffée de l'amertume de Pandu lors d'une réunion d'un comité du parti à laquelle j'assistais. A un moment, alors que je parlais avec Dhritarashtra et le squelettique Gangaji, le pâle Pandu nous passa devant. « La Trinité du Kaurava, murmura-t-il assez fort pour que je l'entende, le Père, le Fils et le Saint-Esprit. »

Il exagérait ma propre importance car je ne recherchais aucun rôle actif dans la direction du parti. Le manteau de vétéran de la politique m'était tombé dessus avant que j'eusse atteint l'âge de le mériter, et j'étais satisfait du détachement qu'il me permettait. Mais même mon sens habituel de la distance appliqué aux soucis quotidiens du parti ne put m'éviter un mouvement d'inquiétude, qui fut aussitôt confirmé par la réplique de Dhritarashtra : « J'aurais pensé, dit-il d'un ton léger mais le visage dur, que mon cher frère aurait mieux fait de se référer à la Trinité hindoue – le Créateur, le Sauveur et le Destructeur. Mais il lui aurait fallu s'inclure au bout, n'est-ce pas ? »

Quand les rivaux se flanquent des bons mots à la figure, Ganapathi, cela signifie qu'on ne peut plus revenir en arrière. Entre des opposants qui refusent de se battre physiquement, une pointe d'esprit équivaut à une pointe d'épée.

Le différend s'étala au grand jour lorsque les Britanniques réunirent à Londres ce qu'ils appelèrent une table ronde pour discuter de l'avenir de l'Inde. Il n'arrive pas

---

* *Enema* : « lavement » en anglais. (*N.d.T.*)

souvent qu'un événement international majeur soit baptisé du nom d'un meuble, mais la table ronde en question fut choisie délibérément (et après une longue délibération diplomatique). Elle remplissait deux fonctions. L'une, dont on ne parla pas, était d'évoquer le glorieux passé chevaleresque des hôtes sous le règne du légendaire roi Arthur (qui, s'il a vraiment existé, ne fut qu'un cocu superstitieux, franchement pas mon idée d'un héros national). La seconde, ouvertement citée aux conférences de presse, était de mettre tous les participants sur un pied d'égalité : une table conventionnelle avec une « tête » aurait pu impliquer que les Britanniques avaient leurs préférences parmi les dirigeants indiens – et les Britanniques, bien entendu, étaient des Solons désintéressés qui n'auraient jamais voulu que quiconque puisse croire pareille chose.

Eh bien, Ganapathi, avant que tu commences à suggérer que tout cela est parfait et démocratique, permets-moi de te dire que l'absence de préférence est en soi une préférence. Mettre les vrais leaders de notre peuple sur le même plan que les princes, les prétendants et les proxénètes n'était pas vertueux mais vicieux. En l'occurrence, cela signifiait réduire le Parti kaurava – le seul mouvement nationaliste vraiment national, la seule organisation dotée d'une vaste assise populaire, le parti même dont les campagnes de réveil des masses et de désobéissance civile avaient obligé les Anglais à accepter enfin de parler avec les Indiens –, rabaisser ses membres à un niveau d'égalité officielle avec les autres porte-parole indiens autoproclamés que les Britanniques avaient jugé opportun de reconnaître. Et c'est ainsi que Gangaji s'assit à sa table ronde pour discuter avec les Anglais, entouré par des délégations d'Intouchables et de Ne-me-touchez-pas indiens, des représentants d'Indiens au prépuce raccourci mais aux cheveux longs, d'Indiens gauchers, d'Indiens aux yeux verts et d'Indiens persuadés que le Soleil tournait autour de la Lune. Remarque, le Parti kaurava comptait des membres parmi chacune de ces minorités et pouvait se prévaloir de défendre leurs intérêts, au sens le plus large du terme ; mais les Britanniques n'étaient pas intéressés par le plus large sens tout court. Ils voulaient introduire autant d'éléments de division que possible afin de pouvoir dire au monde : « Vous voyez, ces Indiens sont incapables de s'entendre entre eux, nous n'avons vraiment pas d'autre choix que de continuer à les gouverner indéfiniment *pour leur propre bien.* »

Or, ironie de la chose, tout cela était connu avant même l'ouverture de la conférence, Ganapathi. Ce que je te raconte là n'est pas dû à une réflexion après coup. Non, tout cela figure dans des rapports publics, dans les plaidoiries passionnées de Pandu au comité directeur du parti. « N'y allez pas, ne nous laissez pas prendre part à cette mascarade », supplia-t-il. Mais le comité, sous la pression d'un Dhritarashtra beau parleur, accepta non seulement d'assister à la table ronde, mais encore d'y envoyer Gangaji pour seul représentant. Pandu s'éleva contre ce qu'il appela « cette folie ». « Si nous devons y aller, raisonna-t-il, allons-y en force, envoyons une délégation qui reflète le nombre et la diversité de nos partisans. » Une fois de plus, il ne fut pas entendu ; le comité plaça sa foi en l'homme auquel beaucoup déjà, en pleine hagiographie, donnaient le nom de Mahaguru, le Grand Maître.

Pandu resta donc en Inde à ronger son frein tandis que l'homme qu'il admirait mais auquel il ne pouvait se résoudre à tout abandonner se croisait les jambes sur une froide chaise en bois et attendait son tour de parler, après les monarchistes, les libéraux et la Société pour la préservation du lien impérial, qui avaient chacun envoyé plus de délégués à la table ronde que les Kauravas. Néanmoins, Pandu, quoique désormais fort amer dans sa condamnation de son frère aveugle, demeura loyal au parti. Il le resta même après le retour de Ganga, qui avait mis sa poitrine à nu devant les caméras des actualités et pris le thé dans son pagne avec le roi-empereur (« Votre Majesté, vous avez plus d'habits qu'il n'en faut pour nous deux », remarqua le Mahaguru, désarmant), mais n'avait arraché

aucune concession au cercle circonlocutoire des circon-
férenciers. Pandu résista à la tentation de déclarer : « Je
vous l'avais bien dit » et se consacra plutôt à s'assurer un
soutien au sein des conseils du parti. Pour une fois, mon
fils au visage pâle et à la tête brûlée allait attendre pour
frapper que le moment soit mûr.

Te donnerais-je l'impression, Ganapathi, qu'entre mon
blême enfant et mon rejeton à la vue basse, mes sympa-
thies vont toutes à Pandu ? Ne te méprends pas, mon ami.
L'Inde ne choisit pas entre ses fils, et moi non plus. Ils
sont tous deux les miens, avec leurs défauts et leurs faiblesses, leurs vanités et inanités, leurs prétentions et leur
présomption, entièrement miens. Je ne renie aucun d'eux,
pas plus que je ne pourrais renier la moitié de ma propre
nature.

Et d'ailleurs Pandu pouvait se tromper aussi. Comme
le démontra l'affaire de la Grande Marche des mangues.

30

Certains parmi les plus manichéens de nos historiens
ont tendance à décrire les Britanniques comme des scé-
lérats accomplis : les manipulateurs omniscients, omni-
présents et tout-puissants de la destinée des Indes. Sotti-
ses, bien entendu. Pour chaque Anglais brillant qui vint
aux Indes, il y en eut au moins cinq incapables d'une
seule pensée originale et quinze uniquement capables du
péché originel. Ils passèrent de l'erreur à la victoire puis
à l'erreur encore, avec une combinaison de chance, de
courage et de mitrailleuses, mais des fautes, ils en commirent, sans cesse. N'oublie pas que les Anglais sont le
seul peuple de l'Histoire assez crassement stupide pour
avoir transformé les Américains en révolutionnaires. Il
leur fallut pour cela une insensibilité et une bêtise à une

énorme échelle, qualités qu'il leur eût été difficile de ne pas exercer dans le gouvernement de notre pays.

En vérité, l'administrateur colonial anglais moyen était une médiocrité pompeuse qui levait si souvent le nez en l'air qu'il se prenait constamment les pieds dans le tapis. (Tout bénéfice pour eux également, Ganapathi, qu'un si grand nombre aient eu un long nez car ils voyaient rarement plus loin que le bout de leur appendice.) Entre-temps, ils prirent des décisions qui provoquèrent des réactions viscérales et durables. N'oublie pas, Ganapathi, que c'est à l'un ou l'autre de ces penseurs politiques que nous devons la révolte des Boxers, l'insurrection mau-mau et la partie de thé de Boston.

Cela commença comme à l'accoutumée – car les Anglais n'ont jamais rien appris de l'Histoire –, par un impôt. Pourquoi ces canailles de Peaux-Roses s'amusèrent-elles à taxer les Indiens, je ne le comprendrai jamais, car elles avaient déjà volé tout ce qu'il leur fallait pour des siècles, depuis les incrustations précieuses du Taj Mahal jusqu'au Kohinoor sur la couronne de leur reine, et on aurait pu penser qu'elles auraient pu se passer d'ôter avec tant de soin sa maigre pitance au travailleur indien. Mais il y a toujours eu un aspect pervers et précis dans l'oppression britannique : l'édifice légal du Raj fut bâti sur la prémisse que tout ce qui résultait du remplissage de formulaires en quatre exemplaires ne pouvait absolument pas constituer une injustice. Ainsi Robert Clive acheta son quartier pourri sur les produits de sa rapacité en Inde, tout en s'émerveillant publiquement de sa retenue à ne pas s'approprier malhonnêtement encore davantage. Et les Anglais eurent le culot de l'appeler « Clive de l'Inde », comme s'il appartenait au pays, alors que tout ce qu'il fit en réalité fut s'assurer qu'une grosse part du pays lui appartiendrait. Ses successeurs, au vingtième siècle, qui avaient adopté le mot hindoustani *loot* dans leurs dictionnaires au lieu des coutumes des habitants, préférèrent obtenir les mêmes résultats de manière plus bureaucratique. Ils imposèrent les propriétés, les revenus et les récoltes ; ils taxèrent notre pétrole, notre patience et même notre passage dans l'autre monde (grâce à leurs « droits de décès », si disgracieusement nommés). A mesure qu'augmentaient leurs dépenses en guerres étrangères, ils taxèrent notre riz, notre tissu et notre sel. Nous avions cru qu'ils ne pourraient pas aller plus loin. Jusqu'au jour où ils annoncèrent un impôt sur le seul luxe encore à la portée des masses indiennes : la mangue.

La mangue est, bien entendu, le roi des fruits, encore que récemment notre politique d'exportation en ait fait davantage le fruit des rois, des cheikhs du Moyen-Orient pour être précis. Et la merveille, c'est que (avant, une fois de plus, que les marchés étrangers fussent devenus plus importants pour nos gouvernants que les bazars nationaux) la mangue était disponible en abondance pour l'homme ordinaire. Comme si le Bon Dieu, ayant donné au paysan indien les sécheresses, les inondations et les inondations après les sécheresses, la chaleur, la poussière, les bas salaires et les Anglais, lui avait dit : Très bien, ta coupe de malheur déborde, bois plutôt le jus d'une Chausa mûre et ça compensera toutes les misères que je t'ai infligées. Les meilleures mangues du monde poussaient à travers toute la campagne indienne, tombant des branches d'arbres si résistants qu'ils n'avaient nul besoin de soins. Et nous trouvions ça tout naturel, et nous consommions nos mangues vertes, ou en conserve, ou mûres, selon notre caprice du moment, contents de savoir qu'il y aurait toujours sur ces arbres abondance de mangues ne demandant qu'à être cueillies.

Puis survint l'annonce stupéfiante : le régime colonial avait décidé que la mangue aussi devait gagner sa vie. Les mangues constituaient une culture de rapport ; par conséquent un impôt serait prélevé, calculé sur la base du rendement approximatif annuel de l'arbre. Pour les besoins de l'impôt, les manguiers au voisinage de propriétés privées seraient rattachés à ces domaines ; les manguiers sauvages seraient traités en propriété commune et l'impôt levé sur le village dans son entier. Les fonctionnaires locaux reçurent instruction d'entreprendre une campagne d'enregistrement des manguiers afin d'assurer la mise à jour des registres des contributions. Les malheureux *panchayat* de village et les propriétaires affolés abattirent leurs arbustes brusquement ruineux ou les mirent derrière des grillages. Les temps de la dégustation gratuite étaient révolus.

La première réaction des gens fut un étonnement incrédule. Puis, à mesure que les effets de la décision leur apparaissaient, ils éclatèrent en hurlements d'indignation collectifs.

Gangaji en entendit les échos et renifla une cause. Il se trouvait à l'*ashram* quand Mahadeva Menon, un membre du Parti kaurava de Palghat, souleva l'affaire un beau jour, durant le déjeuner habituel de noix et de fruits du Grand Maître.

« Mahaguru, dit-il de sa voix aiguë, ses lèvres arrondissant les syllabes anglaises les plus plates (car l'anglais était le seul langage qu'il eût en commun avec Gangaji, comme il est, hélas, mon seul moyen de te dicter ces Mémoires), il se passe quelque chose de terrible dans notre pays en ce moment. (Il prononça en fait *bays*, mais tu peux l'écrire comme on te l'a appris, jeune homme.) Le beuble (épelle-moi ça "peuple", Ganapathi, tu deviens franchement très difficile) dans mon billaje nadal est zimblement drop drop missirable... » « Village natal », Ganapathi, simplement. Je vais devoir cesser de citer les gens si tu continues ainsi. L'anglais de Menon était pour lui un langage aussi valable que ses variantes américaine ou australienne le sont pour leurs usagers, il est donc inutile de parodier son accent par écrit. Si chaque romancier australien devait reproduire noir sur blanc l'accent de ses personnages pour tenter d'imiter les sons qu'ils produisent plutôt que les mots qu'ils disent, crois-tu qu'il existerait un seul roman australien lisible au monde ? (En fait, on m'affirme de bonne source qu'il y en a deux ou même trois.)

Tu es désolé ? Bon. Tu ne le feras plus ? Très bien, continuons. Où en étais-je ? Ah oui, Mahadeva parlant à

Gangaji des terribles effets de l'impôt-mangue. Un petit homme, avec une mince moustache noire, vêtu tout de blanc, un châle blanc jeté sur son épaule gauche. Un propriétaire terrien de Palghat converti au nationalisme égalitaire du Mahaguru Gangaji, décrivant les effets de l'odieuse taxe sur le bien-être général, le moral déprimé des masses populaires de sa province. « Il faut que vous fassiez quelque chose à ce sujet, Mahaguruji », conclut-il.

Gangaji demeura silencieux une bonne minute, à contempler la suggestion et son bol de fruits secs. Enfin, il parla : « Oui, Mahadeva, dit-il lentement, je pense qu'il le faut. »

31

Pandu fut atterré que Gangaji ait l'intention de faire de l'impôt-mango un cheval de bataille. « Il y a, pour le Parti kaurava, tant d'autres problèmes vitaux dont il faut s'occuper, déclara-t-il. Si, en cette époque de répression croissante par les Anglais, vous consacrez votre énergie, votre stature morale à quelque chose d'aussi insignifiant, d'aussi ridicule que des mangues, vous allez devenir la risée de tout le pays. » Il joignit ses paumes en un geste de supplication. « Je vous en prie, Gangaji, je vous en prie, ne banalisez pas notre cause de la sorte. »

Mais le Mahaguru ne fut nullement ému. « Fais-moi confiance, mon fils », répondit-il avant de retourner avec solennité à sa tâche interrompue par Pandu : le nettoyage des latrines de l'*ashram*.

Oui, Ganapathi, aucune entreprise n'était trop triviale pour notre héros. Et il se préparait assidûment à chacune, prenant le même soin à s'assurer que ses brosses, ses serpillières, son eau savonneuse et son ammoniaque (il avait une grande foi dans les vertus purifiantes de l'ammoniaque) fussent à portée de main qu'il en prenait pour s'assurer que les motifs de ses *satyagraha* nationales soient très largement connus et compris.

La première démarche de Gangaji fut d'écrire au vice-roi. La lettre représentait une combinaison typique d'impertinence et de sincérité, de points forts et faibles.

> Cher ami,
>
> Comme vous le savez, je tiens la souveraineté britannique pour une malédiction. Votre présence en qualité de son délégué fait de vous le principal symbole de l'injustice et l'oppression que le peuple anglais a infligées à la nation indienne. Pourtant, je vous écris comme à un ami, conscient de l'immense potentiel que recèle votre poste.
>
> J'ai trouvé nécessaire à plusieurs reprises dans le passé de mettre en question certaines des lois injustes imposées sur le front de mon peuple. J'ai même en effet, à une ou deux occasions, été obligé de leur désobéir et d'amener d'autres que moi à leur désobéir, en pleine conscience et complète acceptation des sanctions d'une telle désobéissance. J'estime la désobéissance non violente l'une des rares mesures moralement justes à la disposition de mes concitoyens et de moi-même. Notre cause est de nous défendre nous-mêmes et nos propres intérêts. Je n'ai pas l'intention de faire du mal à un seul Anglais en Inde, même s'il se trouve ici en invité indésirable.
>
> J'explique tout cela parce que j'ai besoin de votre aide pour remédier à une grande injustice récemment commise par le gouvernement que vous représentez. Je parle naturellement de l'impôt-mangue. Cette affreuse exaction a déjà causé d'indicibles souffrances aux masses indiennes, dont la mangue est l'un des humbles et rares plaisirs. L'impôt et ses conséquences ont déjà provoqué une grave réaction chez les gens en général. Je vous supplie à genoux d'abolir cette loi.
>
> Je crois qu'écouter ma prière fera plus de bien que de mal à votre cause. Les estimations de vos administrateurs évoquent, à propos de cette taxe, un revenu potentiel de quelque cinq millions de livres sterling, somme négligeable pour un gouvernement qui tire déjà

plus de huit cents millions de livres sterling de ses autres impôts et redevances dans ce pays. De plus, l'annulation de cette taxe inique vous vaudra, à vous personnellement et à votre gouvernement, une grande popularité, alors que son maintien ne peut qu'amplifier l'anathème auquel la souveraineté britannique est vouée. Déjà les gens vont répétant que, la prochaine fois, les oppresseurs étrangers taxeront le beau temps.

Je vous suggère par conséquent de revenir sur cette décision aussi bien dans votre intérêt que dans celui du peuple indien. N'oubliez pas, cher ami, que votre propre salaire équivaut à cinq mille fois celui de l'Indien moyen que vous imposez, et que cette somme colossale est payée par la sueur des fronts indiens. Je pousserai l'audace jusqu'à suggérer que le geste que je vous exhorte à faire n'est rien de moins qu'une obligation morale.

En conclusion de cette plaidoirie, je dois ajouter que si vous vous refusiez à l'écouter, je n'aurais d'autre choix que de lancer une nouvelle campagne de désobéissance contre cette loi injuste. Je saisirais volontiers cette occasion d'instruire le peuple anglais de l'éthique de notre cause. Mon ambition est de convertir le peuple anglais par la non-violence et de lui faire comprendre ainsi le tort qu'il a fait à l'Inde. Je ne cherche pas à nuire à votre peuple. Je veux le servir tout en voulant servir le mien.

A cela Ganga reçut, trois semaines plus tard, la réponse suivante :

Monsieur,

Je suis mandé par le secrétaire privé de Son Excellence le vice-roi d'accuser réception de votre communication du 9 courant.

J'ai ordre de vous informer que Son Excellence regrette le ton et le contenu de votre lettre, et en particulier la menace, avancée dans son pénultième paragraphe, d'enfreindre les lois du gouvernement de Sa Majesté. Son Excellence considère cela comme très fâcheux.

J'ai également mandat de vous aviser que toute violation des règlements en vigueur sera sanctionnée selon les lois du pays.

La lettre était signée par le deuxième assistant du sous-secrétaire du secrétaire privé.

« Très bien, dit Ganga, les lèvres pincées en cette légère moue que des légions de ses admiratrices se rappellent encore, Sarah-*behn*, faites envoyer, s'il vous plaît, le texte complet de cette correspondance à la presse, les journaux indiens et les agences télégraphiques étrangères. Et n'oubliez pas ce très plaisant jeune homme du *New York Times* qui est venu nous voir la semaine dernière. »

Sarah-*behn* n'oublia pas. Et c'est elle qui, assise derrière Gangaji sur une estrade érigée devant l'*ashram*, transcrivit de sa grande et claire écriture les paroles immortelles du discours qu'il prononça pour inaugurer la Grande Marche des mangues.

« Mes frères et sœurs, dit Ganga à la foule rassemblée à ses pieds, je vous ai demandé de venir ici pour prier comme nous le faisons d'habitude ce jour, chaque semaine. Prier pour la Justice, la Vérité, et appeler la bénédiction de Dieu sur notre peuple plongé dans les ténèbres. Mais aujourd'hui vos prières prendront une signification supplémentaire.

« C'est probablement la dernière fois que je m'adresse à vous pour très longtemps. Comme vous le savez, j'ai résolu d'entreprendre une *satyagraha* contre l'injuste impôt sur les mangues. Même si le gouvernement britannique me permet de marcher demain matin, il ne me laissera pas revenir librement vers cet *ashram* et vers vous, mes frères et sœurs. Ceci pourrait bien être l'ultime discours que je vous adresse, à vous tous, debout sur le sol sacré de mon Hastinapur bien-aimé.

« Je violerai personnellement la loi en enfreignant les termes du décret-mangue. Mes compagnons feront de même. Nous serons sans aucun doute arrêtés. En dépit de ces arrestations, j'espère et je crois que le flot de nos volontaires résistants continuera à déferler sans se briser.

« Mais, quoi qu'il arrive, ne nous permettons pas le moindre manquement à la paix civile, même si nous sommes tous arrêtés, même si nous sommes tous attaqués. Nous avons résolu d'utiliser nos ressources dans un combat purement pacifique. Que personne ne lève son poing dans la colère. C'est là mon espoir et ma prière, et j'espère que mes paroles atteindront les quatre coins de notre pays.

« A partir de cet instant, que cet appel s'envole de cet *ashram* où j'ai vécu pour la Vérité vers tous nos concitoyens à travers l'Inde entière, pour appeler à la désobéissance à la loi sur les mangues. Cette loi peut être enfreinte de bien des manières. Cueillir les fruits de tout arbre qui n'a pas été marqué comme dûment enregistré et taxé est un délit. Posséder, consommer ou vendre des mangues de contrebande (c'est-à-dire provenant de ce genre d'arbre) est aussi, aux yeux de nos maîtres anglais, un délit. Les acheteurs de ces mangues sont également coupables. Je vous appelle donc tous à choisir l'une ou l'autre ou l'ensemble de ces méthodes pour briser le monopole britannique sur la mangue. »

Des acclamations saluèrent ces mots, mais Gangaji continuait à tirer des larmes.

« Agissez, alors, et agissez non pas pour moi, mais pour vous et pour l'Inde. Je suis moi-même de peu d'importance, un humble serviteur du peuple parmi lequel j'ai le privilège de vivre. Je suis certain d'être arrêté et j'ignore quand je reviendrai vers vous, mes chers frères et sœurs. Mais ne pensez pas qu'après mon départ il n'y aura personne pour vous guider. Ce n'est pas moi mais Dhritarashtra qui est votre guide. Il est aveugle mais il voit loin. Il a la capacité de diriger. »

Et Ganga, ses auditeurs baignant dans leur émotion, baptisa Dhritarashtra son successeur avec leurs larmes. C'est alors que Pandu, qui avait dédaigné la cause mais était venu à l'*ashram* par loyauté envers le Mahaguru, s'en alla, pour ne plus jamais revenir aux côtés de son maître.

32

La Grande Marche des mangues commença le lendemain matin. Nous passâmes tous la nuit en plein air, à l'*ashram*, les reporters de la presse internationale campant sur l'herbe au coude à coude avec les balayeurs, les commerçants et les étudiants. Ganga s'éveilla à l'aube, vaguement étonné de ne pas avoir été tiré de son sommeil par le cliquètement des menottes. « Le gouvernement est surpris et perplexe, expliqua-t-il triomphalement aux journalistes qu'il avait assurés la veille de son arrestation certaine. Mais ne craignez rien, la police va arriver. »

Nous nous mîmes alors en route, Ganapathi, soixante-dix-huit d'entre nous, des volontaires sélectionnés dans tout le pays, pour la Grande Marche des mangues. Quel brillant sens théâtral que celui de Ganga ! On trouvait des mangues partout, mais il ne lui aurait pas suffi d'aller jusqu'à l'arbre le plus proche et d'en cueillir les fruits ; il savait que cela ne ferait pas de la bonne copie pour les journaux. Il voulait donner aux reporters qui l'accompagnaient quelque chose à raconter et il voulait gonfler l'affaire au niveau national en la gardant d'actualité aussi longtemps que possible. Quelle meilleure manière d'y parvenir qu'une marche de quatre cents kilomètres, de l'*ashram* au verger d'un propriétaire sympathisant du Parti kaurava, qui s'était jusqu'à présent abstenu d'enregistrer ses arbres ? L'impact de cette *padayatra* ne dépasserait-il pas celui d'une actuelle violation de la loi-mangue par Ganga ? Et si les Anglais l'arrêtaient en route, ne serait-ce pas encore mieux ?

Une idée brillante, Ganapathi, ce que ta génération

appellerait une stratégie à bas risque. N'oublie surtout pas, jeune homme, que nous n'étions pas conduits par un saint avec la tête dans les nuages mais par un maître tacticien avec les pieds sur terre.

Regarde les films d'actualités de l'époque. Le film noir et blanc est grené, rayé même, les gens se déplacent avec des mouvements brusques et rapides, et le commentateur parle comme un annonceur à une réunion sportive scolaire, mais, malgré tout, on peut saisir un peu de la magie de cette marche. En tête de la procession, Gangaji lui-même, chauve, plus ou moins édenté, tenant un bâton plus haut que lui, ses jambes osseuses et ses maigres épaules à peine couvertes par son accoutrement habituel, paraissant bien trop vieux et trop frêle pour une expédition de ce genre, et marchant pourtant d'un pas ferme et sûr, accentué par la vitesse erratique de la pellicule. A ses côtés, Sarah-*behn* dans son sari blanc à la mince bordure, l'air guindé et résolu, et Mahadeva Menon, l'image cra-chée d'un *karanavar* du Kerala inspectant ses rizières ; et, derrière eux, nous, en *khadi* tissé maison et *chappal* de cuir bon marché, ne montrant aucun signe de peur ou de fatigue. En fait, rien de lugubre dans notre cortège, pas ce côté grave et tragique qui marque les efforts des idéa-listes condamnés. Au contraire, les gestes souriants de bénédiction de Gangaji, les banderoles de bienvenue ten-dues dans les rues de chaque village que nous traversions, les femmes souriantes en saris de couleurs gaies surgissant dans la chaleur de fournaise pour asperger d'eau notre chemin poussiéreux, les enfants nous lançant timidement des bouquets de soucis, les vagues de nouveaux volontai-res se joignant à nous à chaque étape pour faire de notre marée de marcheurs une inondation, tout cela témoignait de notre élan joyeux tandis que nous marchions.

Dix-huit kilomètres par jour, Ganapathi, pendant vingt-quatre jours, et pourtant aucun signe de lassitude, ni chez Ganga, ni chez les femmes, ni dans mes jambes toujours jeunes. Pas plus qu'un signe de la police, bien que Gangaji continuât d'assurer imperturbablement les journalistes à chaque arrêt-buffet qu'il s'attendait à être interpellé à tout instant. Une autre manœuvre astucieuse du maître tacticien. La prédiction même de l'arrestation imminente écarta la police, tout en encourageant, en obligeant en vérité, les reporters à rester. Mais Gangaji savait très bien qu'il ne serait pas arrêté, et ne pouvait d'ailleurs pas l'être puisqu'il n'avait pas encore enfreint la moindre loi.

Nous arrivâmes enfin à la plantation de manguiers, toujours sans escorte policière, mais avec calepins et appareils photo bien en vue. Le propriétaire vint à notre rencontre ; les femmes de sa maison s'avancèrent, portant des petits pichets de cuivre pour laver nos pieds. Gangaji continua à marcher en direction du plus vieux et du plus gros manguier. Un moment, j'eus peur que nous le perdions dans la cohue, que les multitudes autour de lui aillent noyer l'effet dramatique de ce qu'il s'apprêtait à faire.

Mais, une fois encore, l'artifice vint au secours de la Vérité. Les ouvriers du propriétaire avaient érigé pour Gangaji une petite estrade, à laquelle on accédait par sept simples marches en bois. Un silence rempli d'expectative s'installa autour de lui et le Mahaguru, ses petites bésicles fermement posées sur son nez, son bâton dans sa main droite, monta chaque marche avec une lenteur délibérée. Arrivé en haut de l'échelle rudimentaire, les deux pieds bien posés sur la petite plate-forme, il s'arrêta. Puis, d'un geste décidé, il tendit une main osseuse vers une mangue *langda*, mûre, succulente, pendue à la branche la plus proche, et l'arracha de sa tige. La foule explosa en un tonnerre d'applaudissements, il se retourna vers elle, le bras levé, le symbole rouge doré de son défi lançant de tous ses feux son message de triomphe.

Que de poésie dans cet instant, Ganapathi ! Avec ce fruit, Ganga semblait tenir dans sa main les forces de la nature, rappelant la puissance fertile du sol indien, d'où avait surgi l'âme indienne, réaffirmant la plénitude du passé de la nation et le germe de l'avenir de son peuple. Caméras et appareils photo tournèrent et cliquetèrent, les flashes brillèrent devant Ganga, seul, le soleil se reflétant sur ses lunettes, le bras levé pour la liberté.

A partir de là ce fut le chaos, Ganapathi. La foule applaudit, hurla, se pressa autour de Gangaji lorsqu'il descendit de sa plate-forme. La mangue qu'il venait de cueillir, ce premier fruit de la libération de l'Inde, fut aussitôt mise aux enchères, dans l'enthousiasme, et acquise pour la somme princière de seize cents roupies. Une centaine de mains se tendirent vers le reste des mangues sur les arbres du propriétaire, pour cueillir, arracher, tirer et, inévitablement, mordre et sucer : avant peu, le blanc immaculé des *khadi* des *satyagrahi* s'entacha du jaune foncé de leur gourmandise. Des pierres furent lancées pour faire tomber les fruits moins accessibles ; quelques-uns s'écrasèrent sur des volontaires égarés, mêlant les taches de sang à celles du jus sur leurs tuniques. C'est ainsi, Ganapathi, que le merveilleux dégénère en merdailleux ; et là aussi, même si je parais de mauvais augure, gît une autre métaphore pour nous, pour notre lutte nationaliste, fais-en ce que tu voudras.

33

Mais ce genre de métaphores me vient trop aisément Ganapathi, car j'étais là-bas alors, et me voici ici maintenant. Par bonheur, Gangaji ne vit pas grand-chose des suites immédiates de son triomphe : il disparut dans la maison du propriétaire pour se reposer et se rafraîchir avant l'arrivée de la police.

Enfin, elle arriva ; et les journaux du lendemain purent publier, à côté d'une photo en première page de Gangaji sur la plate-forme, brandissant sa mangue séditieuse, la nouvelle de son arrestation et de son incarcération en compagnie du propriétaire coupable et de dizaines de volontaires. Mais l'acte de Gangaji fut le signal d'un défi à l'échelle nationale contre la loi-mangue. A travers le pays, les protestataires kauravas se mirent à imiter leur chef ; vague après vague de *satyagrahi* en *khadi* cueillirent et plantèrent le fruit de contrebande, l'achetèrent et le vendirent ouvertement et empêchèrent sans violence les inspecteurs ès mangues de poursuivre leur travail de dénombrement et d'enregistrement. La seule réaction du gouvernement fut d'arrêter les contrevenants, mesure qui lui coûta plus en complications, en espace carcéral et publicité défavorable que ne le valaient sans doute les revenus tirés de la mangue. Les protestataires raillèrent les autorités en organisant de grandes cérémonies autour de la dégustation du fruit défendu. (Les mangues étant cueillies n'importe comment, cela n'était pas toujours un plaisir pour les manifestants. « Plutôt abominable, cette chose », confia Dhritarashtra au policier venu l'arrêter.) A mesure que s'étendait l'agitation, les Anglais se virent obligés de trouver de la place à quelque cinquante mille nouveaux prisonniers politiques enfermés pour des délits que même les journalistes occidentaux trouvaient absurdes. Non seulement Ganga avait démontré ce qu'il voulait, mais il avait aussi tourné les impérialistes en ridicule. Et le colonialisme, comme disait le poète, ne supporte guère l'hilarité.

Même Pandu, qui s'était ostensiblement tenu à l'écart, fut acculé à la défensive car, pour une fois, il semblait avoir eu complètement tort dans son jugement quant à l'effet d'une idée de Ganga. Mais soudain tout se détraqua.

Gangaji était encore en prison lorsque parvinrent les rapports sur les incidents de Chaurasta. Dans cette petite ville provinciale, l'agitation connut des débordements. Cueillir et déguster le fruit défendu offre sans aucun doute quelques tentations à la bande de voyous qui rôdent sur la frange de tout mouvement de masse. A Chaurasta, les organisateurs kauravas locaux avaient choisi sans soin leurs volontaires ou bien permis à trop d'éléments extérieurs de se mêler à eux ; quoi qu'il en soit, leur désobéissance civile le devint en effet très peu. Ils lançaient des pierres sur les fruits pendus aux plus hautes branches quand la police arriva pour procéder à ses interpellations routinières. Les protestataires, au lieu d'obéir calmement aux gardiens de la loi, les choisirent comme cibles. Les policiers – tous des Indiens, remarque bien – brandirent leurs *lathi* sur les *satyagrahi* ; dans l'inégale bataille qui s'ensuivit, un certain nombre de côtes et de crânes furent fêlés et plusieurs os et nez brisés avant que les manifestants soient traînés en prison. Le mot « outrage » se répandit rapidement et, à la tombée de la nuit, une foule hurlante se rassembla devant le *thana* de police, gueulant « *Khoon ka badla khoon* » – sang pour sang –, un slogan que nous devions entendre plus tard, à ton époque, Ganapathi, venant de la même sorte de gens et avec les mêmes résultats tragiques.

Il était tard et le poste de police n'était occupé que par deux jeunes policiers, des Indiens parlant l'hindi. L'un d'entre eux, bêtement, sortit demander à la foule de se disperser. Ce furent ses derniers mots : aspiré par la masse, il fut frappé et piétiné à mort. Terrifié, son collègue, demeuré à l'intérieur, essayait désespérément d'appeler des renforts quand la horde déchaînée entra en trombe et le mit littéralement en pièces. En sortant, sa soif de sang un peu apaisée, la foule mit le feu au *thana*, les policiers morts ou mourants encore à l'intérieur.

Le lendemain, le directeur adjoint de sa prison pénétra dans la cellule de Ganga, brandissant un journal : les titres dépassaient en hauteur tout autre consacré jusqu'ici à l'agitation manguière. Le fonctionnaire, un Irlandais pugnace, flanqua le journal sur une table devant son prisonnier. « Est-ce là la leçon de non-violence que vous essayez d'enseigner aux Britanniques, mister Datta ? » demanda-t-il d'une voix accablée.

Sans un mot, Ganga lut l'article accompagné d'une photo, avec en légende : « Le "Mahaguru" Ganga Datta : l'instigateur ? » Puis il laissa tomber le journal et le directeur adjoint s'aperçut que les yeux du Grand Maître étaient remplis de larmes.

« Je vais suspendre les manifestations, dit-il tristement.

– Vous allez quoi ? s'étonna l'Irlandais, incrédule.

– Je vais immédiatement suspendre l'agitation manguière, répéta Gangaji. Si vous voulez bien me pourvoir de
quoi faire une déclaration publique, je m'exécuterai aussitôt. » La tête de son geôlier lui arracha un demi-sourire.
« Mon peuple, expliqua-t-il avec chagrin, se parlant presque à lui-même, ne m'a pas compris. »

34

Pas plus qu'il ne comprit la déclaration. Gangaji, dans
une prison britannique, mettant fin au plus réussi des
mouvements de rébellion pacifique que le pays eût jamais
connu, tout cela à cause d'un seul et unique incident ?
C'était stupéfiant. Et, pour certains, une trahison.

« Il a craqué sous la pression, conclut Pandu, s'adressant à une réunion des membres de l'état-major encore
en liberté. Les Anglais l'ont eu, finalement. Ou alors il
est devenu un vieil homme faible, qui n'a plus le courage
de continuer la lutte.

– Quoi qu'il en soit, intervint quelqu'un, il nous a laissés tomber.

– Attendez une minute, dis-je (oui, Ganapathi, j'avais
échappé aux griffes de la police). Vous avoir laissés tomber, vous ? Je n'ai vu aucun d'entre vous dans les rangs
serrés des marcheurs. Toi, Pandu, par exemple, je croyais
que tu étais contre toute cette affaire ?

– Je l'étais, reconnut Pandu sans vergogne. Mais j'admets avoir mésestimé l'effet qu'aurait l'agitation. La
Marche des mangues a enflammé l'imagination des gens,
elle les a réveillés comme peu d'événements jusqu'ici.
Dans chaque coin du pays, dans chaque village, des individus qui n'avaient jamais fait de politique nous ont
déclaré leur soutien. Gangaji a touché une corde sensible

- je ne suis même pas sûr qu'il s'attendait à la toucher. Quel est l'Indien qui n'aime pas les mangues ? Nous avions trouvé un point de ralliement pour le pays tout entier, et drôlement embarrassant pour les Anglais. Et puis qu'est-ce qu'il fait ? Il annule tout. Sans même consulter aucun de nous.

– Il n'a pas eu besoin de consulter aucun de vous pour déclencher l'agitation, lui fis-je remarquer.

– C'est précisément l'erreur dans notre manière de diriger ce parti, déclara Pandu avec amertume. S'agit-il d'un mouvement kaurava ou bien d'un *one man show* ? »

Il n'y avait bien entendu pas de réponse à la question et personne, moi encore moins, ne s'aventura à en risquer une. Mais un doute venait d'être semé dans les esprits de l'état-major kaurava, qui, Pandu le savait, fleurirait un jour abondamment en sa faveur.

« Si tu admets qu'il a eu raison de déclencher l'agitation, dis-je de ma voix d'homme-politique-distingué, admets aussi qu'il peut avoir raison d'y mettre fin. Peut-être, avec le temps, reconnaîtrons-nous que le principe de la non-violence est plus important que toute manifestation particulière.

– Deux morts, lança Pandu avec une dureté peu coutumière. Deux misérables policiers. Savez-vous combien de vies indiennes les Britanniques ont prises depuis deux siècles ?

– Je crois en avoir une idée, répliquai-je, et je crois aussi que là n'est pas le problème. Ce que Gangaji montre au monde à travers la non-violence, c'est une arme nouvelle, une arme qui ne peut s'émousser que si nous revenons aux vieilles armes. Impossible de souligner l'injustice de la souveraineté britannique si notre opposition prend des formes tout aussi injustes. Voilà pourquoi Gangaji a décidé de mettre fin à ce mouvement. Je n'aurais pas cru nécessaire d'avoir à l'expliquer aux membres dirigeants du Parti kaurava. »

La dissension, Ganapathi, ça ressemble au *kukri* d'un *gurkha* : une fois sorti de son fourreau, il lui faut blesser

avant d'être rengainé. Je savais que le sang devrait inévitablement couler et je sentais déjà la douleur du poignard
sachant que c'était mon sang qui courait dans les veines des
deux victimes en puissance, mon fils aveugle et mon fils
blême, condamnés à se battre sur les champs de l'Histoire.

35

Avec la suspension du mouvement, les Anglais, fort
soulagés, abandonnèrent toute poursuite et relâchèrent
les prisonniers. Dans un geste diversement interprété
– estime, consolation ou mépris –, selon qui en analysait
les implications, le vice-roi (« cher ami ») invita Gangaji
à prendre le thé.

A la surprise de chacun, excepté la mienne, Gangaji
accepta l'invitation. Emmailloté dans son pagne blanc
habituel, il pénétra dans le palais vice-royal et se trouva
accueilli par notre vieux copain sir Richard, désormais
premier secrétaire particulier du représentant de Sa
Majesté en Inde.

« Son Excellence va nous rejoindre bientôt », dit sir
Richard sans chaleur, guidant Ganga vers une chaise.

Gangaji s'assit confortablement, ses longues jambes
maigrichonnes résistant à la tentation de se croiser sur les
coussins en brocart du vice-roi. Sarah-*behn*, qui l'accom-
pagnait à la plupart de ses rendez-vous, resta à quelques
pas, debout derrière un canapé. Debout lui-même, sir
Richard, la regardant avec dédain, estima préférable de
ne pas lui proposer de siège.

« Pendant que nous attendons, mister Datta, puis-je
vous offrir du thé ? demanda-t-il à l'invité de son patron.

– Merci, répondit Gangaji tranquillement, mais j'ai
apporté le mien. » Il tourna la tête vers Sarah-*behn*, qui
tenait un porte-*tiffin* en acier : « Du lait de chèvre, dit-il

en manière d'explication. C'est ce que je bois à cette heure-ci. »

Sir Richard ouvrit la bouche comme pour parler, puis, vaincu par les circonstances, la referma. L'horloge en or pomponne tictaquait bruyamment dans le silence.

« J'espère ne pas être arrivé trop tôt, dit enfin Gangaji.

– Non, pas du tout, se trouva contraint de répondre sir Richard. Son Excellence a été... euh... retenue pour des raisons indépendantes de sa volonté.

– Retenue pour des raisons indépendantes de sa volonté, répéta Gangaji, savourant les mots, semblant en goûter chaque syllabe. Une autre de vos belles expressions anglaises qui conviennent à tant d'occasions, n'est-ce pas ? J'aimerais bien en connaître quelques-unes moi-même. J'écoute toujours avec attention mes amis britanniques, tels que Son Excellence, et vous aussi, sir Richard (sir Richard toussota bizarrement), et je me promets constamment d'utiliser ces phrases, mais, pour une raison ou une autre, elles ne me viennent jamais aux lèvres au bon moment. » Il secoua la tête en riant ; sir Richard rougissait dangereusement. « Je dis souvent à Sarah-*behn*, nous, Indiens, n'apprendrons jamais convenablement cette langue anglaise. »

Se moquait-on de lui ? Sir Richard n'aimait pas beaucoup le tour que prenait la conversation. Il inspira profondément, tout autant pour se maîtriser que pour ponctuer ce qu'il allait dire :

« J'espère que vous n'êtes point trop incommodé, mister Datta. Je suis persuadé que Son Excellence nous rejoindra très vite.

– Moi ? » Gangaji éclata de rire. « Non, non, oh, mon Dieu, pas incommodé le moins du monde. Je suis assis sur cette confortable chaise, dans cette pièce assez grande pour contenir un train, en compagnie d'un éminent représentant du gouvernement de Sa Majesté – vous, sir Richard – qui m'offre du thé. Pourquoi devrais-je en être incommodé ? » Il se tut et fit un petit geste en direction de sa compagne. « Mais Sarah-*behn*, elle, n'est pas assise

169

sur une chaise confortable. Peut-être que si vous lui posiez la question, elle vous donnerait une réponse différente. »

C'était, Ganapathi, tout bonnement brillant et ne laissait d'autre choix au malheureux sir Richard que de se retourner en hâte et d'offrir un siège à la renégate. Que Sarah-*behn* prit, impassible, lissant les plis de son sari et plaçant son porte-*tiffin* à ses pieds dans un tintement audible.

« Mon lait de chèvre, annonça Gangaji. Elle en prend grand soin pour moi. C'est son idée à elle, voyez-vous.

– Vraiment ? » Le ton de sir Richard demeurait distant. Il n'arrivait pas à feindre le moindre intérêt pour les préférences diététiques de ce couple mal assorti.

« Oh, oui ! » Gangaji se laissait entraîner sur son sujet. « Voyez-vous, j'ai eu ce terrible rêve une nuit.

– Un rêve, répéta en écho sir Richard d'une voix lasse.

– Exactement. J'ai rêvé qu'une vache me parlait.

– Une vache ?

– Une vache, blanche, l'œil triste, une grosse moue déprimée. "Ne les laisse pas me faire ça, Mahaguru !" pleurait-elle. Et puis je vis qu'elle vacillait sur ses pattes, et il y avait toutes sortes de gens accroupis sous elle, des garçons, des filles, des adultes, des paysans, des employés, tous en train de tirer et tripoter ses mamelles et de la traire pendant qu'elle me regardait en pleurant à fendre l'âme. »

Sir Richard laissa échapper un son étranglé.

« Mais ce n'était pas du lait, sir Richard, qui sortait de ses pis. C'était du sang ! Et dans mon rêve je ne pouvais rien faire. Je m'éveillai tremblant, les cris de cette vache résonnant à mes oreilles. Dès lors, je résolus de ne plus jamais boire de lait. La vache est notre mère, sir Richard (Gangaji se tourna vers l'Anglais d'un air grave), la vôtre et la mienne. C'est écrit dans nos textes sacrés. Elle nous fournit à tous nourriture et subsistance. Est-il juste que nous la fassions souffrir ? »

Sir Richard demeura sans voix.

« Bien sûr que non. J'ai décidé sur-le-champ de ne plus lui causer de peine et de ne plus jamais boire de lait. »

Ganga se tut. Sir Richard respira lentement.

« Je vois, dit-il, sans savoir ce qu'il voyait mais soulagé de ne plus avoir à l'entendre.

– Mais alors je suis tombé malade, reprit Gangaji brusquement. Les médecins déclarèrent que j'avais besoin de minéraux et de protéines sous une forme aisément accessible. » Il sourit. « Encore une jolie expression anglaise. Je leur ai demandé ce que cela voulait dire et ils ont répondu qu'il fallait que je boive du lait. Mais je leur ai dit que c'était impossible, que je m'étais fait le serment de ne plus jamais boire de lait. »

Sir Richard regarda du côté de l'entrée du salon comme vers un espoir de délivrance. Gangaji poursuivit :

« J'ai demandé aux médecins ce qui se passerait si je ne buvais pas le lait qu'ils m'ordonnaient. "Eh bien, vous mourrez, m'ont-ils dit. – Mais nous mourrons tous un jour, leur ai-je répliqué. Quoi de mal à ça ? – Simplement que vous mourrez beaucoup plus tôt si vous ne buvez pas de lait, m'ont-ils assuré. La semaine prochaine, peut-être." »

Sir Richard parut rêveusement enchanté par cette perspective.

« C'est alors que Sarah-*behn* est venue à mon secours, dit le Mahaguru. J'étais au supplice à l'idée de mourir en laissant tant de travail inachevé, tant de tâches encore à accomplir. Pourtant j'étais décidé à ne pas briser mon vœu. Je ne savais pas comment résoudre ce terrible dilemme en mon âme et conscience. C'est alors que Sarah-*behn* me dit : "Il vous faudra boire du lait de chèvre." Je tenais là ma réponse. Tout aussi nourrissant, tout aussi riche en minéraux et protéines et pourtant libre de la souffrance de la mère vache sacrée de mes rêves. »

Des pas feutrés sur les tapis du corridor précédèrent l'entrée d'un *khidmagar* en livrée portant un plateau de thé. Gangaji accepta une tasse vide, écarta d'un geste la théière et laissa Sarah-*behn* se lever pour venir lui verser du lait de chèvre contenu dans un des compartiments du porte-*tiffin*.

Un second serviteur entra, poussant une table roulante d'argent dont le plateau supérieur filigrané couvert de napperons de dentelle exposait des assiettes élégamment remplies. « Un sandwich au concombre, tout de même ? » demanda sir Richard d'une voix faible. Rarement son éducation et ses bonnes manières avaient été soumises à pareille épreuve. « Je suis certain que vos... euh... médecins souhaiteraient vous voir manger quelque chose. »

Un sourire malicieux s'étala lentement sur le visage de Gangaji. « Ne vous inquiétez pas pour moi, sir Richard, dit-il. J'ai apporté ma propre nourriture. » Sa main disparut dans les plis volumineux emmaillotant son torse et en ressortit tenant une petite mangue jaune d'or, parfaitement mûre. « Histoire de nous rappeler un thé plus célèbre, annonça-t-il. Ça se passait bien à Boston, n'est-ce pas ? »

Le fils du soleil se lève aussi

36

Regarde-moi ça, Ganapathi. J'entame un chapitre en jurant d'éviter Gangaji, et que fait-il ? Il le monopolise. Tant qu'il sera dans les parages, il nous sera impossible de nous concentrer sur d'autres gens, de nous arrêter sur les cinq célèbres rejetons de Pandu ou de suivre les destins plus sombres de Gandhari la Lugubre et de Madri la Stéatopyge. Autrefois, nos narrateurs d'épopées ne se gênaient pas pour nous planter un héros légendaire en pleine conquête pendant qu'ils s'égaraient dans des récits secondaires, comportant chacun à son tour histoires, fables et anecdotes. Mais nous vivons une époque plus exigeante, Ganapathi. Abandonne Ganga à ses affaires pour commencer à raconter des fables sur Devayani et Kacha, et ton auditoire te lâchera en masse. Les seules interruptions que l'on supporte de nos jours sont des airs attachants chantés par des starlettes giratoires et il est d'autant plus dommage que Kacha ne soit pas attachant.

Je suppose que nous pouvons tout aussi bien continuer notre histoire, Ganapathi : laissons filer Gangaji en tête de la course. Mais, pour ce faire, il nous faut d'abord reconnaître que le Mahaguru n'était plus désormais le seul coureur.

Oui, Ganapathi, tandis que l'histoire de notre imminente victoire nationaliste s'accélère, il en va de même pour une cause que Gangaji avait à peine commencé à prendre au sérieux. Une cause conduite par un jeune homme dont la peau dorée avait l'éclat du soleil et sur le front duquel brillait la petite demi-lune qui devint le symbole de son parti. La cause du Groupe musulman.

Les musulmans indiens ne formaient pas un groupe plus cimenté ni monolithique qu'aucun autre dans le pays. Jusqu'à ce que la politique s'en mêle, les Indiens acceptaient sans histoires des gens de toutes sortes : brahmanes, Thakurs, Marwaris, Nairs, Lingayats et pariahs et nombre d'autres variétés d'hindous, autant que catholiques romains et chrétiens maronites, Anglo-Indiens et Indiens anglicans, Jains et Juifs, sikhs keshadharis et sikhs mazhabis, animistes tribaux et néobouddhistes, tous fleurissant sur le sol indien aux côtés de centaines et de milliers d'autres castes et sous-castes. Les musulmans indiens eux-mêmes n'étaient pas seulement des sunnites et des chiites, mais des moplahs, des bohras, des khojas, des ismaïliens, des qadianis, des ahmediyas et des mémons kutchis – et Allah sait quoi d'autre. Réalités incontestables, ces différences étaient aussi inoffensives que les diverses espèces de végétaux qui bourgeonnent et s'épanouissent à travers notre pays.

Nous avons tendance à coller facilement des étiquettes et, dans un pays de la taille du nôtre, c'est peut-être inévitable car les étiquettes sont la seule manière d'échapper à la confusion des nombres. Classer les gens aide à les identifier, et quoi de plus naturel dans un pays si divers et surpeuplé que le désir de « situer » chaque Indien ? Il n'y a rien de dégradant à cela, Ganapathi, quoi qu'en disent nos Indiens occidentalisés modernes et laïques. Au contraire, l'application d'une étiquette élève chaque individu : celui-ci sait qu'il ne court aucun danger d'être perdu dans le bourbier national, que des aspects distinctifs de son identité personnelle existent, qu'il partage avec un petit groupe.

Ainsi, nous, Indiens, ne cachons pas nos différences : nous ne tentons pas de nous subsumer dans une masse homogénéisée, nous n'avons pas recours aux déguisements d'identité par le biais de noms standardisés, d'uniformes, ou même d'un langage national commun. Nous sommes tous différents ; comme les Français – le plus indien des peuples européens – aiment à le répéter, encore que dans un autre contexte : *Vive la différence !*

Eh oui, face à une telle diversité, nous établissons des distinctions. Chaque groupe est libre d'être lui-même tant qu'il n'empiète pas sur le droit de l'autre d'agir de même.

L'exclusion mutuelle ne signifiait pas nécessairement l'inimitié. Cela fut le credo dominant de l'époque, mais il existait aussi une interaction constructive entre les diverses communautés indiennes sous ces lois. Nous n'avions jamais encore transporté nos différences sociales dans l'arène politique. Maharadjahs et sultans engageaient leurs ministres et généraux sans guère se soucier de leur religion, leur croyance ni même leur nationalité. Aurangzeb, le plus musulman des Moghols, s'en remit à ses chefs militaires rajputs pour mater des satrapes musulmans rivaux ; les Peshwas marathas, les premiers chauvinistes hindous, employèrent des officiers d'artillerie turcs. Non, Ganapathi, la religion n'a jamais eu beaucoup à voir avec notre politique nationale. C'est le serpent britannique qui fit mordre collectivement notre peuple à la pomme de discorde.

Divide et impera, disait-on dans la langue de leurs conquérants à eux – diviser pour régner. Soulignez, magnifiez, sanctifiez et exploitez les divergences entre vos sujets et vous pourrez régner sur eux pour toujours – ou presque. Imagine l'horreur des Anglais en 1857 lorsque leurs mercenaires indiens se révoltèrent, hindous et musulmans se ralliant sous l'étendard fané de l'empereur moghol, princes déchus et paysans mécontents faisant cause commune contre l'oppresseur étranger ! Dès que la révolte nationale, soigneusement rabaissée par les historiens impériaux au rang de « mutinerie des Sepoys », eut été réprimée, les fonctionnaires britanniques redécouvrirent leurs leçons de latin. *Divide et impera* devint le sujet d'instructions politiques bien argumentées ; tout devait être fait pour enfoncer un coin entre les Indiens, dans l'intérêt des Blancs et de Whitehall. Les Anglais n'eurent pas à chercher bien loin et trouvèrent des occasions rêvées dans les différences religieuses que l'Inde, dans sa tolérance, avait si longtemps préservées avec tant d'innocence.

A stratégie amorale tactiques immorales. Le clivage à attaquer était de toute évidence celui existant entre les « hindous » et les « musulmans ». Peu importait que ces termes mêmes (cachant tant de divisions et d'identités compliquées) n'aient guère de sens ni qu'ils recouvrent des groupes qui n'avaient jamais, dans toute l'histoire politique de l'Inde, fonctionné comme des monolithes. Peu importait car les Indiens se révélèrent bien trop empressés à se faire l'écho de l'illettrisme politique britannique et à accepter d'être définis en des termes imposés par leurs conquérants.

Voilà pour la stratégie ; mais examinons la tactique. Les Anglais jetèrent par-dessus bord ou bien déformèrent nombre de leurs préceptes démocratiques fondamentaux avant de les appliquer à l'Inde. Prends les élections, par exemple. Pendant longtemps il n'y en eut point. On ne pouvait pas faire confiance aux Indiens face aux urnes. Puis, lorsque le premier train de « réformes » introduisit les élections (pour des institutions sans conséquences, aux pouvoirs fort limités, élues sur la base d'une franchise, mais des élections tout de même), il fallut fournir la preuve qu'on était propriétaire pour avoir le droit de voter. (Une clause qui disqualifiait 90 % des Indiens et avait été abolie des décades auparavant dans la métropole.) Et lorsque même les électeurs riches montrèrent une tendance navrante à voter pour le nationalisme modéré du Parti kaurava, le Raj créa des électorats séparés afin que les musulmans votent pour des candidats musulmans. Un exemple de l'administration éclairée du Raj. Si tu veux savoir, Ganapathi, pourquoi la démocratie est tenue en si piètre estime par notre élite présente, il te suffit de considérer la manière dont elle nous fut dispensée par ceux qui s'en proclamaient les gardiens.

Nous eûmes donc des électorats séparés et, inévitablement, les Britanniques encouragèrent aussi la création de partis politiques séparés, pour chaque groupe d'intérêts minoritaires. Ils n'eurent pas à déployer un grand effort pour inciter quelques pantins à former une association de musulmans. Chacun était le porteur d'un titre anglais ou le bénéficiaire de subsides anglais, ou même des deux (tel leur chef de file, un sybarite obèse du nom de Gaga Shah). Le Groupe musulman de Gaga aurait pu aisément s'imposer. Le problème, c'est que Gaga et ses gigolos aristos débordaient d'une gratitude si embarrassante envers leurs financiers qu'ils se bousculaient pour aller protester de leur impérissable loyauté à l'égard du Raj. Gaga et son gang s'adressaient réciproquement des discours, présentaient des pétitions aux Anglais (pour demander le maintien d'électorats séparés) et filaient à la « saison chaude » dépenser leurs listes civiles sur les champs de courses européens. Pendant ce temps, la plupart des hommes politiques musulmans sérieux (ainsi que nombre de notables parsis et chrétiens) ralliaient, soutenaient et dirigeaient le Parti kaurava.

Ce que fit aussi l'homme qui devait un jour prendre en main le destin du Groupe musulman. Karna surgit sur la scène politique venant de nulle part. On en savait peu sur ce jeune homme étrange, dont les mots avaient autant d'éclat que la peau, et qui maintenait une réserve très peu indienne quant à ses origines, sa famille, son lieu de naissance. C'était comme s'il s'était levé sur le présent pour briller dans le futur, tandis que son passé n'existait que dans l'imagination des autres. Mais son côté brillant – et l'adjectif « brillant » s'appliquait à la fois à son apparence, son intellect, son savoir et son élocution – ne faisait aucun doute.

Il attira tout d'abord l'attention nationale alors qu'il était à Bombay un jeune avocat prospère, fin, suave et assuré, avec un bungalow sur Malabar Hill et un accent assorti à ses costumes confectionnés dans Savile Row. Qui il était et d'où lui venait son succès, personne ne le savait. Le mystère continua à l'entourer, telle la brume un lever de soleil sur l'Himalaya. Il vivait seul, apparemment sans parents ni amis, bref le décor que tous les Indiens trouvent naturel.

Bien entendu, on joua beaucoup aux devinettes à son propos, des histoires circulèrent, les rumeurs s'amplifièrent, jusqu'à ce qu'il devienne impossible de séparer un fait établi d'une invention coupable. Pour ce qu'on en savait, il était né dans sa position présente ou y était arrivé sur un blanc destrier, sans rien derrière lui sauf le soleil se profilant à l'horizon.

Ah, que de légendes se sont bâties autour de ce jeune homme, Ganapathi ! Les femmes attendries affirmaient qu'il brillait comme l'astre du jour dans les cieux et son insensibilité à leur égard ne le rendait que plus resplendissant à leurs yeux. La digne propriétaire du bungalow voisin jura que le soleil surgissait chaque matin par sa fenêtre et, par un après-midi grisâtre, il lui suffisait d'apparaître sur la véranda pour que les nuages se dispersent. Quand il se promenait, la foule s'écartait naturellement et les gens se tenaient à distance respectueuse comme s'ils avaient peur de se brûler à son feu. Les domestiques chuchotaient qu'il n'utilisait ni savon ni crème pour conserver cet éclat doré qui ne devait rien à l'artifice. On disait qu'il possédait tous les talents d'un guerrier classique ; certains affirmaient qu'il tirait à l'arc dans son jardin et pouvait décrocher une mangue d'une grappe sans déranger les autres ; d'aucuns parlaient de ses prouesses équestres, racontant comment un seul regard de ces yeux étincelants pouvait apaiser le plus rétif des chevaux des écuries mahalakschmies. Si l'un, au cours des discussions étouffées à son propos qui animaient chaque réception en ville, osait montrer de la curiosité quant à ses origines, l'autre ne manquait pas de répliquer qu'il ne servait à rien d'essayer de juger la puissance du fleuve par sa source. En tout cas, Karna ne possédait pas un pedigree ordinaire et son rayonnement était d'autant plus lumineux qu'il s'auréolait de la touche blafarde du mystère.

Le jeune homme lui-même ne fit rien pour dissiper les mythes. Le secret de son passé le servit à la perfection et, tandis qu'à Bombay, il s'élevait d'une manière vertigineuse au zénith de sa profession, c'est son avenir qui lui valut encore plus d'attention.

Le talent oratoire de Karna égalait son sang-froid et sa calme assurance. Peu osaient croiser le fer avec lui, et ceux qui le faisaient en sortaient réduits en papillotes par sa langue aussi acérée qu'un rasoir. Son succès au barreau lui valut des clients plus riches et plus influents, des invitations à parler dans des réunions publiques et des sièges au sein de commissions importantes. Avant longtemps, on commença à dire que si un Indien de sa génération était né pour briller et mener, c'était sans aucun doute l'illustre Mohammed Ali Karna.

A son retour de Londres, Karna avait ouvert un cabinet d'avocats à Bombay et rejoint le Parti kaurava. Il se distingua à ses tribunes et le représenta bientôt au sein de divers conseils et comités institués par le Raj. Mais sa conception de la cause nationaliste était très différente de celle de Gangaji.

Les soucis de Karna étaient ceux d'un avocat du barreau londonien : les Indiens avaient un droit légitime à être consultés sur la manière dont ils étaient gouvernés et il entendait bien faire valoir ce droit par des moyens légaux. C'est en défenseur habile de la Constitution que Karna aborda la politique. Pas pour lui les pénibles marches à travers les provinces rurales, les grands rassemblements auxquels Gangaji s'adressait dans un dialecte ou un autre ; Karna, toujours élégant et soigné, n'était à l'aise que dans la langue de son éducation et dans le milieu où il l'avait acquise.

Ces facteurs indiquaient déjà que le parti sortirait vraisemblablement de la voie tracée par Gangaji, mais l'incident à l'origine du départ de Karna déclencha en lui une réaction plus viscérale.

Une réaction destinée à mettre notre pays à feu et à sang.

37

Il s'agissait d'une importante réunion du comité direc-teur du parti, au cours de laquelle on discutait de la poli-tique et des tactiques kauravas. Le groupe Gangaji, déjà fort avancé dans sa domination de l'organisation (c'était l'époque, Ganapathi, où Dhritarashtra et Pandu étaient encore compagnons d'armes), n'arrivait pas à l'emporter à cause de la seule opposition de Karna, dont l'ironie cinglante se révélait comme toujours efficace. « Ce parti ne va pas chasser les Anglais en faisant défiler la populace dans les rues, disait-il. L'empire le plus puissant du monde, avec des centaines de milliers de soldats sous les armes, ne sera pas vaincu par la racaille. Il n'y a pas de Bastille à prendre, pas de roi simplet à renverser, mais un système de gouvernement raffiné, hautement compétent, profondément ancré, avec lequel nous devons traiter en ses propres termes. Ces termes, messieurs (et là Karna posa sur son auditoire ce regard d'acier au-dessus duquel la demi-lune semblait palpiter d'une lumière particulière), sont les termes de la loi, de la connaissance de la juris-prudence constitutionnelle britannique, de la pratique par-lementaire. Nous devons développer et utiliser ces talents pour arracher le pouvoir à des gouvernants qui ne pourront pas nous le refuser, selon leur propre législation. »

Karna s'assura qu'autour de la table chaque paire d'yeux, y compris le profil aveugle de Dhritarashtra, était tournée vers lui. « Nous ne pouvons pas espérer nous gouverner en conduisant des émeutiers qui ignorent les desiderata de l'autonomie. Le populisme et la démagogie n'émeuvent pas les parlements, mes amis. Enfreindre la loi ne nous aidera pas à la faire un jour. Je ne souscris pas à la mode actuelle en faveur des masses, prônée de façon si opportuniste par une famille de princes destitués. Dans aucun pays du monde les "masses" ne gouvernent ;

chaque nation est gouvernée par des chefs dont le savoir et l'intelligence sont les meilleures garanties de succès. Je dis à mes distingués amis : laissez les masses à elles-mêmes. N'abdiquons pas nos responsabilités envers le parti et la cause en plaçant à notre tête ceux qui sont inaptes à nous mener. »

C'était bien entendu un laïus arrogant, Ganapathi, mais Karna possédait cette arrogance qui inspire le respect plutôt que le ressentiment. Dieu sait jusqu'où il aurait pu aller et quelle direction les Kauravas auraient pu prendre si un coup frappé à la porte n'était venu l'interrompre en plein élan.

« Excusez-moi, mister Karna, toussota un *durwan* embarrassé, mais il y a dehors un homme en uniforme de chauffeur qui affirme qu'il doit vous voir. Je lui ai expliqué que vous étiez très occupé et qu'on ne pouvait pas vous déranger, mais il insiste en disant que c'est très important. Je... euh... Je lui ai demandé qui il était, sir, et il dit... il dit... qu'il est votre père. »

La peau cuivrée de Karna pâlit durant cette longue explication et puis une voix se fit entendre à l'extérieur : « Laissez-moi entrer, je vous dis. Mon fils me recevra. Je dois... » Et la porte s'ouvrit brusquement et un type échevelé apparut, vêtu d'un uniforme blanc taché de sueur, une casquette de chauffeur à la main, le visage crispé par l'inquiétude :

« Karna, s'écria-t-il angoissé. C'est ta mère... »

Le jeune homme bondit sur ses pieds. « Je viens tout de suite, Abbajan », dit-il, son teint d'une pâleur jaunâtre.

« Je vois, dit Dhritarashtra tranquillement avant que Karna ait même atteint la porte. Le fils d'un chauffeur vient de nous faire un sermon sur l'inaptitude des masses.

– Quelle ingratitude ! murmura un flagorneur obligeant.

– Allons-nous nous laisser influencer par les préjugés d'un individu qui se croit trop bien pour ses parents ? » demanda Dhritarashtra.

Karna lui lança un regard de haine pure, qui s'écrasa sans dommage sur les lunettes noires de sa cible. Un murmure d'approbation autour de la table fut interrompu par le claquement de la porte. Karna était parti, vaincu – comme nombre de ses compatriotes – par ses origines.

Ainsi marchent souvent les choses dans notre pays, Ganapathi. Si on ne peut pas triompher d'un homme sur le plan du mérite, on peut toujours l'abattre en déracinant son arbre généalogique. Ces arbres-là sont des plantes capricieuses, Ganapathi ; chez nous, l'incompétence et la médiocrité fleurissent à l'ombre de leurs branches feuillues.

Ainsi Karna partit en claquant la porte et je le suivis, en marmonnant que j'allais revenir. J'ignore encore ce qui me poussa à agir. Kunti m'avait dit qu'elle viendrait attendre son mari à la sortie de notre lieu de réunion et je fus pris d'une envie urgente d'échapper à l'atmosphère étouffante de nos querelles mesquines. Cela me ferait du bien, pensai-je, de passer un moment en une compagnie plus sympathique.

Ce ne fut pas plus mal. Je rejoignis l'épouse de Pandu sur le palier juste à temps pour la rattraper tandis qu'elle s'évanouissait dans mes bras.

Je l'installai sur un canapé et me demandai avec toute l'incompétence d'un célibataire endurci s'il serait convenable de jeter de l'eau sur ce visage exquisement maquillé. J'hésitais encore lorsque Kunti remua et ouvrit des yeux dont la rougeur ne devait rien aux cosmétiques.

« C'est lui ! souffla-t-elle.

– Qui ça ? dis-je, surpris.

– Le jeune homme... qui vient de sortir.

– Mohammed Ali Karna ?

– Était-ce lui ? J'en avais entendu parler, mais je ne l'avais encore jamais vu. » Elle se redressa un peu, la couleur revenant lentement à ses joues. « Que savez-vous de lui, VVji ? »

Je regrettai mon ignorance relative. Après tout, l'information était ma spécialité ; grâce à mes sources, je savais tout sur tout le monde. Mais Karna s'était révélé une exception. « Personne n'en sait beaucoup à son sujet, Kunti. C'est un grand avocat de Bombay, éduqué à Londres, un peu arrogant. Et, aujourd'hui, nous avons appris qu'il était le fils d'un chauffeur. »

Une légère inspiration et puis :

« Un chauffeur ?

– Un chauffeur, voyez-vous. Karna est parti avec lui. Il semble que sa mère soit très malade. »

Kunti se redressa sur le canapé et repoussa d'une main distraite une mèche élégamment grisonnante égarée sur ses yeux.

« Sa mère, dit-elle d'une voix faible, se sent à présent beaucoup mieux, merci. »

Ce fut à mon tour de prendre une longue inspiration. Ses mots me réveillèrent comme les premiers rayons du soleil à travers des yeux mi-clos. Cela allait de soi : le mystère de l'origine de Karna était enfin résolu.

L'erreur d'adolescence de Kunti, le résultat des tentations plausibles d'un passant étranger, le rejeton d'un voyageur du monde qui avait quitté l'univers de sa mère dans un petit panier d'osier n'était pas mort. Il avait survécu ; retrouvé, il avait grandi pour devenir Mohammed Ali Karna.

« Kunti ! soufflai-je.

– Oh, VVji, il est vivant, dit-elle, le regard brillant. Je suis si heureuse ! »

J'ai tendance à jouer le sage austère au mauvais moment.

« Il ne faudra jamais que vous le reconnaissiez, Kunti, l'avertis-je.

– Croyez-vous que je ne m'en rende pas compte ? » La réplique fut vive mais je n'oublierai jamais la douleur dans sa voix. « Oh, VVji, voulez-vous tenter d'en découvrir plus pour moi ? Qui est ce chauffeur ? Que s'est-il passé ? »

Quelques recherches discrètes confirmèrent que la foi instinctive de Kunti en son fils aîné égaré était justifiée. Le panier avait descendu le fleuve avant d'être arrêté par la broussaille sur la rive droite. Le sort voulut – car, tu le sais, Ganapathi, ces choses-là viennent d'en haut – qu'un couple sans enfant pique-niquât au bord de l'eau. Le mari était un moderne et humble successeur à la noble profession de cocher, autrement dit un chauffeur, qui avait profité de l'absence de son patron pour emmener sa femme en balade au bord du fleuve. L'Histoire est faite, Ganapathi, de pareilles coïncidences.

Ces braves gens trouvèrent le bébé et levèrent les bras vers le ciel pour louer Allah, car ils étaient musulmans. Et voilà comment le fils naturel de Kunti acquit la qualification fondamentale requise pour devenir membre du parti qu'il dirigerait avec autorité un jour : le Groupe musulman.

Les autres éléments de son curriculum vitae se mirent en place d'invraisemblable manière. Invraisemblable car peu de ceux qui connaissaient l'avocat du barreau londonien auraient deviné les faits prosaïques que je découvris ou déduisis : une enfance de bidonville ; des bourses d'études pour le lycée et la faculté ; un riche protecteur, le patron de son père – l'opulent Indra Deva –, finançant un séjour à Londres. Karna n'était pas né riche, comme tout le monde le pensait ; et pourtant, de curieuse manière, Ganapathi, il l'était.

Mais plus je poussais mon enquête et plus l'histoire de Mohammed Ali Karna se dissolvait de nouveau dans le mythe et la conjecture. Même lorsque l'incident de l'irruption du chauffeur en pleine réunion du parti se fut répandue et que les colporteurs de ragots forgèrent des versions fantaisistes et malveillantes pour tous ceux qui voulaient les entendre, le jeune homme doré garda son éclat. Au contraire, bien que l'identité de ceux qu'il appelait ses parents ne pût être dissimulée, des histoires étranges, élogieuses, circulèrent sur ses extraordinaires qualités, comme pour compenser l'apparente banalité de son ascendance.

Ces histoires ne soulignaient pas seulement sa brillante intelligence, mais aussi la détermination et la maîtrise de soi qui un jour lui gagneraient un pays. L'une d'elles, typique, très probablement apocryphe, décrivait comment il avait acquis son nom peu commun.

Son père, si bon musulman qu'il fût, avait hésité à infliger la moindre blessure à son bel enfant trouvé et ne l'avait pas fait circoncire. Un jour, le jeune Mohammed Ali, se baignant dans le fleuve en sa compagnie, lui demanda pourquoi il était différent de ce point de vue capital.

« Parce que tu n'es pas vraiment mon fils, répliqua le chauffeur aux tempes grisonnantes. Dieu m'a permis de te trouver, mais cela ne me donnait pas le droit de changer la façon dont Il t'avait fait.

– Mais je suis ton fils, déclara l'enfant. Peu importe ce que j'étais avant que tu me trouves ; mon passé m'a abandonné. Je veux être comme toi. »

Sur quoi il s'empara d'un couteau et se circoncit lui-même.

Apprenant le geste du garçon, Indra Deva, le patron du chauffeur, exprima son admiration. « Tu seras connu, lui annonça-t-il, dans la grande tradition de notre épopée nationale, comme Karna, Karna le Tailladeur. »

Et c'est ainsi que Mohammed Ali, fils adoptif du chauffeur d'un homme riche, devint Mohammed Ali Karna, destiné à être l'Étoile du barreau anglais et le Défenseur de la mosquée.

Tu ne me parais pas convaincu, Ganapathi. Eh bien, je ne le fus pas non plus. Ce n'était qu'une histoire. Mais on apprend des choses sur un homme à travers les histoires que les gens inventent à son sujet.

38

Bien entendu, il faut se méfier de l'Histoire par anecdotes.

Il serait trop facile de suggérer que l'incident de la réunion provoqua à lui seul la démission de Karna du

Parti kaurava. Il y eut sans aucun doute des centaines de raisons complexes qui y contribuèrent et qui auraient pu susciter son départ à un autre moment. Par exemple, il est clair que sa position fut affaiblie par l'efficacité manifeste des méthodes de Gangaji ; il aurait pu au mieux ralentir la prise du parti par les Hastinapuris, mais sans pouvoir l'empêcher. En outre, son amour-propre n'aurait pas toléré le rôle de subordonné ou même d'égal que Dhritarashtra et Pandu, sans parler de Gangaji, voulaient lui imposer. Karna était de ceux qui préfèrent être roi d'une île que courtisan ou même ministre d'un grand empire.

Restait la question encore plus compliquée de la religion. Ne te méprends pas, Ganapathi. Mohammed Ali, malgré ce qui lui avait valu son « Karna », ne ressemblait nullement aux ayatollahs barbus de l'iconographie islamique actuelle. Il dédaignait les mollahs et leurs prohibitions. Là où Dhritarashtra avait appris à faire son thé, Karna avait acquis le goût du scotch et des saucisses-cocktail. Loin de prier cinq fois par jour, il s'enorgueillissait de son esprit scientifique, et par conséquent agnostique. Sa manière de voir était celle d'un Anglais de son âge et de sa profession : « moderne » (pour user d'un adjectif qui a survécu à plus de changements de connotation que tout autre dans la langue), conformiste, rationnelle, laïque. Ce n'est pas l'islam qui le sépara de Gangaji, mais l'hindouisme.

Je vois, à ton air étonné, qu'il va falloir que je m'explique. C'est en vérité très simple, Ganapathi. Karna n'était pas très musulman, mais il trouvait Gangaji beaucoup trop hindou. L'accoutrement traditionnel du Mahaguru, son spiritualisme, sa déclamation ininterrompue de textes sacrés, son *ashram*, ses références constantes à un passé idéalisé prébritannique auquel Karna ne croyait pas (et qui l'agaçait), tout cela rendait méfiant le jeune homme à l'égard du Grand Maître. Le titre même que Gangaji avait accepté mettait Karna mal à l'aise : dans son monde à lui, il n'y avait pas de mahagurus mais seulement de grands élèves. Et la politique d'appui sur les masses préconisée par Gangaji faisait appel, selon Karna, aux mauvais instincts ; elle incarnait un atavisme qui, à son sens, ne ferait jamais progresser le pays. Un Parti kaurava fait de réunions de prières et d'un éclectisme effréné n'était pas un parti dont il aurait souhaité être le chef, ni même rester le membre.

Autrement dit, Karna trouva les Kauravas sous l'influence de Gangaji trop peu laïques, ce qui, paradoxalement, le rendit plus conscient de sa religion musulmane. Les efforts de Gangaji pour transcender son image hindouiste, en soulignant le libéralisme de son interprétation, ne firent qu'empirer les choses. Quand le Mahaguru, dans une de ses déclarations les plus célèbres, affirma sa foi dans toutes les religions : « Je suis un hindou, un musulman, un chrétien, un zoroastrien, un juif », Karna répliqua sombrement : « Il n'y a qu'un hindou pour dire ça. »

Cela ne signifie pas, Ganapathi, que Karna quitta les Kauravas en claquant la porte et s'en alla tout droit rejoindre le groupe discrédité de Gaga. Quand, en son absence, les Kauravas votèrent la résolution qui engageait fermement le parti dans la ligne de Gangaji, Karna, humilié et amer, sentit qu'il ne pouvait plus se rallier à la cause. Pourtant, il croyait encore que les Kauravas représentaient le seul espoir des nationalistes. S'ils s'obstinaient à persister dans l'erreur, décida Karna, alors il n'avait plus, lui, de parti. Il ne se contenta pas de retourner à son cabinet d'avocats : il fit ses bagages et voile vers l'Angleterre.

Karna ne fut jamais un homme de demi-mesures. Une fois qu'il avait décidé de rompre, la rupture était toujours nette et complète. Caractéristique qui devait avoir une influence profonde et durable sur la nation.

39

Car pour quiconque avait suivi sa carrière, il était évident que Karna ne pourrait pas demeurer longtemps écarté de la politique indienne. Il se trouvait à Londres lorsque le Mahaguru et la curieuse équipe de la table ronde conférèrent si infructueusement et il se découvrit incapable de taire en public le mépris qu'il ressentait pour l'état des organisations nationalistes.

« En tant qu'Indien, déclara-t-il à un reporter, j'éprouve honte et dégoût à voir mon sort et celui de mon pays discutés et décidés par un tel ramassis de zombies du passé, de types finis, de gens qui n'ont jamais existé et d'hommes qui n'existeront jamais.

– Si vous y attachez tant d'importance, pourquoi ne retournez-vous pas vous-même à la politique ? » s'enquit le journaliste.

Le regard fixe de Karna ramena le reporter à son calepin. « J'attends, dit-il, la bonne invitation. »

La bonne invitation. Voilà où se situait la tragédie du *divide et impera*. Si les Anglais n'avaient pas cherché à diviser notre peuple de manière sectaire, l'invitation que Karna sollicitait aussi ouvertement aurait pu venir, disons, d'un parti conservateur nationaliste, un parti différant du Kaurava sur des points de principe politique plutôt que de religion. Au lieu de quoi l'appel vint de Gaga Shah, le chef du Groupe musulman : une carte dorée sur tranche requérant le plaisir de la compagnie de Karna à un thé au Savoy.

40

« Ravi que vous ayez pu venir, mon vieux », dit le Gaga
en se soulevant à moitié et avec efforts de son vaste fauteuil. Karna serra sans sourire la main tendue. « Asseyez-
vous, voulez-vous ? Voilà, parfait. Du thé ? »

Des tasses fumantes furent servies non par un garçon
du Savoy, mais par un larbin enturbanné qui se plia en
deux pour tendre la boisson à son maître. Karna écarta
d'un bref signe de tête l'offre d'un plateau chargé de
pâtisseries. Le Gaga parut étonné. « Vraiment ? dit-il,
enfournant un objet glacé de rose dans sa bouche et
s'emparant d'un chou à la crème, le tout d'un même
mouvement ou presque. Vous ne savez pas ce que vous
ratez, mon vieux. »

Karna garda un silence marqué.

« Faut manger, voyez-vous, poursuivit le Gaga d'un ton
bonhomme. Ça fait partie de mes obligations. Mes disciples me pèsent en or et en diamants à chacun de mes
anniversaires et il ne conviendrait pas de les laisser tomber
en plaçant un corps de sylphide sur la balance. Ça foutrait
en l'air le spectacle, vous comprenez. Et ça ne ferait pas
non plus un cadeau terrible. » Il pouffa dans son thé.
Karna ne put esquisser le moindre sourire poli. Le Gaga
décida de retenter le coup : « Une de mes femmes, peux
pas me rappeler laquelle – mettez-leur des perles autour
du cou et elles se ressemblent toutes, ha-ha –, n'arrêtait
pas de critiquer mon régime. Ne prends pas ceci, repose
ça sur le plat, ne te ressers pas, vous voyez le genre.
Jusqu'à ce que je lui dise que chaque bouchée de foie
gras signifierait un autre saphir pour sa collection. Littéralement. Après ça, je n'arrivais plus à l'empêcher de me
déverser des trucs dans mon assiette. » Il gloussa puis
remarqua Karna, assis, raide et impassible, sa tasse intacte
posée sur le guéridon à côté de lui.

Ses plaisanteries tombant à plat, le Gaga avala non sans peine une gorgée de thé, un petit doigt boudiné et bagué levé délicatement en l'air.

« J's'pose que vous vous demandez pourquoi je vous ai fait venir ici, dit-il enfin.

– Je me suis en effet posé la question », répliqua sèchement Karna.

La tasse trembla dans la main du Gaga. Ce n'était pas là un ton auquel il était accoutumé. « En effet, souffla-t-il vivement. En effet. » Il rafla un éclair au chocolat et le dégusta d'un air pensif.

« La vérité, c'est que nous aimerions vous voir de retour en Inde.

– Nous ? »

Karna, immobile, leva un sourcil interrogateur.

« Le Groupe musulman, expliqua le Gaga. Notre parti a besoin d'hommes tels que vous.

– Ah ? »

Karna semblait attendre la suite. Comme c'était plus facile, se dit le Gaga, de traiter avec les gens du monde des courses ! Ceux-là se contentaient d'une tape dans le dos, d'un signe de tête et d'une liasse de billets à l'occasion. Cet avocat froid, distant, au regard arrogant, était une autre sorte de client. Et pourtant il était exactement le genre de jockey nécessaire pour éperonner et forcer à l'action un pur-sang trop gros et content de lui. Le Gaga soupira.

« Vous êtes informé de la situation politique actuelle en Inde ? commença-t-il.

– J'ai suivi les événements, oui », confirma Karna.

Le Gaga sentit l'occasion de laisser l'autre faire la conversation.

« Bien, souffla-t-il, soulagé. Et comment trouvez-vous les choses ?

– Je les trouve tout à fait déplorables, répliqua l'avocat. Ganga Datta et son Parti kaurava sont les seuls acteurs de quelque importance sur la scène et ils représentent ce qu'il y a de plus rétrograde et populiste dans la politique indienne. S'ils triomphent, nous ne verrons ni la démocratie ni le progrès, mais la populocratie et l'anarchie.

– La populocratie hindoue, ajouta le Gaga.

– Peut-être. Bien que les émeutiers n'aient pas de religion, comme nous l'avons constaté au cours de cette malheureuse affaire des mangues. Cela m'exaspère de voir la direction de l'Inde tomber entre des mains tachées de jus de mangue.

– Bien dit », approuva le Gaga, songeant avec envie aux mangues gaspillées sur les agitateurs. C'était son fruit préféré et il avait eu pour habitude d'envoyer chaque année un panier des plus belles Alphonso à chaque Anglais de marque qu'il cherchait à cultiver. Dans le passé, ce cadeau peu banal, accompagné d'une carte armoriée portant les compliments calligraphiés du Gaga Shah, lui avait ouvert les portes de plus d'un château. Cette année, grâce au mauvais goût de Gangaji, les fruits avaient produit un effet désastreux. L'an prochain, soupira le Gaga, il lui faudrait trouver quelque présent plus approprié.

« Je crains qu'aucun des autres partis ne se soit davantage couvert de gloire, ajouta Karna. Le Groupe musulman...

– ... est moribond, dit le Gaga, complétant la phrase à sa place. En effet. Mais que peut-on attendre d'un assemblage de *nawab* et de *zamindar* ? Nous avons l'argent, la position, l'influence. Néanmoins, je serai franc avec vous, mon cher Karna : nous manquons d'énergie. » Il s'empara d'une madeleine. « C'est pourquoi je vous ai prié de venir ici, mon vieux. Le Groupe musulman a besoin de vous. »

Karna le contempla en silence. « Que proposez-vous exactement ? » demanda-t-il enfin.

Le Gaga parut désemparé.

« Eh bien, que vous reveniez, naturellement. Et que vous rejoigniez le groupe, cher ami. Que vous nous fassiez profiter de vos vues. De votre avis.

– Mon avis. »

Karna regarda droit dans les yeux son hôte et le Gaga remarqua que la demi-lune le fixait durement, comme un troisième œil.

« Oui. Et... et... de vos conseils. »

Karna se leva. « Dans ce cas, nous n'avons rien à discuter, Votre Altesse, dit-il, cassant. Votre proposition n'a aucun intérêt pour moi. »

S'extirpant de l'étreinte caressante des coussins parmi lesquels il avait sombré, le Gaga faillit s'étrangler :

« Mais... ici... où allez-vous ? Je ne comprends pas.

– Je vais m'expliquer. Je n'ai aucun désir d'offrir mon avis ou, comme vous le dites, mes conseils à une bande inefficace de vieillards dépassés. Si vous voulez bien me pardonner mon langage, sir. Et maintenant, je vais prendre congé. D'autres affaires urgentes m'appellent. »

A la surprise de Karna, le Gaga pouffa et le retint d'une main grassouillette. « Allons, allons, dit-il, poussant l'avocat avec une étonnante vigueur vers son fauteuil. Vous pardonner votre langage ! » Il laissa échapper un gloussement rauque. « Je n'en ferai rien. C'est *la* sorte de langage qu'il nous faut entendre davantage au Groupe musulman. Asseyez-vous, mon cher, et racontez-moi ce que vous pensez, vous, pouvoir faire pour nous. A part nous donner votre avis ! » Il s'esclaffa et tapa des mains pour qu'on apporte d'autres pâtisseries. Radouci, sa demi-lune pâlissant pour se fondre dans son teint doré, Karna se laissa conduire vers un siège.

c« Bon, dit le Gaga, s'enfonçant une fois de plus dans les coussins, allons-y, racontez-moi.

– J'ai un peu réfléchi à la question, dit l'avocat. Pour commencer, j'ai même hésité à venir ici ; je n'ai jamais eu une très haute opinion des réalisations politiques de votre groupe, en dépit de mon respect à l'égard de nombre de ses membres. »

D'un gracieux signe de tête, le Gaga accusa réception de la phrase courtoise et de la critique qu'elle tempérait. « En temps ordinaire, j'aurais hésité à m'identifier à une seule et unique communauté. Mais je n'aime pas la direction que prend le mouvement kaurava et je suis forcé de reconnaître que, de tous les choix politiques offerts, le

Groupe musulman, qui, au moins, jouit d'un certain prestige aux yeux du Raj, offre les meilleures possibilités. »

Il se tut pour jeter un regard lourd de signification au Gaga, lequel approuva du chef, la tarte gonflant ses joues rendant difficile toute autre forme de communication.

« Je dis possibilités. Votre Altesse, et j'utilise le mot à dessein, poursuivit Karna. Car je ne crois pas que le groupe, tel qu'il est constitué pour l'heure, ait aucun avenir digne de ce nom, hormis celui de servir de forum aux propriétaires terriens musulmans et d'exprimer de temps à autre les préoccupations séculaires de la communauté, sans exercer le moindre pouvoir politique.

– En effet, approuva le Gaga avalant en hâte une bouchée. En effet.

– Nous sommes raisonnablement en sécurité sous les Anglais, mais nous devons songer à l'avenir, reprit Karna. Un avenir sous les Kauravas de Ganga Datta est impensable. Ni vous ni moi n'aurions de place dans l'Inde qu'ils construiraient.

– Je suis tout à fait d'accord, renchérit le Gaga. Continuez.

– C'est pourquoi nous devons préparer dès maintenant nos défenses, conclut le jeune homme. Et c'est pourquoi vous n'avez pas besoin d'avis. Vous avez besoin de direction.

– Direction que vous pouvez fournir ? s'enquit le Gaga.

– Direction que moi seul peux fournir », répliqua Karna avec fermeté.

Le Gaga demeura silencieux un bon moment, pesant ses mots comme s'il s'agissait de diamants qu'on lui demanderait de céder. « Très bien, dit-il enfin. Énumérez vos conditions. Je pense que nous pourrons les satisfaire. »

Karna sortit une feuille de papier de la poche intérieure de son veston croisé. « J'ai pensé que nous aurions peut-être besoin de ceci, dit-il, impassible. Les voici. »

Le Gaga prit la feuille et la lut avec soin, et c'est là, Ganapathi, que mon récit faiblit, car le jeune serviteur enturbanné qui prêtait l'oreille derrière un épais rideau ne put, de l'endroit où il se trouvait, déchiffrer l'écriture. Oui, Ganapathi, c'était un de mes hommes. Je t'ai répété maintes fois, n'est-ce pas, que j'avais mes sources. Partout, même dans l'entourage du Gaga. Je suis content de voir s'effacer de ton visage cet air de mais-comment-a-t-il-donc-pu-savoir que tu as arboré durant tout cet épisode. Un peu plus de foi, Ganapathi, un peu plus de respect, un peu moins d'incrédulité, et tu verras notre histoire voguer sans heurts, sans ces interruptions aux fins de justification et d'explication que ton sourcil froncé m'impose périodiquement.

41

Nous n'avons pas besoin, en l'occurrence, du contenu de ce papier pour deviner ce que furent les termes de Karna. Car dans les mois qui suivirent son retour en Inde, tout devint clair. Il fut intronisé dans le Groupe musulman et nommé président avec une hâte presque indécente. Le comité des sages qui jusque-là avait dirigé les activités du parti – dans la mesure où il existait – fut reconstitué en une commission consultative nommée par le président Karna et utilisée selon son bon plaisir. La constitution du parti fut réécrite afin de confirmer la suprématie du président et proclamer un nouvel objectif : l'avancement (et pas simplement la défense) des droits et des intérêts des musulmans indiens. Utilisant les immenses ressources de ses protecteurs, le groupe ouvrit des bureaux et lança des campagnes de recrutement dans chaque province du pays. Karna créait son électorat.

J'ai dit plus haut que dans la course du pays à l'indépendance, le Mahaguru n'était pas le seul concurrent. Le groupe de Karna se déclara pour la première fois en faveur de la libération de la tutelle britannique. Il ne plaidait plus pour les maîtres coloniaux et ne leur promettait plus sa loyauté en échange de faveurs : il était désormais un mouvement nationaliste en soi, comme le Parti kaurava. Seule différence aux yeux du groupe : le nationalisme comme divisible. « L'indépendance sans la domination hindoue », tel était le slogan de Karna. Si cela semblait peu conséquent par rapport à son absence passée de sectarisme, il le coucha en termes constitutionnels, évoquant avec éloquence le besoin d'une nouvelle forme de fédéralisme, la protection des droits des minorités, l'importance pour chaque communauté de pouvoir progresser sans en être empêchée par les autres. Certains refusèrent de le prendre au mot. « Ce qu'il veut signifier, c'est l'importance de Mohammed Ali Karna exerçant le pouvoir au moins sur une partie du pays sans en être empêché, déclara Dhritarashtra. Vous ne pouvez guère l'accuser d'inconséquence sur ce point. »

Imagine alors la situation, Ganapathi. Le Parti kaurava, déchiré par le désaccord des panduistes, son mouvement populaire le plus réussi de désobéissance civile suspendu à la suite des morts de Chaurasta, son leader charismatique mais excentrique continuant à faire des pieds de nez aux Britanniques. Et, dans le coin opposé, le Groupe musulman, richement doté, bien vu des gouvernants, dirigé avec fermeté. Le clash était aussi inévitable que son résultat incertain.

Les parents de minuit

42

Abandonnons-les un instant, Ganapathi, pour jeter un regard rapide aux autres. Les femmes et les enfants des hommes politiques peuvent ne pas mener des vies aussi mémorables, mais ce n'est pas une raison pour les négliger. La famille rallongée de Pandu, par exemple, prospérait en son absence. Même si Madri avait parfois tendance à se regarder longuement et mélancoliquement dans son miroir, Kunti et elle tenaient une remarquable maison pour leurs cinq fils.

Et quels fils, Ganapathi ! Yudhishtir montra très vite tous les signes propres à justifier les prophéties astrales de son père, en excellant dans ses études et en prenant l'habitude d'être le premier de sa classe à tout examen présenté. Et s'il aimait un peu trop les chemises amidonnées et les encyclopédies, ni les unes ni les autres ne semblaient devoir lui faire beaucoup de tort dans la carrière juridique à laquelle chacun le pensait destiné. Bhim croissait en stature et en musculature avec chaque repas et, dès le début, devint le protecteur aux gros bras de ses frères. Arjun, cela va de soi, était la perfection aux boutons d'acné. Le pied léger, l'esprit agile, souple et sensible, mince et fort, sportif et intellectuel, Arjun unissait toutes les vertus contraires de la nature humaine : il était le prince et le manant, l'esprit et la chair, le yin et le yang. Quant aux jumeaux, Nakul et Sahadev, ils étaient les faire-valoir rêvés pour leurs frères exceptionnellement doués, car chacun était plaisant, simple, décent et honnête, incarnant tous les mérites de l'aimable médiocrité qu'ils partageaient avec des millions de leurs compatriotes moins illustres.

Ainsi grandirent les cinq frères, connus diversement comme les Célèbres Cinq, la Horde de Hastinapur ou simplement les Pandavas. Tandis que toute seule, dans l'aile réservée à Dhritarashtra, Priya Duryodhani, loin de sa couvée de cousins, couvait de traîtres desseins.

C'était une fille menue, fragile, Ganapathi, avec un long visage allant s'amenuisant comme le noyau d'une mangue et des sourcils sombres se rejoignant presque au-dessus d'un nez à l'arête haute, ce qui lui donnait l'air d'une institutrice desséchée alors qu'elle avait à peine l'âge d'entrer à l'école. On aurait peut-être pu la dire laide si la nature, avec son merveilleux instinct de compensation génétique, n'avait doté la décevante enfant de Dhritarashtra l'Aveugle des yeux les plus étonnants de Hastinapur. Noirs et veloutés, ils brillaient dans ce visage pincé comme des joyaux sur une toile de fond fanée, lançant des éclairs, interrogeant, accusant, exigeant d'une manière qui dépassait les simples mots.

Non que les mots eussent été de beaucoup d'utilité à Priya Duryodhani. Elle n'y était guère sensible et sa voix de crécelle aurait offert un pauvre véhicule à toute figure de rhétorique. Mais ces yeux faisaient plus que compenser ses autres manques, Ganapathi. Ils lui donnaient une force, un dynamisme que tout le reste démentait. Gandhari la Lugubre, trahie par le sort à la fois quant au nombre et au sexe de sa progéniture, avait été bénie avec une sauvage ironie dans le seul trait de sa fille qu'elle ne serait jamais capable d'apprécier.

N'appréciant guère et guère appréciée, Gandhari dépérissait dans la maison qu'elle avait espéré habiter avec son mari perpétuellement absent. Elle avait abandonné pour lui sa plus précieuse possession, mais il n'était pas là pour partager sa nuit.

Pourtant, Gandhari refusait d'avouer que son sacrifice n'avait eu aucun sens et elle s'accrochait à son bandeau avec la passion que seules les femmes indiennes accordent à ces symboles conjugaux. Impossible d'imaginer ce qui la soutenait, mais ce n'était certainement pas son mari. De sa prison, Dhritarashtra adressa toutes ses lettres à Priya Duryodhani, bien avant qu'elle fût assez vieille pour en comprendre aucune, plutôt qu'à la patiente épouse qui avait péché en la mettant au monde. A mesure que la santé de Gandhari se détériorait, son monde demeurait circonscrit par son bandeau de soie, et son enfermement ne la rendait que plus lugubre.

D'aucuns insistent sur l'amour de Dhritarashtra pour sa fille et s'en servent pour expliquer les agissements futurs de Priya Duryodhani. Je préfère y voir l'influence, Ganapathi, des années passées au sombre chevet de sa mère, de son exposition, à un âge fort impressionnable, à la triste trahison du sacrifice de Gandhari, de son profond sentiment de solitude. Après ce qu'elle avait vu dans son enfance, Priya Duryodhani ne serait plus jamais capable de faire confiance à un autre être humain, non, pas même – surtout pas – à son propre père.

Certains aspects de son caractère unique se manifestèrent tôt. Tel que le **jour** où elle décida de se débarrasser de Bhim.

43

Bhim, tu t'en souviendras, Ganapathi, était l'un de ces enfants remplis à l'excès de santé et de gaieté et dont la bonne humeur explose en général au grand dam des autres. Grandir avec Bhim signifiait recevoir des poignées de terre dans les yeux, trouver ses vêtements jetés à l'eau après une baignade, être attrapé et balancé dans des flaques boueuses, tout ça au son des énormes éclats de rire du coupable – et ça voulait dire aussi ne pas avoir d'autre choix que de sourire et de le supporter. Les garçons qui grimpaient aux arbres pour cueillir des fruits risquaient de se retrouver en bas en même temps que les fruits, flanqués par terre par Bhim en train de secouer le tronc comme s'il s'agissait d'une jeune pousse. Je comprends pourquoi Duryodhani, qui, au mieux, trouvait peu d'occasions de rire, jugeait tout cela un rien agaçant. Mais le remède qu'elle conçut fut, malgré tout, un rien énergique.

Imagine-toi un peu la situation, Ganapathi. Une Priya Duryodhani sombre, frêle, secoue la dernière araignée crevée échouée sur sa robe, essuie la dernière éclaboussure de boue ou met la dernière lettre de son père à sécher... et décide d'agir. Sans se hâter, remarque, ça ne lui ressemblerait pas. Elle attend le jour de son douzième anniversaire et convie alors ses cousins à un pique-nique à Pharmanakoti, sur les rives du fleuve. C'est elle qui a choisi l'endroit.

Que se passe-t-il derrière le visage pincé et les yeux veloutés de la petite Duryodhani ? Elle n'est pas très amateur de fêtes, encore moins de pique-niques. Mais ni ses parents ni ses invités, tous soulagés à ce signe apparent d'une normalité en progrès –, ne s'interrogent sur ses intentions. « Zentille Priya Duryodhani ! s'exclame sa tante Madri. Z'est tellement zentil à elle d'y çonzer ! » Madri est loin de penser qu'elle aurait pu aussi dire « d'y plonzer ».

Oui, Ganapathi, car « plonzon », telle est l'intention de notre héroïne. Qui a trouvé dans le placard à pharmacie rempli à ras bord de sa mère un flacon dont l'étiquette indique : « Poison. Ne pas laisser à la portée des enfants. » Après l'avoir enveloppé dans de la dentelle fine, Priya Duryodhani l'emporte avec elle en pique-nique. Et elle prend soin – car elle suit toujours les instructions, surtout écrites –, de ne pas le laisser à la portée des autres enfants.

Imagine, Ganapathi. Une scène idyllique digne d'une peinture de l'école de Basohli. Le soleil brille dans un ciel bleu tandis que, sur l'herbe épaisse et humide, des petits princes turbulents chahutent entre eux. Duryodhani, dont le manque d'enthousiasme à l'égard des jeux l'a menée à s'en exclure, se glisse hors du groupe sans qu'on s'en aperçoive. Elle se dirige vers l'endroit où les domestiques disposent le contenu de trois énormes paniers. « Très bien, dit-elle après une brève inspection. Vous pouvez partir maintenant. Revenez dans deux heures pour débarrasser tout ça. Nous en aurons alors fini. » Un intéressant choix de mots, Ganapathi. Il y a tant de choses avec lesquelles Duryodhani à l'intention d'en finir.

Les garçons sont encore très loin lorsque les serviteurs se retirent. A une place, comme à l'accoutumée, on a servi deux fois plus de nourriture qu'aux autres : celle de Bhim, naturellement. Priya Duryodhani s'installe là, en prenant soin de garder l'œil sur ses invités qui s'ébattent au loin. Puis, de son sac à bandoulière, de sous ses livres, magazines et l'inévitable lettre de son papa, elle sort un petit flacon enveloppé de dentelle. Elle l'ouvre avec soin et arrose généreusement de son contenu l'assiette posée devant elle. Elle referme ensuite le flacon, l'emmaillote méticuleusement de sa dentelle, remet le paquet dans son sac, sort un livre et, croisant pudiquement ses jambes maigrelettes, commence à lire.

Ha-ha, je te vois penser, Ganapathi, quelque chose cloche ici. Notre célèbre futur leaderette n'a tout de même pas commis un crime juvénile ? Peut-être y a-t-il erreur sur l'étiquette du flacon ? Ou bien n'a-t-elle pas assez versé du contenu pour sérieusement nuire, ou peut-être, à Dieu ne plaise, a-t-elle simplement empoisonné la mauvaise assiette ? Tu te trompes, Ganapathi, je le crains. Le flacon que l'active Duryodhani a fauché contient bien du poison. Et elle a choisi la bonne montagne de pilaf à asperger. En outre, Bhim, qui mange n'importe quoi pourvu qu'il y en ait assez, pioche voracement dans sa platée et la termine très vite.

Recommence, Ganapathi. Ton paisible tableau Basohli commence à se désintégrer en un Tzara. Le soleil brillant vogue devant les yeux de Bhim comme une orange explosant dans une tempête. Il se plaint de fatigue et de nausée. « Tu as trop mangé », dit Duryodhani, impitoyable. A travers le brouillard qui s'épaissit, Bhim l'entend lui suggérer de se reposer sur la rive. Ses frères, ne soupçonnant rien, se mettent à jouer au croquet et Bhim perd connaissance au bord de l'eau.

Hors de la vue de ses cousins, Duryodhani s'avance sur la pointe des pieds vers sa victime endormie. Elle regarde autour d'elle : pas une feuille ne remue. Elle laisse tomber un caillou sur la poitrine de Bhim pour voir s'il risque de se réveiller. Devant son manque de réaction, elle essaie une plus grosse pierre. Toujours rien. Agissant alors avec une efficacité innée, elle se penche pour passer le manche d'une ombrelle sous le corps de Bhim. Et, s'en servant comme d'un levier, avec une force surprenante pour un être de sa taille, elle le fait riper avec un gros plouf dans la rivière.

Tu peux inventer une légende à cette image, jeune Ganapathi. Bhim a sombré comme un roc ; le poison accomplissant son œuvre en lui, on peut raisonnablement parier qu'il ne refera pas surface vivant. « Du bon travail ! » dirait le sous-titre sur l'écran. Fondu enchaîné sur Duryodhani rejoignant les autres, son visage ne trahit rien. Des années plus tard, un secrétaire d'État américain soupirait à l'idée de la perte qu'avait value au monde du poker le succès politique de Priya Duryodhani.

Mais non, Ganapathi, ne crains pas le pire. Un pari raisonnablement sûr, certes. Mais Priya devait vite apprendre qu'avec les Pandavas il n'y a pas de pari raisonnablement sûr.

Retour au bord de la rivière. Au moment où Bhim tombe à l'eau, il est piqué par un serpent venimeux. Ainsi le Sort protège ses favoris, Ganapathi, car Priya Duryodhani la Comploteuse avait arrosé le déjeuner de sa victime avec un antidote contre les morsures de serpent. Les crocs pointus réveillent Bhim de son abrutissement juste au moment où, dans ses veines, le venin du serpent rencontre son poison contraire... et le neutralise. Bhim, instantanément guéri, retient sa respiration durant sa plongée, revient à la surface et regagne la rive en quelques mouvements.

Retour sur Priya Duryodhani, douze ans et frustrée de son plus beau cadeau d'anniversaire. Son visage au teint jaune ne trahit pas le moindre signe d'étonnement alors que Bhim rejoint son groupe, ruisselant et plus vivant que jamais. « Tu t'es baigné, frérot ? » demande-t-elle comme si de rien n'était, le cœur battant de peur à l'idée qu'il l'ait vue.

Bhim éclate de rire, sa réaction habituelle à la plupart des questions qu'on lui pose. « J'ai dû m'assoupir et tomber dans la rivière, dit-il en secouant l'eau de ses boucles. A moins que l'un de vous... » Mais il écarte la pensée d'un autre rire et les craintes que Duryodhani a pu avoir sont bientôt noyées dans les piaillements des autres, tandis que Bhim se jette à leur poursuite pour une fraternelle trempette.

Tu vois ce que je veux dire, Ganapathi. Priya Duryodhani agissait seulement en accord avec les diktats de son esprit dépourvu de conscience. Déjà à l'âge de douze ans, en faire trop était son problème.

Les choses auraient peut-être été différentes si Dhritarashtra, au lieu de sa plume, avait pris sa fille en main. Mais il ne le fit pas et il est inutile de conjecturer sur ce qui serait s'il l'avait fait. L'Histoire, après tout, est remplie de *si* et de *mais*. Je préfère, Ganapathi, chercher d'autres conjonctions avec le destin.

44

Leur père absent, soit en tournée politique, soit en prison, les Pandavas manquaient aussi d'une présence paternelle stable à la maison. Décidée à ce qu'ils n'en souffrent pas, Kunti se mit à la recherche d'un précepteur qui les prendrait en charge. Mais les garçons, volontaires, donnèrent une abondance de fil à retordre aux divers pitoyables licenciés que Kunti engagea et, après plusieurs échecs, elle comprit qu'ils ne respecteraient qu'un tuteur de leur choix. Cependant, aucun des candidats qui répondirent à ses petites annonces n'obtint l'approbation des garçons et Kunti désespéra de leur trouver un guru convenable.

Un jour, les Pandavas jouaient à leur sport favori – le cricket, bien entendu, Ganapathi : le plus indien des passe-temps organisés, avec ses règles effroyablement compliquées qui se réduisent en pratique à la plus grande simplicité, son contenu d'ordre social, son éventail de subtilités qui conviennent si bien à notre tempérament politique – quand un geste puissant de Bhim envoya la balle loin au-dessus de la tête des autres avant d'aller retomber à grand bruit dans un puits abandonné. Cinq ex-petits princes penauds se trouvèrent bientôt réunis autour de la margelle en brique, contemplant, impuissants, l'objet de liège et de cuir rouge flottant à six mètres en dessous. La paroi à pic, couverte de vase visqueuse, n'offrait aucune prise, ni crevasse, ni saillie pour une descente. Il n'y avait même pas un seau attaché à la corde élimée qui pendait inutilement de la poutre en bois au-dessus du puits. Les garçons, penchés sur la margelle, voyaient leurs perspectives d'un *inning* s'éloigner avec l'eau autour de leur balle irrécupérable.

« Qu'avez-vous perdu, fils de Hastinapur ? » s'enquit une voix grave. Les gamins se tournèrent, interdits, pour découvrir un *sadhu* à la robe safran, la barbe épaisse encore noire, le bol et le bâton de son état dans chaque main, qui les observait avec un sourire amusé.

« Notre balle, répliqua Yudhishtir, le plus direct. Mais comment savez-vous qui nous sommes ?

– Je sais beaucoup de choses, mes enfants, lui fut-il répondu. Une balle, hein ? » Le *sadhu* lança un coup d'œil vaguement curieux dans le puits. « C'est tout ? Vous vous appelez des *Kshatriya* et vous n'êtes même pas capables de récupérer une balle dans un puits ?

– En fait, nous ne nous appelons pas des *Kshatriya* parce que notre famille ne croit pas au système des castes, dit Yudhishtir, révélant là encore cette gravité obsessionnelle, ce désir d'étaler toutes ses cartes qui devait devenir son trait le plus connu.

– Et si vous nous trouvez si stupides, pouvez-vous faire mieux ? demanda Bhim, un peu plus agressif.

– Mais certainement, si vous le désirez, dit le *sadhu*, nullement offensé par le défi. Mais mes services ne sont pas gratuits. Si je vous récupère votre balle, me donnerez-vous mon dîner ce soir ?

– Seulement un dîner ? s'étonna Yudhishtir. Je suis sûr que nous pouvons vous offrir quelque chose de plus durable que ça.

– Le dîner suffira pour l'instant. » Le savant en safran sourit : « Le destin d'un *sadhu* est celui d'un affamé. »

Il tendit le bras vers la corde qui pendait au-dessus d'eux et qui, par des temps meilleurs, aurait porté un seau au fond du puits.

« Si c'est votre plan, n'y pensez plus, intervint Arjun, qui s'était tu jusqu'ici. La corde est vieille et élimée. Nous avons déjà calculé qu'elle ne supporterait pas le poids de l'un d'entre nous, sans parler du vôtre. »

Le *sadhu* lui jeta un rapide coup d'œil en coin, comme pour approuver la perspicacité du propos. Mais il ne répondit pas, continua à sourire et fit un nœud coulant au bout du chanvre usé. Puis, avec le plus bref des regards à l'endroit où se trouvait la balle, il lança la corde dans l'eau tout en resserrant le nœud coulant au moment où elle atteignait la surface. Lorsqu'il la remonta, la balle, sa couleur un peu pâlie par la trempette, était emprisonnée dans le nœud.

Sous l'œil admiratif et reconnaissant des garçons, il libéra la balle et la lança à Yudhishtir.

« La prochaine fois – il parlait enfin comme un sage –, faites un peu plus attention.

– Fantastique ! s'exclamèrent les jumeaux à l'unisson. Pouvez-vous nous montrer comment vous avez fait, sir ?

– Pourquoi pas ? dit le *sadhu*, s'adressant gaiement aux jumeaux. Et bien d'autres choses, si vous êtes simplement prêts à apprendre.

– Pourriez-vous lui apprendre à bien manier une batte de cricket ? dit Nakul, le doigt pointé sur son jumeau. Il s'est encore fait sortir à zéro.

– Zéro ? » Le *sadhu* éclata de rire. « Eh bien, il n'y a pas de quoi avoir honte. Le jeu anglais du cricket n'aurait jamais pris forme sans le zéro indien.

– Que voulez-vous dire ? interrogea cette fois un Arjun intrigué mais méfiant.

– C'est très simple, répliqua le *sadhu*. Tandis que certaines de nos revendications historico-scientifiques (celle d'avoir découvert le secret de la fission nucléaire au quatrième siècle avant Jésus-Christ, par exemple) sont justement mises en question par des savants occidentaux, personne ne conteste que nos ancêtres furent les premiers à concevoir le zéro. Avant cela, les mathématiciens, des Arabes aux Chinois, laissaient un espace vide dans leurs calculs ; il fallut les Indiens pour comprendre que même *rien* peut être quelque chose. "Zéro", *shunya, bindu*, quel que soit le nom que vous lui donnez, incarne l'immuable réalité du néant.

– Mais zéro, c'est quand même zéro », constata Nakul.

Le *sadhu* partit d'un énorme rire. « Pas vraiment, dit-il. Le zéro indien n'est pas une coquille vide. Il reflète l'intangibilité perpétuelle de l'éternel, il incarne l'œil calme de la tornade tourbillonnante de la vie, il représente le point où nos valeurs vérifiables sont transcendées par l'énigme du vide. Oui, jeune homme, il est dépourvu de valeur numérique. Mais il est plein de possibilités non empiriques. Il est rien et tout ; il est le lieu géométrique de l'univers. » L'étonnement peint sur le visage des jumeaux le fit pouffer, bien qu'il n'eût rien perdu de la vive lueur de compréhension qui s'était allumée dans les yeux d'Arjun et de Yudhishtir. « Maintenant, voyez-vous, mes amis, pourquoi votre zéro est vraiment quelque chose de très spécial, de très indien ?

– Mais pouvez-vous lui apprendre à manier une batte : insista Nakul au milieu des rires de ses frères.

– Peut-être, répondit le sage, esquivant la question. Mais d'abord, ce dîner ? »

45

Ils l'emmenèrent donc chez eux, Ganapathi, et s'assirent autour de lui en demi-cercle pendant qu'il faisait prestement justice à un appétit aussi prodigieux que ses talents. Entre deux plats, il raconta à Kunti et aux Pandavas son histoire :

« Je m'appelle Jayaprakash Drona, dit-il. Je suis né brahmane et depuis ma jeunesse je crois à la grande tradition de l'enseignement brahmane, sans lien avec aucune profession ni profit matériel. Quand je me sentis prêt, je pris congé de ma famille, revêtis l'habit d'un mendiant et partis dans le monde. Toute ma science et mes talents, je les acquis auprès d'un *rishi* au pied de l'Himalaya ; quant à ma nourriture, je recevais tout ce que je voulais des gens à qui je tendais mon bol : je croyais, suivant la tradition de nos grands sages, que mes besoins matériels n'avaient aucune importance, car l'entretien d'un brahmane est la responsabilité de la société. Ayant appris tout ce que mon *rishi* avait à m'enseigner, je retournai, sur son conseil, dans la plaine pour partager un peu de mon savoir avec ceux qui le désiraient, ne demandant en échange rien de plus qu'un bol de riz et un peu de *dal*.

« Au cours de mes errances, je rencontrai un Anglais qui visitait alors ma lointaine province. C'était un fonctionnaire venu juger une affaire compliquée concernant des terrains. (Quelle ironie, n'est-ce pas, ma sœur, que les Anglais, ces grands usurpateurs de terres dans ce pays, aient l'audace de nous dire, à nous, Indiens, ce que nous devons faire avec les miettes qu'ils nous ont laissées !)

Quoi qu'il en soit, cet Anglais trouvait manifestement son séjour pesant : il avait peu à faire de ses loisirs jusqu'à ce qu'il tombe sur moi. Il parlait quelques bribes de notre langue et nous bavardâmes. Il affirma se passionner pour nos vieilles coutumes, nos connaissances et nos arts traditionnels. Je répondis à ses questions et il parut très intéressé par ce que je lui racontai. Durant son séjour dans la province, je le vis au moins une heure chaque jour. A son départ, il affirma qu'il me devait tout ce qu'il savait sur l'Inde et qu'il ne l'oublierait jamais. Il me tendit sa carte de visite et déclara que si jamais j'avais besoin d'aide, je ne devais pas hésiter à faire appel à lui.

« Peu de temps après, je trouvai une excellente femme qui me donna un fils. Je le nommai Ashwathaman et sa naissance m'obligea sinon à m'installer, du moins à acquérir un logis où le laisser durant mes absences. Les responsabilités parentales ne sont pas faites pour nous qui avons pris la robe safran ; pourtant, je dois confesser que mon fils devint la raison de ma vie, autant, je l'imagine, que ces jeunes garçons le sont de la vôtre, ma sœur.

« Tout d'abord, je ne doutai pas un instant pouvoir subvenir à tous les besoins d'Ashwathaman. Je pouvais lui offrir l'instruction et, pour la nourriture, il partageait ce qu'on me donnait chaque jour ; quant aux vêtements, leur manque ne m'avait jamais tourmenté car que faut-il d'autre à un brahmane que son fil sacré ? C'était du moins ce que je pensais, mais les sages, hélas, ma sœur, ne savent pas tout.

« Les besoins du fils sont parfois la fortune du père. Je ne désirais rien et je croyais donc avoir élevé mon fils à ne rien désirer. Mais un jour Ashwathaman me demanda – vous comprendrez cela, ma sœur – un verre de lait. Il avait vu des enfants riches boire cet épais liquide blanc et lui aussi y voulait goûter.

« Eh bien, ma sœur, je n'en avais pas à lui donner. Qui, dans ma position, en aurait eu ? Vous connaissez le prix du lait, vous savez à quoi il sert, pour le thé, des douceurs, du fromage, tous les luxes hors des moyens d'un pauvre homme de science. Mais je ne pus me résoudre à le dire à mon fils.

« Je lui promis de lui trouver bientôt du lait et me mis en route le lendemain matin avec ce seul but en tête. Hélas vous savez, ma sœur, comment sont les gens de nos jours. Ils donneront volontiers à un *sadhu* un peu du riz et du *dal* qu'ils cuisinent en abondance, mais le lait est une denrée trop précieuse pour être gaspillée pour des êtres tels que moi. Dans le temps, un saint homme aurait pu frapper à la première porte venue et se faire donner une vache, s'il en avait eu besoin, mais je ne réussis même pas à obtenir un verre. Une maison après l'autre, on me le refusa. "Du lait, vraiment !" dirent certains. "Pourquoi vous faut-il donc du lait ?" Ou bien : "*Hai ya*, non mais qu'est-ce que ces *sadhs* vous demanderont la prochaine fois ? Des bols de riz en or ou quoi ? Franchement, il y a une limite, je vous assure !" Quand, enfin, fatigué et découragé, je rentrai à la maison, je trouvai Ashwathaman un verre à la main, le regard brillant d'excitation. "Père, père, j'ai enfin goûté à du lait ! s'exclama-t-il. J'ai demandé à mes amis et ils m'en ont donné." Je pris le verre, ma sœur, et le portai à mes lèvres. Ce qu'on avait donné à boire à Ashwathaman, c'était de la mauvaise farine de riz avec de l'eau.

« Je ne pus supporter de regarder l'enfant qui me contemplait avec une expression de joie si pure dans ses grands yeux. Le chagrin et la souffrance envahirent mon cœur, me coupèrent la respiration. Voilà où ma science et ma sagesse avaient mené mon fils ! C'est bel et bon que de renoncer aux plaisirs matériels du monde, mais personne n'a le droit d'y renoncer pour un autre. Je résolus de ne plus jamais mendier pour vivre. Je me trouverais un protecteur, je me le jurai, et j'aiderais mon fils à connaître les bonnes choses de la vie, et pas seulement les importantes.

« Je pensai aussitôt à l'Anglais qui m'avait donné sa carte. Il était à présent un fonctionnaire encore plus éminent de la province. Je pris mon fils avec moi et me rendis chez lui. Tout d'abord, les gardes voulurent m'empêcher de franchir le portail ; pourtant, quand j'eus produit la carte, un peu écornée et sale mais irréfutablement authentique, on m'autorisa à entrer. Mr Ronald Heaslop, car tel était son nom, vint lui-même à ma rencontre sur les marches de sa véranda. Vêtu d'une robe de chambre en soie, il tenait un verre à la main et titubait légèrement, mais son élocution était claire et ses doigts fermes sur son verre. "Oui, dit-il, tandis que je m'approchais. Que puis-je faire pour vous ?"

« Son ton brusque me déplut, mais je l'attribuai à cet air de supériorité que l'on insuffle aux Anglais dès leur plus jeune âge et qu'ils prennent pour un signe de bonne éducation. Le regard hautain, une manière taciturne, pensai-je, équivalent chez eux à la politesse et au respect que nos enfants apprennent à montrer envers les vieillards. "Vous vous souvenez de moi, mister Heaslop, commençai-je, et je vis à son expression qu'il n'en était rien. Vous m'avez donné votre carte."

« Il la prit, me l'arracha presque. "Et alors ? Je donne ma carte à des centaines de gens. Vous pourriez fort bien l'avoir ramassée par terre."

« Ma colère montait, ma sœur, mais, étant venu de si loin, je ne pouvais pas tourner les talons. "Vous me l'avez donnée, dis-je, lors de votre départ de Devi Hill, *taluk* 6, il y a sept étés, en échange du savoir et de l'instruction que je vous ai prodigués sur le sujet des saintes *Shastra* et de nos tradi... – Savoir ? Instruction ? m'interrompit-il en se gaussant. Tu ne possèdes aucun savoir duquel tu pourrais m'instruire, moricaud. Je m'en souviens maintenant – oui, je t'ai donné ma carte. Tu m'as raconté un tas d'âneries superstitieuses, et j'ai trouvé cela amusant, une façon divertissante de passer le temps. Mais j'étais alors fort jeune. Je crains de ne plus trouver ton genre de bavardage très intéressant. C'est tout le sujet de ta visite ? Parce que, franchement, j'ai d'autres chats à fouetter."

« J'enrageai à ces mots, ma sœur, mais j'étais décidé à ne pas m'enfuir comme un chien blessé. "Je suis venu, dis-je avec autant de dignité que je pus en rassembler, parce que j'avais besoin d'aide et j'ai cru que je pourrais en appeler à notre amitié passée... – *Amitié ?* me coupa-t-il à nouveau. Ne sois pas stupide. Nous ne sommes pas ici pour être tes amis, moricaud, nous sommes ici pour te gouverner. Il n'y a pas d'amitié possible en ce monde entre des êtres tels que toi et des gens comme moi ; pas maintenant, pas ici, pas encore, jamais. Tu dis que tu es dans le besoin ; ça n'est pas mon affaire, mais attends – Ghaus Mohammed ! Apporte-moi mon porte-monnaie !"

« J'aurais dû faire demi-tour et m'en aller sur-le-champ, mais l'épuisement et la stupéfaction me tenaient rivé au sol. Le domestique de l'Anglais arriva avec le porte-monnaie ; Heaslop fouilla dedans et me tendit une poignée de pièces. Pas au nom d'une prétendue amitié, non, pas même en reconnaissance de notre rencontre d'autrefois, mais parce que ce geste définissait les justes rapports entre un citoyen britannique et un mendiant indigène. Impossible pour moi de bouger : le petit Ashwathaman, les yeux agrandis par la peur et la découverte, s'accrochait à ma jambe tandis que je demeurais cloué. Heaslop attendit une minute, me vit immobile ; alors, d'une pichenette pour ainsi dire, il me lança les pièces de monnaie à la figure.

« Le tonnerre gronda dans ma poitrine, ma sœur, des éclairs me traversèrent l'esprit, une tempête m'inonda les yeux. Les cieux s'ouvrirent et, à travers la pluie qui s'abattait sur nous, je vis Heaslop rentrer chez lui en titubant. Et petit Ashwathaman gratter la boue à quatre pattes pour y ramasser les pièces.

« Une fureur que je ne saurais décrire s'empara de moi. "Non ! hurlai-je. Non !" Je saisis Ashwathaman par la peau du cou et le secouai violemment. "Pas une seule de ces pièces, mon garçon, pas une seule !" criai-je. Ses menottes se desserrèrent et, une par une, les pièces, des grandes et des petites, tombèrent. La dernière était d'une roupie : oui, ma sœur, plus qu'il n'en fallait pour lui acheter un verre de lait. Mais j'étais décidé à ce que mon fils ne s'abreuvât point à la charité d'un Anglais.

« Le tenant toujours par le cou, je le propulsai hors de la propriété. Ashwathaman, reniflant, essayait de regarder derrière lui. Je me retournai un instant et vis le domestique Ghaus Mohammed en train de récupérer les pièces éparpillées.

« Nous continuâmes à marcher, ma sœur, et, dès lors, une détermination nouvelle naquit dans mon cœur. A quoi servent notre héritage culturel et philosophique, notre savoir et notre histoire, s'ils nous condamnent à être de la tripaille aux pieds d'un Heaslop ? Je fis le vœu de travailler à la défaite et l'expulsion de Heaslop et du gouvernement qu'il représente, non seulement en soutenant le Parti kaurava dans son juste combat contre l'oppresseur, mais aussi en éduquant et en instruisant ceux qui un jour se lèveraient pour mener notre peuple quand nous remplacerions le système imposé par l'étranger.

– Voulez-vous nous instruire et nous éduquer, Dronaji ? demanda Yudhishtir.

– J'aimerais beaucoup, ajouta Kunti, que vous acceptiez.

– Certainement, dit Drona. J'aurais vraiment été très embarrassé si vous ne me l'aviez pas demandé. Car c'est cette tâche même qui m'amène ici. Gangaji m'a engagé la semaine dernière pour être votre tuteur. »

46

Un jour, Ganapathi, en visite chez un de nos jeunes chefs de parti – peu importe son nom –, je me trouvai être l'objet de la curiosité et de l'admiration de son petit garçon, âgé de, oh, je ne sais pas, sept ans peut-être. Assis à mes pieds, le menton dans les mains, il me demanda à un moment où ses parents avaient quitté la pièce : « Dadaji, veux-tu me raconter une histoire ? »

Personne ne m'avait jamais demandé ça, Ganapathi : un des hasards de la procréation péripatétique que j'avais adoptée était la perte de toute prétention à l'art d'être grand-père, et je fus touché par la requête. « Certainement », dis-je, et je m'embarquai dans un récit. C'était une légende de nos annales antiques, le *Panchatantra* ou le *Hitopadesha*, je ne sais plus très bien laquelle, et je la racontai plutôt bien, dévidant le fil avec une aisance digne d'un véritable grand-papa, quand l'enfant m'interrompit : « Mais, Dadaji, qu'est-ce qui se passe à la fin ? »

Qu'est-ce qui se passe à la fin ? La question me coupa le sifflet. La fin n'était pas un concept particulièrement applicable à cette histoire, où il se trouve que l'un des personnages s'embarque dans une autre histoire, dans laquelle un des personnages raconte une autre histoire et... tu connais le genre, Ganapathi. Mais, plus important, « la fin » était une idée dont je me rendis soudain compte qu'elle ne voulait rien dire pour moi. Je n'avais pas commencé l'histoire dans le but de la finir ; l'essence de la légende résidait dans le fait de la conter. « Que se passe-t-il ensuite ? », voilà une question à laquelle j'aurais pu répondre, mais : « Que se passe-t-il à la fin ? », celle-là, je ne pouvais même pas la comprendre.

Car, Ganapathi, qu'était la fin ? Je sais où nos Indiens modernes ont acquis le terme. C'est une prétention contemporaine que la vie et l'art doivent être définis par des conclusions, des achèvements à souhaiter dévotement et à s'efforcer d'obtenir. Mais « la fin » n'est pas vraie même dans les fictions vulgaires qui ont concrétisé l'expression. On veut un de ces films d'Hollywood qui se conclut par une étreinte passionnée entre le héros et l'héroïne, on regarde les sous-titres sur l'écran annoncer « FIN » et on sait avant même d'avoir quitté le cinéma que ce n'est pas la fin du tout ; il y aura d'autres étreintes, un mariage, et encore plus d'étreintes, et des piques, des discussions et des querelles, et peut-être des assiettes jetées contre les murs ; il y aura le quotidien du petit déjeuner, de la lessive et du ménage, dont la pensée n'a jamais traversé l'esprit de l'héroïne en extase ; il y aura des bébés à porter, à faire roter et à fesser, puis des grippes, des flatulences et des phlébites ; il y aura les milliers de trivialités et de banalités que cherche à dissimuler le grand mensonge « et ils vécurent à jamais heureux ». Non, Ganapathi, l'histoire ne finit pas au moment où l'écran l'affirme.

Elle ne se termine même pas avec le grand symbole de la finalité – la mort. Car lorsque le protagoniste meurt, l'histoire continue : sa veuve souffre amèrement, ou bien se réjouit follement, ou encore se jette sur le bûcher, ou tricote à en mourir ; son fils se drogue, ou bien devient un homme, ou cherche vengeance, ou poursuit son chemin comme avant ; la terre continue à tourner. Et – qui sait ? – peut-être notre héros continue aussi, dans un autre monde, meilleur que celui que Hollywood lui a créé.

Bref, Ganapathi, il n'y a pas de fin à l'histoire de la vie. Il n'y a que des pauses. La fin est une invention arbitraire du narrateur, mais il ne peut pas y avoir de finalité quant à son choix. La fin d'aujourd'hui n'est, après tout, que le commencement de demain.

Je me débattais sans pouvoir parler avec ces pensées lorsque la mère de l'enfant revint pour l'emmener se coucher. Sauvé par le lit ! « Je te le dirai demain », promis-je au gamin impatient. Mais, bien entendu, je ne le fis point et je crains que l'enfant ne m'ait pris pour un très mauvais conteur.

Ou peut-être comprit-il en grandissant. Peut-être, Ganapathi, arriva-t-il à l'âge adulte avec ce sens inné des Indiens que rien ne commence et rien ne finit. Que nous vivons tous un présent éternel dans lequel ce qui fut et ce qui sera sont contenus dans ce qui est. Ou, pour l'exprimer dans un idiome plus contemporain, que la vie est une série de conséquences de l'Histoire. Tous nos livres, contes et programmes de télévision devraient s'achever non pas sur le mot FIN, mais sur un plus exact À SUIVRE. A suivre, mais pas nécessairement ici...

Ah, Ganapathi, je vois que je te déçois une fois de plus ! Le vieux s'égare encore, penses-tu : ce qu'il peut être assommant quand il philosophe ! Sais-tu ce que « philosophe » veut dire, Ganapathi ? Ça vient du grec *phileein*, « aimer », et de *sophia*, « sagesse ». Un philosophe est un amoureux de la sagesse. Non pas du savoir, qui, malgré sa grande utilité, souffre au bout du compte du défaut paralysant de la fugacité. Tout savoir est passager, lié au monde alentour et aussi changeant que ce monde. Tandis que la sagesse, la vraie sagesse, est éternelle, immuable. Pour être philosophe, on doit aimer la sagesse pour elle-même, accepter sa validité permanente et aussi son per-pétuel manque d'à-propos. C'est le destin des sages que de comprendre le processus de l'Histoire et pourtant de ne jamais le modeler.

Je ne prétends pas à une telle sagesse, Ganapathi. Je ne suis pas un philosophe. Je suis un chroniqueur et un participant aux événements que je décris, mais je ne peux pas accorder la même importance à mes deux fonctions. Dans la vie on doit toujours choisir entre être celui qui raconte des histoires et être celui au sujet de qui on raconte des histoires. Mon choix, tu le connais, et il fut fait pour moi.

> Mon choix, tu le connais, et il fut fait pour moi.
> Le fleuve va vers la mer, demande-t-il pourquoi ?
> Je partage avec toi un fragment d'expérience,
> embelli sans nul doute, invention d'existence,
> mais c'est la vérité.
>
> Cela m'émeut, je ne peux me contrôler, mais
> la police n'empêchera pas les dieux d'avancer.
> C'est un fragment d'une antique poterie
> tombé sous ma pelle, comme dans une loterie,
> mais c'est la vérité.
>
> Ma chanson n'est ni en vers ni en prose,
> le jardinier se pique : doute-t-il de la rose ?
> Ce que je décris est un mince filament,
> le calque d'un colossal monument,
> mais c'est la vérité.

Je ne prétends ni à un commencement ni à une fin.
L'arbre plie sous le vent : sait-il dans quel dessein ?
L'image que je montre est un bout en couleur
d'une très vaste toile, d'impossible grandeur,
mais c'est la vérité.

Je ne suis ni potier, ni peintre, ni sculpteur,
vainqueur ou bien vaincu, qui sait pourquoi la course ?
Je ne suis même pas four, ni pinceau, ni moule,
Les mots de mon histoire sont cueillis dans la foule,
mais c'est la vérité.

C'est ma vérité, Ganapathi, tout comme la croisade
pour l'expulsion des Anglais refléta la vérité de Gangaji,
et la bataille pour se débarrasser à la fois des Anglais et
des hindous fut la vérité de Karna. Quel philosophe oserait
établir une hiérarchie entre pareilles convictions ?

Question, Ganapathi : est-il permis de modifier la vérité
avec un adjectif possessif ?

Je vois de nouveau, Ganapathi, se former sur ton front
le pli de l'incompréhension, creusé plus encore par une
grimace d'impatience. Le vieux fait exprès d'être obscur,
gronde ton sourcil.

Ne cherche pas à répondre à cette question, mon ami.
Je ne la poserai plus.

Reprenons plutôt notre histoire.

47

Mais quelle histoire allons-nous reprendre ?

Raconterai-je l'ascension spectaculaire de Karna à la
célébrité nationale par le truchement de sa mainmise sur
le Groupe musulman ? Ou les meetings de masse qu'il se
mit à présider, en un anglais impeccable, flanqué de mollahs barbus, s'adressant à des paysans musulmans aux-

quels il semblait aussi étranger que le vice-roi et qui pourtant, autre manque indien de logique, le saluaient comme leur chef suprême ? Parlerai-je au contraire de Gangaji, que les ans ne flétrissent pas mais qui s'appuie souvent d'un bras sur sa solide sœur écossaise lorsqu'il se rend à ses réunions de prières ? Gangaji, dont le message insiste toujours plus sur l'amour, la paix et la fraternité, même quand les journalistes et les photographes étrangers s'agglutinent autour de lui en foule pour en faire une légende mondiale ? Ou de Dhritarashtra, l'homme auquel le Mahaguru a laissé la direction politique du Parti kaurava pour aller consacrer son temps aux valeurs spirituelles et morales qui inspiraient sa cause ? Dhritarashtra, qui tire son ultime autorité d'un homme dont il ne partage pas les croyances fondamentales, mais dont la bénédiction l'a fait l'héritier apparent incontesté de la couronne kaurava ? Ou devrais-je plutôt me tourner vers Pandu, mon fils désenchanté, et raconter la rébellion de l'homme dont la victoire, si improbable qu'elle ait toujours paru, aurait pu changer le cours de notre histoire ?

Il n'avait rien du politicien souple, mon pâle enfant ; il n'avait pas la moindre disposition pour les nuances philosophiques de son métier, les discussions sur la droite et la gauche, le bien et le mal. Pandu était dans le mouvement kaurava afin de flanquer dehors les Anglais et il n'était pas convaincu que les méthodes de Gangaji – approuvées par opportunisme, selon lui, par Dhritarashtra – connaîtraient le succès, du moins suffisamment vite. Comme nous l'avons vu, l'avènement de son demi-frère aveugle au titre de dauphin l'irritait profondément ; mais ce fut l'abandon du mouvement manguier juste au moment où il paraissait produire des résultats qui amena Pandu à se rebeller. Il annonça sa candidature à la présidence du Parti kaurava.

« Que faisons-nous maintenant ? demanda au Mahaguru Dhritarashtra, appuyé lourdement sur sa canne, la voix chargée d'anxiété. Je croyais ma réélection assurée. » Il aspira ses joues creuses avec une expression de désarroi irrité. « En candidat unique, ajouta-t-il.

– Moi aussi, mon fils, répliqua Gangaji sans s'émouvoir. Ceci est tout à fait malheureux. Mais ne t'inquiète pas.

– Ne pas m'inquiéter ? » Dhritarashtra faillit s'étrangler. « Savez-vous le soutien qu'il est capable de rassembler autour de son programme fait pour soulever la populace ? Je risque même de... de perdre. » Il prononça le mot interdit avec un frisson : il exprimait une impensable pensée.

« J'ai déjà envisagé cette possibilité, répondit tranquillement le Mahaguru.

– Nous ne pouvons pas le laisser faire, s'indigna Dhritarashtra. Il faut lui parler.

– C'est déjà fait. »

Le ton du Mahaguru était très dégagé.

« Et alors ? »

Dhritarashtra ne put dissimuler son impatience.

« Il refuse de bouger, dit le Mahaguru, gardant lui-même une immobilité parfaite. Il m'a assuré de son total respect et dévouement, ce qui est toujours un mauvais signe, V.V., pas vrai ? Mais il m'a déclaré avec gentillesse et fermeté que sa décision était irrévocable.

– Sous quel prétexte ? »

Cette fois, ce fut moi qui répondis : « Le besoin d'un changement. D'un renouveau au sein du parti. D'idées neuves pour la direction du mouvement. Son slogan c'est : "Le temps est venu d'agir." Les gens l'écoutent. »

Dhritarashtra laissa échapper un long soupir amer.

« Ce bâtard ! souffla-t-il.

– Tu en es un aussi, n'oublie pas, rétorqua Gangaji, se permettant un gloussement très personnel. Hein, V.V. ? Et la légitimité de ses aspirations n'est pas en doute. Mais ne t'inquiète pas, mon fils. Je n'ai aucunement l'intention de risquer de te faire humilier lors de l'élection. »

J'imaginai le regard de Dhritarashtra s'éclairant derrière ses lunettes noires.

« Vous allez donc parler à quelques responsables – dire clairement que vous me soutenez pour la présidence ?

– Je n'ai pas l'intention de risquer de me faire humilier, moi non plus, répliqua sèchement Gangaji. Non, ce n'est pas ce que j'avais en tête.

– Alors quoi, Gangaji ? »

La note de désespoir était revenue dans la voix.

« Tu t'inclineras, annonça le Mahaguru. Gracieusement. »

Dhritarashtra eut l'air d'avoir reçu un coup de sa propre canne.

« Tu feras comme si tu n'avais jamais eu l'intention de te faire réélire, poursuivit le Mahaguru. Tu expliqueras que tu ne crois pas sain pour le parti d'avoir le même homme à la présidence trop longtemps. Qu'un mandat d'un an, par exemple, serait préférable. Voire deux. Certes, tu en as eu un de trois ans, mais c'était une erreur que tu ne veux pas voir se répéter. Tu es prêt à accueillir d'autres candidatures.

– Vous voulez tout simplement que je cède », souffla Dhritarashtra.

Gangaji ne releva pas la remarque.

« Il y aura naturellement un autre candidat. Pas toi. Personne en fait de particulièrement connu dans le pays. Peut-être un Intouchable, je veux dire un Enfant de Dieu. Un symbole plus approprié pour le parti qu'un autre ex-prince. Et je ferai savoir que telle est mon opinion. »

Une lueur de compréhension illumina les traits de mon fils aveugle.

« Vous n'allez donc pas laisser Pandu s'en tirer...

– Je pense que cela sera la manière la plus judicieuse de contrer ce défi, dit Gangaji. J'ignore si mon soutien discret de l'autre candidat empêchera un résultat indésirable. Mais, en cas d'échec, ce ne serait pas mon disciple et – quel est donc le mot dont ils se servent ? – *protégé* le plus proche qui serait battu.

– Et si ça réussit ? m'enquis-je.

– Eh bien, nous aurons le genre de président dont nous avons besoin, répliqua Gangaji. Un symbole. Qu'est, après tout, la présidence ? Un titre qui confère un degré présumé d'autorité à son détenteur. Le roi d'Angleterre aussi possède ce genre de titre. Mais il n'est pas l'homme le plus puissant du pays.

– Certes, dit Dhritarashtra, dont les joues reprenaient de la couleur.

– Quel que soit celui qui accède à la présidence, le parti doit se préparer pour l'avenir, reprit le Mahaguru. Il y a des changements dans l'air, des changements constitutionnels pour lesquels le parti doit être prêt. Ma dernière conversation avec le vice-roi a pavé la voie à l'établissement d'un nouveau système politique. Une démocratie partielle, c'est vrai. Mais nos amis dans l'Administration ont aidé à plaider notre cause. Vidur a bien fait son travail. Les Indiens seront élus à des postes dans les provinces, même si c'est avec des pouvoirs limités. Nos efforts ont eu un résultat. Les Anglais savent qu'ils ne peuvent pas continuer à nous arrêter, à nous matraquer. Il leur faut nous donner un rôle dans leur système. L'adoption par le Parlement britannique de la loi sur le gouvernement des Indes semble maintenant assurée. »

Nous savions déjà tout cela, mais Gangaji avait sans doute une bonne raison de nous le rappeler.

« Nous devons à présent viser les gouvernements qui vont être formés dans les provinces. Ils seront un jour le tremplin d'un gouvernement central, un gouvernement pour l'Inde entière, un gouvernement d'Indiens. Les Indiens qui formeront le gouvernement national du futur seront ceux auxquels les Anglais voudront parler. Peu importe le titre qu'ils auront – certes, pas celui d'une présidence tournante de parti. Les Britanniques, mon cher Dhritarashtra, seront moins intéressés par qui est président aujourd'hui que par qui pourrait devenir Premier ministre demain.

– Naturellement, Gangaji », répliqua humblement mon fils aveugle.

Naturellement. Car le Mahaguru avait raison, comme d'habitude. Dhritarashtra pouvait se permettre d'abandonner la bagarre de la présidence afin de viser plus haut.

Lui – ou le vilain écarté

48

Pandu ne se présenta pas à la présidence dans le sens traditionnel du terme – il y courut. Il mena une campagne énergique et agressive parmi les délégués au Comité national kaurava. Ceux qui avaient arpenté avec lui les villages, ceux qui avaient formé ses phalanges disciplinées de protestataires et reçu les coups de canne des Britanniques, ceux qui avaient marché, sué et souffert hors de l'œil des caméras trouvèrent enfin en lui un homme pour qui voter. La direction visible du parti avait toujours été assumée par les couches très éduquées, s'exprimant avec aisance, d'avocats et de propriétaires terriens qui s'étaient fait élire par le reste. Même Gangaji, qui avait élargi le soutien du parti en lui donnant une base populaire, avait peu contribué à changer ce qui se passait au niveau de la direction, où régnait une poignée de gens, surnommés les « patrons » par les Anglais et salués comme les « leaders du peuple » par les Kauravas. (Observe, Ganapathi, comment l'élite du cynique devient l'avant-garde du révolutionnaire. Ton tyran se fait mon chef inspiré, l'esclave d'un homme l'adhérent discipliné d'une cause. C'est ainsi que la démocratie produit des oligarques et que la masse est toujours menée par les classes supérieures.) Dans la première élection alignant des candidats sortis du rang, le filleul choisi par Gangaji faisait trop manifestement paravent pour être convaincant.

Le Mahaguru lança quelques allusions mais ne s'aventura pas loin dans l'inconnu. A mesure que la campagne progressait en faveur de mon pâle rejeton, les jours de silence de Gangaji augmentèrent. Ainsi Pandu l'ex-prince devint le premier président des plébéiens.

Durant un bref instant nous respirâmes tous l'odeur de la révolution. Pandu fit un émouvant discours, promettant l'action à la place de l'inaction. Il prit grand soin de ne rien dire contre le Mahaguru ; au contraire, il exprima sa révérence illimitée pour le mentor et guide spirituel du parti. Mais le phrasé même de son éloge impliquait que son respect pour Gangaji ne s'étendait pas à ses méthodes politiques. Et ses constantes exhortations à innover étaient couchées en des termes que les admirateurs de Gangaji (et de Dhritarashtra) ne pouvaient en aucun cas accepter, même si elles firent se lever d'enthousiasme des grands pans de foule au milieu des bravos et des sifflets.

Ce fut exaltant, Ganapathi, mais ça ne pouvait pas durer. Gangaji avait beau avoir raison, au sens stratégique, de suggérer que la présidence n'avait pas d'importance, il ne pouvait pas d'un revers de main effacer la proéminence que la position valait à Pandu. L'excitation des partisans de ce dernier lors de son élection représentait une menace impossible à laisser grandir. A l'expression qui se lisait sur le visage des autres je compris que sa présidence détruirait soit le parti, soit Pandu lui-même.

Le Mahaguru ne fut jamais homme à supporter les divisions. Et il le répéta dans une de ses lettres typiquement longues et compliquées au nouveau président du Parti kaurava, qui en découvrit le texte dans les journaux vingt-quatre heures avant de la recevoir.

« Je suis parfaitement d'accord, dit Pandu en la lisant. Et c'est pourquoi j'apprécierais beaucoup, Gangaji, que vous insistiez auprès des éléments récalcitrants du parti pour qu'ils se rallient à leur président élu au lieu de semer aussi bruyamment la zizanie. » Il coucha ses propos en termes plus diplomatiques dans une lettre qu'il posta à l'adresse du Mahaguru à l'*ashram* et qu'il communiqua à la presse un jour plus tard.

Sa réponse ne plut guère à Gangaji. « Les racines de la division doivent être traquées dans les profondeurs du sol, écrit-il dans un éditorial publié dans son hebdomadaire. Il ne suffira pas de couper les branches. »

« Division et déloyauté ne fleurissent pas sous la grande chaleur du soleil, déclara un Pandu sentencieux à un rassemblement de paysans la semaine suivante. Elles poussent dans l'ombre que leur fournissent les branches touffues d'un vieux banian. »

Les premiers mouvements d'une partie d'échecs compliquée venaient d'être joués. Mais si les échecs sont beaucoup plus civilisés que la boxe – sport que les Indiens n'ont jamais pratiqué –, ils nous séduisent surtout par le déroulement prudent de stratagèmes calculés, les avertissements déclarés de se mettre en garde, la possibilité permanente d'un retrait honorable : tout ce que le pugilat ne permet pas. Le combat entre Gangaji et Pandu, cependant, ne souffrit aucun mouvement défensif, aucune esquive vers un match nul ; dès son début, on visa au KO pur et simple.

« Il existe un vieux proverbe indien, déclara Gangaji à une blonde photographe du magazine *Life* qui prenait autant de notes que d'instantanés du grand homme : Unis nous vaincrons, divisés nous tomberons.

– Mais c'est un vieux proverbe américain, dit la blonde en clignant de l'œil.

– Peut-être, mais la version indienne est plus ancienne, répliqua le Mahaguru. Et elle s'accompagne d'un autre dicton indien : Respecte toujours tes aînés. »

Après la publication de ces propos, Pandu donna une interview au *Times* :

« Un jeune poète moderniste de Lucknow a récemment exprimé les attitudes et les aspirations de sa génération dans un petit couplet que je vais vous traduire, informa-t-il le journaliste. Il dit à peu près ceci :

Je ne vous rejette certes en rien,
je mesure plutôt combien j'ai grandi.
J'adore, mon père, vos cheveux gris
mais... il me faut peigner les miens. »

Les pions abattus jonchaient les bords de l'échiquier.

« La tradition littéraire indienne attache peu de valeur à la poésie satirique, déclara Sarah-*behn*, parlant pour Gangaji, qui observait une de ses journées de silence. Et la tradition politique indienne est tissée dans le sérieux et le respect des institutions établies, à condition que ces institutions soient soutenues par le peuple et considérées comme reflétant sa volonté. »

Échec au roi.

« Le meilleur reflet de la volonté du peuple, affirma Pandu dans un discours à ses partisans, c'est le total des votes dans une élection démocratique. »

Une manœuvre audacieuse, Ganapathi, mais qui laissait un flanc exposé.

« L'Histoire nous enseigne, répliqua le Mahaguru lors d'une réunion de prières, qu'il est toujours dangereux de prendre l'enthousiasme d'une petite élite pour le soutien d'une grande masse. »

Ce fut alors que la tour tomba. Les lettres commencèrent à parvenir chez Pandu et au quartier général du parti : des lettres venues de petits militants et de responsables à travers tout le pays, portant des adresses que même Pandu ne put identifier. Les lettres déploraient la dérive du parti du chemin de la Vérité et de la modération, toujours épousées par Gangaji. Beaucoup parvinrent aux journaux, colonialistes et nationalistes.

« Je suis président depuis trois mois à peine, s'étonna un Pandu ahuri. De quelle dérive ces gens parlent-ils donc ? »

Deux lettres du même tabac parurent dans le journal de Gangaji, sans aucun commentaire éditorial.

« Ceux qui approuvent les nouvelles directions du mouvement, déclara avec défi Pandu, lors d'un meeting kaurava improvisé sur un célèbre bord de mer, à des gens plus habitués à des slogans qu'à la natation, devraient faire entendre leur voix parmi les clameurs orchestrées des conservateurs. M'assurez-vous de votre loyal soutien ? »

Un « non ! » prolongé monta en crescendo des sables.

Pandu, secoué, écrivit à son ex-mentor : « Il semble que se développe, à l'intérieur de nos rangs, une campagne de dénigrement systématique à mon endroit, et qui mette en doute ma conduite du parti. Ses auteurs paraissent tirer un certain réconfort de votre silence, qui pourrait même être interprété comme équivalant à une tolérance d'activités anti-parti. Je vous serais reconnaissant de bien vouloir apporter le soutien de votre voix à mes efforts en vue de faire progresser le Parti kaurava. Une déclaration venant de vous et vous dissociant des excès de ceux qui se prétendent vos disciples serait la bienvenue. » Il scella la lettre et marqua « confidentiel ». Cette fois, il n'y eut pas de copie pour la presse.

Mais ce fut alors le Mahaguru qui publia la correspondance.

« Il ne m'appartient pas de conseiller à de fidèles serviteurs de la cause kaurava de ne pas agir selon les diktats de leur conscience, déclara pieusement Gangaji dans sa repartie imprimée. Les dirigeants ne devraient jamais perdre de vue les soucis de leurs troupes. »

Pandu vit ses rangs se décimer. Il tenta une dernière manœuvre lors d'une réunion du comité directeur.

« Étant donné la diversité des récentes attaques contre ma position et mes principes, à l'intérieur et à l'extérieur du parti, annonça-t-il, j'aimerais, en tant que président, obtenir de ce comité un vote de confiance. » Il me regarda droit dans les yeux, quêtant une réponse, jouant son va-tout dessus.

Je sentis le malaise des autres autour de la table. Je me fis l'impression d'être Brutus poignardant César. « Non, pas ça, mon fils, dis-je d'une voix rauque. Ne nous demande pas cela. »

L'expression de souffrance qui traversa son visage blême me hante encore. Ne pas obtenir un vote de confiance était aussi dur que de se voir infliger un vote de défiance.

La partie était terminée : Pandu s'était déchu lui-même de sa couronne. Il démissionna.

49

Gangaji ne tira pas gloire de sa victoire. Il n'y eut aucun discours d'autosatisfaction, aucune déclaration à la presse. Son objectif atteint, le Mahaguru fit en sorte que l'Intouchable battu par Pandu soit nommé président intérimaire par le comité. L'année suivante, ce brave homme fut élu à ce poste – sans opposition. Aujourd'hui, il faut fouiller dans les livres d'Histoire pour découvrir son nom.

Tu sembles troublé, mon cher Ganapathi. L'angoisse plisse ton front et rétrécit ton regard. Peu importe, je sais ce qui t'inquiète. L'idée de saint Gangaji, parangon de la Vérité, éliminant sans pitié du pouvoir un pupille rebelle ne te convient pas. Comment le Mahaguru, te demandes-tu, le Grand Maître, un homme à la vision démesurée et aux principes impeccables, a-t-il pu se conduire comme un vulgaire politicard new-yorkais ? Tu es déçu.

Tu ne devrais pas l'être, mon fils. Aucun grand homme n'a atteint sa grandeur par la seule sincérité de ses intentions. Si Gangaji croyait à la Vérité, c'était à *sa* Vérité et, par extension, les actions qu'il entreprit furent fondées sur cette même foi. Pandu, dans un sens, représentait un défi à son incessante quête de cette Vérité. « Aie confiance en moi, mon fils », lui avait dit Gangaji au début de la Marche des mangues, mais Pandu ne l'avait pas suivi ; et une fois le mouvement suspendu, la confiance était morte entre les deux princes de Hastinapur. Le Mahaguru avait choisi Dhritarashtra pour héritier, et qui aurait récusé son choix ? Pandu aurait pu l'accepter et continuer à servir la cause derrière le Mahaguru et son frère aveugle. Il préféra choisir le chemin de la dissidence : le chemin (aux yeux du Mahaguru) de la non-Vérité.

La juste réaction fut d'éliminer le factieux. Non pas en lui faisant taper dessus au coin d'un bois par des hommes de main, ni en trichant aux élections : Gangaji n'aurait jamais autorisé de tels moyens pour arriver à ses fins. Mais le *dharma* exige de la fermeté pour défendre la rectitude, Ganapathi. (Rien de particulièrement nouveau ni même de cynique à ce sujet. Nos propres traditions prescrivent une telle action, non seulement dans l'*Arthashastra*, ce manuel machiavélien à usage des survivants royaux, mais encore dans notre épique traité politique, le *Shantiparvan* de mon homonyme Vyasa.) La pression morale (et, remarque bien, le Mahaguru ne la considéra jamais comme autre chose), la pression morale qu'il fit subir à Pandu pour amener mon pâle enfant à capituler ne fut que l'équivalent politique des pneus dégonflés du radjah Salva au commencement de notre histoire. Aucune violence, pas d'effusion de sang, mais, ô Ganapathi, que de blessures et d'humiliation, que de tristesse et de souffrance peuvent être causées au nom de la Vérité !

Je ne peux supporter de penser davantage à mon pauvre et pâle Pandu, Ganapathi. Je ne souhaite pas prolonger sa trébuchante saga à travers les diverses étapes de ce récit. Payons le prix de l'inexactitude chronologique et finissons-en avec le reste de son histoire, de façon que je puisse abandonner ce lourd fardeau de souvenirs historiques, auquel s'ajoute le poids supplémentaire de la paternité et de l'impuissance. Viens, Ganapathi : nous allons laisser les autres figés à leurs places dans le temps tandis que nous égrènerons la destinée de Pandu dans la seule forme qui convienne à son excessive sentimentalité.

50

Raconter l'histoire de Pandu
ne nous prendra pas longtemps.
De son slogan : on réforme tout,
il fit un refrain entraînant.

Ah, versons un coup de vin rouge
dans l'urne sanglante de l'Histoire
Et sachons que la frontière bouge
entre la tragédie et l'espoir.

Quand un Pandu en pleine santé
Fut dit trop malade pour mener
son parti, vexé, il s'en alla,
décidé à n'en point rester là.

Eh bien, au revoir, chers amis,
je le dis cœur et gorge serrés,
Vous regretterez vos mesquineries.
On m'a poussé, je n'ai pas sauté.

Noble est votre cause et la mienne :
rendre à notre peuple sa liberté.
Mais une chose reste certaine,
ce n'est pas une tâche aisée.

Parler, écrire, marcher, jeûner
ne brisera jamais nos chaînes,
et ceux qui vivent dans le passé
me font grimper au cocotier.

Nous fûmes trop longtemps dociles
à des lois anglaises débiles,
acceptant quand nous les brisions
d'aller tête baissée au violon.

L'heure est venue, je le dis ce soir,
de nous dévoiler sans fard,

de nous comporter en soldats,
de penser sang et combats.

Ce soir, Pandu le non-violent est mort,
plus jamais je n'aurai de faiblesse,
désormais je serai aussi fort
que le tek que rien ne blesse.

A bas Tolstoï, Ruskin, Bouddha et leurs idées
qui réduisent les hommes à des nains !
Que le *yuddha* remplace la force-vérité !
Hitler, voilà l'homme de demain.

Ainsi parlant, notre héros en colère
devint le premier fasciste de notre pays.
Plein d'admiration pour ce Néron d'Hitler,
il apprit à lever le poing et dit :

Nos frères aryens pleins d'élan
ont ranimé tous les Allemands.
En ma qualité de SS indien,
je vous annonce l'Avanti Avant.

En avant, amis, notre cause doit progresser
et continuer à nourrir notre flamme.
Que nos tenues soient toujours amidonnées
car les ennemis des Godons nous réclament.

Puis la Pologne tomba et les panzers boches
écrasèrent la paix d'un Chamberlain très moche.
Joignons-nous, dit Pandu, à la fiesta d'Hitler
Pour mettre à genoux l'Angleterre !

Ayant ainsi parlé, il prit un billet d'avion
(première classe, faut tenir son rang, non ?)
pour Berlin : Allez donc tous jouer aux billes,
Pandu agit tandis que les Kauravas roupillent.

51

Mais au moment où, entamant son voyage,
notre héros atteignait l'aérodrome,
les Anglais, reprenant enfin courage,
déclaraient la guerre à Berlin et à Rome.

Alors qu'il payait son supplément de bagages
(il emportait trop de vêtements d'hiver),
Pandu fut arrêté, grâce à un mouchardage,
accusé de trahison par les militaires.

Menottes aux mains, notre Führer maison
fut emmené en taule sans plus de façons.
Pour lui il n'y eut ni juge ni tribunal,
le Raj lui appliqua un régime tout spécial.

Un autre que Pandu aurait pu s'angoisser
d'avoir à languir derrière des barreaux,
l'esprit et l'âme en proie à des accès
d'amertume devant ce triste lot.

Mais notre Pandu se chauffait d'un autre bois !
Jamais on ne le vit attendre la bouche ouverte
et, puisque les Anglais le traitaient en Judas,
il résolut de prendre la poudre d'escampette.

Chaque jour il étudiait un plan d'évasion :
Scierai-je les barreaux, creuserai-je un tunnel ?
Ou feignant la maladie, trouverai-je l'occasion
d'en profiter pour faire la belle ?

Ses projets auraient pu tous échouer
si le sort n'avait joué en sa faveur.
Un des gardiens qui le surveillaient
s'avéra un disciple de la première heure.

Quel honneur, sir, que de vous rencontrer,
murmura l'homme dès qu'ils furent en privé.

En vous serrant la main, je vous dois l'avouer,
c'est notre Jeanne d'Arc que je crois saluer.

Nous, les hommes en kaki, nous rongeons notre frein
devant ces Kauravas qui sont des chiffes molles.
Le Bharatmata connaîtrait bientôt sa fin
sans votre parti et Chakravarti, notre idole.

Content de l'apprendre, répliqua Pandu.
Nous avons besoin d'hommes tels que vous,
mais des gens, pendant que je suis enfermé ici,
meurent faute de mes remèdes à leur maladie.

Et, fixant son geôlier d'un regard sévère :
Il est temps pour toi de servir notre cause.
Je ne peux rester ici et il faut que tu oses
m'aider à partir pour continuer nos guerres.

Dansant d'un pied sur l'autre, le gardien hésitait,
paraissant décidé, puis tout d'un coup chagrin :
Du bout de ma casquette jusqu'à mes bottes cirées
j'ai toujours mérité chaque sou de mes gains.

Il me faut maintenant trahir ma nature,
une décision pour moi fort difficile à prendre.
Vous le savez bien, je serai puni, c'est sûr,
et quant à ma carrière, autant aller me pendre !

Je vous admire, Chakravarti – je suis sincère –
je voudrais certes pouvoir vous aider à fuir,
mais je pense à ma femme, mes enfants, ma mère,
et à mon devoir, qu'il me faut accomplir.

– Oui, certes, ton devoir, Pandu se hâta de répondre.
il te faut l'accomplir, mais où se trouve-t-il ?
Car, enfin, quand la nation opprimée s'effondre,
un homme vrai peut-il refuser le péril ?

Il vit que ses paroles lui valaient réflexion
dans le train des pensées de son geôlier,
ce patriote devenu gardien de prison,
entre devoir et conviction si torturé.

Et puis enfin, mon fils, il y a quelque chose
que tu pourrais peut-être bien avoir oublié :
quand auront triomphé la liberté et notre cause,
les récompenses seront justement distribuées.

A ce moment-là, ou préféreras-tu te trouver ?
Parmi les grands héros du Bharatiya Swaraj
ou bien les vils membres de cette bande éhontée
Qui trahirent les ennemis du Raj ?

Pardon, Chakravarti, dit pleurant le gardien,
d'avoir pu hésiter un court instant encore...
Les clés, sans les avoir, je sais où on les tient
et je vous ferai franchir tous les miradors.

Malgré frontières et ports surveillés
par la police anglaise en alerte,
Pandu réussit cette fois à échapper
à des flics voués à sa perte.

Oui, et ce fut grâce à son accoutrement
qu'il franchit sans encombre la douane,
se faisant passer pour la bégum Jahan,
la grosse épouse d'un très jaloux Pathan.

Tu désapprouves peut-être un tel déguisement
– un leader se ridiculiser de la sorte ! –,
mais il est vrai que, sous ces vêtements,
jusqu'à Kaboul il s'ouvrit toutes les portes.

S'étant enfin rhabillé en Afghanistan
avec un bel uniforme acheté au bazar,
Pandu télégraphia au Führer allemand
qu'il prenait l'avion pour Berlin sans retard

Il y eut un petit pépin, un léger embarras,
car notre éblouissant et fort coquet César,
un peu trop soucieux de la coupe de son falzar,
avait oublié qu'il lui fallait un visa.

Ah, les sottes manies de la bureaucratie !
La compagnie refusa de laisser embarquer

l'avatar de notre belle aristocratie,
qui se mit à crier, hurler, implorer.

Désolé, sir, mais la règle est absolue,
Trancha le directeur (point du tout navré).
Voyez le consulat, juste au coin de la rue,
Et dégagez-moi le comptoir, s'il vous plaît !

Vaincu, enfin, après plusieurs avions ratés,
Pandu se rendit au consulat allemand :
Monsieur le consul, je me dois d'insister,
il me faut un visa sur-le-champ.

Savez-vous qui je suis ? L'ami d'Adolf Hitler,
le meilleur qu'il ait dans le sous-continent,
de Kanyakumari jusqu'à Londres, votre Führer
ne trouvera pas de fasciste plus ardent.

Tout cela n'était, à dire la vérité, Ganapathi,
qu'invention astucieuse de la part de Pandu,
qui ne fut jamais un nazi, notre décent cocu,
mais juste un patriote en quête d'un fusil.

Oh, il flirta bien un peu avec les fascistes,
mais cela ne compta guère en réalité,
comme il l'expliquait à ses épouses altruistes :
L'ennemi de mon ennemi est mon allié.

Sehr gut, mein Herr, dit le consul général,
dans ce cas je vais vous délivrer un visa.
Je vous souhaite bon vent et dans la capitale
pensez à saluer ce vieil Adolf pour moi.

52

Il y pensa et, dès son arrivée, brandissant le bras
pour saluer Hitler dans le pur style nazi,
il lui flanqua un coup en plein dans le baba,
faisant voir au Führer une vraie galaxie.

Heil ! Ouille ! s'écria Pandu, coquin de sort !
tandis qu'Adolf contemplait ses chandelles.
Pardon, pardon, navré, je voudrais être mort !
– Tu le seras, bandit, si ça se renouvelle !

Début malheureux ! La vie ne fut pas rose
pour notre vaillant combattant en exil ;
d'autant que ses efforts pour avancer la cause
se révélèrent constamment stériles.

Faites donc, lui dit-on, des émissions radio,
alors qu'il réclamait tanks et munitions,
et au lieu de conduire une armée d'invasion,
Pandu prononçait des discours au micro.

Chaque jeudi et dimanche, à la *Deutsche Welle*,
Notre Chakravarti émettait vers l'est,
mais ses appels de marche sur Delhi
ressemblaient à des cris de bête.

Quoi qu'est-ce ? disaient les gens tripotant leurs radios,
les oreilles étrillées par d'affreux hurlements,
toutes sortes de cris et de vagissements
pareils à dix jets atterrissant KO.

Peux pas comprendre un mot ! C'est-y un nouvel air ?
Ou une déclaration de Washington DC ?
Mais non, c'est une fille qui parle de sa mère,
retournons à notre bonne vieille BBC.

Les laïus de Pandu eurent un pauvre audimat,
on ne les entendait qu'à grand-peine,
et ces longs mois d'une attente ingrate,
il commença à les prendre en haine.

Mais arriva pour les alliés nippons
de Hitler, venus de leur Far Est, l'occasion
de ravager la jungle, semer la mort des cieux
sur nos pauvres Godons tremblants d'une peur bleue.

Autant, mes chers amis, pour le mythe impérial
d'un gouvernement réputé invincible,
la prétention de l'Angleterre coloniale
d'affirmer la défaite impossible.

Crois-moi, Ganapathi, à dire la vérité,
le prétendu sale « fardeau de l'homme blanc »,
c'est ce que nos coolies, menacés, cajolés,
avaient à trimbaler sur leur dos en jurant.

Mais quand les Japonais, ces petits gars solides,
flanquèrent une rude pâtée aux Peaux-Roses,
l'espoir surgit aux tenants de notre cause
d'acquérir une indépendance rapide.

Car la suprématie clamée dans les cocktails
des partisans du Raj n'était qu'une illusion,
une vaine vantardise de pauvres colonels
incapables d'arriver à remplir leur mission.

Hourra ! s'écria Chakravarti. Allons !
Battons-nous ! Saluons le Soleil levant
avec le noble *Avant Avanti* et le Japon,
nous tenons la victoire en chantant !

53

En temps voulu (et une banale traversée)
le voilà sur le théâtre des opérations :
l'île de Singapour, libérée des Anglais
et qu'occupe maintenant le Japon.

Bienvenue, Chaklavalti ! dit un Jeune Chinois.
Je suis votle tle honolé intelplète ce soil.
Un général nippon, en se courbant très bas,
ajoute : Hullo ! Avez-vous fait un bon voil ?

– Oui, merci, sir, répliqua Pandu,
le Chinois lui ayant traduit le japonais.
Je suis très content d'être venu,
ensemble nous leur flanquerons une raclée.

– Ensemble, ensemble, grommela son petit hôte,
je ne suis pas certain de vous comprendre bien.
Les Anglais ont déjà abandonné la côte
sans que nous ayons vu la queue du moindre Indien.

En fait, s'écria l'homme, s'échauffant à mesure,
les seuls que nous vîmes, nous n'avons pas rêvé,
combattaient contre nous, alors vous comprenez
qu'on en ait mis des tas vite entre quatre murs.

– Oui, se hâta de répondre Pandu, pâlot,
mais nos gars étaient alors en service forcé
et si vous les traitez tels des ours dans un zoo,
ils risquent de rester tout aussi divisés.

Laissez-moi leur parler, donnez-moi quelque temps
et je vous fournirai une armée entière
de bons soldats indiens, sublimes combattants,
que Tojo pourra passer en revue, très fier.

Je les ferai vibrer d'orgueil et de liberté,
je les amènerai à rallier votre cause,
les persuaderai qu'avec vous, Japonais,
nous en aurons fini des oppresseurs Peaux-Roses.

– Tlé, tlé bien, dit le Jap (Parfait, dit le Nippon),
on vous fera donner toutes les entrées voulues,
une carte d'identité, une jeep, un planton
et l'autorisation d'organiser la r'vue.

Voilà Pandu en route, uniforme galonné,
son beau képi posé dans un angle audacieux,
du terrain de manœuvres au mess des officiers
faisant sonner bien haut ses éperons, radieux.

Namaskar ! Sieg Heil ! Maintenant écoutez-moi
Vous tous, misérables prisonniers, mes amis,
voici la chance de sauver votre *janmabhoomi*
en payant votre dette à la Bharatmata.

Quel genre de vie est-ce là que de rester assis,
attendant la prochaine gamelle de gruau,
alors que vous pourriez demain sortir d'ici
afin d'aller vous battre pour vos idéaux ?

Préférez-vous donc aller casser des cailloux
et pourrir dans les cachots sur la paille,
creuser latrines, tranchées et autres trous
ou bien construire un pont sur la belle rivière Kwai ?

– Oui, mais nos serments alors ? Nos carrières ?
tentèrent de répliquer d'aucuns, dubitatifs.
Si les Brits n'ont pas réussi à vous tirer d'affaire,
dit mon fils, que valent tous leurs impératifs ?

Ah, là il était tombé juste, mon pâle Pandu !
Il savait que les hommes entendraient ces propos.
Voilà le pouvoir d'une langue bien pendue :
regardez le triomphe que remportèrent ses mots.

Ils se rallièrent à lui en masses proverbiales,
proclamant leur ardent désir de s'engager,
attirés peut-être par des raisons vénales
mais aussi par Pandu et son poing haut levé.

Son message, il l'avait délivré net et clair
à ces nombreux soldats languissant en prison :
Battez-vous pour la patrie qui vous est si chère
et vous serez libres, sans plus de complications.

Pelotons, compagnies, divisions, régiments
furent formés avec cette foule de prisonniers
qui, s'ils louaient Hiro-Hito officiellement,
obéissaient à Chakravarti en premier.

Qu'il était fier, mon fils, dressé sur ses ergots !
On l'aurait cru vainqueur d'au moins une bataille,
alors que (les Godons le proclamèrent bien haut)
ses troupes se comportaient comme du bétail.

Oh, oui ! elles s'entraînaient, marchaient et paradaient,
leurs treillis repassés et lavés chaque jour,
mais les belles brigades de ces ex-prisonniers
de la guerre n'avançaient certes pas le cours.

Les Japonais, ravis de leur nombre croissant
(qui venait servir à point leur propagande),
refusaient néanmoins de se montrer confiants,
répondant sèchement à toutes les demandes :

Se fier à des Judas ? Ah, tous vos boniments,
on les connaît. Vous dites : Ce sont des héros,
mais puisqu'ils ont, hier, renié leurs serments,
ne pourraient-ils donc pas recommencer bientôt ?

Nous ne les blâmons pas d'avaler leur orgueil :
nos camps de prisonniers manquent de drôlerie.
sur le front toutefois, pas question qu'on en veuille :
la guerre n'est quand même pas une plaisanterie !

– Je patienterai donc, jura Pandu, et puis merde !
mes troupes attendront leur heure, c'est bon,
et quand les Japonais commenceront à perdre,
telle la rime la raison, ils nous réclameront.

54

Mais, en attendant, mon fils était décidé
à ne pas souffrir la sinistre solitude
qu'à Berlin (régime conserves et portes fermées)
il avait supportée avec tant de fortitude.

Il fit passer en douée un message à Madri
par le canal d'un réseau d'espions japonais :
Votle mali a méchamment besoin de sa missi.
Pouvez-vous venil ? Disclétion lecommandée.

Excitée, anxieuse, notre belle princesse
essuya la larme qui lui coulait des yeux.
Prends bien ssoin de mes fisses (elle s'adresse
à Kunti). Ze rezoins mon époux et ze te dis adieu.

Après un long voyage dangereux et torride,
plein d'embûches (trop pour les raconter),
Madri arriva – Oh séri, c'était ssordide ! –
à Singapour, scellant de Pandu la destinée.

Bouleversé est un trop pauvre mot
pour décrire de mon fils l'attitude,
souriant, rayonnant *fortissimo*
de conjugale béatitude.

Maintenant tout va bien, dit-il à sa femme,
je peux tout encaisser, attente ou vexation,
tu es là, chère compagne, qui aideras mon âme
à vaincre mes ennuis, haines et frustrations.

Mais afin d'écarter les suspicions nippones
quant à son dévouement à l'égard de leur cause
et de bien souligner ses intentions teutonnes,
il enrôla Madri pour battre les Peaux-Roses.

Capitaine Madri ! Tu vas jeter un jus
aux yeux des Japs dans cet uniforme kaki
un peu trop étroit autour de tes seins dodus !
Ah, quel succès chez le général je te prédis !

Et, certes, quel spectacle notre Madri offrait
dans les treillis de l'armée Swantantra Sena !
Car si sa jupe était plutôt fort mal coupée,
elle moulait à ravir son corps à chaque pas.

Des années durant, Pandu s'était interdit
toute folle idée d'activités sexuelles,
s'en tenant à ce que le docteur avait dit
Plus jamais question de bagatelle !

Mais la discipline du fier *satyagrahi*
s'était bien relâchée dans son exil forcé,
et la proximité de sa belle épousée
réveilla en Pandu des passions endormies.

Semaine après semaine, notre héros résista
au désir que manifestaient ses reins en feu,
mais, les sens l'emportant, il réenvisagea
une réunion de ces deux corps malheureux.

Oh, erreur fatale ! Comment pécher de la sorte ?
Qu'arrive-t-il à mon pouvoir de concentration ?
Les Godons sont en train de forcer nos portes
et je ne pense qu'à un autre genre de pénétration !

Car, oui, Ganapathi, finalement la victoire
avait changé de camp : les Japonais perdaient
et « Libérons l'Inde ! », le fameux cri d'espoir,
le cédait à « C'est Singapour qu'il faut sauver ! ».

Enfin les hommes de Pandu eurent l'occasion
de se battre, mais l'affaire tourna à l'aigre
et, fatigués des conflits, dépourvus d'illusions,
les *sainik* trouvaient tout slogan un peu maigre.

Oh, quand il s'agissait de tirer sur les Brits
ou bien de se frayer un chemin dans la jungle,
certains *sainik* ne manquaient pas de tripes
et nombre de héros surgirent parmi ces humbles.

Mais quel soldat consent à tirer sur son frère ?
Et ceux de Pandu s'y refusèrent naturellement ;
au front, oubliant tous ses discours d'hier,
ils s'enfuirent ou se rendirent à l'autre camp.

Disgraciés, leur défaite avançant à grands pas,
les Japs ordonnèrent à Pandu de prendre le large ;
dans un avion branlant (qu'il préféra à une barge)
il quitta Singapour au bord de son trépas.

55

Tandis que le coucou tremblotant montait
dans un ciel tropical très assombri
et que le pilote tirait sur le manche à balai
vers Shanghai chercher un abri,

Pandu considéra le terrible fiasco
qu'il laissait avec ses hommes derrière lui.
Je n'aurais pas pu me montrer plus idiot,
soupira-t-il, le visage marqué par le souci.

Des rides griffaient le coin de son œil,
des pattes-d'oie autour de pupilles rougies,
et sa face blême avait un air de deuil
qui disait sa fatigue et puis sa nostalgie.

J'avais un tel espoir, ma bien-aimée,
de m'élever au tout premier rang !
Avec le Soleil levant et la croix gammée
je me voyais définitivement gagnant,

Et, par là, m'étant superbement prouvé
aux Godons, aux Kauravas, mais encore mieux,
à Gangaji, qui alors m'aurait déclaré
comme son héritier et son numéro deux.

Et ne l'eût-il pas fait que peu m'eût importé
ce que les non-violents auraient alors pensé
car le peuple, une fois les Britiches vaincus,
m'aurait couronné, moi : c'était, je crois, couru.

Au lieu de quoi, Madri, tout est tombé par terre
sous la botte d'Albion, et Pandu, ton époux,
qui fut seul à se battre pour l'Inde notre mère,
est en fuite aujourd'hui et tout le monde s'en fout.

Je te regarde, chérie, le cœur plein de chagrin
en songeant au sort par trop cruel qui t'attend.
Je n'ai aucun espoir de brillants lendemains
pour la femme de Pandu, le brave résistant.

Si les Brits l'emportent, comme il paraît probable,
nous n'aurons nulle part où aller nous cacher.
Leurs flics sont malins, leurs juges inachetables.
Je serai arrêté et vite exécuté.

Je n'ai guère, moi, de chance d'échapper à la corde
car j'ai trop incité à la mutinerie,
mais je voudrais du Ciel que la miséricorde
t'épargne tout malheur, honte et ignominie.

– Ne parle pas ainssi ! Une larme brilla
sur la joue détrempée de l'exquise Madri.
O mon zamour, la pençée de vivre çans toi
me coupe les zenoux, me rend tout affaiblie.

Mon Pandu séri, laisse-moi te le dire,
oui, oui, ze le zure sur Viznou et Ziva,
si quelque sose venait à te faire périr,
ze ne veux plus continuer ici-bas.

Mon mari, toi qui m'as donné tant de zoie
en m'appelant à tes côtés aux heures difficiles,
me prends-tu pour une éhontée Hélène de Troie
prête à s'enfuir avec un autre imbécile ?

Non, Pandu, mon seigneur, avec toi ze resterai
pour le meilleur, le pire et touzours.
On sse battra contre le Raz ssans arrêt
et ze t'aiderai de tout mon amour.

– Oh, Madri ! s'écria notre Pandu tout heureux
de la sincérité des élans de sa femme,
qui venait ainsi de prouver que son âme
tel son corps était un don béni des Cieux.

Oh Madri ! Il la prit dans ses bras
Et l'embrassa longtemps et tendrement.
Mais alors, succombant à ses charmes,
son dernier gramme de volonté s'effondra.

Non, Pandu ! Non ! Pas ça ! s'écrie sa bien-aimée
tandis que tout fiévreux il défait ses boutons.
Souviens-toi du docteur et de ce qu'il disait ;
embraçons-nous, oui, oui, mais ne sois pas glouton !

Rien à faire, il était possédé
d'un désir infini, on l'imagine,
après tant d'ascétisme, il haletait
de l'envie de s'unir à sa concubine.

Je te veux ici ! siffla-t-il d'un ton pressant
En lui arrachant ses couches de vêtements.
Sur le siège glacé, sa passion surgissante
eut raison des faibles nenni de son amante.

Pauvre Madri ! Refuser n'était pas dans sa nature,
« Non » était un mot qu'elle n'aimait pas prononcer
et d'ailleurs (au risque d'une caricature),
sa chair consentante avait tout... oublié.

Et Pandu n'était vraiment pas d'humeur patiente.
Ses mains exploraient sa femme avec insistance.
Il caressait son corps : Je te veux, mon ardente !
Toi, la seule joie qui me reste dans l'existence !

Emportée par l'amour et la chaleur, Madri,
malgré ses craintes et l'angle de son siège,
céda aux ardeurs de son époux et, bon, j'abrège,
finit par réclamer : Plus fort, plus fort, oh, oui !

Oh, oui ! souffla en retour Pandu, fou de joie.
Avanti, en avant ! tel est mon credo immortel !
Mais alors ses lèvres, se posant sur sa belle,
tournèrent au bleu en lâchant un « A... A... ».

Nombre de balles traçantes explosèrent dans le ciel,
dessinant de longs ruisseaux incandescents
au travers des hublots, sur l'étreinte charnelle
des amants drapés de nuit et d'un silence ardent.

Merci ! Madri soupira de bonheur orgastique.
Ah, ce fut merveilleux ! Comment était-ce pour toi ?
Puis, voyant son époux, prise d'un soupçon tragique :
Pandu... Pandu ! Que t'est-il arrivé ? Dis-moi...

Pourquoi es-tu si mou ? Pourquoi zis-tu ainsi ?
Mon mari, mon seigneur, roi des *z-A-zavanti*,
ze t'en prie, lève-toi, souris, ô ma passion,
ô mon dieu ! Tu n'es pas... ! Oh, non ! Oh, non !...

Elle hurla, et ce fut comme si son cri déchirant
avait emporté son âme avec celle de Pandu,
s'élevant haut, dans la lumière du firmament,
vers la demeure céleste où seul, on ne l'est plus.

Car ce terrible cri contre une mort absurde
cachait une prière que tout dieu entendrait :
le refus d'accepter demain la solitude
et de vivre sans l'homme qu'elle avait tant aimé.

Puis les puissants rayons de quelques projecteurs
vinrent s'entrecroiser sur les ailes du *Zéro*,
révélant à Madri en d'ultimes lueurs
sur son sein le visage de son héros.

Alors elle comprit et sourit. Et l'obus
qui suivit ne produisit qu'un léger son.
Madri embrassa puis reposa la tête de Pandu,
dont elle colla la bouche à son mamelon.

Quand la bombe frappa l'avion, Madri aurait juré
avoir senti le mort téter son sein gonflé,
juste un quart de seconde avant qu'elle-même ne meure
d'une pluie de shrapnells qui lui perça le cœur.

Un autre court instant l'avion plana un peu
sous les rayons glorieux des mortels projecteurs,
et puis il explosa en une boule de feu
pourpre qui consuma mon fils et son âme sœur.

Comme Pandu plongeait dans le destin brûlant
que tout hindou connaît en quittant ce monde-ci,
sa compagne en second, première en dévouement,
brandissait haut et fier la bannière de Sati.

Elle atteignit l'éternité – cas bien trop rare –
dans l'embrasement d'un feu purificateur,
les flammes de l'avion lui réservant sa part
du bûcher de métal de son cher épouseur.

Cela dut rendre Pandu heureux, Ganapathi. Avec ses profondes incursions dans les Écritures, son approbation théologique du cocufiage procréateur, il dut savourer la satisfaction de partir ainsi : en fumée, avec son obéissante épouse, se soumettant aux idéaux classiques de l'amour conjugal. Cela dut réjouir son cœur atrophié.

Lorsque la nouvelle nous parvint, elle nous affecta tous très profondément, même Dhritarashtra, dont la place à la tête de sa génération devenait ainsi mieux assurée. Mon fils aveugle fit une touchante petite déclaration au sujet de son « incommensurable tristesse » et de « la perte incalculable pour la nation en deuil ». Il promit de « garder haute et brillante la flamme du profond patriotisme » de son frère Pandu. Ah, Dhritarashtra, toujours ces métaphores visuelles !

Et Gangaji ? Le Mahaguru fut ému au point de rester assis à filer en silence durant des heures, ne parlant à personne, plongé dans ses réflexions. Il offrit la pièce tissée au cours de cette séance à Kunti, la veuve survivante de Pandu. Mais le tissu était inutilisable, la trame était tout de travers – à moins que ce ne fût la chaîne ? –, ce qui montrait que pour une fois Gangaji n'avait pas eu la tête à ce qu'il faisait. La perte de Pandu nous diminua tous.

LE DIXIÈME LIVRE

Ténèbres à l'aube

56

Mais nous n'avions pas le temps de prendre le deuil. Nous avions tous bien plus important à faire. Ni la nation ni le parti ne s'étaient immobilisés durant les années d'exil de Pandu. Le moment était maintenant venu de récolter l'amère moisson semée depuis le commencement de notre désaccord. Autrement dit, Ganapathi, en avant pour le flash-back.

En nous embarquant dans l'histoire de Pandu, nous avions laissé les autres figés à leur place – figés dans les répercussions de sa démission de la présidence kaurava. Examinons à nouveau ce curieux tableau. Voici le Maha-guru, consciencieusement penché sur sa roue à filer, des journalistes assidus à ses pieds ; Dhritarashtra, tenant sa canne blanche un peu haute, le poing sur le pommeau, l'index pointant vers Delhi, ou le destin, ou les deux ; Karna, sa demi-lune vibrant sur son front, discourant dans un costume trois pièces à l'adresse d'un groupe de notables musulmans calés dans de gros fauteuils rembourrés ; les cinq jeunes Pandavas, absorbant prestement les leçons de leur précepteur barbu ; et Duryodhani, assise par terre au triste chevet de sa mère Gandhari la Lugubre, arrangeant dans l'ombre avec détermination ses poupées vêtues de *khadi*, tandis que la femme au bandeau sombre inexorablement dans un autre monde.

« Que fais-tu, Priya Duryodhani ?

– Je joue avec mes poupées, mère. Je joue à la famille, mère. Cette poupée est ligotée. Elle part en prison. Cette poupée ne se sent pas bien. Elle est couchée. Cette autre poupée reste seule pour combattre les méchants Anglais. Elle est forte et courageuse et elle sait qu'elle est seule, elle sera toujours seule, mais à la fin elle gagnera... »

Non, Ganapathi, laissons-les là et dégelons un autre pan du tableau. Les cinq Pandavas et Drona.

Mais attends ! Il y a six garçons autour du sage vêtu de safran. Oui, aux cinq fils de Pandu s'est joint Ashwathaman, le fils de Drona. Ils sont ensemble tandis que l'on verse en eux le savoir comme le lait et le miel : la science de l'Histoire et les mystères de la science ; la physique et les arts martiaux ; la géographie et la géométrie, la morale et les mathématiques ; les *Veda*, la musique classique et les danses folkloriques, la rhétorique et la déclamation. Et puis les « talents spéciaux » de Drona.

Ces talents sont de fait très spéciaux. Drona en a donné aux gamins un aperçu en récupérant adroitement leur balle du puits. Mais il y a mieux : une incroyable précision avec cordes, ficelles, catapultes, arcs ; la capacité d'atteindre toute cible avec pierres, flèches et (en temps voulu) balles ; la préparation de cocktails auxquels Molotov n'aurait eu nulle honte à prêter son nom ; le don incroyable de bloquer des routes, de provoquer des avalanches, de démolir des ponts, en sachant où placer une petite quantité d'explosif. Matières qui ne font pas nécessairement partie des cours approuvés par Gangaji pour les enfants de son pupille. « Mais, dit Jayaprakash Drona, il y a plusieurs sortes de nationalismes et je pense qu'il faut que vous soyez instruits en toutes. »

Plus instruits peut-être dans certaines que dans d'autres ? A mesure que les séances de talents spéciaux augmentent en portée et en raffinements, le temps et l'attention que Drona peut consacrer à chaque élève deviennent capitaux pour acquérir vitesse et dextérité. Ashwathaman, qui dort dans la chambre de son père, a droit à des leçons supplémentaires : chiffres et codes, puissants *asana* et exercices de respiration. Arjun, en cours de rattrapage, frappe un soir à la porte de son professeur. « Dronaji, puis-je, moi aussi, dormir à vos pieds de façon à profiter à chaque instant de vos enseignements ? » Content de la dévotion de son élève, le sage accède à sa requête. Arjun devient bientôt aussi compétent qu'Ashwathaman.

Et quelle compétence ! Tu ne me croiras pas, Ganapathi, quand je te raconterai l'ampleur et la subtilité de l'enseignement de Drona, de la dialectique jusqu'au diurétique. Ses méthodes qui affirment que la manière d'enseigner est aussi importante que ce qu'on enseigne. Ses convictions dont les obliquités singulières seront retenues de différentes façons par chacune de ses ouailles.

Prenons par exemple le jour où il convoqua ses élèves pour leur montrer une photo sur le mur, photo qu'il avait découpée dans un magazine, la photo quelconque d'un politicien anglais d'aspect plutôt porcin.

« Imaginez, leur dit-il, que vous soyez tous membres d'un groupe d'élite de révolutionnaires endurcis. Votre cible est cet homme. » Il pointa son doigt en direction de la face poupine qui les toisait d'un air satisfait. « Vous avez chacun en main votre arme préférée : revolver, grenade, parpaing, arc et flèches, peu importe. Votre mission est de le descendre. Est-ce clair ? »

Ils acquiescèrent en chœur.

« Avance-toi, Yudhishtir, ordonna Drona. Prends ton arme. Regarde ta cible. Que vois-tu ?

– Je vois ma cible.

– C'est tout ?

– Je vois une personnalité politique impérialiste, précisa Yudhishtir, tentant de deviner ce qu'on attendait de lui. Né le 13 novembre 1874. Famille très en vue. Ministre du Commerce à trente-quatre ans. Ministre de l'Intérieur à trente-six. Premier lord de l'Amirauté, ministre des Colonies, chancelier de l'Échiquier...

– Retourne à ta place, Yudhishtir, l'interrompit Drona, impassible. Nakul, à toi. Que vois-tu ?

– Un politicien suralimenté, surestimé et sur le déclin, un raconteur de mauvaises plaisanteries d'après-boire, un vantard...

– Bhim ?

– Un gros type qui semble adorer un bon cigare. Mais je le tuerai si vous me l'ordonnez.

– Sahadev ?

– Un représentant du pire colonialisme britannique, un ennemi acharné de notre peuple, un oppresseur qui cache sa tyrannie raciste derrière un nuage de rhétorique sur le soutien de la liberté – la liberté de ceux qui ont la couleur de sa peau.

– Ashwathaman ? Vois-tu tout ça, toi aussi ?

– Certainement, mon père. Et encore plus.

– Et Arjun ? Qu'en dis-tu, Arjun ? »

Arjun s'avança, les yeux plissés, vers la photo.

« Je vois ma cible, annonça-t-il.

– Quoi d'autre ?

– Rien d'autre. Ma mission est de frapper cette photo. Je ne vois rien d'autre.

– Ses origines ? Sa biographie ? Sa position ?

– Je n'ai pas besoin de tout ça. Je vois ma cible. Je vois sa tête. Rien d'autre n'importe. »

Drona soupira distinctement.

« Alors mets en joue, Arjun. Tire. »

Arjun brandit son arme imaginaire, ses yeux clairs ne quittant pas une seconde sa cible, et un courant d'air balaya la pièce, arracha la photo accrochée au mur et l'envoya valser en spirale, puis tomber dans les mains de Drona.

« Je ferai de toi, souffla Drona, le meilleur Indien de tous. »

Surgit pourtant une fausse note. Après une série d'examens, Arjun revient, la mine orageuse. Il est premier ; pourtant, malgré toutes ses leçons particulières, il n'est que premier *ex aequo*. Et le gamin qui l'a égalé appartient à un pauvre établissement public.

« Il s'appelle Ekalavya, ajoute Arjun.

– Ekalavya ? Mais c'est le fils d'une des femmes de chambre du palais ! » s'écrie Bhim, qui sait tout des servantes.

Les jumeaux se précipitent pour enquêter et ramènent un petit garçon tout sale dans une chemise élimée qui se prosterne aux pieds de Drona.

« Premier, hein ? Et qui t'a appris ce que tu sais ?

– Eh bien, vous, sir.

– Moi ? Mais tu n'es pas un de mes élèves, mon garçon.

– Sir... Je suis resté debout derrière la porte pendant que vous enseigniez aux autres. Et j'écoutais, sir.

– Un petit indiscret, hein, mon garçon ? Et un pique assiette. Tu sais ce que c'est, un pique-assiette, mon garçon ?

– Oui, sir. C'est du français, sir. C'est quelqu'un qui ne paie pas pour ce qu'il prend. Je vous... demande pardon, sir.

– Tu as raison, mon garçon. Et c'est ce que tu es. Un pique-assiette. Tu as profité de mes leçons et tu ne m'as pas payé mes honoraires.

– Vos... vos honoraires, sir ? Je vous paierai volontiers ce que je peux.

– Que peux-tu, mon garçon ? Et à combien ça se monte, je te prie ?

– Pas beaucoup, sir. Ma mère est une servante ici.

– Le fils d'une servante a la prétention de se dire un de mes élèves ? Parfait, je vais t'indiquer mes honoraires. Tu promets de les payer ?

– Si je le peux, certainement, sir, dit l'enfant, les yeux toujours fixés sur les pieds calleux et les ongles cornus de Drona.

– Pas de conditions, garçon. Ce sont des honoraires que tu peux payer. Promets-tu de le faire ? »

La voix du gamin est douce et tremblante sous le feu intimidant des questions. « Naturellement, sir », murmure-t-il. Yudhishtir paraît troublé mais ne dit rien.

« Bon. Mes honoraires, Ekalavya, c'est le pouce de ta main droite. »

Les jumeaux et Bhim étouffent ensemble un cri. Yudhishtir s'avance puis s'arrête, retenu par la main d'un Ashwathaman à l'air soucieux. Seul Arjun paraît calme, serein même.

« Le... le... le pouce de ma main, sir ? demande le garçon, affolé. Je... je ne comprends pas.

– Tu ne comprends pas ? rugit Drona. Tu es premier de ta classe et tu ne comprends pas ? Tu m'a promis mes honoraires si tu pouvais les payer. Et je veux le pouce de ta main droite.

– Mais... mais sans mon pou... pouce, sir, je ne pourrai plus jamais écrire ! » Le garçon regarde d'un air désespéré autour de lui et finalement revient à Drona, qui le contemple impassible, les bras croisés. « Oh, je vous en prie, sir, pas ça ! Demandez-moi n'importe quoi d'autre ! » Les larmes lui brûlent les yeux, mais il les retient. « S'il vous p... plaît, qu'ai-je fait pour mériter ce châtiment ?

– Tu le sais parfaitement. Tu t'es comporté en intrus. Et ceci n'est pas un châtiment, ce sont mes honoraires. »

Le garçon se jette aux pieds de Drona. « Je vous en prie, professeur respecté, je vous en prie, pardonnez-moi, s'écrie-t-il. Si je ne travaille pas bien et si je ne réussis pas dans mes études, qui s'occupera de ma pauvre mère quand elle sera vieille ? Je vous en prie, n'exigez pas cela de moi. »

Drona contemple le garçon étalé à ses pieds. « C'est le cadet de mes soucis, réplique-t-il, brutal. Me paieras-tu mes honoraires ? »

Le garçon le regarde, incrédule, puis se relève lentement. Une fois debout, il fixe pour la première fois le sage droit dans les yeux.

« Je ne peux pas payer, dit-il.

– Tu ne peux pas payer ? Tu te prétends mon élève et tu oses me refuser mes honoraires ? »

Le garçon ne cille pas et affirme : « Oui. »

Drona s'avance sur lui, si près que les poils de sa barbe frôlent le nez d'Ekalavya. « Si tu ne paies pas à ton guru les honoraires qu'il te réclame, tu es indigne de ce qu'il t'a enseigné », gronde-t-il, arrosant de postillons le front du gamin.

Ekalavya ne bronche pas mais avale sa salive, son visage brun brûlant de consternation.

« Je... je suis désolé, sir, mais je ne peux pas ruiner ma vie et celle de ma mère pour payer vos honoraires, dit-il à voix basse mais fermement.

– Fous le camp ! aboie Drona. Fous le camp, petit morveux ! Et si je te reprends à traîner autour de mes classes, je me paierai mes honoraires moi-même ! »

L'enfant recule, jette un œil affolé alentour et sort en trébuchant de la pièce. Les grands éclats de rire moqueurs de Drona le suivent dans l'escalier.

Plus tard, lorsque le cours recommence, Yudhishtir lève la main. « Si le garçon avait accepté de payer ce que vous lui demandiez, guruji, l'auriez-vous pris ? »

Drona rit brièvement et écarte la question d'un geste. « Étudie, dit-il, étudie tes poèmes épiques, jeune homme. »

Aux examens suivants Arjun est premier, tout seul.

Je te vois troublé, Ganapathi. Je t'ai infligé trop de dilemmes moraux récemment, pas vrai ? Mais inutile de transformer ton nez en point d'interrogation, Ganapathi : je ne vais pas résoudre tous tes problèmes à ta place. Drona jouait-il un jeu élaboré qu'aucun des autres n'était assez raffiné pour comprendre ou rendait-il à Ekalavya ce que Heaslop lui avait fait ? Si le pauvre garçon avait pris les choses moins littéralement et qu'il eût gaiement tendu son pouce dans un geste de dévotion et de soumission, Drona l'aurait-il tranché d'un coup de couteau ou aurait-il, rieur, invité le gamin à se joindre à ses élèves ? Je l'ignore, Ganapathi, et les cendres du seul homme qui le sait ont depuis longtemps descendu le Gange pour gagner la mer.

57

Mais assez de ces conjectures : nous avons laissé trop de nos personnages malcommodément figés dans divers recoins de notre tableau. Voici Karna, par exemple, discourant devant les dirigeants de son parti ; approchons-nous pour écouter ce qu'il dit.

« Messieurs, les faits sont simples. Nous nous sommes présentés à ces élections – les premières depuis le nouveau gouvernement issu de l'*Indian Act* – en porte-parole affirmés des musulmans indiens. Nous avons bataillé dans des circonscriptions réservées, désignant des candidats musulmans à des sièges pour lesquels seuls votaient des musulmans. Et pourtant, au bout du compte, lors du compte des voix, nous avons découvert que les musulmans kauravas, les disciples de ce Mahaguru chichement vêtu, avaient remporté plus de sièges musulmans que nous. C'est irritant mais c'est la réalité, et nous devons l'accepter.

« La question se pose, naturellement : que faire à présent ? Certains d'entre nous pensent qu'il ne nous reste plus qu'à nous retirer pour bouder sous notre tente. Je suis incapable de me prescrire une pilule si amère. Nous nous sommes portés candidats aux élections en quête du pouvoir, et, ce pouvoir, nous devons continuer à le rechercher si nous voulons justifier l'existence de notre parti. Plusieurs routes s'offrent à nous ; à mon avis, il nous faut d'abord essayer la plus évidente. Nous devons demander à nous allier aux Kauravas dans un gouvernement de coalition, au moins dans la province où nous avons assez bien réussi pour prétendre à le faire. »

Autour de lui les grands de l'islam hochent la tête, certains avec vigueur, d'autres avec un scepticisme manifeste. Laissons les projecteurs s'éteindre sur leurs chefs branlants passés au henné et reportons notre attention,

Ganapathi, sur nos amis kauravas, qui, eux aussi, ont émergé de notre tableau et conversent avec animation.

« Mais pourquoi le ferions-nous ? » La voix est celle de Dhritarashtra. « Nous avons une majorité absolue dans la province du Nord, nous n'avons besoin de coalition avec personne, encore moins le petit groupe de nullités bigotes gonflées par Karna.

– Du point de vue tactique, dit une voix tranquille, et pardonnez-moi d'intervenir, gentlemen, puisque je ne peux en effet appartenir à votre parti (il s'agit, bien entendu, de Vidur, le fonctionnaire), ce serait une sage mesure. Les Britanniques seront surpris par une coalition des deux plus puissantes forces politiques opposées du pays. » Et il gâte son argument de bureaucrate en ajoutant : « Mais vous, cela va de soi, vous avez un choix politique à faire.

– Précisément, dit le suave Mohammed Rafi, un Kaurava de la province du Nord, et un musulman au pedigree aristocratique aussi impeccable que son *sherwani* merveilleusement coupé. Nous avons un choix politique à faire et, avec tout le respect dû à Vidur-*bhai*, il ne peut pas voir les choses de la même manière. Si nous entrons dans une coalition avec le Groupe musulman, que vont dire les musulmans kauravas tels que moi à nos électeurs quand ceux-ci nous demanderont d'expliquer nos soupers avec le diable que nous venons de dénoncer ? Nous avons déclaré que le Parti kaurava était le seul vrai parti national, que nous représentions tous les groupes et intérêts, y compris ceux des musulmans. Ayant été élus sur la foi de ces déclarations, comment pouvez-vous nous demander de céder les portefeuilles que les musulmans kauravas pourraient espérer à ceux mêmes qui soutiennent que nous ne représentons pas les musulmans ? Si le Parti kaurava écarte nos prétentions avec autant de légèreté pour de simples considérations tactiques, il confirmera l'argument du Groupe musulman selon lequel nous sommes les hommes de paille des hindous, sans aucun pouvoir réel à l'intérieur du parti. Non, je suis d'accord avec Dhritarashtra. Faisons passer les principes avant la stratégie, mes amis. »

Cela est sans doute très nouveau pour Dhritarashtra, dont le discours a été un peu élastique sur les principes, mais il acquiesce vigoureusement. La discussion continue et il est clair que Mohammed Rafi a fait une intervention efficace.

« Nous ne devons pas, en effet, concède un des sages du parti, gagner la coopération du groupe de Karna en perdant la confiance de nos camarades musulmans.

– Bravo, bravo, murmurent certains.

– Très juste, V.V. », leur font écho d'autres.

Gangaji clôt enfin le débat : « Il n'y aura pas de coalition », annonce-t-il d'une voix fatiguée de réconcilier.

Le projecteur se déplace pour le baisser de rideau :

« Les salauds ! » La voix de Karna semble de velours, mais impossible de ne pas en remarquer le fer sous-jacent. « Eh bien, messieurs, ce chapitre est clos. Je vous ai dit qu'il existait d'autres routes vers le pouvoir : nous allons maintenant nous attacher à en ouvrir quelques-unes. En ce qui concerne les Kauravas, gentlemen, c'est la guerre. »

58

La guerre, la guerre de Pandu, la guerre qui succéda à celle qui devait « mettre fin à toutes les guerres », éclata en Europe et, tandis que les bombes allemandes dégringolaient sur la Pologne, le souffle de l'explosion nous secouait en Inde.

« Eh bien, quelle est donc la procédure, sir Richard ? s'enquit le vice-roi lors de son entretien quotidien avec son joufflu de secrétaire privé principal. On se met en queue de morue et on fait une proclamation sur les marches du palais ou bien le règlement prescrit-il autre chose ?

– Nous n'avons pas beaucoup de précédents concernant une déclaration de guerre, Excellence, avoua son assistant. Je pourrais demander à un de nos hommes de faire des recherches, mais j'imagine que vous saurez improviser votre manœuvre à mesure.

– Qu'a-t-on fait la dernière fois ? dit le vice-roi, tripotant négligemment le mini-lingam du treizième siècle qui lui servait de presse-papier.

– La dernière fois ? Vous voulez dire la cinquième guerre afghane ou bien la dix-septième campagne contre les Waziris ? Je pense que nous nous sommes moins préoccupés de protocole que de poudre... Dans la tradition anglo-indienne, quand on voulait déclarer la guerre, on avait tendance à le faire avec un canon. A moins qu'on n'eût pas vraiment en tête une guerre, mais une sorte de pique-nique prolongé, comme sir Francis Younghusband, qui partit un beau matin avec cinq chevaux et une bour-riche de Noël et revint ayant annexé le Tibet. Exploit plutôt embarrassant à l'époque car personne ne voulait du Tibet, mais sir Francis haussa les épaules en expliquant que lorsqu'il était entré à cheval dans Lhassa, les sei-gneurs de la guerre locaux étaient venus se rendre : il n'avait pas eu d'autre choix que d'accepter leur hommage.

– Sir Richard (le vice-roi sourit aimablement, sa main abandonnant le lingam pour une dague incrustée de joyaux provenant de la collection du maharadjah Ranjit Singh et utilisée à présent pour ouvrir le courrier confi-dentiel plutôt que trancher les gorges), je ne parle pas de ces guerres-là, bien entendu. Mais de la dernière en Europe à laquelle nous ayons été mêlés. La Grande Guerre.

– Ah ! » Le secrétaire principal réfléchit une seconde. « Je crois qu'on a été informé en Inde quelques semaines après son début sur le Vieux Continent. Et, à ce moment-là, une déclaration officielle ne se justifiait plus guère. A vrai dire, la Grande Guerre n'a jamais beaucoup affecté cette partie du monde. Excepté les soldats indiens que nous avons envoyés se battre en France et en Mésopotamie.

– Celle-ci le pourrait, sir Richard. Affecter cette partie du monde. Les Japonais sont alliés aux Allemands et pourraient attaquer nos possessions en Extrême-Orient : l'Inde est encore loin de leur atteinte, mais les distances ont une importance bien moindre qu'il y a vingt-cinq ans. Non, cette fois, une déclaration de guerre en Inde risque d'avoir une véritable signification pour ce pays et son peuple. L'Inde pourrait avoir à se battre pour assurer sa liberté.

– Je ne suis pas certain que nos amis kauravas voient les choses de cet œil. » Sir Richard eut un sourire dépourvu d'humour. « Mr Datta et ses compagnons en *khadi* semblent penser que c'est ce qu'ils font déjà, avec nous du mauvais côté de la barrière.

– Juste. » Le vice-roi hocha la tête. « Mais je crois qu'ils feront la différence entre les deux sortes de combats. Le Mahaguru et ses amis "se battent" – si le mot convient à leur agitation non violente – pour, selon l'expression célèbre, obtenir les mêmes droits que les Anglais. C'est la démocratie qu'ils veulent. Je ne pense pas qu'ils voient dans les nazis un modèle de *swaraj*, à part les marginaux de la AA, et nous pouvons mettre très vite ce groupe-là sous les verrous. N'oubliez pas que Ganga Datta était de notre côté la dernière fois, et très activement d'ailleurs : l'Association des ambulances de Hastinapur, n'est-ce pas ?

– Je n'ai pas oublié, Excellence, grommela sir Richard, qui avait tendance à considérer Hastinapur comme son bien personnel. Mais pas mal d'eau et un peu de sang ont coulé sous le pont depuis. J'ai fait une petite étude sur Mr Ganga Datta ces dernières années et je ne suis pas convaincu une seconde par son pacifisme pacifiant. Aujourd'hui, le saint Mahaguru est tout aussi opposé aux intérêts britanniques que son collègue végétarien à Berlin. »

Le vice-roi reposa la dague et lança à son conseiller principal un regard aigu.

« Je crois que vous faites montre là de vos préjugés, sir Richard, dit-il calmement. Le grand saint homme non violent de l'Inde prêter moralement main-forte aux sections d'assaut nazies ? Non, je pense que Ganga Datta et la majorité des Kauravas, Dhritarashtra et ses amis socialistes à coup sûr, seront très heureux de s'associer à une déclaration de guerre contre l'Allemagne nazie. Ils ont assez critiqué les nazis dans leurs interventions publiques sur les problèmes internationaux. La question est : comment procéder ? Il est assez facile de déclarer la guerre, mais, euh, les consultons-nous d'abord, et de quelle façon ? Nous n'avions pas à nous préoccuper de ministres indiens élus à l'époque. Maintenant oui.

– Je ne vois pas en quoi ça les regarde, lança sir Richard, vaincu et l'œil mauvais.

– Allons, allons, sir Richard. Nous nous proposons de déclarer la guerre au nom de l'Inde et nous pensons que ça ne regarde pas les dirigeants indiens ?

– Précisément, Excellence. » Les yeux de sir Richard s'embrasèrent au-dessus de ses joues empourprées. « Vous, le vice-roi des Indes, déclarerez la guerre au nom de Sa Majesté le roi-empereur, dont vous êtes le représentant dans ce pays, contre ceux qui sont ses ennemis. L'Inde n'entre dans le tableau que parce qu'elle est une des possessions du roi-empereur. Elle n'a aucune querelle avec Herr Hitler et ses amis. Je sais que vous ne partagez pas mon sentiment que Ganga Datta et les siens soutiendraient Attila le Hun si ça devait les aider à bouter le Raj hors de Delhi, mais, toute confiance politique en les Indiens mise à part, la seule raison pour l'Inde de déclarer la guerre à l'Allemagne est le fait qu'elle soit gouvernée par l'Angleterre. L'Angleterre est en guerre avec l'Allemagne. L'Inde britannique se doit de suivre. Les Indiens administrent leurs provinces – de toute manière, sous la supervision de gouverneurs britanniques nommés par la Couronne – n'ont rien à faire avec tout cela. La Défense n'est même pas de leur ressort, mais du nôtre. » Il leva un sourcil à l'adresse du représentant de son souverain. « *Quod erat demonstrandum,* Votre Excellence.

– *Nec scire fas est omnia,* riposta le vice-roi. Néanmoins, pourquoi ne pas les consulter tout de même ? Ça devrait remonter le moral de ces têtes d'enterrement qui règnent dans les bureaux du Parti kaurava.

– Raison de plus pour ne pas le faire, sir. » Le premier secrétaire privé prit un ton emphatique : « Ils sont déjà suffisamment insupportables. Pourquoi leur donner la satisfaction supplémentaire d'être consultés alors que *notre* nation est attaquée, *nos* foyers sont menacés, *nos* armées et *notre* aviation sous le feu ennemi ? Personnellement, sir, je trouverais humiliant d'avoir à quémander le consentement de la bande des pagnes avant de déclarer ici les sujets de Sa Majesté en état de guerre. A mon avis, cela n'est ni politiquement opportun ni constitutionnellement nécessaire.

– Peut-être n'avez-vous pas tort sur ce point, admit le vice-roi, se frottant le menton d'un air pensif.

– Sauf votre respect, sir. Et songez quelle propagande les Kauravas en tireraient. Le tout-puissant vice-roi obligé de les consulter avant de pouvoir déclarer la guerre à un État européen ! Ce serait désastreux pour notre crédibilité auprès de l'homme de la rue, Excellence.

– Hum, je pense que vous pourriez avoir raison là-dessus, sir Richard. Simplement, je crains qu'ils ne le prennent pas très bien. Et la dernière chose qu'il me faille sur les bras au commencement d'une guerre, c'est une nouvelle série de convulsions politiques.

– Ne vous inquiétez de rien, sir. Comme le dit Virgile : *Experto credite !*

– J'espère que vous avez raison, sir Richard. Ainsi que nous le rappelle Horace : *Nescit vox missa reverti !* »

Horace avait raison, bien entendu – les mots une fois publiés ne peuvent pas être repris. Quand la déclaration de guerre eut été faite sans le moindre semblant de consultation des ministres kauravas élus, les partisans du Mahaguru démissionnèrent en bloc de leurs postes. Un fonctionnaire nommé n'avait aucune autorité, annoncèrent-ils, pour déclarer la guerre au nom d'une nation dont les représentants élus n'avaient pas été consultés. Le Parti kaurava, ajouta Dhritarashtra, aurait pu songer à accepter une demande de se joindre au vice-roi dans une déclaration de guerre, moins par désir de venir à l'aide de la Grande-Bretagne que pour manifester sa répugnance à l'égard du fascisme international. Mais le grossier dédain affiché par les autorités coloniales envers la légitimité du processus démocratique – un processus, fit remarquer Dhritarashtra, auquel la Grande-Bretagne prétendait attacher tant d'importance et pour la défense duquel elle était censée se battre – avait rendu une telle acceptation impossible. Dans ces circonstances, le Parti kaurava ne pouvait continuer à participer au gouvernement et appelait tous les Indiens à refuser de collaborer à l'effort de guerre.

Vidur tenta de déconseiller à ses parents et compatriotes une action si précipitée :

« N'hésitez pas à faire connaître votre opinion, mais, pour l'amour du Ciel, ne démissionnez pas, supplia-t-il son demi-frère aveugle.

– Tu ne comprends rien à la politique, Vidur, répliqua Dhritarashtra.

– Peut-être, mais je m'y connais en administration, rétorqua mon plus jeune fils. Et une des premières règles de l'Administration, c'est de ne pas céder sa place assise tant qu'on ne sait pas ce qu'il y a comme places debout. »

Mais ils ne l'écoutèrent pas, Ganapathi. Un paquet de lettres de démission identiques furent télégraphiées à Delhi. Comme toujours, une institution gouvernementale ne manqua pas de tirer profit de la crise politique : l'Office des postes.

Des annonces d'orage plissaient le front du vice-roi, le lendemain matin, mais sir Richard persista à n'y voir que du beau temps.

« Sacrée veine, ceci ! si vous me pardonnez l'expression, Excellence, dit-il rayonnant, les bajoues tremblant de satisfaction. D'un coup, ou plutôt sans un seul, nous avons rabaissé leur caquet aux *dhoti-wallah* tout en écartant de postes vitaux un bon nombre de dangereux fauteurs de troubles. Imaginez des Kauravas séditieux et anticolonialistes contrôlant les ministères de l'Équipement, du Ravitaillement, de l'Énergie dans les provinces principales en temps de guerre et de danger national – on risquait le désastre.

– Vraiment ? » Le front vice-royal parut s'éclairer un peu.

« Au lieu de quoi, enchaîna le premier secrétaire privé, nous allons prendre en main nous-mêmes ces ministères avec des fonctionnaires éprouvés, ou même, ajouta-t-il, ravi par son astucieuse idée, placer les membres de partis minoritaires à ces postes. Ils nous en seront redevables et, puisque les Kauravas ont renoncé à leurs responsabilités, on ne pourra pas nous blâmer de nous tourner vers d'autres Indiens élus pour faire leur travail, n'est-ce pas ? Cela affaiblira alors la base de soutien des Kauravas parce qu'ils n'auront plus d'avantages à accorder, plus de boulots pour les copains, plus d'occasions pour manipuler les leviers du pouvoir. Et nous aurons donc en face de nous, après la guerre, un parti nationaliste plus faible. Oh, oui, Excellence, je prévois d'excellents résultats à votre excellente décision de ne pas consulter les Kauravas. »

Le vice-roi ne releva pas les dernières insinuations de son conseiller. Il n'était pas encore très sûr de vouloir revendiquer la paternité de sa déclaration unilatérale.

« J'espère que Whitehall verra les choses du même œil, sir Richard, répliqua-t-il, tripotant distraitement le lingam, puis retirant brusquement sa main comme brûlée par le symbolisme procréatif de l'objet. Et je suis sûr que vous rédigerez une note appropriée sur cette affaire de façon qu'il en soit ainsi. »

59

Il la rédigea ; et Whitehall approuva ; et, au fil des événements, il apparut que Virgile aussi avait raison et qu'il était judicieux de faire confiance à l'homme d'expérience. Car les Kauravas restèrent chez eux tandis que les assemblées provinciales siégeaient sans eux, n'ayant ni l'avantage d'être au pouvoir dans le pays, ni celui de conduire comme Pandu une glorieuse croisade en exil. En temps voulu, d'autres partis et alliances firent valoir leurs droits à former des ministères dans certaines provinces et, lorsque cela leur convenait, les Anglais acceptèrent ces demandes. Le Groupe musulman de Mohammed Ali Karna, qui n'avait réussi à remporter la majorité dans aucune province, forma des gouvernements minoritaires dans trois d'entre elles où les ministres kauravas avaient démissionné. Il entreprit d'augmenter ses rangs de manière systématique par tous les moyens à sa disposition. On prêtait à Karna ces mots : « Nous gagnerons le cœur et l'âme des gens, quoi qu'il nous en coûte. »

Contrecarré, frustré, exclu, le Parti kaurava s'irrita d'une quarantaine qu'il s'était infligée lui-même. Alors, dans une tentative désespérée et peu réfléchie de regagner la vedette politique, il se réunit sous la présidence de Gangaji et proclama une nouvelle campagne de désobéissance civile. Le message aux Britanniques était simple et clair : « Quittez l'Inde ! »

O Ganapathi, comme ces deux mots captivèrent l'imagination du pays ! Le nouveau slogan fut bientôt sur tous les murs : écrit à la craie, gribouillé, peint sur des panneaux indicateurs, sur des voies de garage, sur des affiches de cinéma. Les petits vendeurs de journaux l'ajoutèrent *sotto voce* à leurs cris : « *Times of India,* quittez l'Inde ! *Times of India, quit India !* » Le refrain magique fut repris par des foules chantantes d'étudiants, d'employés de bureau, de membres de partis politiques, orchestré par le Parti kaurava et ses boute-en-train vociférants : « Quittez – l'Inde ! Quittez ! L'Inde. Quittez ? L'Inde ! » Les mots martelaient une retraite aux oreilles britanniques : ils étaient les battements de cœur d'un réveil national, les roulements de tambour d'un peuple en marche.

Cela dura vingt-quatre heures. Oh, il y eut peut-être une résistance sporadique un peu plus longue dans quelques endroits, mais le mouvement organisé pour obliger les Anglais à quitter l'Inde fut étouffé en moins d'un jour après sa proclamation. Le Raj surveillait les Kauravas de près, de très près. On arrêta les principaux meneurs dans les heures qui suivirent l'appel, mettant même, dans un cas notoire, la main au collet d'un retardataire, membre du comité directeur, au moment où il sortait de la salle de réunion. (Si tu veux savoir, Ganapathi, j'étais allé au petit coin au moment où les autres se séparaient.) Dès l'après-midi du lendemain, les organisateurs de base, les types qui faisaient sortir les foules dans la rue, qui leur disaient où aller et orchestraient leurs slogans, étaient derrière les barreaux. Tout fut terminé avant d'avoir commencé.

Du moins en ce qui concerne la campagne de non-violence. Car Jayaprakash Drona, tuteur des Pandavas, abandonna ses élèves pour aller mener tout seul sa bataille contre le Raj. Il fit sauter deux ponts et dérailler un train de marchandises avant que le long bras de la justice ne lui tombe en plein sur le paletot. Il fut interné dans les quartiers de haute sécurité et le seul résultat tangible de sa bravade fut que l'éducation de mes cinq petits-fils en souffrit.

60

Ainsi donc, Ganapathi, tandis que Pandu se battait à Berlin et Singapour et que Gangaji et ses adeptes kauravas languissaient en prison, deux individus très différents approchaient un peu plus de leur ambition ultime : barrer le chemin au Mahaguru.

Mohammed Ali Karna, trois gouvernements provinciaux à sa botte et sans rival en sa qualité de personnalité indienne en liberté, rayonnait de cet éclat quasi divin que ses partisans lui avaient conféré. Son nom ne pouvait plus être évoqué en vain par de simples mortels ; on ne l'appelait plus désormais que par le titre honorifique de *Khalifa-e-Masriq*, ou Calife de l'Orient, un surnom qui ignorait – et même reniait gentiment – son anglicité laïque. Et pendant que le Groupe musulman consolidait sa mainmise sur un pouvoir auquel il prenait goût, une section bruyante de ses adhérents commença à réclamer ouvertement la création d'une entité politique nouvelle où ils pourraient gouverner sans conteste, un état taillé dans les régions à majorité musulmane. Cette *utopia* islamique s'appellerait le Karnistan, le Pays taillé à la hache : à la fois un hommage à son fondateur éponyme et un avertissement quant aux intentions politico-physiques de ses partisans. Les jeunes têtes chaudes du parti avaient déjà dessiné un drapeau pour leur État. Il porterait sur un fond vert mahométan une reproduction de la demi-lune qui palpitait sur le front cuivré de leur Calife.

Pourtant, des signes se faisaient jour déjà. Si seulement nous avions su les reconnaître ! Des signes indiquant que Karna, à son zénith, était déjà sur le déclin. Son long visage se mit à pâlir de plus en plus lors des cocktails et réceptions post-crépusculaires destinés à célébrer et renforcer sa prééminence. À mesure que la nuit tombait, Karna se retirait davantage en lui-même, jusqu'à ce qu'il ne reste plus de lui que l'éclat de son signe de naissance sur la pâleur de sa peau. Parfois il se retirait carrément, se glissant hors des salons où ses partisans intimidés se tenaient en petits groupes à distance respectueuse. C'est ainsi que je le trouvai un jour, frissonnant dans un coin sombre de jardin alors que le bourdonnement des conversations envahissait la terrasse, au fond.

« Il se fait tard, n'est-ce pas ? risquai-je, histoire d'entamer la conversation.

– Il fait nuit, Vyas, répliqua Karna.

– Vous n'aimez pas la nuit ? »

Ma question parut ranimer en lui une braise mourante : « Je déteste la nuit, s'écria-t-il avec une brusque véhé-

mence. Je hais la noirceur de la nuit. Même enfant, c'est
le soleil que je désirais ardemment. Le soleil m'envelop-
pant de son éclat, m'embrasant de ses rayons. Quand le
soleil brille là-haut, j'ai chaud, je suis en sécurité. Mais
lorsque descend le crépuscule et que la lumière faiblit, je
sens l'ombre ramper derrière moi. Le froid s'empare de
mes os ; je frissonne. Les démons inconnus des ténèbres
m'empêchent de fermer les yeux, Vyas. Je ne peux dormir
qu'avec la lumière allumée. » Il sembla se reprendre au
prix d'un effort physique. « Mais que le matin vienne, que
les flammes du soleil effleurent mon front et brûlent en
moi l'affreux souvenir de la nuit, et je redeviens moi-
même. » Il secoua la tête comme s'il venait de comprendre à qui il parlait. Les lèvres élégantes se crispèrent,
ironiques. « Bonsoir, Vyas », dit-il avec dérision ; il
inclina la tête et s'éloigna, s'éloigna de la nuit sans étoiles
pour regagner les feux de la gloire qui l'attendaient à
l'intérieur.

Si le Khalifa-e-Masriq constituait une menace croissante contre ce que Gangaji défendait politiquement, un
frêle et amer personnage commençait, à notre insu à tous,
à jeter une ombre également dangereuse sur la personne
du Mahaguru. Amba, la mince princesse aux yeux de
biche dont le régent de Hastinapur avait autrefois si étour-
diment brisé le bonheur nuptial, était prête à exercer sa
vengeance.

Elle n'était plus la souple beauté des amours de Salva.
De longues années d'abandon et de frustration, de quête
vaine d'une aide familiale, royale, voire criminelle afin
de redresser sa situation, avaient altéré ses traits fins et sa
silhouette, qui ne reflétaient plus que la dureté de son
cœur débordant de haine. Oui, Ganapathi, le pli même de
sa bouche traduisait la perversion de son âme. Seuls ses
yeux brûlaient de la détermination corrosive qui avait
éteint toute autre étincelle dans son être.

Depuis des décennies elle n'avait eu qu'une seule obsession : comment se venger de Gangaji. Quand tous ceux
qu'elle approcha, depuis les radjahs hésitants jusqu'aux

tueurs réticents, se furent révélés rétifs ou incapables d'affronter son ennemi mortel, Amba se tourna vers la doxologie divine. Elle médita, pria, organisa une série de rituels ecclésiastiques d'une obscurité et d'une malveillance croissantes. Elle se mit au tantrisme, participant à des séances où le sang et le sperme jaillissaient dans des crânes jaunis, tandis que des acolytes hurlaient leurs invocations frénétiques des pouvoirs de Shakti. Elle pratiqua les privations, assise durant des jours dans des postures mortifiantes, l'esprit concentré seul sur sa clameur de vengeance. Enfin – et elle ignorait dans quel état de conscience ceci se passa, si elle était éveillée ou en train de rêver, ou encore à ce niveau diaphane où toute expérience est intensément, invérifiablement personnelle – une silhouette noire apparut devant elle, debout au-dessus de ses yeux mi-clos, arborant un trident et un air de sagesse infinie.

« Ce que tu désires arrivera, dit une voix éthérée dont les échos lui emplirent l'esprit. Mais sache ceci : à cause du don que lui a conféré son père, Ganga Datta ne quittera ce monde que lorsqu'il ne souhaitera plus y rester. Quand viendra un tel moment, il pourra être détruit – mais seulement par un homme qui ne sera pas fait comme les autres. »

Et la voix s'éteignit, ne laissant que les vibrations de son message dans la tête d'Amba, de sorte que lorsque celle-ci ouvrit les yeux et vit la brume tourbillonner autour d'elle, ce fut comme si elle avait été touchée par l'intangible, possédée par l'ineffable, remplie par une absence.

Elle demeura plusieurs heures dans la même posture, savourant l'expérience par tous les sens, s'abandonnant à la signification de cet instant. Enfin elle comprit, et elle se leva, un but terrible gravé dans sa volonté.

Amba aurait sa vengeance. Mais ce ne serait pas comme Amba, la beauté trahie de Bhumipur, qu'elle l'exercerait.

Dans une petite clinique louche des bas-fonds de Bombay, derrière le quartier où les travestis vantent leurs charmes à des clients en sueur, au-delà des cages d'escalier souillées de bétel que grimpent des couples d'hermaphrodites tortillant des fesses, Amba se dénuda devant un personnage aux dents pointues vêtu d'une blouse blanche douteuse.

Elle s'adressa au chirurgien d'une voix rendue rauque par l'effort :

« Otez-moi ces seins sans lait, docteur, scellez ce ventre en friche. Faites de moi un homme, docteur. Un homme qui ne sera pas fait comme les autres. »

61

La guerre était finie. La destruction, les bombardements, les pilonnages de fusées, les morts lentes sur les champs de bataille, tout cela se termina avec une balle dans un bunker de Berlin et un millier de soleils explosant au-dessus du Japon. Mais en Inde, Ganapathi, la violence ne faisait que commencer.

Il était clair que cette victoire allait coûter à l'Angleterre autant qu'une défaite. Le vieil empire avait été mis à genoux par son effort d'autoconservation, tel un propriétaire paralysé par sa résistance réussie contre un cambrioleur. A l'heure de la victoire, comme il partageait son triomphe avec ses alliés, le Premier ministre, symbole de l'indomptable volonté de John Bull, était déboulonné par un électorat qui voulait des œufs plutôt qu'un empire et préférait le gaz et l'électricité à la gloire impériale. A l'arrivée des travaillistes au pouvoir il apparut évident, même aux membres myopes de la Société pour la préservation des liens impériaux, et de sa rivale marginalement plus progressiste, la Société pour la promotion du nationalisme anglophile, que les jours du Raj étaient comptés. Fatiguée par la guerre, l'Angleterre n'avait plus aucune envie d'un conflit colonial. L'emprise de Sa Majesté sur les rênes de son empire des Indes s'était désormais considérablement affaiblie.

Libérés de leur emprisonnement désastreux, les dirigeants du Parti kaurava clignèrent des yeux devant le soleil d'une réalité nouvelle. Ils découvrirent une nation dont le nationalisme avait été laissé trop longtemps sans direction et une organisation rivale bien plus forte qu'elle ne l'avait jamais été, désormais au fait de la pratique du pouvoir et exerçant des muscles développés pendant que ceux des Kauravas s'atrophiaient en prison. Soudain, les enjeux de l'Indépendance devinrent une course de deux chevaux, les bêtes visant des poteaux d'arrivée différents.

On organisa des élections : la manière démocratique de se sortir d'un dilemme. Les Kauravas obtinrent de bons résultats, mais pas aussi bons qu'autrefois. Impossible de rattraper en six semaines de campagne énergique six ans d'absence. Les hommes du Mahaguru conquirent néanmoins une majorité de provinces, mais le Groupe musulman remporta haut la main tous les sièges musulmans. Dans toutes les provinces, sauf une, où leurs coreligionnaires étaient en majorité, ils s'emparèrent triomphalement du gouvernement... et exigèrent la séparation.

A l'heure du crépuscule, le Raj comprit ce qu'il avait fait. *Divide et impera* avait trop bien fonctionné. Un système destiné à maintenir l'intégrité des Indes britanniques avait rendu impossible le maintien de cette intégrité sans l'Angleterre

Dans un geste maladroit au point de passer pour un acte d'expiation, le Raj donna bêtement aux factions ennemies une dernière chance d'unité. Il décida de poursuivre les traîtres de Pandu, les soldats qui avaient échangé leurs galons britanniques pour la swastika de la Swantantra Sena. Pandu lui-même avait disparu, bien qu'il y eût encore des fanatiques endurcis pour affirmer qu'il n'était pas mort dans l'accident d'avion et qu'il se cachait sur une quelconque île tropicale pour resurgir au moment voulu. Comme le Leader suprême n'était pas disponible pour un procès, le Raj dut trouver des boucs émissaires parmi ses lieutenants. Soucieux de paraître impartiaux à l'égard des principales communautés, les Anglais choisirent de mettre trois panduistes sur les bancs des accusés dans l'historique Fort rouge : un hindou, un musulman et un sikh.

Le résultat fut une indignation nationale qui surmonta toutes les divisions. Quels que fussent les défauts et les méfaits des malheureux partisans de Pandu, ils n'avaient pas manqué de loyauté à l'égard de leur mère patrie. Chacun des trois accusés devint le symbole du fier engagement de sa communauté dans la lutte pour l'Indépendance. Ni le Groupe musulman, ni le Parti kaurava n'eurent d'autre choix que de se porter au secours du trio. Pour la première fois dans leur longue carrière, Mohammed Ali Karna et Dhritarashtra acceptèrent de défendre la même cause. Le procès des AA fut la dernière affaire sur laquelle les deux partis réagirent de la même façon. Mort, Pandu les réunit comme il n'aurait pu le faire en vie.

L'occasion fut manquée. La défense des trois patriotes ne fut plus suffisante pour garantir une définition commune du patriotisme. Les avocats rivaux de la même cause se parlaient à peine. Karna perdit tout intérêt lorsqu'il découvrit que son cobaye musulman n'était pas un partisan du Karnistan (en fait, Ganapathi, il devait rester en Inde et mourir ministre). L'agitation dans le pays rendit l'issue du procès hors de propos. Les accusés furent condamnés mais les sentences non exécutées car, au moment où le procès s'acheva, il apparut que la trahison ultime du Raj se perpétrait dans sa propre capitale : Londres, sous le règne travailliste, était résolu à liquider son empire des Indes.

A ce stade-là, Ganapathi, les vautours, sentant sa mort venir, battaient déjà des ailes pour s'assurer des lambeaux du cadavre. Karna fit clairement comprendre qu'il n'avait guère l'intention de se contenter de quelques satrapies provinciales. Il voulait un pays : il voulait le Karnistan. Quand il sembla, un instant, que les Anglais sentimentaux pourraient refuser la mise en pièces d'un dominion si soigneusement bâti, il exhorta ses partisans à l'« action directe ».

Après plusieurs milliers de victimes, de véhicules en feu, de maisons détruites, de magasins pillés, après des flots de sang répandu, chacun, excepté le Mahaguru, commença à penser à l'impensable : la division de la mère patrie.

Gangaji refusa de se résigner à la nouvelle réalité. Il se déplaça en vain d'émeute en émeute, tentant d'éteindre l'incendie avec des phrases raisonnables et émouvantes. Mais la vieille magie avait disparu. Contre l'échelle et l'amplitude du carnage qui balayait le pays, il demeura sans effet. Comme si le Mahaguru et son message n'avaient touché qu'un coin de la conscience nationale, un coin réservé aux vertus les plus hautes et à la mémoire historique, mais sans rapport aucun avec les exigences de la réalité ni les besoins et contraintes du présent.

L'Histoire se courait après elle-même, et elle commençait à s'essouffler.

62

Tandis que le conflit des communautés – les magazines américains et les gazettes britanniques l'appelaient déjà une « guerre civile » – s'étendait dans le pays, le gouvernement britannique décida de précipiter la crise. Et d'abord de précipiter le départ du vice-roi et de nommer un nouveau représentant avec mandat de négocier un transfert du pouvoir en bon ordre.

Le vicomte Drewpad était l'homme qu'il fallait pour faire cadeau d'un royaume. Grand, vif, toujours élégant, il portait avec légèreté son manque de savoir, cultivant un bagou qui impressionnait ceux avec qui il passait moins de cinq minutes, c'est-à-dire pratiquement tout le monde. Son premier atout : chez leurs classes dirigeantes, les Britanniques attachaient plus d'importance à la grandeur qu'à la profondeur. Meilleur atout encore, il était au moins trois fois cousin de la famille royale, dont le patronyme (comme le sien) avait abandonné sa forme allemande durant les événements déplaisants de 1914.

« Sans blague ! Que c'est excitant ! s'exclama Georgina, son épouse, quand, tout en ajustant son col devant l'un des trois miroirs de leur chambre, il lui annonça la nouvelle. N'êtes-vous pas un peu jeune pour gouverner un continent ?

– Je ne le gouvernerai pas, ma chère, je vais simplement en faire cadeau, répliqua son mari en tapotant sa joue d'un peu d'eau de Cologne. Et d'ailleurs je crois qu'on m'a choisi *parce que* je suis jeune. Nous sommes la brigade de la séduction, voyez-vous, avançant au son des cornemuses. On ne peut pas expédier un vieux gâteux qui donnera l'impression que nous quittons l'Inde faute d'avoir la force d'y rester.

– Pourquoi la quittons-nous, alors ?

– Parce que nous n'avons pas la force d'y rester. » Lord Drewpad s'empara d'une petite paire de ciseaux d'argent et égalisa délicatement la moustache noire qui, avec ses sourcils épilés, encadrait un nez aquilin comme les deux barres d'un **I** majuscule. « Mais il y a manière et manière de se retirer. Nous allons le faire avec style.

– Oh, épatant », dit Georgina, qui ajouta, rêveuse : « L'Inde... Vous m'y avez emmenée pour notre lune de miel. »

Lord Drewpad ajusta une manchette et se retourna pour jeter un regard affectueux à sa femme.

« Et je n'ai pas été le seul à vous la faire apprécier, remarqua-t-il. Mais, attention, Georgina, ce genre de choses est à éviter. Nous serons beaucoup plus en vue cette fois, souvenez-vous-en.

– Bertie, vous avez l'esprit mal tourné ! » roucoula Georgina comme une gamine. Au cours des années, elle avait rebondi sur les meilleurs matelas d'Angleterre, avec le consentement amusé de son époux. « "Allons, les couches de l'Orient sont douées", cita-t-elle, coquine.

– Si vous tenez à citer Shakespeare, choisissez *La Mégère apprivoisée*, rétorqua son mari, tout en remettant une boucle rebelle en place. Écoutez, Georgina, nous devons sauver les apparences. En Inde, nous ne serons pas n'importe qui. Nous occuperons une position symbolique.

– Oh, vraiment ? gloussa Georgina. Et qu'allons-nous symboliser ?

– La reddition, répliqua lord Drewpad, reposant son peigne et s'examinant d'un œil critique dans le miroir.

– Oh, ça ne me déplaît nullement de symboliser cela, dit sa femme, s'allongeant langoureusement sur son lit.

– Attention, Georgina, pas de ça ! l'avertit Drewpad, facétieux. Rappelez-vous, le retrait est le grand thème de notre présence. »

Il leva le menton de manière à mieux l'éclairer. La peau rasée était encore douce. Il hocha la tête, approbateur.

« Racontez-moi, chéri, poursuivit son épouse. Qu'est-ce que tout cela veut dire ?

– En bref, des manchettes dans les journaux, des mètres de films d'actualités, le thé avec le saint Mahaguru à Delhi, une escorte de cavaliers en turban et soutaches et une armée de domestiques », répondit lord Drewpad en pratiquant son éblouissant sourire dans le miroir. Mécontent du premier essai, il découvrit de nouveau ses dents, avec plus de succès. « Parfait. Vous disiez ?

– Et le travail ? s'enquit lady Drewpad. Il y en aura beaucoup ?

– Grands dieux, on ne m'envoie pas là-bas pour travailler, Georgina ! grimaça le vice-roi désigné. Il y a beaucoup de fonctionnaires pour ça. On m'envoie là-bas pour donner au Raj une immense et majestueuse fête de départ. Avec de la couleur, de la musique, des lumières et des costumes, et assez de pompe et de solennité pour que les indigènes se souviennent de nous très, très longtemps.

– Est-ce cela que le gouvernement travailliste veut que vous fassiez, Bertie ? » Georgina ne put dissimuler son étonnement.

« Eh bien, pas exactement, admit lord Drewpad, inspectant ses ongles avec soin. J'ai idée qu'ils préféreraient sans doute me voir donner un exemple de modération pour la populace ravagée par les restrictions. Mais, une fois en Inde, ils n'y pourront pas grand-chose. Vous comprenez, le vice-roi ne vit pas aux crochets du contribuable britannique. Les revenus indiens sont considérables et j'ai bien l'intention de nous en faire profiter. »

Lady Drewpad eut un soupir de désir anticipé.

« Tout ça paraît délicieux, murmura-t-elle.

– Hum, fit son époux se concentrant sur sa lime à ongles. Et le fait est que nous rendrons en même temps tout le monde heureux. Le gouvernement ici, parce qu'il veut se débarrasser du problème. Les Anglais en Inde, parce que pour la première fois depuis longtemps ils auront un vice-roi et une vice-reine qui éblouiront les indigènes par un déploiement illimité de gloire impériale. Et les Indiens, parce qu'ils savent qu'à la fin ils récupéreront leur pays.

– Vous êtes sûr que ça ne déplaira pas aux Indiens ? Les fastes et les cérémonies ?

– Déplaire ? Ne soyez pas sotte ! » Lord Drewpad tendit ses doigts, les approuva du chef et rangea la lime à ongles. « Savez-vous, dit-il de ce ton érudit qu'il prenait volontiers pour exprimer ses perles de demi-science, que le mot "cérémonie" nous vient de l'Inde, du sanskrit *karman*, un acte ou un rite religieux ? Ce que nous pratiquerons en Inde n'est ni plus, ni moins que les derniers rites de notre empire indien. » Il pivota sur le talon de sa pantoufle en affichant un sourire éblouissant : trois miroirs lui sourirent en retour. « Que ceci soit mon épitaphe : "Seul parmi ses pairs, il n'hésita pas à faire des cérémonies."

– Ça me paraît merveilleux, ronronna Georgina, ravie. Mais, pour l'instant, avez-vous terminé, chéri ? Voulez-vous éteindre la lumière ? »

Son époux jeta un dernier regard satisfait à son reflet. « Oui, je crois en avoir terminé avec mes exercices pour la journée, dit-il, se permettant un bâillement. Il est temps de se coucher. Bonne nuit, chérie. »

Il éteignit la lampe d'une main parfumée et plongea la pièce dans l'obscurité, tandis qu'à huit mille kilomètres de là, dans le pays qu'il allait gouverner, les flammes de la folie communautaire embrasaient le territoire.

63

La vice-royauté Drewpad fut menée exactement telle qu'elle avait été promise à Georgina : à la lumière des chandeliers et des flashes, sous l'éclat des tiares de diamants et des galons dorés et au son des cornemuses du régiment des fusiliers écossais. Les derniers représentants de Sa Majesté le roi-empereur ne manquaient point de compagnie : neuf cent treize domestiques en livrée écarlate veillaient sur leurs besoins personnels, depuis l'eau parfumée pour le bain jusqu'au blanc de poulet pour les chiens ; cinq cents cavaliers les gardaient ; trois cent soixante-huit jardiniers tondaient et arrosaient leurs pelouses bichonnées (assistés par cinquante adolescents dont le seul travail consistait à courir pour effrayer les corbeaux). Le premier jour dans son nouveau palais, Drewpad, en ceinture de soie drapée avec aiguillettes en or, sa poitrine enrubannée couverte de médailles pour lesquelles il n'avait jamais eu à tirer un coup de feu, son épouse en robe de satin au bras, parcourut majestueusement des kilomètres de couloirs de tapis rouge pour aller prêter son serment de vice-roi au cours d'une cérémonie à peine moins élaborée. Quelques heures après, il s'embarquait avec les dirigeants indiens dans des négociations dont le rythme accéléré devait caractériser son bref passage incandescent.

« Cinq *minutes* ? protesta un Dhritarashtra sidéré, sa canne ratant le seuil, alors qu'on le raccompagnait après sa première rencontre avec le nouveau vice-roi. C'est tout ce qu'il est prêt à écouter ?

– C'est à peu près la durée de sa capacité de concentration, confirma Mohammed Rafi, le dernier choix de Gangaji comme président du Parti kaurava. Quelque chose me dit que nous n'allons pas avoir des temps faciles avec cet homme, ni même du temps tout court.

– Je n'ai pas l'intention de leur donner le loisir de discuter, expliqua le vice-roi à sa vice-reine dans l'intimité relative de leur vaste dressing-room, alors que Georgina se débarrassait peu à peu de joyaux antiques valant plusieurs *lakh* de roupies. (Il avait plus tôt été lui-même méticuleusement déshabillé, de ses épaulettes dorées jusqu'à ses bottes à boucle d'argent, par un séduisant aide de camp. Au cours d'une carrière météorique dans la cavalerie, Drewpad était devenu, selon l'expression américaine, quelque peu *AC/DC* – courant alternatif –, une tendance reflétée dans le choix de ses ADC – aides de camp – et son indulgence à l'égard des frasques de son épouse.) C'est une faute que mes prédécesseurs ont commise : discuter indéfiniment avec ces politiciens indiens dans l'espoir d'arriver à une conclusion quelconque. Une affaire vouée à l'échec, bien entendu.

– Mais si vous ne parlez pas avec eux, comment arriverez-vous jamais à résoudre le problème ? s'enquit lady Drewpad, penchant la tête pour ôter une boucle d'oreille.

– Oh, mais je leur parlerai, répliqua son mari avec désinvolture. Mais je ne les écouterai pas. Tout ce que je veux entendre de vous, leur dirai-je, c'est un oui ou un non. Nous en avons assez de concilier différents plans pour le transfert du pouvoir avec deux groupes qui chipotent sur chaque clause.

– Mais si vous n'arrivez pas à rapprocher les différents partis ?

– Aucune importance, dit lord Drewpad en haussant les épaules. Nous essaierons de charmer ces loustics et de les raisonner, mais, s'ils persistent dans leur entêtement, nous leur dirons d'aller se faire voir. Chérie, remettez donc ceci, voulez-vous ? » Il inclina la tête vers la tiare en diamants qui avait couronné ses boucles blondes. « Je veux vous regarder ainsi un instant. »

Elle sourit, flattée, et se retourna pour lui faire face. Saisie d'une impulsion soudaine, elle laissa glisser son peignoir de soie bleu pâle de ses épaules. Et elle se tint là, Ganapathi, telle que l'Angleterre vint vers nous au commencement : nue, les mains tendues, prête à poser notre couronne sur sa tête.

Drewpad prit ses doigts élégants entre les siens. « Comme j'aimerais te montrer ainsi à l'Inde entière, dit-il. Mon joyau, dans une couronne. »

Elle rit et rejeta sa tête couronnée.

« Ça pourrait les empêcher de parler pendant un bout de temps.

– Et puis ils diraient peut-être ensuite oui. Plusieurs fois. » Drewpad se pencha pour lui baiser les mains. « Tu es une partie essentielle de mes plans, chérie. Il nous faut charmer ces types sans humour de façon à les rendre plus accommodants. Tu es mon arme secrète. »

64

Dans le lointain Hastinapur et une autre chambre, haute de plafond mais bien plus sombre, éclairée d'une petite lampe à pétrole à la flamme jaunâtre tremblante, Gandhari la Lugubre se mourait.

« Est-il arrivé ? » La voix était faible et Priya Duryodhani, penchée sur sa mère, dut se pencher davantage pour l'entendre.

« Pas encore, mère. » Elle regarda du côté du rideau de la porte sans grand espoir : elle aurait entendu le bruit de la canne de son père bien avant qu'il n'apparaisse sur le seuil de leur chambre. « On l'a fait prévenir. Il sera bientôt là. »

Le visage fané parut s'enfoncer un peu plus dans l'oreiller. Je me rappelai alors cette autre nuit, auparavant, quand la fille de Dhritarashtra s'était battue pour venir au monde.

« Ne vous épuisez pas, Gandhari, dis-je doucement. Il a dû être retardé. Vous savez bien ce qui se passe ces jours-ci.

– Ces jours-ci ? » Les lèvres pâles et sèches, soulignées par le bandeau qui cachait les yeux, s'écartèrent légèrement en un sourire amer.

Je me tus. Ç'avait été pareil autrefois. La lumière de la lampe traversa brièvement l'obscurité.

« De l'eau ! » Il y eut une soudaine urgence dans sa voix. Duryodhani tendit le bras vers le pichet de cuivre sur la table de chevet et versa le liquide tiède dans une timbale. Gandhari tenta de se redresser puis renonça. Sa fille interposa une main pour soulever à moitié la tête de Gandhari, tandis que de l'autre elle penchait la timbale vers la bouche desséchée de sa mère. Un peu d'eau dégoulina le long de son menton. « Brave garçon. » Gandhari retint en la serrant très fort la main libre de sa fille. « Mon fils. Tu es tout – tout ce que j'ai eu. » Les mots venaient par secousses, maintenant. « Seule. Toujours seule. Dans... la... nuit. »

Nous ne bougions ni l'un ni l'autre, Duryodhani immobilisée par sa mère, et moi, l'observateur du Destin, incapable de bouger de ma place dans l'ombre au pied du lit. Et dans ce calme je me rendis compte que la nature aussi était calme. Un silence anormal régnait dehors. Les grillons avaient interrompu leur grésillement, les étourneaux ne pépiaient plus dans les arbres, les mille et un sons qui montaient toujours du jardin à ce moment de la journée s'étaient mystérieusement éteints. On aurait dit que la création entière retenait son souffle.

« La nuit ! » cria Gandhari dans un râle. Sa main abandonna celle de Duryodhani et parut se tendre vers le bandeau qui lui cachait les yeux ; mais avant de pouvoir effleurer ce mince linceul de satin, elle retomba sans vie sur sa poitrine.

« Maman ! » sanglota Duryodhani, enfouissant son visage dans les plis des vêtements de Gandhari. Ce fut la seule fois où je la vis pleurer. « Maman, ne me quitte pas, ne me laisse pas seule ! » La timbale lui échappa et tomba avec bruit sur le sol de marbre. Un filet d'eau s'en échappa lentement, dont le ruisselet serpenta vers la porte.

Une canne martela le corridor et s'arrêta. Le rideau s'écarta.

« Ne pleure pas ainsi, mon enfant, dit une voix douce. Vois, tes larmes ont mouillé mes pieds.

– Papa ! » Duryodhani tourna vers son père son visage baigné de pleurs et son cri fut déchirant : « Elle t'attendait !

– Je suis désolé. » Dhritarashtra fit un pas hésitant en avant. « Ne viens-tu donc pas me voir, mon enfant ? »

Un moment le silence persista ; puis un koyal solitaire roucoula dans un arbre dehors et Duryodhani bondit vers son père, qui laissa tomber sa canne pour enlacer sa fille...

Je m'avançai sans bruit vers l'endroit où gisait Gandhari, négligée dans la mort comme dans la vie. Tendrement, dans un geste que je ne m'expliquai pas, je croisai ses mains sur sa poitrine. Puis, ignoré par son mari et sa fille perdus dans leur consolation mutuelle, j'ôtai ce terrible bandeau de sa figure.

Ses yeux étaient grands ouverts.

Gandhari était morte, mais ses pupilles noires dévastées parlaient d'une souffrance et d'une solitude plus grandes que celles que la plupart d'entre nous ont à supporter dans une vie de lumière. Elle avait pourtant raison, Ganapathi. Il y a des réalités qu'il vaut mieux ne pas voir.

Je posai ma main sur son front et très doucement je fermai ses yeux. Puis, pour la dernière fois, je remis le bandeau en place.

« Adieu, Gandhari », dis-je.

Le renoncement
ou le lit de flèches

65

« Gentlemen, annonça le vicomte Drewpad, je vous ai convoqués ici pour vous dire que le gouvernement de Sa Majesté – en d'autres termes, moi – en a assez. »

Il regarda autour de la table les représentants des trois partis choisis par les Britanniques pour négocier : les Kauravas (Dhritarashtra, le bouillonnant Mohammed Rafi et moi-même), les sikhs (le Sardar Khushkismat Singh, dont le stock de plaisanteries sur sa communauté ne rivalisait qu'avec le nombre d'anecdotes que racontaient les gens sur lui) et le Groupe musulman (Karna, un mollah à la barbe passée au henné et un envoyé du Gaga Shah, lui-même déjà parti à l'étranger pour organiser son avenir après l'indépendance). Nous regardâmes tous à notre tour le vice-roi, mais aucun ne parla : avec cet homme superficiel et dédaigneux, même Karna ne trouvait plus ses mots.

« Whitehall a formulé et des missions successives du gouvernement vous ont présenté un certain nombre de plans concernant un possible transfert du pouvoir de la Grande-Bretagne à un gouvernement autonome indien, poursuivit-il. Chacun de ces plans s'est heurté à l'opposition inébranlable de l'un ou l'autre d'entre vous. » Afin d'éviter d'offenser gratuitement par cette observation, il fixa son regard sur le Sardar, qui avait en fait donné son accord à chaque variante proposée jusqu'ici. Mais il aurait

291

pu aussi bien regarder Karna, à qui nous avions tenté de faire toutes les concessions possibles pour le voir à chaque fois se dérober. Divers schémas avaient été ébauchés, regroupant les provinces musulmanes, suggérant des listes d'États réunis dans une confédération assez lâche, imaginant des garanties compliquées des droits des minorités et de représentation communale. Chacun avait échoué sur le roc de l'intransigeance de Karna. A un moment donné, Gangaji, qui n'assistait plus à ces conférences lui-même, disant qu'il préférait nous guider moralement du dehors, suggéra comme prix de l'Inde unifiée que nous offrions tout simplement à Mohammed Ali Karna le poste de Premier ministre du pays tout entier. L'ambition personnelle de Karna jouait un rôle si important dans son attitude politique que l'affaire aurait peut-être pu marcher, mais cette fois ce fut Dhritarashtra qui refusa d'appuyer cette proposition. Drewpad parlait vraiment en notre nom à tous lorsqu'il poursuivit : « Nous ne pouvons pas, avec la meilleure volonté du monde, continuer indéfiniment de la sorte. »

Karna le fusilla du regard.

« Nous ne sommes pas venus ici, vice-roi, pour être sermonnés comme des écoliers indisciplinés, répliqua-t-il sèchement.

– Je n'ai pas terminé. » Drewpad le contempla d'un air aimable. « Je souhaite vous informer aujourd'hui que, pour ma part, j'ai décidé de me laver les mains de vos querelles. Vous vous accordez tous sur un point : en fin de compte, vous voulez le départ des Anglais. Très bien, nous allons procéder sur cette base. Que vous soyez d'accord sur autre chose ou pas, les Anglais se retireront le 15 août 1947. »

Dire que, tous les sept autour de la table, nous sursautâmes d'étonnement peut paraître un cliché, mais, comme la plupart des clichés, c'était vrai. « C'est dans huit mois à peine ! » Karna, comme d'habitude, fut le premier à se remettre.

« Qu'est-ce qui vous a amené à choisir cette date ?

– C'est mon anniversaire de mariage, répliqua innocemment Drewpad.

– C'est absurde ! (Rafi criait.) Vous ne pouvez pas faire ça ! »

Lord Drewpad ramassa ses papiers et repoussa sa chaise. « Ah vraiment, mister Rafi, ne pourrais-je donc point ? »

Et avant même qu'on s'en aperçoive, il avait quitté à grands pas la pièce.

La date limite était impossible. « Laissez-nous, avait écrit Gangaji au prédécesseur de Drewpad quand il avait été emprisonné pour son appel "Quittez l'Inde !", laissez-nous à Dieu ou à l'anarchie. » Ça sonnait bien à l'époque mais, maintenant que les Britanniques semblaient prêts à s'exécuter, nous nous sentions ravagés par la nausée.

Le lendemain, le comité directeur du Parti kaurava se réunit aux pieds du Mahaguru. C'était un de ses jours de silence, à savoir qu'il écoutait sagement nos déclarations, puis griffonnait au dos d'une enveloppe quelques mots que Sarah-*behn* nous lisait à voix haute. « Une fichue manière de présider une réunion, me murmura en aparté Rafi, assis en tailleur à côté de moi. Surtout la plus importante réunion de notre vie. » Mais, bien entendu, Gangaji ne la présidait nullement. Rafi était le président du parti. Pourtant, chacun savait quelle opinion comptait le plus lors de nos conclaves.

« La première chose dont nous devons nous assurer : pense-t-il vraiment ce qu'il dit ? lança quelqu'un.

– D'après ce que j'ai vu de Drewpad, répliqua Dhrita-rashtra avec lassitude et sans la moindre ironie (tu sais combien il parlait toujours par images), il me frappe comme la sorte d'individu qui fait toujours ce qu'il dit.

– Dans ce cas, nous avons le dos au mur, dit Rafi. Tout ce qui reste à faire à Karna et sa bande, c'est s'accrocher obstinément à leur exigence d'un État séparé. Le départ des Britanniques étant fixé à une date donnée, ils savent que tôt ou tard nous serons obligés de céder. »

Il en coûtait à Rafi de dire cela : en qualité de musulman kaurava, il était parmi les opposants les plus farouches à l'exigence d'un Karnistan. Si un État islamique séparé était créé, cela les laisserait, lui et ses coreligionnaires, isolés dans le camp kaurava, des deux côtés de la division communautaire.

Un brouhaha de commentaires suivit, exprimant un large accord avec le président. Gangaji leva la main. Nous gardâmes tous le silence pendant qu'il traçait au crayon des mots de son écriture pointue.

« *Vous ne devrez jamais céder*, lut Sarah-*behn, à la demande de démembrer le pays.*

– Gangaji, nous comprenons ce que vous ressentez, dit Dhritarashtra. Nous avons combattu à vos côtés pour notre liberté durant toutes ces années. Nous nous sommes imprégnés de vos principes et de vos convictions. Vous nous avez amenés au bord de la victoire. » Il se tut puis reprit d'une voix plus douce : « Mais le temps est venu pour nous de soumettre nos principes à l'épreuve de la réalité. Rafi a raison : Karna et ses amis vont s'accrocher. La séparation ou le chaos, diront-ils ; et l'an dernier, le jour de l'action directe, ils nous ont démontré qu'ils pouvaient créer le chaos. Et cela sera bien pire en l'absence des troupes britanniques. Ne vaudrait-il pas mieux souscrire d'avance à – les mots m'étranglent, Gangaji – une partition civilisée, plutôt que résister et risquer de tout détruire ? »

Le Mahaguru avait commencé à écrire avant que Dhritarashtra n'ait terminé.

« *Si vous acceptez de briser le pays, vous me briserez le cœur.*

– Cela brisera beaucoup de cœurs, Gangaji, répliqua tristement son héritier de prédilection. Y compris le mien et tous les nôtres. Mais nous n'aurons peut-être pas le choix.

– *Alors, je dois vous quitter maintenant*, lut Sarah-*behn* d'une voix tremblante. *Je ne peux m'associer à une telle décision. Dieu vous bénisse, mes fils.* »

Le Mahaguru attendit que le dernier mot ait été lu, puis il hocha la tête, sa pomme d'Adam s'agitant comme une boule douloureuse dans sa gorge. Il se leva lentement et, une main sur l'épaule de Sarah-*behn*, quitta la pièce clopin-clopant. Nul n'ouvrit la bouche et nul n'essaya de l'arrêter.

Son départ facilita le reste de la réunion. Des doutes furent exprimés de toutes parts mais nous, qui avions trop longtemps lutté pour la liberté, nous ne voulions pas la ternir au moment où elle se trouvait à notre portée. Mieux valait donner à Karna ce qu'il voulait et construire l'Inde de nos rêves en paix et sans lui.

Ce soir-là, le comité directeur du Parti kaurava résolut à l'unanimité d'accepter en principe la partition du pays. Ce fut la première fois que nous nous prononçâmes contre les souhaits exprimés par Gangaji. Son époque était révolue.

66

Certains ont dit plus tard que nous avions agi à la hâte ; que, dans notre désir de pouvoir, nous avions sacrifié l'intégrité du pays ; que, si nous avions voulu attendre et transiger, la Partition n'aurait jamais eu lieu ; que Karna fut l'homme le plus surpris de l'Inde quand notre résolution fut adoptée parce qu'il n'avait demandé la séparation que pour obtenir l'autonomie et que nous aurions dû le prendre au mot. A tous ces théoriciens, Ganapathi, je dis : c'est de la crotte de bique. Ou son équivalent masculin. Nous nous sommes résignés à la Partition parce que l'entêtement inhumain de Karna et l'indécente précipitation de Drewpad ne nous laissèrent pas le choix.

Bien entendu, il y avait un grand nombre de choses que nous ne savions pas, encore que, rétrospectivement, la horde des historiens fasse comme si nous les avions sues. Nous ignorions que le soleil s'éteignait derrière la peau de plus en plus pâle de Mohammed Ali Karna et que, dans les neuf mois qui suivraient la vivisection de notre pays, la demi-lune s'éclipserait. Nous ne pouvions pas imaginer non plus que la Partition, acceptée comme un moindre mal, aboutirait à un carnage si sanglant que n'importe quoi, y compris le chaos d'un accord d'indépendance mal ficelé, eût été préférable à ce qui suivit.

Pas plus que nous n'aurions soupçonné ce que le processus pratique de la Partition allait entraîner. La nomination, par exemple, d'un géographe politique qui n'avait jamais de sa vie mis les pieds sur aucun des territoires à attribuer soit à l'Inde, soit au nouvel État du Karnistan.

« C'est très facile, annonça l'universitaire binoclard, brandissant une baguette devant une carte à petite échelle. On prend une zone donnée, ici, on vérifie les chiffres du recensement sur la répartition religieuse et on applique les principes fondamentaux de la géographie, choisissant autant que possible pour frontière des traits naturels, en étudiant la hauteur et le relief – vous voyez ces couleurs ici ? –, sans oublier, bien entendu, hé-hé, la position de ces petites lignes minces, qui sont des routes et des rivières, et puis... et puis on dessine sa frontière très, très soigneusement, comme ceci. » Les lèvres pincées en une moue de concentration, il entreprit de tracer, d'une main tremblante, une ligne mince sur la carte. « Ceci, ladies et gentlemen, déclara-t-il, sera la nouvelle frontière entre l'Inde et le Karnistan dans cette région. » Il reposa sa baguette et s'inclina à demi, comme dans l'attente d'applaudissements.

« Félicitations, mister Nichols ! » Un vieux fonctionnaire nommé Basham se leva d'un bond. « Je vis et je travaille dans ce district depuis dix ans et je dois vous tirer mon chapeau. Vous venez de réussir à faire passer votre frontière internationale au beau milieu du marché, à donner les rizières au Karnistan et les entrepôts à l'Inde, la plus grande porcherie de la *zilla* à l'État islamique et la madrasa du Saint Prophète au pays que les musulmans quittent. Oh, et si j'interprète correctement ce gribouillis-là, ajouta-t-il en prenant sa baguette à l'expert bouche bée, l'instituteur aura besoin d'un passeport pour aller au petit coin à la récréation. Bravo, mister Nichols, j'espère que le reste de votre travail se révélera aussi... facile ! »

– Naturellement, bégaya un Nichols rouge cramoisi, étant donné les cir... constances dans lesquelles nous travaillons et les courts dé... délais, des er... erreurs sont possibles.

– Naturellement, compatit le vieux spécialiste de l'Inde.

– Des visites sur le terrain sont hors de question. Simplement impraticables en l'état des choses. Nous n'avons pas d'autre choix que de travailler sur les cartes.

– Que les visites sur le terrain soient hors de question, je le comprends, renchérit Basham. Songez simplement, mister Nichols, que si Robert Clive avait adopté pareille attitude au temps de Plassey, vous n'auriez même pas ce problème, pas vrai ? »

Et pourtant, malgré tout, Ganapathi, cela continua. Le gros petit Nichols traça ses lignes sur ses cartes, et chaque coup de son crayon engendra d'autres lignes, qui ne pouvaient être ordonnées ni effacées, des lignes qui étaient des files d'êtres humains déplacés emmenant leurs familles et leurs animaux loin des seuls foyers qu'ils avaient jamais connus parce qu'ils y étaient soudain devenus des étrangers, des files d'autobus, de chars à bœufs, de camions, de trains, tous chargés d'une humanité désespérée et de ses possessions pathétiques, des files aussi de cruels prédateurs armés de revolvers et de couteaux, s'en prenant aux autres files, des files d'agresseurs fusillant frappant blessant violant tuant pillant, d'agresseurs démolissant d'autres lignes, ces files de réfugiés titubant fuyant saignant pleurant hurlant mourant... A cette époque-là, Ganapathi, ces lignes signifiaient des vies.

67

Il y avait d'autres lignes aussi. Des files de gens du monde éblouissants attendant d'être reçus à l'une des nombreuses soirées et réceptions organisées dans la résidence du vice-roi (« comme s'il voulait dépenser le reste du budget de réception du gouvernement tant qu'il en a un », commenta un cynique). Des files de journalistes et de cameramen agglutinés devant son bureau pour des formules photo express lorsqu'il émergeait après ses rencontres éclairs au sommet avec une succession de dignitaires. Des alignements de soldats raides en uniforme amidonné, épée d'apparat levée pour l'accueillir d'un aéroport à l'autre au cours de ses tournées en coup de vent (« comme s'il voulait tout voir avant qu'on ne lui confisque son avion »). Des files de nawabs et de potentats alliés anxieux de lui soutirer l'assurance qu'ils n'auraient pas à fusionner leurs principautés ni avec la nouvelle démocratie, ni avec la karnocratie naissante (« là, il nous a fait une fleur : il a dit aux princes qu'ils n'obtiendraient pas un pistolet à amorces de la Grande-Bretagne s'ils cherchaient à résister »).

Vidur se révéla enfin. Il occupait un poste important au ministère des États, l'organe du gouvernement en charge des États princiers, et, à la veille du transfert des pouvoirs de l'Angleterre à l'Inde, Drewpad avait besoin d'un Indien pour siéger dans ses conseils supérieurs. Dans un délai très bref – et rappelle-toi qu'un délai très bref était tout ce qu'accordait Drewpad – il devint un des conseillers les plus proches du vice-roi. C'est lui qui rédigeait méticuleusement toute la paperasse qui permettait à Drewpad de faire ses étonnantes déclarations sur tous les sujets, depuis les privilèges princiers jusqu'aux prérogatives constitutionnelles. Et si, à l'occasion, il s'échappait pour informer d'avance Dhritarashtra ou moi-même d'un développement imminent d'une certaine importance pour l'avenir du pays, il n'accomplissait que son plus large devoir – envers la nation plutôt qu'envers le gouvernement. Le résultat fut que l'Inde ne se tira pas trop mal de la division de l'armée et de la division des propriétés gouvernementales. Vidur, comme d'habitude, fit bien son travail.

Ah, Ganapathi, ce fut une grande époque de fierté paternelle pour moi, quand bien même je fus un père non reconnu. Un fils était sur le point d'hériter du premier gouvernement libre de l'Inde, un autre avait connu le martyre dans une pareille tentative et était vénéré dans maints foyers indiens ; et le troisième se tenait aux côtés du vice-roi anglais alors que se déroulaient les derniers préparatifs du retrait colonialiste. Peu de pères, Ganapathi, pouvaient se flatter, comme moi, que l'Histoire fût sortie de leur cuisse.

Mais je préfère créer l'Histoire que la propager. Il y a des moments dans la mienne propre que j'aimerais mieux oublier – et cette terrible année 1947 en fut remplie. Pour la dernière fois, je parcourus les chemins poussiéreux pour voir et apprendre ce qui se passait, et j'en vis trop, Ganapathi, j'en entendis trop. La tuerie, le massacre, le carnage, la simple absurdité de la destruction éteignirent quelque chose en moi. Je ne pus comprendre, Ganapathi, même moi je ne pus comprendre ce qui pousse un homme à trancher le cou de celui qu'il n'a jamais vu, un fils, un mari, un père dont le seul crime est d'adorer un autre dieu. Dis-le-moi, Ganapathi. Qu'est-ce qui pousse un homme à mettre le feu aux maisons, aux animaux et quelquefois aux bébés de ceux à côté desquels il a vécu depuis des générations ? Qu'est-ce qui pousse un homme à déchirer le corsage d'une fille qu'il n'a jamais remarquée, à écarter ses jambes en lui mettant un couteau sous la gorge et à forcer en elle sa haine, son mépris, sa peur et son désir en un affreux jaillissement de possession sanglante ? Quelle folie conduit les hommes à chercher à priver les autres de leur vie à cause de la coupe de leur barbe ou celle de leur prépuce ? Où est-il écrit que seul celui qui porte un nom arabe peut vivre en paix sur cette partie du sol de l'Inde ou que lever sa main vers Dieu cinq fois par jour disqualifie un autre pour labourer un coin du même sol ?

Pourtant, telles furent les présomptions et les actions des hommes ordinaires à cette époque, Ganapathi (je n'ajouterai pas l'obligatoire « et femmes » parce que, pour la plupart, elles ne commirent pas cette folie, elles en furent victimes). Et ceux d'entre nous qui furent témoins de cette folie, qui la virent détruire tout ce pour quoi nous avions vécu et lutté, furent incapables de l'arrêter. Nous essayâmes, chacun à sa manière, là où ce *nous* fut possible, mais elle était trop forte pour nous. Comme Gangaji, nous préférâmes marcher plutôt que pleurer, prêcher et prier plutôt qu'abandonner, désespérés. Mais chaque fois que nous ouvrions les yeux, c'était pour découvrir une nouvelle angoisse, un nouveau désespoir qui pesait sur le tourment déjà intolérable de la souffrance de notre pays.

Si seulement – si seulement nous avions dit non à Drewpad et refusé d'obliger les hommes à fuir ! C'est la fuite qui rend les gens vulnérables, c'est la fuite qui les rend violents ; c'est la perte de ce précieux contact avec son monde et sa terre, l'arrachement aux racines, aux amitiés et aux souvenirs qui crée la dangereuse instabilité d'identité et fait des hommes la proie des autres, de leurs propres peurs et de leurs propres haines. C'est souvent l'être qui a tout perdu qui est aussi la cible la plus commode, car il est sans visage, sans maison, sans lieu, et son manque d'identité invite et semble pardonner l'attaque. Après tout, personne ne pleure un rien du tout.

Mais nous ne pouvons pas blâmer seulement Drewpad. Il avait un travail à faire, et ce travail était de filer, poursuivi par un ours ; si l'ours fut sa propre création plutôt que la cause de son départ, c'était néanmoins un ours, et nous, en qualité de ses gardiens héréditaires, demeurions responsables de ses appétits. Gangaji se désola de la maladie de la nation. A ses yeux la violence à travers le pays était comme un reniement total de ce qu'il avait enseigné. Depuis des années il paraissait sans âge – soudain, il eut l'air vieux.

C'est à ce stade qu'il entreprit cette malheureuse expérience nocturne qui devait susciter tant de controverses inutiles parmi ses biographes. Dans son désespoir, son dégoût devant l'état du pays et le vieillissement qui en résultait, il semblait avoir perdu cette incroyable autonomie physique qui l'avait conduit à grimper les marches du palais de Buckingham en plein hiver anglais vêtu de son seul *dhoti*. Il tremblait maintenant lorsqu'il se levait, il avait besoin de s'appuyer à la fois sur son bâton et Sarah-*behn* ; et, la nuit, il était pris de terribles frissons. Peut-être est-ce ce qui déclencha l'affaire – un vieil homme pris de froid la nuit –, mais Gangaji n'attribua pas un motif aussi simple à la décision qu'un matin, avec une absence d'embarras typique, il annonça à son entourage.

« Beaucoup d'entre vous, dit-il avec cette combinaison de simplicité et de ruse qui n'appartenait qu'à lui, remarqueront un changement dans mes habitudes à partir de ce soir. Sarah-*behn* dormira désormais dans ma chambre et dans mon lit. » Il se tut, apparemment insensible à la consternation que ses paroles avaient suscitée. « Certains d'entre vous se demanderont peut-être : qu'est-il arrivé à ce terrible vœu du vieux Bhishma et aux principes de célibat qu'il nous a prêchés à tous ? N'ayez crainte, mes enfants. Sarah-*behn* est comme une jeune sœur pour moi. Mais je lui ai demandé de se joindre à moi dans une expérience qui sera l'ultime épreuve de ma pratique d'abstinence. Elle couchera nue, avec moi, me bercera dans ses bras, sans que je m'excite. Je prie que cette épreuve m'aide à redécouvrir la force morale et physique qui seule me rendra capable de faire échouer les desseins mauvais de ce Karna. »

Le Mahaguru, à son âge vénérable, un âge auquel les hommes font sauter leurs arrière-petits-enfants sur leurs genoux arthritiques, pensait et parlait de mettre à l'épreuve sa capacité d'excitation ! Cela parut tout bonnement indécent à ses partisans, et l'idée de leur saint homme enveloppé dans les plis confortables de chair rose de la formidable Sarah-*behn* fut plus qu'ils n'en purent supporter. On chuchota et on avança diverses explications. Il n'y eut aucun consensus là-dessus, mais un accord rapide sur un point : il fallait cacher cette affaire à la presse. Un épais rideau d'autocensure s'abattit sur nous tous, couvrant notre propre embarras et la nudité de notre chef.

Mais, inévitablement, la rumeur des dernières expériences de Gangaji en autoperfectionnement se répandit. Et, bien qu'elle n'offrît jamais assez de preuves pour être imprimée, elle suscita bon nombre à la fois de commentaires et de curiosité sincère. C'est animée de ce sentiment, je pense, que l'éminente psychanalyste américaine qui interviewait régulièrement le Mahaguru depuis Budge Budge vint lui demander avec un grand sérieux : « Serait-ce votre impuissance à devenir le Père d'une Inde unie qui vous pousse à rechercher les consolations d'une Mère dans des bras britanniques ? »

68

Dhritarashtra fut le seul à se montrer à la hauteur de la situation. Certes, son handicap lui épargna les pires scènes d'horreur et de dévastation. Pas pour lui, les marches à travers les villages en flammes ; ni le spectacle d'un train chargé de cadavres, entrant en gare avec hommes, femmes et enfants massacrés par ceux-là mêmes qu'ils fuyaient. Au lieu de quoi, Dhritarashtra s'activa dans les comités et les réunions qui avaient pour objet la fin de l'empire et la naissance des nations qui le remplaceraient. Il fréquenta les salles de conférences et les états-majors d'où l'on contrôlait du pays ce qui pouvait encore l'être. Et il forgea avec lady Drewpad un rapport qui, curieusement et fort utilement, ne lui ouvrit que plus grand l'antichambre du vice-roi.

Ils formaient un étrange couple, ces deux-là, la blonde aristocrate et le politicien aveugle, en conversation animée dans la roseraie tandis que le monde culbutait autour d'eux. Parfois, ils se promenaient, et je voyais les rides profondes sur le visage de Dhritarashtra s'adoucir sous l'effet apaisant de ses mots à elle, j'entendais son rire contagieux dissoudre ce pli permanent sur le front de mon fils, je la sentais prendre tendrement sa main pour le conduire dans sa vie le long de chemins inconnus.

Georgina Drewpad, aventurière amateur au renom calomnieux, n'avait peut-être pas les titres les plus irréprochables parmi nos vice-reines, qui, elles aussi, grâce au lit conjugal, se glissèrent surrepticement dans notre histoire, mais elle changea l'Inde et l'Inde la changea. Elle allégea la tension tragique qui aurait pu détruire notre premier Premier ministre et lui rendit la foi et la volonté nécessaires pour assumer le fardeau qui serait bientôt le sien. Et, en dépit du handicap quasi insurmontable d'être mariée à un homme pourvu d'aussi peu de fond que le fleuve Punpun à sec, plus vain qu'un paon priapique en rut et à la peau plus épaisse que celle d'un rhinocéros kaziranga en été, Georgina fit preuve d'une remarquable aptitude à la charité constructive. Avec ou sans Dhritarashtra, elle coordonnait activement les collectes de fonds pour les victimes de la violence, visitait les blessés dans les hôpitaux et faisait la tournée des bidonvilles dans sa jeep officielle pour secourir les femmes dont les maladies dues à Dieu (du choléra au *kalaazar*) avaient été négligées face aux calamités dues à l'homme.

Mais certaines choses, à la fois chez les êtres et dans les lieux, ne changent pas. Aucune femme ayant autant utilisé que Georgina Drewpad la monnaie de l'amour n'aurait pu demeurer indéfiniment insensible à la tentation des devises étrangères. Aucun pays ayant inspiré à l'imagination coloniale des héroïnes comme Adela Quested ou Daphné Manners n'aurait pu refuser sa semence à la plus complaisante de ses vice-reines.

Et c'est ainsi que cela arriva : sur le lit vaste et souple des appartements privés de la vice-reine, entre quatre colonnes de bois de santal odorant, sur des coussins remplis des plumes les plus fines par des doigts colonisés, mon fils aveugle prit possession de tout ce que l'Angleterre avait à lui offrir. Et tandis que la passion et la fraîcheur de leur accouplement, le contact et le retrait de leurs corps, la tendresse et la rage de leurs caresses croissaient jusqu'à l'explosion étourdissante, déchirante, les feux d'artifice crépitèrent en gerbes blanches, safran et vertes

dans l'esprit de Dhritarashtra. Minuit fit place à l'aube.
Il était libre.

69

Ainsi c'était fini, et nous avions gagné. L'Inde avait
conquis la Grande-Bretagne ; les coolies en *khadi* de Gangaji, ses hordes de tisserands avaient triomphé des brigades de galons et d'épaulettes du plus grand empire que le
monde ait connu. Tu ne peux pas imaginer, Ganapathi, tu
ne peux pas imaginer l'excitation, l'exaltation, l'exulta-
tion de cet instant, à minuit, quand furent hissées les trois
couleurs nationalistes et que Dhritarashtra, sa voix brisée
par l'émotion, annonça à la nation dans la plus durable
de ses métaphores visuelles : « Au cœur de la nuit, à
l'heure où le monde dort, l'Inde s'éveille à l'aube de la
liberté. »

Lorsque l'horloge sonna douze coups cette nuit-là, elle
sonna l'espoir dans tous nos cœurs. Les acclamations qui
s'élevèrent des rangs serrés des législateurs de l'Assemblée constituante trouvèrent un écho dans les foules, dans
chaque rue, dans chaque *panchayat*, chaque camion, chaque train. Le genre d'acclamations, Ganapathi, qui saluent
la fin d'une représentation de *Ram-Lila* sur un *maidan*,
quand le démon a été tué et que l'effigie géante de Ravana,
le roi étranger qui a traversé la mer pour usurper et violer
l'innocence de l'Inde, est cérémonieusement mise à feu.
C'est alors qu'on crie une affirmation de triomphe, de
vérité et de téléologie : on applaudit le fait d'avoir su ce
qui devait arriver et on applaudit de voir ainsi confirmée
sa foi dans le monde.

Mais, ce soir-là, un homme n'applaudissait pas. Enfoui
dans son châle blanc, sa lèvre inférieure tendue en une
moue sinistre, ses longs bras ballants, Gangaji était assis
sur le sol glacé d'une pièce sombre. Presque le seul parmi

ses collègues, le Mahaguru ne trouvait aucune raison de se réjouir. Au lieu des cris de joie, Ganapathi, il entendait les cris des femmes éventrées dans la folie meurtrière ; au lieu des slogans triomphants, il entendait les hurlements des agresseurs hystériques brandissant leurs poignards contre des victimes désarmées ; au lieu de l'aube des promesses de Dhritarashtra, il voyait seulement la longue et sombre nuit d'horreur qui divisait son pays en deux. Les guirlandes d'ampoules colorées illuminant toutes les *shamiana* de fête dans Delhi ne purent éclairer cette noirceur, Ganapathi, ni briller aussi fort à ses yeux que les huttes de chaume embrasées des pauvres paysans. Il avait prêché la fraternité, l'amour, la camaraderie dans la lutte, la force de la non-violence et le pouvoir de l'âme courageuse. Et pourtant on aurait dit qu'il n'avait jamais vécu ni prêché un seul mot.

La silhouette décharnée de l'homme se profila devant lui avant d'apparaître sur le seuil. Gangaji leva des yeux sans curiosité vers le personnage à la haute taille disgracieuse.

« Oui ? fit Sarah-*behn*.

– Te souviens-tu de moi ? » demanda le visiteur d'une voix rauque entrecoupée. Quelque chose s'éveilla dans le regard de Gangaji.

« Qui êtes-vous ? » dit Sarah-*behn*.

Le visiteur toussa dans un mouchoir taché de rouge. Il contempla son sang avec étonnement, ses traits banals crispés par la souffrance. « Je m'appelle désormais Shikhandin. Shikhandin le Sans Dieu. Bhishma comprendra. » Les lèvres s'entrouvrirent en un sourire mauvais. « Il m'a connu sous le nom d'Amba, princesse et fiancée. N'est-ce pas, Bhishma ? »

Gangaji, comprenant en effet, le regarda sans rien dire.

« Je suis passé par bien des épreuves pour arriver ici, Bhishma. » La voix était mal assurée et une main soutenait un côté du ventre comme pour empêcher les intestins d'en tomber. « Le boucher qui m'a débarrassé de ma féminité ne m'a guère laissé de temps. Mais certaines

choses sont plus faciles pour un homme. Venir jusqu'ici,
traverser les rues de cette cité en flammes, entrer dans
cette propriété : Amba n'aurait pas pu y réussir. »

Sarah-*behn* contemplait avec une fascination horrifiée
le sinistre personnage à la voix asexuée. Mais elle, comme
les autres gens présents dans la pièce, était et resta incapable de bouger. Et Gangaji, un air de paix ineffable illuminant son visage, continua à regarder l'invraisemblable
apparition.

« Quelle épave tu es, Bhishma ! poursuivit la voix.
Quelle vie tu as menée ! Dégoisant en permanence sur
nos grandes traditions et nos valeurs fondamentales, mais
où est la vieille épouse que tu devrais honorer dans ton
grand gagâge ? Conseillant tout un chacun sur sa vie
sexuelle, mariant les gens, les laissant t'appeler le Père
de la nation, mais où est le fils qui devrait mettre le feu
à ton bûcher funéraire, le fils de tes propres reins ? J'ai
cherché partout, Bhishma, mais je ne l'ai trouvé nulle
part ! » Le visiteur lança un crachat rouge sur le sol. « Tu
me rends malade, Bhishma. Ta vie a été un gaspillage
total, stérile. Tu n'es rien d'autre qu'un vieux morse
impuissant suçant les œufs d'autres reptiles, un vieil abruti
cherchant à se consoler comme un veau avec les pis de
vaches étrangères, un homme qui est moins qu'une
femme. La tragédie que connaît ce pays, elle est née de
toi, comme rien d'autre ne l'a pu après ce serment stupide
dont tu es si pathétiquement fier. Bhishma, ton bûcher a
déjà été allumé dans les flammes qui embrasent ton pays.
Tu as assez vécu ! »

La silhouette tordue se plia de douleur, puis se redressa
dans un effort manifeste de volonté pure. « On dit,
Bhishma, que tu ne mourras que lorsque tu n'auras plus
envie de vivre. » Amba-Shikhandin toussa. « Regarde le
gâchis que tu as fait ! » Une main se tendit pour balayer
d'un geste le monde extérieur. « Tu ne souhaites plus
vivre, pas vrai ? »

Gangaji fixa droit dans les yeux sa némésis et lentement, avec lassitude mais sans émotion, secoua la tête.

« C'est ce que je pensais. » La main revint en direction de Gangaji. Elle tenait un revolver.

Sarah-*behn* hurla.

Trois balles se succédèrent. Le hurlement ne s'arrêta pas : il fut renforcé par d'autres cris, qui se muèrent en sanglots et gémissements. Un instant, tous les occupants de la pièce parurent cloués sur place par le choc et il sembla que les seuls mouvements fussent ceux des vagues de chagrin des femmes hurlantes. Puis tout le monde se précipita en avant. Sarah-*behn* se jeta sur Gangaji. Deux ou trois des disciples mâles s'emparèrent de Shikhandin, qui n'opposa aucune résistance. L'assassin s'appuya sur ses gardiens comme une jeune mariée hésitant à quitter la maison de son père, mais il y avait du défi dans sa faiblesse et ses bras plaqués dans le dos. Shikhandin contempla avec une satisfaction amère le Mahaguru écroulé en tas sur le sol, perdant la vie par ses blessures.

« Gangaji ! » C'était Sarah-*behn*, hors d'elle et près de lui, folle de douleur et tentant de le cacher. « Ne vous inquiétez pas. Les médecins arrivent. Tout ira bien. »

Le Mahaguru sourit avec effort, comme pour relever l'absurdité d'un tel propos.

Ou du moins je l'imagine : c'est ainsi qu'on m'a raconté l'histoire. Car je n'étais pas là, Ganapathi. Moi qui avais partagé tant d'heures de veille avec Gangaji, moi qui avais péniblement arpenté à ses côtés les champs d'indigo du Motihari et les plantations de manguiers autour de Chaurasta, je ne pus être auprès de lui au moment où il gisait mortellement blessé parmi ses disciples.

J'ai eu des cauchemars depuis ce jour-là, et dans mes cauchemars le Mahaguru tombe, percé non par des balles mais par des flèches, des flèches pointues qui pénètrent au plus profond de son corps et de son être. « Que Ganga Datta ait une mort digne de sa vie ! » dit une voix éthérée, la sienne peut-être, puis une centaine de mains se tendent pour soulever le Mahaguru et le porter doucement jusqu'à son lit de mort. Et ce lit est fait de cent flèches, toutes fichées fermement dans le sol de pierre, leurs pointes triangulaires incrustées dans le dos de Gangaji, dont le sang se déverse de chacune en un flot écarlate se mêlant et se confondant avec le filet plus sombre produit par l'arme de l'assassin, jusqu'à ce qu'il devienne impossible de dire de quoi il meurt, de la blessure infligée par son meurtrier ou des incisions permanentes du lit de flèches sur lequel il repose, le seul lit qu'une nation déchirée, déchiquetée, pouvait offrir à son saint le plus vénéré.

Dans l'horreur impuissante de mon cauchemar, incapable de remuer un bras, bouger le petit doigt, élever la voix pour changer ce qui se passe, je regarde sa vie l'abandonner. Pourtant Gangaji ne paraît pas au supplice. Il supporte son empalement fatal avec calme, comme un autre défenseur de la justice et de la paix accepta la catharsis de la crucifixion. Et quand il réclame ce dernier verre d'eau, l'ultime prérogative ici-bas de l'hindou qui va mourir, un magnifique jeune homme s'avance pour tirer une flèche au chevet du Mahaguru. La flèche s'échappe de son arc comme libérée d'une intolérable tension, traverse l'air et vient se ficher, tremblante, dans le sol.

De cet endroit, Ganapathi, jaillit la meilleure et la pire de toute l'eau des Indes, ses gouttes de cristal brillant de l'éclat de l'amour, de la vérité et de l'espoir, son flot sali par les déchets et la tripaille que l'on jette même dans nos fleuves les plus sacrés. Cette eau jaillit près de Gangaji, elle baigne, apaise et enflamme ses blessures, puis retombe en filets rafraîchissants sur ses lèvres entrouvertes.

Tandis que Gangaji boit, mon cauchemar se confond avec un souvenir authentique et le Mahaguru revient dans les bras de sa sœur écossaise sanglotant sur cet impitoyable sol glacé, tandis que les balles de Shikhandin le saignent à mort.

« Soif », dit-il d'une voix très faible.

Un gamin lui apporta un gobelet. « Je suis Arjun, le fils de Pandu, dit-il doucement. J'arrivais juste quand j'ai entendu les coups de feu. Regardez, je vous ai apporté de l'eau. De l'eau pure du Ganga, de Hastinapur. Buvez-la, s'il vous plaît. »

Posant en manière de bénédiction une main frêle sur la tête du garçon, Ganga Datta, le Mahaguru, se pencha avec reconnaissance pour boire une gorgée. Il tourna alors ses grands yeux bovins remplis d'une tristesse infinie vers sa fidèle compagne.

« J'ai... j'ai... échoué », chuchota-t-il.

Puis il mourut, et la lumière, comme devait le dire Dhritarashtra, s'éteignit dans nos vies.

70

Pas de nécrologie, Ganapathi. Tu n'en tireras aucune de moi. Quiconque en manque de panégyrique peut aller consulter une bibliothèque locale – « les générations à venir auront peine à croire qu'un être tel que celui-ci exista en chair et en os sur cette terre » (Einstein) ; « le plus noble de tous les Romains » (sir Richard) ; « une grande perte pour la communauté hindoue » (Mohammed Ali Karna). Ce que je ressens au sujet de Gangaji ne peut pas se traduire en mots et, en un sens, tout ce que je t'ai raconté, et tout ce que nous vivons aujourd'hui, c'est l'oraison funèbre du Mahaguru.

Pas de questions non plus. Je ne demanderai pas si Amba-Shikhadin fut la véritable responsable de la mort du Mahaguru ou si ce fut l'Inde, collectivement, qui tua Gangaji en se déchirant elle-même. Pas plus que je ne te demanderai, Ganapathi, de réfléchir sur le fait que Ganga Datta fut peut-être la victime d'un désir irrésistible de mourir, le désir de mettre un terme à une vie qu'il considérait comme n'ayant servi à rien, un désir enfoui sous la passion qui l'avait poussé, tant d'années auparavant, à créer et nourrir son propre bourreau.

Pas de questions, Ganapathi, parce que je n'ai pas de réponses. Et les tiennes, comme celles des autres, seraient aussi hors de propos que les cauchemars d'un vieil homme.

Mais il y a une anecdote que je dois mentionner pour ta gouverne, même si personnellement je n'y crois pas une seule seconde.

On raconte, autour des feux sur lesquels les habitants des villages de ce qui fut autrefois Hastinapur se réchauffent les mains les soirs d'hiver, qu'au chevet de Gangaji étendu sur son lit de mort, enveloppé comme dans la vie de son drap blanc, un homme grand de taille, une demi-lune brillant sur son front, s'approcha et s'assit.

Oui, Ganapathi, Karna.

Et Karna parla, demandant à voix basse, avec insistance, le pardon et la bénédiction du Mahaguru. Oui, sa bénédiction, car ne comprenait-il pas, le Mahaguru, que lui, Karna, n'avait agi comme il l'avait fait que pour accomplir son propre *karma* ? Pouvait-on blâmer un homme de trop bien exécuter le scénario de sa destinée ?

Puis, poursuit la légende – et c'est là où je me sépare de la version populaire –, au moment où le fils non reconnu de Kunti se levait pour partir, une main jaillit hors du linceul pour lui effleurer l'épaule.

Jamais Gangaji ne fut en plus profond désaccord qu'avec cet homme, et pourtant il ne refusa pas sa bénédiction à Mohammed Ali Karna lorsque celui-ci la lui demanda.

Du moins c'est ce qu'on raconte. Fais-en ce que tu voudras.

LE DOUZIÈME LIVRE

L'homme qui ne pouvait être roi

71

Est-ce donc là tout ce que je peux me rappeler de cette période glorieuse où nous atteignîmes à l'Indépendance ? Je vois la question s'inscrire sur ton front éléphantin, Ganapathi. Se peut-il que mes seuls souvenirs du premier élan de liberté nationale ne soient que la mort, la destruction et le désespoir ? Non, Ganapathi, moi non plus je n'ai pas oublié l'excitation de l'époque, l'ivresse du changement. Je me rappelle d'autres choses sur 1947, des moments sans importance peut-être, qui reflétaient et affirmaient que rien n'était plus pareil. Je me souviens d'éditeurs anglais de grands journaux, découvrant soudain des vertus chez les nationalistes que, la veille, ils traînaient dans la boue. De pancartes disparaissant des établissements chics : « Au-delà de cette limite les chiens et les Indiens ne sont pas admis. » D'enfants nés à des heures indues de la nuit qui grandiraient pour marquer une génération et rajeunir une littérature. De fonctionnaires au teint rosé et aux contrats à vie désormais sans valeur préparant frénétiquement leur retraite prématurée et leur retour en Angleterre, tout en apprenant à jouer les cire-pompes envers les Indiens brusquement placés au-dessus d'eux.

Tel Jayaprakash Drona, ministre d'État en charge de la Réforme administrative, assis dans sa robe safran, sa barbe noire étalée en désordre sur son bureau pendant que des fonctionnaires de l'Indian Civil Service, dégoulinants

313

de sueur, le pressent d'apposer sa signature devenue précieuse sur des feuilles de papier qu'ils ont méticuleusement rédigées dans l'intérêt de leur espèce.

« De la paperasse de routine, sir. Un plan de congé annuel. Le congé a déjà été pris, sir.

– Très bien. »

Drona signa, non sans méfiance.

« Maintenant ce dossier, sir, approuve les paiements compensatoires *ex gratia* pour tous ceux dont les perspectives de carrière ont été... ah... affectées par, heu... les récents événements survenus dans le pays.

– Non.

– Mais il le faut, sir ! Tout cela a été calculé avec soin. Sur une échelle mobile, prenant en considération l'ancienneté, la durée du service...

– Non. »

Le secrétaire avala sa salive puis plaça l'offensant document sur le plateau « En attente ».

« Ceci est une affaire plus simple, sir. Un cas particulier. Un fonctionnaire qui a tout perdu, tous ses biens, ses papiers, ses antiquités, à la suite d'une vilaine émeute durant les troubles de la Partition. Une histoire tout à fait déplorable, sir. J'ai d'ailleurs vu cet homme ce matin au ministère, très affligé, sir, comme vous pouvez l'imaginer. Si vous voulez bien signer ici, sir, nous lui accorderons une somme globale en compensation partielle, avec une autorisation d'avance de six mois sur son salaire pour le remettre un peu à flot, ainsi que la permission exceptionnelle de convertir en liquide les frais de transport qui lui auraient été alloués par le gouvernement pour son mobilier s'il n'avait pas été incendié. » Drona ouvrit le dossier et prit une plume. « Merci, sir, poursuivit son secrétaire, je pense que vous accomplissez là vraiment une bonne action à l'égard de ce pauvre Heaslop. Il a fait toute sa carrière en Inde et... sir ? »

Car Drona, prêt à signer, venait de relever son stylo en regardant son interlocuteur avec ce que le poète, un quelconque poète anglais, appela un air de folle conjecture :

314

« Vous avez dit que son nom était Heaslop ?

– Oui, sir. Je...

– *Ronald* Heaslop ? » Le secrétaire fit signe que oui.
« Et vous dites qu'il est ici, maintenant, dans le ministère ? » L'air malheureux, le secrétaire fit de nouveau un
signe affirmatif. « Envoyez-le-moi, dit Drona. Je veux lui
parler. »

Ronald Heaslop fut dûment introduit, vêtu d'un complet blanc un rien trop grand emprunté à un ami, le temps
pour l'unique de ses costumes ayant survécu aux incen-
diaires de recevoir les soins point trop tendres d'un *dhobi*.
Le complet accentuait un certain degré d'effondrement,
aussi bien mental que physique.

Drona se renfonça dans son fauteuil, les doigts joints
en un geste d'accueil ou de réflexion, impossible à dire.

« Mister Heaslop, demanda-t-il, vous souvenez-vous de
moi ? »

Déconcerté, l'Anglais le regarda pendant un moment
puis soudain, non sans effort, se remémora quelque
chose :

« Mais comment donc, bien sûr ! Devi Hill – vous me
parliez du spiritualisme indien.

– C'est prodigieux ce que l'adversité peut faire pour les
cellules de la mémoire, n'est-ce pas, mister Heaslop ? » dit
Drona de sa voix la plus *swadeshi*. Il faisait désormais un
effort tout spécial pour indianiser sa diction face aux coloniaux : il tenait à leur faire comprendre qu'il avait à la fois
une revanche et un accent à prendre. « Puisque vous êtes
d'une exactitude étonnante, ne pourriez-vous pas vous
remémorer une rencontre plus récente, par hasard ? »

Heaslop le regarda de nouveau, hésita, puis se mit peu
à peu à rougir comme des latrines après les fêtes de *Holi*.

« Vous fournirai-je une indication, mister Heaslop ?
Une carte de visite ? Un appel à l'aide "Ghaus Mohammed porte-monnaie *lao*" ? Ou bien s'est-il produit plusieurs incidents similaires au cours de votre distinguée
carrière dans ce pays que vous connaissez si bien ? »

Heaslop voulut parler, mais les mots refusèrent de franchir sa gorge.

« Je... je suis..., croassa-t-il.

– Et maintenant c'est votre tour de venir me demander de l'aide, lui fit remarquer Drona avec la subtilité d'un camionneur. Alors qu'allons-nous faire, mister Heaslop ? Que feriez-vous à ma place ? Convoquerai-je moi aussi mon Ghaus Mohammed ? »

Cramoisi, Heaslop demeura sans voix.

Drona pressa un bouton. Un péon passa sa tête par la porte. « Secrétaire-sahib *ko bula do* », ordonna-t-il. Sir Beverley Twitty, grand-croix de l'ordre de saint Michel et saint Georges, surgit avec une promptitude accélérée par l'appréhension.

« Ah, sir Beverley ! s'écria Drona, expansif. Vous venez de me présenter un dossier à l'instant, n'est-ce pas ? Le dossier de *shri* Heaslop ? Vous l'avez ? »

Le secrétaire le lui tendit, impassible.

« Voyons, regardons un peu. » Drona examina le papier devant lui avec un soin exagéré. « Que proposez-vous, sir *Brewyerley* ? "Le versement immédat d'une somme forfaitaire en compensation partielle de la perte de biens personnels subie dans l'exercice de fonctions relevant du service." Eh bien, par exemple, quelle longue, longue phrase, sir *Bewerlily* ! Il faut que j'apprenne vite à écrire comme ça. Autrement, comment ferai-je quand vous et vos collègues anglais ne seront plus ici ? Quelles sont ces pertes, *shri* Heaslop, que vous avez, euh... subies dans l'exercice de fonctions relevant du service ?

– On a mis le feu à ma maison, répliqua Heaslop, amer. J'ai perdu tout ce que j'avais – ou presque. En fait, j'ai eu de la chance de m'en sortir vivant. J'ai été réveillé par l'odeur de fumée et j'ai sauté par la fenêtre. Quelques secondes après, la maison s'écroulait.

– Tout à fait regrettable, gloussa Drona. Ainsi donc vous dormiez dans votre chambre quand ceci est arrivé ?

– Oui.

« – Je vois. C'était donc là la fonction relevant de votre service ? Dormir ? »

Heaslop parut déconcerté. Sir Beverley, très perturbé par la manière qu'avait Drona de décliner son nom, se précipita au secours de son subalterne : « Enfin, sir, il faut bien que chacun dorme. »

Drona ne lui prêta pas la moindre attention.

« Il y avait une émeute dans la ville ?

– Oui, s'empressa de répondre Heaslop. Une sale affaire, franchement. Les hindous tuant des musulmans, les musulmans massacrant les hindous... oh, les musulmans ont été bien pires, se hâta-t-il d'ajouter, par déférence pour la robe safran de Drona. Et les deux côtés s'en prenant aux Anglais.

– Une grave émeute, à votre avis ?

– Oh, absolument. Extrêmement grave.

– Et vous dormiez ? Une grave émeute, une bataille entre deux sections de sujets de Sa Majesté dans votre district, et vous, mister Heaslop, vous dormiez ? Vous me surprenez, *shri* Heaslop. Je vous aurais plutôt vu dans votre jeep officielle, ramenant l'ordre et la raison au sein de la population. Ça, c'eût été votre... "fonction relevant du service", non ?

– Mais... », balbutia Heaslop.

Drona l'interrompit brutalement :

« En la circonstance, je ne trouve guère que ce paiement forfaitaire recommandé par sir *Brewerly* soit justifié. Combien déjà ? Vingt mille roupies, c'est bien cela, sir *Bewarley ?* Vingt mille roupies pour avoir roupillé quand il ne fallait pas là où il ne fallait pas. Non, non, sir *Bowerley*, bonté divine, ça n'est pas possible. » Il déplaça son doigt sur la ligne suivante. « Six mois d'avance de salaire ? Six mois ? Mais, cher mister Heaslop, travaillerez-vous encore dans six mois avec cet affreux gouvernement indigène ? Je ne le pense pas. Je pense plutôt que votre nom figurera dans la liste des recommandations pour retraite prématurée de l'administration indienne et retour aux cadres de la métropole. » Sir Beverley parut vouloir intervenir. « Et il pourrait y avoir d'autres noms aussi », ajouta Drona d'un ton significatif. Le secrétaire referma la bouche.

« Voyons un peu, poursuivit Drona, quoi d'autre ? Conversion exceptionnelle des frais de transport en argent liquide ? Mais je suis surpris, sir *Liverbelly*. Un fonctionnaire recommander des exceptions ? Je n'ai jamais rien entendu de pareil ! Des exceptions à l'heure d'une calamité nationale ? Impossible. » Il reposa le dossier et écrivit en travers en grosses lettres bien nettes. « Je regrette beaucoup de ne pas donner suite à vos recommandations, sir *Lewerbey*, dit-il avec un charmant sourire. Mais, mister Heaslop, si, en qualité de ministre du gouvernement de l'Inde, je ne peux pas vous aider, en tant qu'individu je déborde tout bonnement de sympathie pour votre cas. Sir *Weberkey*, il faut que vous commenciez une collecte pour le pauvre malheureux Mr Heaslop. Voici ma propre contribution. »

Sa main disparut dans les plis de sa robe pour en extirper une poignée de petite monnaie. Puis il se leva, se pencha sur le bureau et, très lentement, il la déversa en une cascade tintinnabulante sur les genoux de Heaslop.

Non, en réalité les choses ne se déroulèrent pas ainsi, Ganapathi. Parfois je le regrette, j'aurais voulu que les Indiens se montrent capables de rendre au Raj la monnaie de sa pièce, si tu veux bien me pardonner la métaphore. Mais je me suis laissé emporter par l'esprit de vengeance d'un vieil homme et j'ai manqué de loyauté à l'égard de Drona. La vengeance fut l'élément manifestement absent dans la manière dont lui et les autres membres du gouvernement indien indépendant traitèrent leurs anciens maîtres.

Pardonne-moi, Ganapathi. Ce qui se passa fut bien plus prosaïque que mon imagination.

« Mister Heaslop, demanda Drona, vous vous souvenez de moi ?

– Comment donc ! Mais bien sûr ! répliqua l'Anglais après un silence. Devi Hill, vous me parliez du spiritualisme indien. Je n'avais pas idée que...

– Non, l'interrompit gentiment Drona. Je ne le pense pas en effet. Je crois cependant que vous vous rappelez peut-être une rencontre plus récente. » Il regarda droit dans les yeux Heaslop, qui remua avec gêne sur sa chaise mais ne répondit pas. « Eh bien, oui ou non ?

– Je... je... », bégaya Heaslop, sa bouche s'ouvrant sans produire de son comme au temps de ses conversations avec sir Richard. Le regard impitoyable de Drona semblait le clouer sur son siège, obligeant sa conscience à affronter la vérité. « Euh... oui, dit-il enfin d'un air misérable. Je... je crains de m'être conduit abominablement, je suis désolé. »

Le visage de Drona s'éclaira comme s'il venait d'entendre ce qu'il souhaitait.

« Moi pas, répliqua-t-il, tranquille. Cette rencontre m'a été d'un grand enseignement, mister Heaslop. Vous pourriez même dire qu'elle est la raison de ma présence ici aujourd'hui. » Il sourit, dans sa voix aucune trace de rancune. « Alors, voyez-vous, je vous suis vraiment très reconnaissant. » Il feuilleta le dossier devant lui et leva les yeux sur l'Anglais devenu muet. « Je suis navré de la liste de vos malheurs, mister Heaslop. Bien entendu, j'approuverai les recommandations de sir Beverley. Avec une addition. » Il se tut, cherchant des yeux dans le dossier le paragraphe requis. « Le secrétaire-sahib a suggéré que – mais où est-ce donc ? – "considération soit donnée...", c'est cela, que considération soit donnée à votre transfert à New Delhi, dans les circonstances, en attendant toute décision que vous souhaiteriez prendre au sujet de votre future carrière. » Drona leva les yeux, l'air interrogateur.

« Oui, confirma Heaslop, puisqu'une confirmation paraissait nécessaire. Cela m'aiderait et je ne tiens vraiment pas à retourner dans mon district, après tout... tout ce qui s'est passé. » Il s'arrêta, malheureux, conscient de la bizarrerie de sa situation, rendue encore plus difficile par la sollicitude de l'individu en robe safran de l'autre côté du bureau.

« Je vois, dit Drona. Dans ce cas, je vais considérer sur-le-champ. » Il écrivait tout en parlant. « Vous serez

transféré à Delhi avec effet immédiat, mister Heaslop. »
Son regard croisa brièvement celui de l'Anglais, qui rougissait d'embarras et de gratitude. « A mon ministère, en
fait. Aussi longtemps que vous désirerez rester au service
de ce gouvernement, vous y serez le bienvenu. Je suis
persuadé que nous travaillerons très bien ensemble. »

Heaslop se leva, tendit la main et trouva celles du
ministre jointes en un poli mais correct *namaste*. Gauchement il se reprit pour imiter le geste. Il semblait qu'il
n'y eût plus rien d'autre à dire.

72

Et, te demandes-tu sans doute, durant cette délicieuse
période, que devenait donc la vicomtesse Drewpad ?
Jusqu'au départ final de Drewpad, elle resta dans les bras
de mon fils. Sa liaison eut beaucoup d'occasions de...
hum... fructifier, tandis que son mari préparait la passation
solennelle de sa symbolique position, désormais non plus
celle de vice-roi mais de gouverneur général, à son successeur indien, le vieux, le décrépit mais l'incontestable-
ment symbolique Ved Vyas. (Qui l'occupa, j'ajouterai,
durant ce bref interrègne entre le départ de Drewpad et la
proclamation de la République indienne, où le pays fut
un dominion régenté par un gouverneur général indien.
Mais je n'eus guère de rubans à couper ni de noix de
coco à briser sur les coques de navire avant d'avoir à
laisser à mon tour ma place à un président élu. On dit que
chaque chien a son jour de gloire, mais pour le fox-terrier
que tu vois, le crépuscule tomba avant l'heure du thé.)

Mais je m'écarte de Georgina Drewpad. Ainsi que je
te le disais, elle ne quitta guère les bras de Dhritarashtra,
même après la perte de sa position officielle. Certains
départs, Ganapathi, sont destinés à permettre une différente sorte d'entrée. Lady Drewpad avait fait des adieux

officiels au côté de son époux sur les marches d'un Constellation de la BOAC avant que Drewpad ne disparaisse dans la relative obscurité d'un népotisme en uniforme. Mais elle revint très vite, Ganapathi, et très souvent, Première Touriste officieuse de la nation, se glissant sans bruit dans le pays pour des visites discrètes au père veuf de Priya Duryodhani.

Ni la Nature ni l'Histoire ne pouvaient être ignorées. Après une de ces visites, Georgina Drewpad revint plus promptement que prévu. Cette fois, elle demeura incognito, drapée dans de vastes caftans et affectionnant plus que jamais les intérieurs garnis de rideaux. Enfin, le 20 janvier 1950, le jour où la Constitution de l'Inde était solennellement promulguée par ses pères fondateurs, Georgina Drewpad, le visage ruisselant de larmes, accoucha d'un bébé prématuré et piailleur.

La fillette, présentant le teint rose et brun indéterminé de sa parenté mixte, une minuscule et frêle créature aux poumons retentissants, utilisés fréquemment et avec succès, fut aussitôt confiée à la fidèle servante de basse caste qui avait assisté Dhritarashtra et sa compagne durant cette difficile période. Elle devait être adoptée, ni l'un ni l'autre de ses parents naturels ne pouvant ouvertement reconnaître l'intimité qui l'avait engendrée.

Le bébé fut appelé Draupadi, une subtile indianisation du nom de famille de sa mère, auquel s'ajouta le grossier patronyme de son père adoptif, Mokrasi. Draupadi Mokrasi. Rappelle-toi bien ce nom, Ganapathi. Tu reverras souvent cette jeune fille au cours de sa jeunesse dans l'Inde indépendante.

73

L'Histoire, Ganapathi – en fait le monde, l'univers, toute vie humaine, et par conséquent toutes les institutions sous lesquelles nous vivons –, est en constante évolution. Le monde et tout ce qu'il contient sont créés et recréés au moment même où je te parle, chaque heure, chaque jour, chaque semaine, et passent par le processus permanent de naissance et de renaissance qui nous a tous produits. L'Inde est née et renée des centaines de fois et elle renaîtra encore. L'Inde est éternelle ; et l'Inde se refait éternellement.

L'Inde dont Dhritarashtra prit la direction le 15 août 1947 venait juste de passer par un processus de régénération cathartique, une autre étape dans un cycle sans fin. Mais tu ne dois pas croire, Ganapathi, que le traumatisme de la Partition représenta une interruption de ce mécanisme permanent, un écart dans un ballet de création et de dévolution. Au contraire, il en fut part car le monde n'est pas fait d'une vague paisible, tranquillisante, d'événements facilement prévisibles, mais d'événements soudains, d'incidents inattendus, de drames, de crises, d'accidents, d'urgences. Cela est aussi vrai de toi ou de moi que de Hastinapur, de l'Inde, du monde, du cosmos. Nous sommes tous dans un état de trouble continuel, tous trébuchant, tombant, courant et voguant de crise en crise. Et, dans la foulée, nous faisons tous quelque chose de nous, bâtissant une vie, un caractère, une tradition qui vient de nous et nous soutient dans chaque crise successive. Cela est notre *dharma*.

A travers ce processus imprévisible et souvent pénible d'auto-renouvellement, en dépit des arrêts et départs brusques du cycle cosmique, les forces du destin avancent inexorablement vers leur but. Elles ne sont jamais arrêtées par les heurts ni les cahots des chariots de l'Histoire. Les véhicules de la politique humaine semblent s'écarter du chemin, mais le lieu de l'accident s'avère la destination voulue. Les plans et les espoirs de millions d'êtres semblent avoir été trahis, mais le désastre se révèle ordonné depuis toujours. C'est ainsi que se fait la régénération d'un peuple, Ganapathi, avec plusieurs explosions pour chaque gémissement.

Cette constante renaissance n'est jamais la simple affaire de l'avenir, surgissant tout fait du ventre ouvert de l'Histoire. Au contraire, il y a viol et violence, et une lutte pour sortir ou rester jusqu'à ce que les circonstances expulsent d'une manière sanglante le futur entre les jambes écartées et pantelantes du présent.

Et il en fut ainsi dans notre histoire : Gangaji mourut, Shikhandin, son assassin, fut pendu, le Karnistan arraché au dos courbé de l'Inde, Dhritarashtra devint le Premier ministre d'une terre ravagée par le chaos et le carnage, et de tout cela naquit Draupadi Mokrasi, qui pleura et batailla pour devenir une créature admirable, belle, compliquée, désirable (je pourrais continuer avec les vingt-deux autres lettres de l'alphabet, mais je ne le ferai pas), dont la vie donne son sens au reste de notre histoire.

L'Inde de ces premières années de l'Indépendance fut en état d'effervescence permanente. Elle fut constamment repensée, reformée, remodelée. Tout était ouvert à la discussion : les frontières du pays, son organisation interne, ses langues officielles, les limites acceptables de sa politique, son orientation vers le monde extérieur.

Une des premières questions qui se posèrent au nouveau gouvernement fut l'avenir des « États princiers », les centaines de fiefs et de royaumes restés nominalement en dehors de la coupe britannique, à l'instar de Hastinapur avant que Ganga n'encoure la fureur du Raj. Avant même de partir, les Anglais avaient expliqué clairement aux nawabs et maharadjahs de ces principautés qu'ils étaient dans l'obligation de se rallier à l'Inde ou au Karnistan. La plupart firent leur choix selon les diktats de la géographie et du sens commun, mais un ou deux des plus grands États traînèrent constitutionnellement les pieds, dans l'espoir de finir par obtenir leur propre indépendance. L'État septentrional du Manimir, vaste, aux paysages superbes et au sous-développement chronique, fut de ceux-là. Le Manimir, avec ses vallées verdoyantes et ses pics neigeux, était politiquement lié au reste de l'Inde depuis le sixième siècle. Son maharadjah descendait des rois combattants rajputs, encore que cela fût arrangé dans le mythe officiel pour suggérer une plus noble lignée, à la fois géographique et spirituelle (le maharadjah comptait le Soleil et le dieu Shiva parmi ses aïeux, et Shiva en tout cas avait installé sa demeure céleste au sommet du mont Kailash, dans les montagnes de l'Himalaya, au nord du Manimir). Quelle que fût sa généalogie, cependant, le maharadjah Vyabhichar Singh était un hédoniste à la bajoue molle et aux mains potelées ; son goût pour la chair blanche l'avait traîné au moins une fois devant les tribunaux britanniques, où, tout au long du procès, il fut surnommé Mr Z., un expédient qui, loin de cacher son identité, offrit à ses nombreux détracteurs une autre épithète injurieuse.

Tandis que les princes, au sud, avec une bonne grâce plus ou moins manifeste, fondaient leurs possessions dans celles de l'Union indienne et acceptaient des ambassades et des sièges au Parlement comme les symboles revus et corrigés d'un statut contemporain, Vyabhichar Singh refusa obstinément de céder son trône ou son titre. Il se déclara indépendant, une condition qu'aucune autre nation ne reconnut, et envoya des ambassadeurs en Inde et au Karnistan, où ils furent ignorés de tous, excepté des imprimeurs de cartes de visite.

Tout cela aurait pu être rigolo, n'eussent été deux inconvénients du Manimir. Un : il était pris en sandwich entre la frontière de ce qui restait de l'Inde et ce qui avait résulté des tendres soins de Mr Nichols – le nouvel État du Karnistan. Deux : une écrasante majorité de sa population était musulmane alors que la religion de son maharadjah, dans la mesure où le sybaritisme ne se qualifie pas comme telle, était l'hindouisme.

« Nous ne pouvons laisser davantage cet oiseau lubrique en faire à sa tête, annonça avec conviction Mohammed Rafi, retroussant ses aristocratiques lèvres dans le bureau du Premier ministre. Plus cet abruti de Vyabhichar Singh prendra de temps à se décider et plus Karna et ses sous-fifres auront le temps pour agiter les sentiments communaux en faveur de l'union avec le Karnistan. Et, ajouta-t-il, nous ne pouvons pas nous permettre de perdre le Manimir. »

Le « nous » était, soyons francs, autant un pronom personnel qu'un pronom patriotique : plus le nombre de ses coreligionnaires du côté de Karna grandissait, plus diminuaient la crédibilité et l'influence en Inde du président Rafi et de ses camarades musulmans kauravas. Déjà il était clair qu'ils ne profitaient guère de l'échange hémorragique de population engendré par la Partition, surtout à la frontière occidentale. Mais même les politiciens ont des principes, et les inquiétudes de Rafi à propos du Manimir dépassaient les simples calculs électoraux. L'avenir de l'Inde en tant qu'État laïque dépendait de son aptitude à intégrer avec succès un État à majorité musulmane, de façon à tordre le cou au mensonge de Karna selon lequel les musulmans indiens avaient besoin d'un pays à eux afin de respirer et prospérer librement.

« Sauf votre respect, dit une voix tranquille, je crois que le maharadjah pense avoir fait son choix. » Le ton de Vidur était l'épitomé de celui du haut fonctionnaire : sa voix contenait une réserve omnisciente, comme inquiète que le savoir qu'elle portait puisse s'effaroucher d'une octave trop dramatique. « Il désire rester indépendant à perpétuité. Bien entendu, il ne se montre pas très réaliste.

– Il se montre un fichu crétin, dit Dhritarashtra. Que pouvons-nous faire, Vidur ?

– Pas grand-chose, j'en ai peur, monsieur le Premier ministre. » Le secrétaire d'État à l'Intégration qu'il était désormais se montrait toujours scrupuleusement correct avec son frère dans les réunions officielles. « Comme vous le savez, au cours de mes missions, en 1947, auprès de la plupart des princes hésitants, j'ai fait remarquer avec force, et l'approbation de lord Drewpad, le manque de viabilité de l'option indépendance à ceux qui l'envisageaient. Dans la majorité des cas, la garde du palais était la seule force armée de ces États princiers et elle aurait pu être maîtrisée par un petit détachement du plus proche poste de police de l'Inde britannique ; les princes n'ont pas eu besoin de beaucoup de persuasion. Au Manimir, malheureusement, bien que la garde du palais soit encore plus veule et moins efficace que les autres, le maharadjah n'a pas eu assez de, hum, bon sens pour prendre la décision qu'il aurait dû.

– Pourquoi ne l'envahit-on pas, tout simplement ? suggéra Rafi avec une impatience toute princière.

– C'est un peu délicat, mister Rafi, répliqua Vidur sur le ton d'un médecin informant avec circonspection un riche patient d'un luxe dont il devra se passer. C'est une chose que de, hum, comme vous le dites, envahir un petit pays enclavé dans le territoire indien. Une autre que d'envisager une intervention militaire dans un État de la taille du Manimir, qui possède même une plus longue frontière avec le Karnistan qu'avec nous.

– Alors que pouvons-nous faire ? demanda Rafi, écho impatient de son Premier ministre.

– Je crains qu'il ne nous faille attendre encore un peu, dit Vidur, prenant la mine sinistre que les bureaucrates adoptent lorsqu'ils disent des choses que les politiciens ne veulent manifestement pas entendre. Vous comprenez, sir, attendre les développements. Plusieurs incidents peuvent se produire qui mettraient fin à l'impasse.

– Tels que ?

– Une révolte interne, menée par Cheikh Azharuddin, qui pourrait renverser le maharadjah et proclamer l'union avec l'Inde. Néanmoins, les rapports de nos services de renseignements ne suggèrent pas jusqu'à présent que le cheikh soit capable de monter ni de mener pareille affaire, du moins dans un avenir proche. Nous pourrions chercher à financer, armer et même organiser une insurrection, mais cela exige une décision... (il marqua un temps avant de prononcer le mot suivant, afin de souligner qu'il ne passait que rarement ses lèvres), politique qui reste à prendre.

– Bon, eh bien, prenons-la, dit Rafi.

– Supposons que nous la prenions, intervint Dhritarashtra, il faudra du temps pour que ces choses deviennent, euh, opérationnelles. Nous parlons à présent du futur immédiat. Vous nous indiquiez, Vidur, qu'une rébellion conduite par Azharuddin était possible, mais, pour l'instant, peu probable. Et si nos gens des renseignements se trompaient ? »

Vidur leva un sourcil comme si cette pensée même était blasphématoire.

« Eh bien, sir, si c'est le cas et si Cheikh Azharuddin est capable de mener une rébellion populaire contre le maharadjah, et s'il réussit – tout cela étant, comme vous le comprendrez, sir, hypothétique –, il n'en demeure pas moins très incertain que le cheikh, en dépit de ses affinités entre son parti et le vôtre, rejoigne l'Union indienne. On dit qu'il a besoin de l'Inde – qu'il a besoin de rallier le Manimir à l'Union indienne – afin d'obtenir le pouvoir, mais s'il y parvient sans l'aide de l'Inde, il peut fort bien décider qu'il n'a pas besoin de nous. » Vidur toussota discrètement.

« Et quelles sont les autres occasions que vous nous conseillez d'attendre ? s'enquit Dhritarashtra.

– Une intervention du Karnistan, répondit Vidur. Si Karna décide, lui, de ne pas patienter davantage et tente de s'emparer du Manimir par la force, nous pourrons intervenir au nom des autorités légalement constituées, à condition, bien entendu, que lesdites autorités nous le demandent.

– Vous voulez dire que ce foutu maharadjah doit nous y inviter avant que nous puissions réagir à une invasion par le Karnistan ? » Cela venant naturellement encore de Rafi.

« J'en ai peur. Autrement, nous deviendrions des envahisseurs nous-mêmes, sans l'avantage de l'avance que les premiers auraient. Une position difficile à tenir, du point de vue militaire ou (Vidur grimaça tel un directeur d'école obligé de prononcer un mot grossier) politique. »

On frappa à la porte. Je ne t'ai pas fait le coup trop souvent, hein, Ganapathi ? Celui de pousser exagérément les limites de la coïncidence. Enfin, ce n'est toujours pas dans ce récit qu'un personnage dit : « Ça nous arrangerait

drôlement si le ciel nous tombait maintenant sur la tête »,
et que le ciel tombe à la page suivante. Juste ou pas ?
Alors crois-tu pouvoir m'excuser à présent si un porteur
de dépêches trempé de sueur entre en coup de vent dans
la pièce et annonce que le Manimir a été envahi par des
troupes karnistanaises ?

Non ? Très bien. Remballe le porteur de dépêches. Un
secrétaire entre. Un secrétaire tout court, un type qui
prend sous la dictée et passe des messages. « Premier
ministre, sahib, dit-il d'un ton pressant. Pardonnez-moi
de vous interrompre mais j'ai pensé que vous voudriez
être informé immédiatement. Un message du ministère
de la Défense nous parvient par radio à l'instant. Le
ministre est en route pour venir ici. Le Manimir a été
envahi depuis le Karnistan. »

Note, Ganapathi, « depuis le », et non « par le ». Pas
non plus par des troupes régulières, les *wallah* bien asti-
qués qui ont essaimé de l'armée indienne, mais par des
« irréguliers ».

« Qu'entendez-vous par des "irréguliers" ? demanda
Dhritarashtra au ministre de la Défense, à son arrivée. Si
vous voulez mon avis, c'est toute l'affaire qui me paraît
très irrégulière. »

Le ministre de la Défense, nul autre que notre vieil ami
sikh le jovial Sardar Khushkismat Singh, rit respectueuse-
ment. Il y avait peu de choses dont il ne riait pas. « Il
semble que ce ne soient pas des soldats mais des Pathans
venus de leurs tribus, expliqua-t-il. Bien que, sans aucun
doute, ils aient été armés et approvisionnés par le gouvernement de Karna. Leurs objectifs déclarés sont identiques : la libération de leurs frères musulmans du joug
de la tyrannie indienne et l'union du Manimir avec le
Karnistan.

– Bon, eh bien, qu'est-ce qu'on fait *maintenant ?* interrogea Rafi, transformant la réunion en un conseil de
guerre impromptu.

– Combien de temps faudra-t-il à nos troupes en bon
nombre pour atteindre la frontière ? s'enquit Dhritarashtra.

– J'ai déjà parlé au chef de l'État-Major, répliqua le ministre de la Défense. Rassembler les hommes, organiser le soutien logistique, les véhicules, l'approvisionnement, le mouvement des troupes... à peu près douze heures.

– Eh bien, alors voilà. »

Le Premier ministre se tourna vers le premier secrétaire à l'Intégration.

« C'est le temps dont vous disposez pour prendre l'avion pour le Manimir, voir le maharadjah et le convaincre d'adhérer à l'Union indienne. Dès lors, les irréguliers de Karna n'envahissent plus un état princier sans défense mais le territoire souverain de l'Inde. Et Karna se retrouve avec une guerre sur les bras.

– Je pars immédiatement, dit Vidur de sa voix de contrebasse. Mais... ah... monsieur le Premier ministre, si je ne réussis pas à obtenir une adhésion, que proposez-vous que je fasse ?

– Les ordres qui vont partir d'ici ne seront pas annulés, annonça fermement Dhritarashtra. Nos troupes avanceront quoi qu'il arrive. Si vous accomplissez vite votre mission, l'invasion sera légale. Sinon... »

Il n'eut pas besoin de terminer sa phrase.

« Je ferai de mon mieux, sir », dit Vidur, qui rassembla ses papiers d'une main experte et partit.

74

Lorsque son avion atterrit à Devpur, la capitale du Manimir, il neigeait. Les flocons blanc cassé couvraient irrégulièrement la saleté habituelle de la ville, comme du papier d'argent collé sur un plat de *barfi* décoloré. Vidur, qui préférait ses villes et ses *barfi* sans papier d'argent, réprima un frisson. Son message radio était apparemment passé : un fonctionnaire corpulent en uniforme l'attendait à l'aéroport, l'image même du portier de grand hôtel.

« Monsieur le secrétaire principal ? » Le type esquissa un salut au garde-à-vous qui faillit faire sauter les boutons de sa vareuse mal ajustée. « Bewakuf Jan, colonel des gardes. Bienvenue au Manimir, sir. Vos bagages ? »

Vidur fit un geste d'excuse en direction de l'attaché-case noir qu'il tenait à la main.

« J'ai ce qu'il faut, dit-il du ton d'un médecin venu avec tout le nécessaire pour l'accouchement. Je crains de ne pas avoir beaucoup de temps.

– De ne pas avoir... beaucoup... de temps ? » Le colonel parut déconcerté. « Mais n'avez-vous pas l'intention de voir le maharadjah demain ?

– J'ai l'intention, répliqua Vidur, de voir le maharadjah ce soir.

– Ce soir ! Mais c'est tout à fait impossible. Le maharadjah reçoit un invité très important et... et ils sont déjà allés se coucher. Il a laissé des consignes strictes afin de ne pas être dérangé.

– Eh bien, je crains qu'il ne soit très vraisemblablement dérangé par le tapotement des crosses de fusil pathanes sur les vitres de ses fenêtres demain matin, répliqua Vidur. Quant à moi, je n'aurai pas besoin de vous ennuyer davantage, colonel. Je retournerai à Delhi dès que mon avion aura refait le plein.

– Venez, sir, venez, je suis sûr que ce ne sera pas nécessaire », dit le colonel. En dépit de la température glaciale qui régnait dans l'aérogare non chauffée, Vidur vit que l'officier transpirait. « Son Altesse serait trop déçue. Suivez-moi, s'il vous plaît. La voiture vous attend. » Il se retourna pour montrer le chemin.

Vidur ne bougea pas.

« Je suis ici pour voir le maharadjah, dit-il. Et je dois faire mon rapport à mon Premier ministre à Delhi avant l'aube.

– Avant l'aube, répéta lugubrement le colonel en écho.

– Exact. En la circonstance, poursuivit Vidur, impitoyable, je ne vois aucune raison d'accepter votre invitation de me conduire au palais. Bonne journée, colonel. »

Le colonel Bewakuf Jan ravala sa salive et leva les yeux au ciel pour y chercher l'inspiration.

« En la circonstance, dit-il d'un air misérable, je suppose qu'il me faudra déranger le maharadjah.

– Je le suppose, acquiesça Vidur. Et je suis certain qu'en la circonstance il comprendra. »

Le colonel hocha la tête, comme s'il en était beaucoup moins certain.

La limousine princière – un énorme véhicule d'une capacité à mi-chemin entre celle d'un taxi londonien et celle d'un autobus indien – les emmena en ronronnant jusqu'au palais de Devpur, rose et or, un immense édifice rococo débordant de détails ornementaux tapageurs. Un éclairage ocre extérieur jetait un reflet jaunâtre sur des rocailles asymétriques, des coquillages semés au hasard, des parchemins déroulés et des volutes de marbre qui commençaient et s'arrêtaient comme si l'architecte avait été payé à la pièce. Des remparts crénelés complétaient l'ensemble, fort appropriés, songea Vidur, pour un maharadjah assiégé.

Vidur et le colonel montèrent un escalier recouvert d'un tapis rouge, puis parcoururent d'interminables couloirs également pourvus de tapis rouges avant d'atteindre ce que Vidur devina être, d'après les gardes endormis qui se mirent péniblement au garde-à-vous à la vue du colonel, les appartements privés de Vyabhichar Singh. Deux immenses portes de chêne gardées par des *subedar* à la fière moustache (et bâillant en douce) s'ouvrirent pour les laisser pénétrer dans des couloirs plus courts mais garnis d'une moquette plus épaisse et de couleurs plus opulentes. On les laissa enfin seuls devant une porte aux sculptures compliquées d'où émanait une vague odeur de santal.

« La chambre du maharadjah, chuchota le colonel.

– Pourquoi chuchotez-vous ? demanda Vidur.

– Pour ne pas réveiller le maharadjah, rechuchota le colonel.

– Nous sommes ici, fit remarquer Vidur, pour réveiller le maharadjah. »

Une tempête de rires et de gloussements à l'intérieur suggéra qu'il n'en était nul besoin. « *Arrête !* » Un cri féminin (en français) traversa le trou de la serrure. « Mais non ! répondit une voix aiguë de provenance indéterminée. Continue ! »

Le colonel pâlit.

« Son Altesse re... reçoit un invité étranger, souffla-t-il. Je crois vraiment que nous devrions revenir plus tard, monsieur le secrétaire principal.

– Et risquer qu'il s'endorme ? Écoutez, je suis navré d'interrompre sa petite fête, mais au moins nous savons qu'il est réveillé. Et de bonne humeur, semble-t-il. Je n'ai pas de temps à perdre, colonel. Je frappe à la porte ou vous le faites ? »

Le colonel connut à nouveau l'agonie de l'indécision, puis souleva le heurtoir de cuivre et le laissa doucement retomber contre la porte. Un rire en cascade résonna dans la chambre.

« Ou bien il s'agit là de la plus raffinée des sonnettes que je connaisse, ou bien on ne vous a pas entendu, dit Vidur au bout d'un moment. Vous permettez ? » Et avant que le colonel horrifié eût pu l'en empêcher, Vidur s'empara du heurtoir et le lança avec force contre la porte.

S'ensuivit un silence stupéfait de l'autre côté. Puis une voix péremptoire et furibarde brailla : « Qui est là, nom de Dieu ? »

Les traits joufflus du colonel s'affaissèrent.

« C'est... c'est moi, sir, réussit-il à articuler malgré des cordes vocales paralysées.

– Qui ? Parle plus fort, fils d'âne bâté.

– Moi, sir. Colonel Bewakuf Jan. Avec le secré...

– Bewakuf ? » La voix craqua d'incrédulité, au summum de l'aigu. « Colonel Bewakuf ? Je croyais vous avoir dit qu'on ne devait pas me déranger, *commandant* Bewakuf. »

Des larmes semblèrent venir aux yeux porcins du colonel.

« Oui, sir, mais...

– Il n'y a pas de mais, fils de cochon pourri ! hurla la voix royale de l'autre côté de la porte. Comment osez-vous désobéir à un ordre direct, *capitaine* Bewakuf ?

– Je suis désolé, mais...

– Vous êtes *désolé*, lécheur de cul d'eunuque ? Vous essayez de forcer ma porte alors que je dors, *lieutenant* Bewakuf, et vous dites que vous êtes *désolé* ?

– Sir, ce n'est pas moi, mais c'est lui qui a dit...

– Lui ? Qui a dit ? Vous voulez dire qu'il y a quelqu'un avec vous, étron de travesti châtré ? Seriez-vous en train de vous envoyer en l'air devant la porte de ma chambre, *havildar* Bewakuf, en pleine nuit ? Je ferai fouetter chacun de mes gardes ce matin, *lance-naïk* Bewakuf, et quant à vous, Bewakuf, je passerai ma nuit à songer à la punition qui convient. Maintenant foutez le camp, vous m'entendez ? Foutez le camp, et si seulement votre ombre se profile sur ma porte, mangeur de merde de chien, je viendrai personnellement vous tordre le cou ! Est-ce bien clair, *sepoy* Bewakuf ?

– Oui, sir. »

L'ex-colonel était en larmes.

« Juste une minute, Votre Altesse. » Vidur s'adressait à des seins sculptés sur la porte de santal au-dessus du heurtoir qu'il avait si imprudemment manœuvré. « Je m'excuse de cette intrusion, mais ce n'est pas la faute du colonel. J'ai insisté pour qu'il m'amène ici. »

L'insolence de la voix étrangère sembla couper le souffle au maharadjah. En tout cas, sa réponse fut hurlée sur une octave plus modérée :

« Et qui êtes-vous, je vous prie ?

– Vidur Hastinapuri, secrétaire principal à l'Intégration du gouvernement de l'Inde et envoyé spécial de Son Excellence le Premier ministre Dhritarashtra, annonça Vidur de son ton le plus officiel. Je dois quitter Devpur sous peu, sir, et je suis venu de Delhi spécialement pour vous voir. J'avais cru comprendre que ma visite serait la bienvenue et je dispose de très peu de temps. » Il se tut avant d'ajouter avec fermeté : « Il faut que je vous parle immédiatement, Votre Altesse.

– Ah vraiment, il le faut ? » Vidur aurait préféré un autre choix de mots, mais la voix était décidément moins stridente. « Vous rendez-vous compte de l'heure qu'il est ?

– J'ai cru comprendre qu'il s'agissait d'une situation d'urgence », répliqua sèchement Vidur.

Un silence suivit puis un bruit de claque, pareil à celui d'une paume sur de la chair. « Très bien, dit le maharadjah, au milieu d'une cascade de gloussements étouffés, si vous insistez, je vous recevrai maintenant. Une minute. » Un froissement de draps – ou était-ce autre chose ? –, des murmures, puis : « Vous pouvez entrer. »

La porte n'était pas fermée. Vidur la poussa et entra. Le colonel semblait hésiter et demeurait sur le seuil, un pied en l'air.

« Attendez dehors, Bewakuf ! » aboya le maharadjah. Le colonel recula en sautillant comme une autruche offensée et suralimentée. La porte se referma sur lui.

75

Vidur s'était attendu à trouver le prince en robe de chambre, recevant une ou plusieurs amies (il n'était pas certain du nombre de voix féminines). Il fut surpris de le voir assis dans son lit, couvert d'un immense *razai* de soie, qui d'un bout atteignait le plus bas de ses multiples mentons et de l'autre s'élevait en un gros monticule, presque comme si le maharadjah avait choisi de jeter tant de couvertures sur ses extrémités inférieures que la moitié de son anatomie reposait sous une petite colline.

« Je suis désolé, Votre Altesse, s'excusa Vidur, je n'avais pas compris que vous étiez au lit. Le colonel et moi avons entendu des voix et je... euh... j'ai cru que vous ne dormiez pas encore.

– Je ne dors pas encore. » Le maharadjah gloussa. « Mes invités se sont... euh... retirés. » Cette fois le gloussement sembla émaner non pas de la gorge du maharadjah, mais de plus bas. « Asseyez-vous, je vous en prie. »

Vidur se tourna vers le siège le plus proche, un fauteuil Louis XV qu'aurait pu avoir dessiné l'architecte du palais. Un vêtement avait été jeté dessus. Vidur le ramassa avec soin : une combinaison de dame en satin. Perplexe, il la contempla d'un air stupide.

« Mettez-la n'importe où. » Le maharadjah agita une main potelée.

De plus en plus embarrassé, Vidur regarda autour de lui et découvrit un tas de lingerie semblable sur un fauteuil identique. Il s'en approcha et laissa tomber la combinaison sur la pile comme si elle lui brûlait les doigts. Elle glissa à terre, entraînant avec elle un soutien-gorge de dentelle. Vidur rougit.

« Aucune importance, dit le maharadjah en lui intimant de revenir s'asseoir. Que puis-je faire pour vous ? » Une de ses mains disparut brusquement sous le *razai*.

Vidur s'assit délicatement. « Sans vouloir vous offenser, Altesse, je crois qu'il s'agit plutôt de ce que nous pouvons faire pour vous. »

Il sursauta en entendant un autre gloussement qui émanait cette fois, il l'aurait juré, des environs du ventre du maharadjah.

« Que voulez-vous dire ? demanda le maharadjah, une expression d'intense concentration peinte sur son visage.

– Nous sommes informés qu'une bande d'irréguliers pathans ont traversé vos frontières, répliqua Vidur. Ils ne rencontrent aucune résistance et se sont déjà beaucoup avancés en territoire manimiri.

– Je sais tout cela », dit le maharadjah avec impatience. Son autre main avait maintenant disparu sous le *razai* brodé. Il semblait faire un effort considérable, qui rappela à Vidur ses propres crises de constipation.

« Je vois que Votre Altesse est consciente du problème. Ce que Votre Altesse ignore peut-être, c'est que ces gens ont pour slogan la libération du Manimir de votre... euh... oppression. Et qu'ils sont armés, équipés et dirigés par le gouvernement de Mohammed Ali Karna, qui a l'intention d'annexer le Manimir. »

Le maharadjah ouvrit la bouche et un bruit de gargouillis s'éleva sous le monticule du *razai*. Content de la réaction, Vidur ne put néanmoins s'empêcher de penser que ce n'était pas sa déclaration qui l'avait provoquée.

« Mais... c'est terrible ! » Le maharadjah respirait lourdement et se tortillait sous son *razai* de soie. Il paraissait s'y glisser à mesure qu'il parlait. « Pourquoi n'ont-ils pas... (son cou avait presque disparu du champ de vision de Vidur) pourquoi mes gens ne m'ont-ils pas dit à quel point tout cela était grave ? » Il se rassit soudain, sa poitrine pâle émergeant brusquement.

« Peut-être parce qu'ils ne peuvent pas entrer chez vous », ne put se retenir de répliquer Vidur. Il était fatigué de la bizarre conduite de ce petit homme singulier, et avoir une telle discussion dans une chambre à coucher le libérait de certaines contraintes. « Le problème, Votre Altesse, c'est qu'à cette heure demain, et probablement plus tôt, ce palais sera entre des mains karnistanaises. » Il se tut pour ménager son effet. « A moins que vous n'agissiez sur-le-champ. »

Un gloussement aigu et bref lui répondit. Vidur, qui avait regardé le maharadjah droit dans ses yeux aux paupières tombantes, aurait juré qu'il n'avait pas vu bouger ses lèvres ; pourtant le son était indubitablement oral.

« Je ne crois vraiment pas qu'il y ait là matière à rire, Votre Altesse, dit-il sévèrement.

– Non, bien sûr que non, souffla le maharadjah, les mots s'échappant par à-coups. Je suis désolé. » Sa main sous le *razai* gifla de la chair. « Des punaises, expliqua-t-il inutilement.

– Je comprends, répondit Vidur, très peu certain de comprendre quoi que ce fût. Je présume que vous avez besoin d'aide. »

Le maharadjah se tortilla de nouveau sous les couvertures, les yeux au ciel. « Non... merci. Il faut simplement que je fasse changer ce lit demain, dit-il, le souffle court.

– Je parlais d'aide militaire. » Vidur commençait à trouver la conversation de plus en plus difficile à contrôler. « C'est la raison de ma présence ici, Votre Altesse.

– Je vous suis très reconnaissant. » Une expression de plaisir infini envahissait le visage royal. Vidur était sidéré que le maharadjah alternât si facilement l'embarras et la félicité en réponse à son argumentation fort logique. Décidément, un personnage très singulier.

« Pouvez... vous... nous... envoyer... des troupes... indiennes ? haleta le maharadjah.

– Certainement, Votre Altesse. » Vidur s'inquiéta du ton du maharadjah. « Vous êtes sûr que vous allez bien, Votre Altesse ?

– Oui. » Vyabhichar Singh hocha vigoureusement la tête. « Oui, oui. »

Le monticule fit mouvement.

« Comme je le disais... », commença Vidur, qui s'arrêta net, incapable de se rappeler ce qu'il disait parce que la colline au-dessus de la partie inférieure du corps du maharadjah s'agitait maintenant de haut en bas à un rythme régulier et...

« Des exercices, souffla le maharadjah. Tous les jours. Faites pas attention. Ah, oui. Oui. » Il ferma les yeux et agita sa grosse tête ronde d'un côté à l'autre. « Des troupes. Oui. S'il vous plaît. Autant que. Ah ! que vous pouvez. Oui ! Oui ! Des troupes. » Le *razai* tanguait maintenant et des gouttes de sueur perlaient au front du maharadjah.

« Bien entendu, il nous faudra une demande officielle de votre part, Votre Altesse, dit Vidur en se recroquevillant dans son fauteuil.

– Oui. Pas... de problèmes. Une demande officielle. Ah ! Apportez-moi un papier. Je signerai. Oui. Ah ! Ah ! Oui. Oui ! Aah ! »

Vidur se surprit à parler à toute allure, comme pour chasser de son esprit l'horrible supposition qui s'y faisait jour et qu'il trouvait trop impensable pour la laisser s'attarder. « Nous croyons que la méthode la plus appropriée serait pour vous de signer un acte d'adhésion et puis d'appeler officiellement Delhi à intervenir, dit-il, promenant son regard sur le sol de marbre, le tapis de haute laine, les pantoufles de velours, n'importe quoi pour éviter ce *razai* palpitant. Cela, naturellement, légitimerait l'entrée de troupes indiennes sur le sol manimiri et permettrait à l'Inde d'agir officiellement sans la moindre contrainte contre les bandits qui ont porté atteinte à notre, je veux dire votre souveraineté. Je... » Il s'arrêta net, ses yeux étant passés du tapis au pied du fauteuil et aux fragiles dessous féminins qu'il avait fait tomber par terre.

« Non ! cria le maharadjah, se redressant à moitié, puis se laissant de nouveau aller sur son oreiller. Ah ! Oui. Non. Pas d'adhésion. Jamais ! Oui. Ah ! Pourquoi ? Oui. Ne pouvez-vous pas envoyer ? Ah ! Des troupes indiennes ? Ah ! Oui ! A titre amical ? Pourquoi l'union ? Non ! Oui ! Oui !

– Je vous demande pardon, Votre Altesse ? dit Vidur pris d'un certain désarroi.

– Oui ! Bon Dieu, non ! Non ! Non, n'arrête pas, n'arrête pas, oui ! Oui ! » Les mots sortaient en petits grognements. « Envoyez-moi. Des troupes. Aah. Sauvez mon État. Aah ! Et puis partez. Aah ! Pas d'union. Aah ! Compris ?

– Je ne crois pas que vous, vous compreniez, Votre Altesse. » Vidur se leva. « Si vous voulez suggérer que l'Inde devrait vous envoyer ses troupes en geste d'amitié, vaincre les envahisseurs et puis vous redonner votre royaume, je crains que vous... vous ne vous (il se surprit à regarder de nouveau le mont mobile et sa langue se brancha sur pilotage automatique), que vous ne vous berciez d'illusions débiles. » Il n'avait pas terminé sa phrase qu'il la regrettait déjà : on ne parlait pas de cette manière à un maharadjah, même à un abruti aussi colossal que celui-là. « Je... je suis désolé, Votre Altesse, je... »

Mais le maharadjah ne paraissait pas l'avoir entendu ; ses « ah » étaient devenus trop fréquents et trop sonores pour permettre la conversation. Les yeux princiers étaient maintenant complètement clos, les mains remuaient sous le *razai* et la portion discernable du torse du maharadjah était arquée dans un mouvement d'extase totale.

« Votre Altesse ! protesta Vidur.

– Oui... oui... OUI ! » hurla le maharadjah. La masse pantelante de soie et de broderies fut agitée d'une dernière et brusque convulsion et Vidur se retrouva en train de contempler un pied nu blanc qui, après une brève apparition, se reglissa sous le *razai*. Un pied doux, délicat, aux ongles peints pointant vers le bas, mais le maharadjah était toujours étalé sur le dos...

Vidur ferma ses yeux incrédules et retomba en chancelant sur son fauteuil. « Aaaaah ! » entendit-il gémir le maharadjah, expulsant l'air comme un gros ballon brun dégonflé. Quand il rouvrit les yeux, Vyabhichar Singh se redressait sur ses oreillers, ses mains potelées maintenant le bord du *razai* contre ses omoplates nues. « On se sent bien mieux, dit le maharadjah gaiement. Rien comme un peu d'exercice avant le coucher. Ça fait des merveilles pour la constitution. »

Vidur acquiesça d'un mouvement de tête, son vocabulaire vaincu par les circonstances.

« Voyons, vous disiez, monsieur le secrétaire ?...

– Je disais, lâcha enfin Vidur avec une brutalité inhabituelle, que la seule base sur laquelle l'Inde vous enverra des troupes, Votre Altesse, est l'adhésion du Manimir à l'Union indienne.

– Vous plaisantez ! s'exclama le maharadjah, la béatitude s'effaçant rapidement de son visage.

– Je crains que non.

– Vous voulez dire que vous me laisserez tomber, que je devrai me débrouiller tout seul avec ces hordes de maraudeurs musulmans, que vous laisserez le Manimir passer aux mains de Karna à moins que je n'abandonne mon trône ? »

Vidur pensa aux camions de troupes qui roulaient à cette heure même vers la frontière de l'Inde et du Manimir et décida que l'honnêteté n'était pas, en dépit des enseignements du Mahaguru, la meilleure politique.

« Oui, mentit-il pour la seule et unique fois de sa vie. Le Premier ministre n'a pas l'intention d'envoyer de troupes indiennes se battre pour votre trône. Votre Altesse. Mais nous nous battrons... pour le sol indien.

– Ce n'est pas vraiment un choix, non ? lança le maharadjah avec amertume. Sans votre aide, je perds mon trône ; si vous m'aidez, je le perds aussi. Quelle différence cela fait-il que je signe ou pas ? Quoi qu'il arrive, je suis fini en tant que maharadjah. »

Le monticule s'agita à ces mots.

« Cela fera un monde de différence, Votre Altesse, dit Vidur. Si vous signez l'acte d'adhésion, je vous emmènerai dans mon avion ce soir à votre palais d'hiver de Marmu, à quelques centaines de kilomètres à l'écart des hordes en maraude auxquelles vous faites allusion ; les troupes indiennes entreront, repousseront les envahisseurs et préserveront votre palais et votre propriété ; et le Cabinet, à Delhi, vous exprimera sans nul doute sa gratitude... de manière tangible.

– Ambassadeur en Mongolie-Extérieure ? » Vyabhichar Singh fit la moue.

« D'un autre côté, si vous préférez ne pas signer, les Pathans se débarrasseront de votre garde royale comme de mouches, prendront ce palais et tout ce qu'il contient et peut-être même pendront Votre Altesse au mât le plus proche. » Un petit cri étouffé s'échappa de dessous le *razai*. Vidur se surprit à se délecter de chaque mot : « Probablement pas avant d'avoir pratiqué leurs charmantes caresses sur vous et tout... compagnon et ami de vous qu'ils trouveront, poursuivit-il avec cruauté. Vous connaissez la réputation de nos chers ex-compatriotes de la frontière nord-ouest. Ils restent enfermés dans leurs tristes montagnes arides pendant des mois, et puis voilà qu'ils trouvent un financier pour une charmante petite expédition comme celle-ci et l'occasion de se laisser un peu aller. Un laisser-aller, Votre Altesse, qui fait plutôt mal.

Je ne dirais pas que vous ayez un si mauvais choix, après tout. »

Le maharadjah ravala sa salive.

« Je vais avoir besoin de temps pour réfléchir, dit-il.

– Le temps, j'en ai peur, est une chose dont je ne dispose pas, Votre Altesse. Au moment où je vous parle, mon avion s'apprête à me ramener à Delhi et, si vous le souhaitez, à vous déposer à Marmu. J'ai dans ma serviette un exemplaire dactylographié de l'acte d'adhésion. Il ne vous reste qu'à y apposer votre signature, je vous fournirai même le stylo, et les troupes indiennes commenceront à avancer sur le Manimir. Autrement, il vaut mieux que je prenne congé sur-le-champ. Je n'ai aucune envie d'être coincé à Devpur quand les Pathans arriveront.

– Je... » Le maharadjah avait à peine ouvert la bouche que le monticule se souleva abruptement et le *razai* fut rejeté sur le haut du lit, ensevelissant le maharadjah sous ses lourds plis brodés. Une blonde stéatopyge n'arborant rien d'autre qu'un air affolé se tourna vers le maharadjah bien emmailloté. « *Mais c'est affreux !* s'exclama-t-elle tandis que le maharadjah se débattait pour se débarrasser de ses impedimenta soyeux. *Qu'est-ce que tu attends ? Que ces Pathans me violent ou quoi ? Signe*[*] *!* »

Elle se pencha en avant, présentant à Vidur un derrière parfaitement proportionné, et se mit à tabasser à coups de poing son amant désarmé. Mr Z. battit des mains dans une vaine tentative de se dépêtrer du *razai* encombrant et de son agresseur. « *Signe !* hurla-t-elle. *Signe !* » Vidur ferma les yeux et tenta de se rappeler ses leçons de français depuis si longtemps oubliées ; les mots ne cessaient de se mélanger dans son esprit avec son unique souvenir d'un derrière caucasien entrevu lors d'un spectacle « Folies » donné dans un audacieux club privé de la grande métropole orientale du pays. « Oh, Calcutta ! » souffla-t-il. (Maintenant tu sais, Ganapathi, de quand date ce calembour.)

___

[*] En français dans le texte. (*N.d.T.*)

76

Tu l'as vu, Ganapathi : Vidur usait en privé d'un langage très différent de celui qu'il employait dans les réunions officielles. Mais, en général, tout au long de sa longue carrière, il ne commit point d'erreur. Par exemple, concernant la prédiction qu'il fit au maharadjah à propos des Pathans – te pardonne de penser qu'il s'agissait d'une invention destinée à forcer Mr Z. à signer –, il tomba, comme on le dit dans l'armée, en plein dans le mille. Les Pathans entendaient jouir pleinement de l'occasion tous frais payés qui leur était donnée de « se laisser un peu aller » et effacèrent très vite le grand avantage tactique de leur avance initiale secrète dans le Manimir. Ils s'éparpillèrent en petites expéditions de pillage et de viol qui les écartèrent des objectifs principaux tracés par leurs trésoriers. En conséquence de quoi, une invasion qui aurait pu fort bien s'emparer de la capitale manimiri avant que les troupes indiennes ne s'ébranlent s'arrêta d'abord aux étagères de boutiques successives (rapidement dénudées par les pilleurs), puis dans un couvent isolé rempli de nonnes allemandes (ditto) et de vin blanc. Tandis que les Pathans s'envoyaient en l'air avec toutes sortes de *Liebfraumilch*, le 1er régiment sikh et neuf tonnes de matériel militaire indien étaient parachutés sur Devpur. A l'annonce de l'adhésion du maharadjah à l'Union indienne, un Karna furieux lança des troupes régulières dans la bagarre afin de compenser le manque de professionnalisme des irréguliers. La première guerre indo-karnistanaise avait commencé.

Outre la capacité de distraction des instruments choisis par Karna, un autre élément joua en faveur de l'Inde. Cheikh Azharuddin, le chef du Congrès national manimiri, souhaita la bienvenue aux troupes indiennes au cours d'un énorme rassemblement populaire à Devpur, après le départ du maharadjah et de sa compagne affolée avec

Vidur. « Au moment où nos amis du Karnistan attaquent et violent nos sœurs et nos maisons au nom de la fraternité musulmane, déclama-t-il avec passion, je dis : au diable le Karnistan ! Les Indiens ont déposé le tyran qui nous a opprimés si longtemps. Ils nous offrent la perspective d'un gouvernement du peuple – notre gouvernement –, la démocratie. Je prie pour leur succès. »

Avec Azharuddin de leur côté, Ganapathi, les Indiens avaient gagné la moitié de la bataille : cette moitié cruciale qui se gagne dans les cœurs et les esprits des hommes. Il n'existait pas de cinquième colonne, aucune crainte d'être trahis par une population rancunière. L'armée indienne repoussa l'invasion avec panache. Elle s'apprêtait à flanquer complètement hors du Manimir les irréguliers sans tenue aussi bien que les réguliers en tenue quand elle fut arrêtée net dans son élan, à des centaines de kilomètres de son but, par un cessez-le-feu inopportun qui lui tomba dessus comme un filet mal lancé. Mon fils aveugle et visionnaire avait décidé de faire appel à l'ONU.

Derrière cette décision, nombre d'entre nous qui ne la lui pardonnèrent jamais découvrirent toutes sortes de pulsions indéfendables. On disait couramment, par exemple, que Georgina Drewpad, choisissant ce moment pour visiter son ancien territoire, avait risqué une opinion vice-royale à laquelle Dhritarashtra s'était montré indûment sensible. D'autres pensaient qu'il fallait blâmer l'éducation de mon fils, dont l'esprit avait été formé par ceux-là mêmes de gens qui avaient fondé les Nations unies afin de se mêler des affaires des autres. D'autres encore suggéraient que si le Premier ministre avait pu voir, juste un tout petit peu, il n'aurait pas pris une décision si stupide. Ces critiques à mon sens oubliaient une chose : que Dhritarashtra, après tout, n'était pas pour rien l'héritier choisi du Mahaguru. Le garçon avait une conscience, et sa conscience refusait de laisser des soldats perdre et prendre des vies pour une terre dont il était certain que l'Inde la récupérerait à une table de conférence, devant un tribunal international ou grâce à un référendum démocratique.

Bien entendu, il avait tort, mais il avait tort, Ganapathi, pour la bonne cause.

Ainsi le Manimir resta condamné à l'étiquette de « territoire disputé », une partie dans les mains du Karnistan, la plus grosse dans les nôtres. L'État, dont l'attachement à l'Inde constituait une formidable répudiation de la partition religieuse, paya très cher l'idéalisme de Dhritarashtra. Aujourd'hui encore, il est balafré de pistes de tanks, amputé par des lignes de cessez-le-feu, exploité par des rhétoriciens et des fanatiques des deux côtés de la frontière qui prostituent son nom à leurs propres fins truquées.

Et pourtant, Ganapathi, quelle histoire ce fut ! Une histoire de l'Inde : de la décadence et de la débauche des princes, des impératifs et des illusions du pouvoir, des forces de la politique séculaire et des faiblesses du principe internationaliste. Une histoire indienne avec d'innombrables préambules possibles et pas de conclusion.

C'est aussi avec le Manimir que Dhritarashtra révéla pour la première fois la technique d'autoperpétuation qu'il devait perfectionner en un si bel art dans les années qui suivirent. Dès que les premières critiques s'élevèrent au sein du Parti kaurava, Dhritarashtra les fit taire en offrant de démissionner. Il savait que, Gangaji mort, Pandu disparu, Karna au-delà de la nouvelle frontière et Rafi mis sur la touche, avec la majorité des siens devenus soudain des étrangers, il n'existait pas d'autre chef pour le parti. En guise de réponse, les critiques mirent une sourdine à leurs objections ; et Dhritarashtra apprit combien il était facile d'obtenir ce qu'il voulait.

Les conséquences de l'idéalisme et l'imposition de la volonté individuelle furent des leçons ministérielles fondamentales apprises et assimilées par la jeune fille aux yeux noirs que le Premier ministre, veuf, avait nommée son hôtesse officielle. Oui, Ganapathi, Priya Duryodhani écoutait, surveillait et absorbait le ton et la technique du modèle paternel. Avec le Manimir elle prit son premier cours dans l'abécédaire politique de son père. Ce fut une éducation dont le pays ne devait jamais se remettre.

77

Et que devenait l'enfant du leader aveugle de l'Inde et de l'omnivoyante vice-reine, le bébé Draupadi Mokrasi ?

La fillette fragile surmonta très vite les handicaps de sa naissance prématurée, sa santé s'améliora tandis que Dhritarashtra gardait sur elle un œil discret (pardonne-moi l'expression, Ganapathi, mais elle est de Dhritarashtra) et un chéquier non moins discret pour son entretien. Il fut bientôt évident qu'elle deviendrait une femme extraordinairement belle, mais, dans son enfance, ses autres traits de caractère s'affichèrent plus qu'ils ne le feraient plus tard lorsque sa beauté rendrait trop souvent les hommes aveugles à tout le reste.

On demanda à un de ses éducateurs de l'époque, un certain professeur Jennings, de décrire la jeune Draupadi. Il s'éclaircit la gorge sans nécessité, à la manière britannique, et de cette voix aussi sèche que les volumes qu'il avait pondus, en regardant à travers ses lunettes à monture de corne, juste au-dessus de la tête penchée de l'interviewer :

« A son exquise beauté, dit-il d'un ton volontairement dépourvu de passion, comme s'il décrivait un petit déjeuner anglais, elle ajoutait une allure franche, la capacité d'étudier son milieu et de s'y adapter et la volonté de jouer avec tous les enfants du quartier, quelles que fussent leur caste, leur religion ou leur culture.

« Si miss D. Mokrasi avait un défaut, poursuivit-il, sachant qu'on s'attendait à ce qu'il en citât un, c'est qu'elle parlait un peu trop vite, d'une voix qui, pour une gamine, était un peu trop forte, et dans des termes qui auraient dû être plus mesurés. Elle ne mangeait pas toujours assez et, bien qu'elle étudiât dur, elle avait souvent tendance à apprendre comme un perroquet ; mais elle n'avait pas d'autre défaut. Même si parfois elle ne fut pas à la hauteur des situations qu'elle dut affronter, elle était douée d'une grande foi en elle-même. Et même si elle ne s'en tira pas toujours brillamment, elle réussit constamment à se débrouiller. »

Une vraie fille de l'Inde, cette petite miss Mokrasi. Avec elle nous aussi avons toujours pu nous débrouiller.

Les routes des Indes

78

Tandis que Draupadi Mokrasi grandissait, mes cinq petits-fils Pandava faisaient leur entrée dans le monde. Ils partageaient un héritage rare, une éducation inhabituelle et, inévitablement, ils se révélèrent incapables de se débarrasser d'un autre legs : ils décidèrent tous de suivre leur père et leur précepteur en politique.

Drona ne fit pas long feu au gouvernement. Son style était un rien trop particulier et son attitude à l'égard de l'Administration une miette trop personnelle pour en faire un succès. Peu après avoir assuré le rapatriement rapide des Anglais de ladite Administration, il démissionna, déclarant qu'il préférait se consacrer à un « travail constructif » dans le pays plutôt que dans un bureau encombré de paperasseries. Ses cinq élèves et son fils s'offrirent aussitôt à le rejoindre.

« Écoutez, dit leur mentor avec candeur, je ne suis pas sûr de vouloir vous infliger mes projets. Pour Ashwathaman, naturellement, c'est différent : il est mon fils. Mais vous autres, princes de Hastinapur, errer avec moi de village en village en quête de changement social, je ne pense pas que ça collera. Pour commencer, vous n'avez jamais vagabondé. Ashwathaman et moi, oui.

– Nous pensions que vous disiez que nous étions tous égaux à vos yeux en tant qu'élèves », protesta Nakul. Il usait du pluriel machinalement car le plus souvent il parlait aussi pour Sahadev.

« Bien sûr, répliqua Drona. Mais l'éducation est une chose, l'expérience une autre. Ashwathaman et moi avons l'expérience. Vous, non. Vous seriez malheureux.

– Je crois que vous devriez nous en laisser juges, Dronaji, intervint calmement Yudhishtir. Nous souhaitons vous accompagner. Nous refuserez-vous ce privilège ?

– Très bien, très bien, dit Drona avec humeur bien qu'il fût, comme tu peux l'imaginer, Ganapathi, très content de la dévotion de ses protégés. Eh bien, venez alors. Mais ne me dites pas plus tard que je ne vous avais pas prévenus. »

Les cinq jeunes gens allèrent ensemble prendre congé de Kunti. Elle était assise dans le salon ; des cigarettes turques à moitié fumées débordaient d'un cendrier d'argent assorti à la teinte de ses tempes. Son sari de Bénarès, ses ongles de Bombay, ses sandales de Bangalore et ses bracelets de Bareilly, tous proclamaient sa célèbre élégance, une élégance trahie seulement par les ridules au coin de ses yeux rougis et les bouffées rapides qu'elle tirait de son fume-cigarette.

« Ne me dis rien, s'écria-t-elle en voyant Yudhishtir se détacher du petit groupe pour lui parler. Laisse-moi deviner. Vous vous êtes souvenus de mon anniversaire et vous êtes venus me faire un cadeau-surprise.

– Mais votre anniversaire n'est que le mois prochain, mère, dit Nakul.

– Comme c'est brillant de ta part de te le rappeler, Sahadev, roucoula Kunti, avec coquetterie. Alors ça ne peut pas être ça. Je sais ! Vous m'emmenez tous au cinéma ! »

Yudhishtir se balança, gêné, d'un pied sur l'autre.

« Non, mère.

– Non ? Ce doit être quelque chose de mieux encore. J'y suis ! Pour la première fois depuis des années vous avez eu envie de passer l'après-midi avec moi. A bavarder. Ou à jouer, peut-être. J'ai bien deviné ? Scrabble ? Mono-

350

poly ? » Elle eut un rire creux. « Monopoly ! Ça me changerait un peu des réussites ! »

Continuant à se dandiner, Yudhishtir regarda les autres, l'air malheureux.

« Non, mère, répéta-t-il faiblement.

– Non, mère ? Mais comment ça ? Vous n'êtes tout de même pas là pour me dire, n'est-ce pas, que vous avez décidé de m'abandonner dans cette maison pour partir avec ce malheureux pue-des-pieds de Drona et son mal débarbouillé de fils faire du "travail constructif" – quoi que ça veuille dire – dans des villages crasseux ? » Elle fixa Yudhishtir droit dans les yeux, mais sa main manœuvrait son fume-cigarette dans et hors de sa bouche à la vitesse saccadée d'un automate. « Non, ce n'est vraiment pas possible.

– Vous le saviez déjà, mère », dit Yudhishtir.

Kunti ne lui répondit pas.

« Je vais vous dire pourquoi c'est impossible, poursuivit-elle. Il est impossible que mes cinq fils adultes ou presque puissent être légers, égoïstes, ingrats au point de me récompenser de mes années de dévouement à leur égard en me plantant de la sorte. Tout juste comme leur léger, égoïste et ingrat de père. Me laissant seule, ajouta-t-elle, amère.

– Mère, dit doucement Yudhishtir, vous savez bien que nous ne vous avons jamais désobéi en rien. Si vous nous défendez de partir, nous resterons.

– Vous défendre ? » Kunti détourna son visage pour qu'ils ne voient pas les larmes qui montaient à ses yeux. « Et vous voir, gros pataulds, vous traîner dans la maison en me faisant une tête de condamnés à mort ? Non, Yudhishtir, n'essaie pas de te faciliter les choses. Je ne vous défendrai rien. Partez si vous voulez. Tous. Filez. »

Ils se regardèrent, l'air hésitant. « Mère, tout ira bien pour vous, n'est-ce pas ? demanda Bhim.

– Oh, J'irai bien, répliqua Kunti, le soleil se reflétant sur ses pupilles humides. Aussi bien que d'habitude. » Elle passa le revers d'une main sur ses yeux. « Voilà, ça y est : j'ai fait couler mon mascara. Comme si aucun de vous cinq en valait la peine. Quelle sorte de compagnie m'avez-vous jamais tenue, d'ailleurs ? Que vous soyez là ou pas, ça reviendra au même.

– Mère, je vous promets, dit Yudhishtir avec conviction, que nous reviendrons dès que vous aurez besoin de nous. Et que jamais, jamais nous ne négligerons un seul de vos ordres. Nous jurons de ne jamais vous désobéir. »

La promesse prit une autre dimension : elle était le corollaire de leur nouvelle autonomie. Solennellement, en un rituel instinctif qui semblait appartenir à un autre monde, chacun confirma la promesse, lui donnant ainsi une réalité qui reviendrait les hanter des années plus tard.

Émue, Kunti leva les yeux vers son fils aîné.

« Voulez-vous nous bénir, mère ? demanda Yudhishtir. Avant que nous partions ?

– Oui, dit-elle enfin, arrachant le mot à son cœur. Dieu vous bénisse, mes fils, dans tous vos actes. » Elle découvrit qu'elle ne pouvait s'empêcher de pleurer. « Maintenant, filez. Je déteste que vous me voyiez ainsi. Pour l'amour de moi, filez, vous tous ! »

Ils partirent, la quittant lentement un à un ; et quand la pièce fut enfin vide, elle leva son visage baigné de larmes vers la fenêtre et s'adressa avec amertume au soleil, dont les rayons se déversaient à flots pour se moquer de son malheur.

« Pourquoi moi, Seigneur, chaque fois ? Pourquoi dois-je être abandonnée par chaque homme à qui je me suis donnée ? Et même par les fils que j'ai portés avec tant de souffrance ? »

Bien entendu, il n'y eut pas de réponse. Mais la brise céleste qui balaya la chambre et sécha les larmes sur sa joue laissa aussi l'écho d'une réplique dans son âme : « C'est, chuchota l'écho, c'est ton *karma*, Kunti. »

Mais peut-être n'était-ce que l'effet de son imagination.

79

« Ah, Kanika, c'est toi ? Tu marches si doucement que je ne sais jamais.

– Oui, monsieur le Premier ministre. En fait, j'ai laissé mes sandales devant la porte. Après avoir été à l'étroit dans les chaussures que l'Angleterre m'oblige à porter, je trouve même les sandales de trop quand je suis en Inde. »

Les pas feutrés du visiteur se rapprochèrent de lui et Dhritarashtra reconnut l'aromatique et familier mélange de lotion après-rasage Mennen (« si on tient à baptiser une eau de Cologne de mon nom, autant que je l'utilise ») et de *samandi* à l'oignon et au chili, le chutney préféré du haut-commissaire à Londres.

« Monsieur le Premier ministre, ça me fait plaisir de te voir ! souffla bruyamment V Kanika Menon tandis que les deux hommes s'embrassaient.

– Comme disent tes amis américains, ici de même. »

Menon éclata de rire : il n'avait aucun ami américain. Le résultat habituel d'un contact entre lui et « ceux de la foi américaine », comme il aimait à les décrire, était l'apoplexie – du côté américain. Au cours de ces rencontres, Kanika demeurait comme toujours calme et acerbe, alors que tous les participants avaient l'impression d'avoir été passés à l'essoreuse et d'en ressortir encore tout mouillés. Dhritarashtra était probablement son seul ami au monde.

« Comment vont les choses au-delà du noir océan ? s'enquit le Premier ministre tandis que son invité s'asseyait.

– Passablement, bien qu'Albion reste plus perfide que jamais, répondit Kanika. Mais je ne veux pas te faire perdre ton temps sur la misérable routine. J'ai été "débriefé" – c'est, je crois, l'expression à la mode, encore que je sois toujours tenté, quand je l'entends, de m'assurer que j'ai encore mon caleçon – par les mandarins du minis-

tère des Affaires étrangères. » Il secoua la tête de manière
éloquente, un geste perdu pour son ami. Comme on oublie
facilement la cécité de Dhritarashtra, pensa-t-il. « Je me
suis souvent demandé où l'on pêchait certains de ces phé-
nomènes. Tous des types solennels en costume trois pièces
et de meilleurs accents que ceux que j'entends quand on
me convoque à Whitehall. Mais demande-leur une décision et c'est comme si on leur proposait un week-end
cochon. Envoie-leur un télégramme et ils se débrouilleront
pour l'égarer entre leurs bureaux. Je ne peux pas me rappeler une transaction avec eux qui n'ait pris des semaines
au lieu de quelques jours. Es-tu sûr, monsieur le Premier
ministre, qu'ils ne confondent pas le nom de leur entreprise avec le ministère des Affaires éternelles ? »

Dhritarashtra s'esclaffa.

« Tu es incorrigible, Kanika. Pas étonnant que tes amis
russes aient une si pauvre opinion de nos garçons du
bâtiment sud ! Les idées que tu dois leur fourrer dans la
tête !

– Moi ? » Kanika Menon mit toute son innocence blessée dans sa voix, remisant à regret les gestes expressifs
qui l'avaient rendu célèbre dans les cercles de rhétorique
internationaux. « Je n'ai pas d'ami russe, tu le sais, monsieur le Premier ministre. Quelques relations, peut-être.
Et ils n'ont pas besoin de me raconter, à moi, notre ministère. Sais-tu ce que m'a sorti l'ambassadeur de l'URSS
l'autre soir ? » Menon prit la voix tonitruante et l'accent
d'un batelier de la Volga : « Venez ici, Menon, que je vous
raconte ce qu'on dit au Kremlin de votre diplomatie
indienne. On dit qu'elle ressemble à l'accouplement d'un
éléphant : ça se passe à un très haut niveau, ça s'accompagne de beaucoup de barrissements et il faut trois ans
avant d'en connaître les résultats.

– Oh, Kanika ! ne put s'empêcher de s'esclaffer le Premier ministre. Je ne sais pas ce que je fais sans toi à Delhi
la majeure partie de l'année. Mais je suis content que tu
aies pris ces petites vacances. Tu es exactement ce dont
j'ai besoin.

– Des problèmes ? s'enquit Kanika, aussitôt plein de sympathie.

– Eh bien, si l'on veut, répliqua Dhritarashtra. Non, pas vraiment. Enfin, disons plutôt : certains de nos gens dans le Parti kaurava pensent qu'il y a un problème.

– Tu t'exprimes en devinettes, monsieur le Premier ministre. Songe à ton ignorant cousin venu de sa campagne.

– Je ne crois pas que tu connaisses Jayaprakash Drona », dit Dhritarashtra sur un ton plus affirmatif qu'interrogateur. Kanika avait passé les années de lutte pour la liberté à la tête de la Ligue pour l'indépendance de l'Inde à Londres, où Dhritarashtra l'avait rencontré. Il ne connaissait personnellement que les hommes politiques indiens venus jusqu'à lui durant ses longues années d'exil volontaire. Ce n'était pas le cas de Drona.

« Tu veux parler du saint anarchiste ? Seulement de réputation.

– Eh bien, c'est déjà quelque chose. Une bonne réputation ?

– Couci-couça, répondit Kanika, prudent. Nationaliste, idéaliste, prêt à monter en ligne.

– Si tu as suivi les événements d'ici comme tu es censé le faire, tu sais aussi, je suppose, qu'il a abandonné le Conseil des ministres pour partir dans les villages, accompagné des cinq fils de Pandu et du sien.

– Je crois me rappeler vaguement quelque chose à ce sujet, répondit Kanika, aussi soucieux de ne pas couper ses infinitifs qu'il l'était de couper à l'infini les cheveux en quatre. Comme tu peux l'imaginer, ça n'a pas fait grosse impression sur la presse impérialiste et je ne lis dans les journaux indiens, quand ils me parviennent avec cinq semaines de retard, que les résultats du cricket. Mais pourquoi diable Drona a-t-il fait ça ?

– Pour travailler à la transformation politique de l'Inde rurale, soupira Dhritarashtra. Il s'emploie, avec ses jeunes disciples, à développer la conscience de leurs droits démocratiques chez les villageois ; à s'assurer que les métayers des grandes fermes reçoivent leur dû et réclament à cor et à cri une réforme agraire ; à exposer au grand jour la corruption et le mauvais fonctionnement de la police et des conseils ruraux.

– Et ça t'inquiète ?

– Ça m'enchante ! s'exclama Dhritarashtra avec emphase. Kanika, ce sont les thèmes sur lesquels j'ai passé ma vie à parler et à écrire, les thèmes qui pour moi représentaient les buts du Parti kaurava. Tu connais mes opinions, nous étions socialistes, toi et moi, à Londres. Comment peux-tu poser une question pareille ?

– Parce que tu parais troublé. Et parce que tu m'as laissé entendre que Drona posait un problème.

– Bien sûr. Je suis désolé, Kanika. C'est que... que toute cette affaire est tellement méprisable, si tu vois ce que je veux dire. Des gens m'ont affirmé que Drona et ses jeunes compagnons devenaient trop populaires. Et que je devrais m'employer à... leur rendre la vie un peu plus difficile. Leur rabattre le caquet. » Dhritarashtra exhala un soupir d'angoisse. « Je ne peux pas m'y résoudre, Kanika. J'ai besoin de ton avis. »

Kanika demeura un moment silencieux, comme s'il pesait deux réponses.

« Dans les questions de jugement politique, monsieur le Premier ministre, dit-il enfin, je suis plutôt du genre traditionaliste. Je retourne aux leçons de l'*Arthashastra*, que Machiavel a plagié avec tant d'efficacité, et au *Shantiparvan* de Vyasa. J'espère que tu ne te formaliseras pas de ce que je vais te dire, mais, quoi que ça vaille, c'est sanctifié par les siècles :

> Non, être roi ne fut jamais aisé.
> Difficile de régner sur les masses :
> la popularité est chose fugace
> qui peut aisément vous dévorer.

> Un roi doit toujours affirmer
> que dans son pays il est le patron

et que nul, ennemi ou allié,
n'a le droit de lui faire affront.

Un roi doit toujours montrer son pouvoir,
même contre sa famille bien-aimée ;
peu importe qu'il dise blanc ou noir,
il n'a qu'un seul choix : gagner.

Quel intérêt d'être puissant
si personne ne le devine ?
Un tigre affiche constamment
sa force musclée et féline.

Toute faiblesse doit être cachée
comme la tortue cache sa tête ;
un roi ne doit pas se montrer
tremblant de peur comme une bête.

Rapidité et discrétion sont les moyens
à employer pour tirer des plans ;
mais un roi, s'il est très malin,
doit se passer de confident.

Prétendre ! Celer ! Découvrir ! Se méfier !
Tels sont ses principes vitaux ;
maintenir une apparence gaie
mais supprimer tous les rivaux.

Garder ses intentions pour soi,
n'en rien révéler au-dehors,
acheter le silence à coup d'or
en gardant un couteau (juste au cas).

N'ordonne que si tu es sûr
d'être obéi sans discussion ;
fais en sorte d'être jugé pur,
et non coupable de persécution.

Supprime hardiment la moindre menace.
Une petite épine, ne l'oublie pas,

dans ta chair peut laisser des traces
et t'infecter ; et je t'avertis là :

il suffit juste d'une étincelle
pour mettre le feu à la forêt
et, avant qu'un danger soit mortel,
il faut cesser de philosopher.

Il n'est pas vraiment nécessaire
de jamais lancer un ultimatum ;
et si un rival s'avise de le faire,
il te suffit d'éliminer l'homme.

Procède promptement et bien,
sans te faire surprendre jamais.
Le mieux, c'est d'avoir sous la main
un bâton et de dormir portes fermées.

Dissimule ! Si tu enrages, sois tout sourire,
parle doucement ; ensuite frappe et tue,
et puis pleure ; surtout ne montre pas ton ire
et porte le deuil de celui que tu as vaincu.

Amasse toute la richesse possible,
argent, bijoux, humains et comestibles ;
il faut des ressources pour tout projet,
aucun moyen n'est à négliger.

Souviens-toi, on dit qu'un bâton tordu
vaut cent fois une canne sans courbure
quand on veut cueillir un fruit défendu,
une pomme, qu'elle soit verte ou mûre.

Alors emploie tes hommes peu droits
pour ramener des informations
du marché et des lieux de joie
et prendre le pouls de la nation.

Quant à tes ennemis, j'aimerais te voir
imiter le pêcheur qui attrape, découpe,
puis vide le poisson qu'il mangera le soir
et brûle ce qui n'ira pas dans sa soupe.

C'est le seul moyen de traiter tous ceux
qui pourraient présenter un danger sérieux.
Qu'ils te saluent et te touchent les pieds,
mais ne les laisse pas approcher trop près.

Pense à l'avenir, il est temps, il faut
anticiper le malheur et les drames ;
et si tu ne t'endurcis pas l'âme,
tu risques d'y laisser la peau.

Dhritarashtra soupira.

« Merci, Kanika. Je sais que tu parles en ayant mon intérêt à cœur, mais ce n'est tout simplement pas dans ma nature. Je ne peux pas le faire.

– Tu m'as demandé mon avis. » Kanika Menon haussa les épaules. « Je t'ai donné le seul possible pour moi.

– Je sais, dit Dhritarashtra. Maintenant oublions que je te l'aie jamais demandé, d'accord ?

– Certainement, répliqua son visiteur, son profil d'aigle pareil à un masque. Ça n'ira pas plus loin. »

Mais il se trompait. Juste derrière la porte entrouverte menant au bureau privé du Premier ministre, la fille aux yeux noirs de Dhritarashtra reposa le livre qu'elle prétendait lire et eut un petit sourire satisfait, contente que son idéaliste de père eût des amis qui le soient moins. Dhritarashtra oublierait peut-être l'avis de Kanika, mais Priya Duryodhani se rappellerait chaque mot des conseils brutaux de l'acerbe haut-commissaire.

Et elle n'hésiterait pas à les suivre.

80

La jeep gouvernementale sembla hésiter avant de tourner dans la petite rue du village. La réticence de sa boîte de vitesses se trouva justifiée lorsqu'elle eut peu à peu négocié le virage et pris la piste poussiéreuse. Elle avait à peine assez de place entre les murs de torchis des maisons pour avancer sans heurt, et le chemin qui restait à parcourir n'aurait pas été qualifié de carrossable par l'Association automobile. Mais, une fois engagé dessus, il était plus facile de continuer que de reculer. La jeep descendit la piste en cahotant, éparpillant enfants piailleurs et poules caquetantes dans toutes les directions comme des graines semées par un fermier pompette.

Elle s'arrêta bruyamment devant un terrain vague où une foule de villageois s'étaient rassemblés sous la banderole blanche et rouge annonçant « Rassemblement pour la réforme agraire » en hindi et en anglais. Un orateur barbu s'adressait à la foule sans texte ni micro. La brise capricieuse emportait des bouts de ses phrases vers diverses sections de la foule, qui ponctuait son éloquence de ses applaudissements hachés. L'arrivée de la jeep lui fit perdre la frange de son auditoire : de là où il se trouvait, le véhicule intrus avait un net avantage sonore. Une silhouette chiffonnée émergea de la jeep et s'immobilisa devant, la main en visière sur les yeux plissés comme un marin cherchant à apercevoir la côte. Une généreuse couche de poussière recouvrait son visage et zébrait son costume de cotonnade crème, mal choisi pour la circonstance. L'autre main tenait un attaché-case noir tout cabossé.

« Oncle Vidur ! » s'écria une voix jeune au-dessus des murmures de curiosité de la foule. « Oncle Vidur ! » répéta en écho sa jumelle.

Un grand jeune homme à l'allure distinguée se détacha du groupe de gens près de l'estrade et emboîta le pas aux deux garçons qui couraient vers la jeep.

« Oncle Vidur, dit Yudhishtir, quel plaisir de vous voir ! Qu'est-ce qui vous amène ?

– Toi, répliqua sèchement Vidur, qui n'était pas d'humeur à plaisanter. Où sont les autres ? Il faut que je vous parle de toute urgence

– Dronaji est sur l'estrade, que Bhim soutient pratiquement à lui seul : un des supports s'est effondré, on pense
qu'un des sbires du propriétaire l'a scié dans la nuit. Ah,
et puis Arjun garde un œil quelque part sur l'assistance,
nous avons eu deux ou trois vilains incidents récemment.
Mais si vous voulez bien attendre quelques minutes, oncle
Vidur, le meeting est presque fini... »

Vidur jeta un regard dubitatif sur la foule. « Oh, bon,
d'accord, dit-il enfin. Mais essaie de lui faire signe de
terminer très vite. Je n'ai pas beaucoup de temps. »

A la tribune, Jayaprakash Drona entamait une pérorai-
son passionnée : « Nous entendons un tas de propos socialistes en provenance de New Delhi, déclara-t-il. Le gouvernement nous affirme qu'il réserve les "hauts leviers de
commande de l'économie" au peuple, au secteur public.
Et quels sont ces "hauts leviers de commande" ? Ceux du
fer et de l'acier, pour construire de gros navires sur lesquels aucun de nous ne naviguera jamais. De l'électricité,
pour éclairer les maisons des riches. De la banque et des
finances, pour ceux qui ont de l'argent à y mettre. (Échos
dans la foule.) Mais que fait-on de la terre, du sol que
vous et les quatre cinquièmes de vos compatriotes labou-
rez pour nourrir vos familles et les détenteurs de cartes
de rationnement dans les villes ? Personne à Delhi ne
parle de la terre ! (Cris de colère.) Tandis que les bureaucrates et les ministres se tiennent à leurs "hauts leviers de
commande", le paysan ordinaire de l'Inde s'enfonce dans
les profondeurs du besoin, celles de la famine et de la
ruine ! On se fiche de l'exploitation impitoyable pratiquée
par les propriétaires terriens dans les villages parce qu'on
est trop occupé dans les villes. Trop occupé à adorer ce
que notre Premier ministre, Dhritarashtra, un homme pour
qui j'ai un grand respect (vivats ironiques dans une partie
de l'assistance), non, sérieusement, un homme que je
respecte beaucoup, a appelé les "nouveaux temples"
de l'Inde moderne : les étincelantes usines neuves que
son gouvernement a construites. Pourquoi de "nouveaux temples" ? Parce que Dhritarashtra espère que notre

peuple abandonnera ses vieux temples, les vrais temples, pour prier sur les autels de sa nouvelle machinerie. (Hurlements scandalisés.) Je sais que ça vous est difficile à croire, mais c'est ce que veut notre Premier ministre. Eh bien, il lui faudra attendre un bout de temps car ses ministres se font docilement l'écho de son opinion et puis ils procèdent pour les nouveaux temples comme pour les vieux : quand ils vont inaugurer une fabrique d'acier ou un laboratoire chimique, ils cassent une noix de coco dessus et récitent une *puja*. (Rires entendus.) Je vous dis donc à tous : il est temps d'oublier les nouveaux temples et de consacrer un peu de temps à penser aux gens qui fréquentent les vieux. (Oui, oui.) Vous ! (Tonnerre d'applaudissements.) Il faut forcer ce gouvernement à procéder aux réformes agraires que le Parti kaurava promet depuis l'Indépendance. Le paysan honnête doit être payé de la sueur de son front ! La terre aux laboureurs ! A bas les propriétaires exploiteurs ! Vive l'humble fermier indien ! » (Et *Zindabad !* répondit l'écho.)

L'orateur descendit de son estrade et la foule se dispersa lentement comme des fourmis abandonnant une miette. Drona s'avança à grandes enjambées vers le visiteur.

« Eh bien, comment avez-vous trouvé ça ? s'enquit le sage des sans-culottes, s'épongeant le front tout en saluant Vidur.

– Pas mal, répondit le fonctionnaire, à ceci près que vous avez été un peu dur, à mon sens, pour le pauvre Dhritarashtra. Après tout, il croit aux mêmes choses : la réforme agraire, les droits des fermiers, etc. Mais il ne peut pas simplement se pointer et changer tout du jour au lendemain. Il a un parti et un pays à diriger.

– Eh bien, il vaudrait mieux qu'il comprenne que ces gens sont le pays, répliqua Drona. Mais il est évident que vous n'êtes pas venu jusqu'ici pour discuter politique. A moins que... » Il jeta un coup d'œil sagace au bureaucrate.

« Seigneur, non ! se hâta de protester Vidur. Écoutez, y a-t-il un endroit tranquille où nous pourrions parler ? »

Il regarda le petit cercle des villageois qui s'étaient rassemblés autour d'eux et contemplaient Vidur avec une impudente curiosité.

Drona sourit. « Vous ne devriez pas vous habiller ainsi, Vidur, si vous tenez à ne pas attirer l'attention dans un village indien, remarqua-t-il avec malice. Venez, je sais où aller, à condition que vous promettiez de vous déchausser. Le Shiva Mandir est d'habitude fermé à cette heure-ci, mais le prêtre m'a donné la clé de la porte de service du temple. Nous pourrons nous asseoir à l'ombre d'un grand banian, au bord d'un bassin un peu fongique, et parler tant que nous voudrons dans le jardin du Seigneur. » Il examina la jeep avec intérêt.

« Est-ce votre *vahana* ? "Gouvernement de l'Inde. Bureau central des renseignements", lut-il sur la plaque d'immatriculation. C'est votre métier, ces jours-ci ?

– Le BCR est un des départements qui dépendent de moi, oui, répondit Vidur, que son succès au Manimir avait élevé au rang de secrétaire général du ministère de l'Intérieur. Et c'est pourquoi je voudrais vous parler. On y va ? »

Les six hommes (Ashwathaman était parti organiser la réunion du lendemain dans un village voisin) s'assirent sur le bord du bassin du temple autour de leur visiteur déchaussé, qui leur expliqua la raison de sa visite inattendue :

« Je crains que vous ne soyez plus en sécurité, dit-il, s'adressant directement à Yudhishtir. Quelqu'un, quelqu'un de puissant et qui pourrait bien être, je crois, Priya Duryodhani, a donné des ordres pour que tous les cinq, vous soyez attaqués et, si possible, tués. » Il vit des questions étonnées monter aux lèvres de ses interlocuteurs et il leva la main. « Ne me demandez pas comment je le sais ni pourquoi je ne peux rien y faire. J'arriverai peut-être en temps voulu à convaincre Dhritarashtra ou même Duryodhani elle-même de mettre un terme à cette folie et d'annuler ces ordres si elle en est responsable, mais pour l'instant ils ont été donnés et j'ai eu très peur qu'ils ne soient exécutés avant que je puisse vous prévenir. Vous êtes particulièrement vulnérables durant cette campagne fort remarquée de Drona. Il serait très facile d'organiser une émeute ou un incident violent au cours duquel vous seriez abattus.

– Voyons un peu qui va essayer de nous attaquer, s'écria Bhim avec sa fougue habituelle. Je suis prêt à me battre avec n'importe qui et son père !

– Ne sois pas idiot, Bhim, lança Vidur, sans aménité. Tu ne peux pas te battre avec une balle dans le dos ou un couteau adroitement lancé par quelqu'un dans la foule. Je n'aurais pas fait tout ce chemin, au prix de pas mal d'inconvénients personnels, si je n'avais pas jugé la situation très difficile à résoudre, même par vous cinq réunis.

– Naturellement, oncle Vidur, approuva Yudhishtir. Poursuivez, je vous en prie.

– Je veux que tous les cinq vous embarquiez sur-le-champ avec moi dans la jeep. On sera un peu serrés, mais pas pour longtemps. Un bateau vous attend sur les rives du Gange non loin d'ici, juste au-delà du prochain village. Un homme vous accueillera de l'autre côté et vous escortera jusqu'à la ville de Varanavata. Elle est à l'écart des grandes routes mais assez vaste pour que vous puissiez vous noyer dans la foule. Faites les morts pendant quelque temps, en attendant que les choses se calment. Je peux faire passer des messages par le receveur des postes du coin, mais, comme c'est une ligne accessible à tous, ils seront un peu elliptiques.

– Nous les déchiffrerons, oncle Vidur, affirma calmement Yudhishtir. Et Dronaji ?

– Oui, dit le brûlot drapé de safran, et moi alors ?

– Vous êtes en sécurité pour l'instant, répliqua Vidur. Curieusement, la menace ne semble concerner que les cinq garçons, ce qui suggère une affaire personnelle plutôt que politique – ou, du moins, plus personnelle que politique.

– Je n'arrive toujours pas à croire que Duryodhani soit mêlée à une histoire pareille, dit Yudhishtir.

– Nous si, intervint Nakul avec franchise.

– Je ne comprendrai jamais cette fille, soupira Vidur en secouant la tête d'un air las. Sans un très fort instinct m'incitant au contraire, je me serais expliqué directement avec elle. Mais quelque chose me dit qu'il vaut mieux qu'elle ne sache pas que je sais : je vous serai plus utile ainsi. J'espère avoir raison.

– J'en suis sûr, oncle Vidur, dit Yudhishtir avec respect.

– Ah ! et une chose encore : quelqu'un vous attendra à Varanavata, quelqu'un dont je pense que vous ne devriez pas être séparés en ce moment.

– Mère ? » suggéra Arjun.

Vidur acquiesça d'un signe de tête. « Soyez gentils avec elle, mes enfants. Elle en a vu de dures. »

81

La nouvelle de la mort du fondateur éponyme du Karnistan parvint à Dhritarashtra durant son massage matinal, moment où il se faisait lire les télégrammes principaux.

« Comment est-ce arrivé ? » demanda-t-il à son demi-frère, qui avait interrompu la lecture dépourvue d'inspiration d'une dépêche londonienne féroce pour lui annoncer la nouvelle. Le Premier ministre était étendu sur le ventre, vêtu de son seul caleçon et de ses éternelles lunettes, tandis qu'un robuste *pahelwan* dissolvait les nœuds de tension sur son cou par la pression subtile de pouces experts.

« Il ne se portait pas très bien depuis quelque temps, répondit Vidur. Te rappelles-tu, son teint doré avait commencé à prendre un ton jaunâtre à l'époque de la Partition. Et, par moments, on avait l'impression de voir à travers la demi-lune de son front le désordre compliqué qui régnait à l'intérieur. » Vidur se tut, embarrassé par sa propre imagination. « Mais, de toute manière, la fin a été plutôt ridicule. Il semble que sa voiture officielle se soit embourbée au cours d'une tournée d'inspection. Karna a engueulé le chauffeur, ce qui a rendu le pauvre diable encore plus nerveux, si nerveux qu'il a fait tourner le moteur trop fort, la roue s'est enfoncée davantage. Le Khalifa-e-Masriq a piqué une colère folle. Il a sauté de la voiture en hurlant des insultes au malheureux chauffeur et il a dit qu'il allait dégager la roue lui-même à mains nues.

– Bonté divine, murmura Dhritarashtra, sentant d'autres mains nues, plus fortes que celles de Karna, détendre ses omoplates avec de longs et profonds mouvements. Et il a essayé ?

– Apparemment. Le chauffeur a voulu l'aider, mais Karna l'a renvoyé à son volant. Il semble qu'il y ait eu des gens autour, mais personne n'a osé approcher du Khalifa vu son humeur.

– Et puis ?

– Il a tiré sur la roue, qui n'a pas bougé. Et alors il a fait quelque chose de très singulier, je veux dire de plus singulier encore.

– Ah ?

– Il a menacé du poing le soleil.

– Étrange.

– Et presque aussitôt, dit-on, il s'est effondré, mort. Avec ses mains désespérément agrippées à la roue de son véhicule. »

Dhritarashtra demeura silencieux un moment tandis que le masseur continuait à pétrir de la vie dans la chair privée d'exercice de ses cuisses. « Je ne peux pas affirmer avoir jamais beaucoup aimé l'homme, dit-il enfin. Avec son ambition démesurée, sa manière de nous tenir haute la dragée islamique sous couvert de sa prétendue passion religieuse, son empressement à détruire un pays pour satisfaire son caprice, il n'était pas exactement attirant. Et pourtant... je me demande parfois : si nous lui avions donné sa place dans le Parti kaurava, ne s'en souvien-drait-on pas aujourd'hui comme du meilleur des Indiens ? »

Il grimaça tandis que les paumes du masseur frappaient plus vigoureusement encore sa taille molle, ce que Dhritarashtra ne prit pas pour un commentaire politique. Il savait que le masseur était un des hommes les plus sûrs des services secrets. Il avait été engagé avec le plus irréprochable des certificats : ma recommandation.

Nous autres, historiens, vois-tu, Ganapathi, devons nous assurer nos sources.

Loin de là, dans une quelconque chambre d'hôtel d'un Varanavata sans charme, Kunti Devi Yadav, veuve du très regretté Pandu, entendit la nouvelle sur une radio grêle. Elle pleura sur le fils qu'elle n'avait pas connu et sur le sort qui l'en avait privée. Elle pleura aussi sur l'innocence perdue et la culpabilité acquise : l'innocence qu'elle avait perdue dans les bras d'Hyperion Helios et la terrible culpabilité que seule une mère qui survit à son enfant peut connaître. Une mère, en l'occurrence, forcée de pleurer son fils dans le silence et la solitude.

Kunti pleura. Elle s'avança en titubant vers la fenêtre à barreaux de sa chambre d'hôtel. Et puis, dans un geste incongru, elle passa son bras orné de bijoux par la fenêtre et elle menaça du poing le soleil.

LE QUATORZIÈME LIVRE

Le *Veda* truqué

82

« Enchanté de vous accueillir, nobles sirs ! » Le dentier en or de l'hôtelier étincela dans un sourire rayonnant. « Je m'appelle Purochan Lal. Je suis très honoré de vous recevoir dans mon humble établissement. Resterez-vous longtemps ?

– Quelques jours, répliqua Yudhishtir sans se compromettre. Nous n'avons pas encore décidé. » Il jeta autour de lui un coup d'œil peu impressionné.

« Bien entendu, bien entendu. » Purochan Lal se montrait d'une obséquiosité de valet. « Il n'est que juste et convenable que vous preniez votre temps avant de vous prononcer sur les mérites de notre belle cité.

– Pouvez-vous nous conduire à la chambre de notre mère ? Elle nous attend.

– Votre mère ? Très certainement. » Purochan Lal passa derrière un comptoir rudimentaire pour consulter un registre très écorné. « Et quel est son honorable nom, je vous prie ?

– Kunti Devi. Elle a dû arriver – oh, hier. De Hastinapur.

– Srimati Kunti Devi ! Mais bien sûr ! » Purochan Lal parut presque excité. « Vous dites qu'elle est votre mère ? Vous êtes son fils ?

– Yudhishtir, confirma l'aîné. Et voici mes frères : Bhim, Arjun, Nakul et Sahadev.

– Enchanté de vous connaître », dit Nakul gravement.

Arjun fit un signe de tête, Bhim un sourire béat.

« Mais quel honneur imprévu ! » L'hôtelier se frotta les mains avec un mélange de respect et d'allégresse. « Les cinq fils du digne Pandu ! Notre feu grand Chakravarti, fléau des Anglais ! » Il se pencha par-dessus le comptoir avec un air de conspirateur. « J'ai été moi-même un membre des AA, annonça-t-il dans un chuchotement sifflant. Vos désirs sont mes ordres. »

Yudhishtir parut embarrassé par cet accueil inattendu.

« Notre seul désir est de gagner nos chambres, dit-il. Nous sommes très fatigués et nous voudrions voir notre mère, si cela ne vous dérange pas.

– Déranger ? Pas du tout. C'est mon plaisir que d'être utile aux fils de Chakravarti. Mon seul chagrin, c'est que mes chambres ne soient pas dignes de visiteurs aussi distingués. Aïe, aïe, aïe... » Il secoua tristement la tête en gage de remords. Puis, soudain, son visage morne s'éclaira. « Mais attendez ! J'ai une idée. Ma nouvelle maison est presque terminée. Elle n'est pas loin d'ici et ma famille n'a pas l'intention de s'y installer avant les fêtes de Diwali. Pourquoi ne pas habiter là-bas plutôt ?

– Franchement, nous ne saurions songer à vous déranger autant, protesta Yudhishtir. Je suis sûr que nous serons très bien ici.

– Quelle sorte de discours me tenez-vous là ? Je vous l'ai déjà dit, il n'y a pas de dérangement, répliqua Purochan Lal. J'insiste. Ce sera un honneur pour moi et ma famille que de vous abriter sous notre toit. Il faut que j'aille chercher les clés. Mais non, je vais d'abord vous conduire à votre mère. Puis vous ferez tous un brin de toilette, vous vous mettrez à l'aise et d'ici une heure ou deux j'aurai préparé la maison pour vous. » Il sourit, fit une courbette et se frotta de nouveau les mains tandis que les trois aînés des Pandavas se consultaient du regard en haussant les épaules. « Vous acceptez ? Vous habiterez chez moi ? Je suis très honoré. Suivez-moi, je vous en prie. »

Le lendemain matin tôt, le secrétaire général du ministère de l'Intérieur, la mine lugubre, étudiait la copie carbone barbouillée que lui avait apportée son préposé à l'interception des télégrammes. « CONTACT ÉTABLI STOP LES CINQ CONFIANTS STOP DÉMÉNAGENT DEMAIN DANS MAISON PRÉTRAITÉE STOP PRÉPARATIFS EXÉCUTÉS SELON ACCORD STOP PRIÈRE AVISER QUAND COMMENCER STOP CONTINUER REMISE FONDS SANS STOP STOP PUROCHAN LAL. » La dépêche avait été expédiée de Varanavata la veille au soir. Elle était adressée à Priya Duryodhani.

Vidur devait gagner du temps.

Il prit un bloc-notes et, de son écriture penchée, rédigea rapidement trois télégrammes. Grâce à Dieu, son homme le plus sûr dans Varanavata était le receveur des postes.

« POUR PUROCHAN LAL STOP MESSAGE REÇU STOP NE FAITES RIEN JUSQU'À CE QUE JE VOUS DISE DE COMMENCER STOP CONTINUEZ PRÉPARATIFS NON STOP STOP PRIÈRE RÉDIGER DÉPÊCHES PLUS SOIGNEUSEMENT ET NE PAS FINIR PHRASES AVEC STOP STOP STOP TOUT CECI DÉROUTANT STOP REMISE FONDS MA RESPONSABILITÉ ET PAS QUESTION LA STOPPER STOP SURTOUT SI VOUS STOPPEZ DE METTRE STOP STOP STOP. »

Il signa ce premier message « Priya Duryodhani ».

Le suivant était pour le postier : « NE PAS LIVRER À PUROCHAN LAL TÉLÉGRAMMES AUTRES QUE CEUX COMMENÇANT AVEC LES MOTS JE CITE POUR PUROCHAN LAL FIN DE CITATION. » Il le signa de ses nom et titre et s'assura de bien donner à l'ordre un numéro de référence officiel.

Le dernier télégramme fut le plus difficile à composer : « POUR YUDHISTIR POSTE RESTANTE VARANAVATA STOP VOTRE DERNIER HOROSCOPE STOP MÉFIEZ-VOUS CABANE DE TROIE STOP ATTENTION MINISTRES SANS TÊTE MAIS QUEUE DEVANT STOP NE PAS VOUS DÉCOUVRIR DEUX POINTS PAS IMMÉDIATE GRANDE RECOMPOSITION FLORALE DANS JARDIN STOP ENVOIE LAPIN POUR AIDER TERRIER STOP LES VOYAGES ÉLARGISSENT LES HORIZONS STOP LAISSEZ LES ÉTOILES ILLUMINER VOTRE CHEMIN STOP ONCLE VIDUR. »

Il examina de nouveau le texte d'un œil critique. « Cabane de Troie » était une allusion plutôt évidente. Yudhishtir était-il un cruciverbiste suffisamment averti pour déduire que « ministres sans tête mais queue devant » fai-

sait « sinistre » et que la « recomposition » de « grande »
pouvait être « danger » ? Il l'espérait. Si la ponctuation
superflue et le confucianisme du reste du message se révé-
laient plus opaques, tant pis : impossible de risquer d'être
plus explicite. Mais le télégramme, dont on pouvait deviner
la signification, n'était destiné qu'à mettre les Pandavas
sur leurs gardes jusqu'à l'arrivée de l'homme de Vidur à
Varanavata.

Le moment était venu d'envoyer chercher le Lapin.

83

« Qu'est-ce que c'est que cette histoire de grande
recomposition florale ? demanda Bhim.

– Danger, répliqua sèchement Arjun.

– Je ne vois pas ce que ce jardin a de dangereux. »
Bhim jeta un regard méprisant aux quelques buissons éti-
ques qui entouraient la pelouse. « En fait, c'est pas terrible
comme jardin, à mon avis.

– Envoie Lapin pour aider terrier..., dit Yudhishtir,
pensif.

– Terrier, c'est un trou dans le sol. » Arjun réfléchissait
tout haut. « Les lapins les creusent. Je crois qu'oncle
Vidur suggère soit que quelqu'un nous aidera à trouver
une cachette sûre ou bien...

– ... nous aidera à creuser notre chemin vers un abri,
acquiesça Yudhishtir.

– Vous avez dit "creuser" ? s'enquit Bhim. Dans ce
jardin ? N'y pensez pas. Vous auriez de la veine d'arriver
à faire pousser un cactus ici.

– Les voyages élargissent les horizons ? questionna
Yudhishtir.

– Je suppose que ça signifie : préparez-vous à fuir. Et
"laissez les étoiles illuminer votre chemin" doit faire allusion à une fuite la nuit.

– Écoutez, vous deux, qu'est-ce que vous fabriquez ? dit d'un ton querelleur Bhim, qui n'avait saisi de la conversation qu'un mot de-ci, de-là. A rester assis à parler de jardins et de bêcher et de regarder les étoiles la nuit, comme si on n'avait rien de mieux à faire ! Quand allez-vous nous mettre, maman et moi, au courant du télégramme d'oncle Vidur ?

– Dès que nous aurons découvert ce qu'il veut dire, Bhim-*bhai*, dit Arjun, taquin. Tiens, pourquoi tu n'essaierais pas ? »

Bhim prit le papier rose avec ses bandes de papier blanc collées n'importe comment et en examina le contenu en fronçant les sourcils. Il leva un doigt pour se gratter la tête mais s'abstint par peur du cliché.

« Eh bien ? demanda Yudhishtir.

– C'est codé, évidemment, dit Bhim.

– Dix sur dix pour l'instant, approuva Yudhishtir. Mais qu'est-ce qu'il veut dire ?

- En gros... on devrait se méfier d'un cheval de Troie – "cabane" est une erreur d'impression, tout le monde sait ce qu'est un cheval de Troie. Je ne pense pas que ça signifie un gros animal en bois rempli de soldats, mais quelqu'un qu'on a glissé parmi nous. Je sais ! La bonne !

– La bonne ! Très malin de ta part, Bhim ! s'émerveilla Arjun. Tu veux dire que la vieille Parvati, soixante ans et pas de dents, est en réalité un redoutable agent secret déguisé ? Je n'aurais jamais trouvé ça tout seul. »

Mais Bhim était trop absorbé par le reste du texte pour saisir le ton moqueur de son frère cadet.

« "Attention ministres sans tête mais queue devant". Ça, c'est plus difficile. Il doit y avoir un type du genre pasteur ou curé dont il faut se méfier.

– Et sans tête mais la queue devant ? »

La question désarçonna Bhim un instant, mais il se reprit vite :

« Certainement, tu vois, quand il perd la tête. Une sorte de schizophrène, un violent. Il devient fou les nuits de pleine lune et il court partout avec une hache. Ce genre de choses.

– D'accord, Bhim. Alors on se méfiera de Parvati et d'un prêtre cinglé. Quoi d'autre ? »

Bhim s'apprêtait à répondre et leur échange aurait pu se prolonger indéfiniment sans une interruption fortuite : l'arrivée de leur mère. Vêtue d'un simple sari de coton, Kunti Devi s'approcha de ses fils, l'air soucieux.

« Dites-moi, les enfants, demanda-t-elle avec sa manière habituelle d'aller droit au but, vous ne sentez pas quelque chose de bizarre dans cette maison ? »

Yudhishtir et Arjun échangèrent un regard.

« Dans quel sens, mère ? interrogea l'aîné.

– L'odeur, répliqua leur mère. Je ne peux pas l'expliquer mais il y a quelque chose de curieux dans l'odeur des murs et des planchers de cette maison.

– C'est mon avis aussi, avoua Yudhishtir, mais, sachant qu'il s'agissait d'une maison neuve pas encore habitée, j'ai pensé que c'était dû à la peinture fraîche.

– Il n'y a pas de peinture sur les sols et l'odeur est la même », dit Kunti.

Yudhishtir regarda de nouveau le télégramme qu'il tenait à la main, puis Arjun.

« Je vais aller voir à l'intérieur, mère, proposa Arjun.

– Renifle aussi ! gueula Bhim.

– De quoi discutiez-vous, les enfants ? C'est un télégramme ?

– Un télégramme d'oncle Vidur, annonça Bhim. Il est codé. J'étais en train de leur expliquer.

– Vraiment ? D'oncle Vidur ? » Kunti parut troublée. « Que dit-il ?

– Simplement de se méfier d'un certain nombre de choses, répondit Yudhishtir prudemment. Il n'y a pas de quoi s'inquiéter, mère.

– Non, confirma Bhim, rassurant. Je me charge de vous débarrasser de n'importe quel lot de prêtres schizophrènes et de servantes troyennes, maman. »

La stupéfaction de Kunti aurait dû lui mériter quelques explications, mais à ce moment-là Arjun sortit de la maison d'un air grave.

« Je crois que je sais ce que c'est, dit-il en venant vers eux.

– L'odeur ? Quoi ?

– Une laque.

– Comment ça, une *lakh* ? demanda Bhim. C'est pas une odeur, c'est une mesure.

– Je n'ai pas dit *lakh*, Bhim, mais "laque". Les mots ont la même racine, mais celle-ci est une résine sécrétée par des cochenilles sur des branches d'arbre. Elle est transparente, on peut donc l'appliquer n'importe où sans que ça cache le bois ou la surface en dessous, même si ça lui donne ce reflet rougeâtre que nous avons tous remarqué. Son odeur met un certain temps à disparaître, comme maman vient de le découvrir.

– Ce n'est donc que cela, dit Kunti avec un sourire de soulagement. Bon, eh bien, je vais aller m'occuper de nous préparer du thé.

– Attendez, maman ! » Arjun réfléchit. « N'approchez pas le réchaud des murs ni du sol et n'écrasez vos mégots que dans un cendrier. Voyez-vous, la laque a une propriété que je ne vous ai pas citée : elle est terriblement inflammable. Nous habitons un bidon d'essence. »

84

« Ton rapport ? demanda Vidur en s'adossant à son fauteuil.

> – J'ai filé suivant vos ordres (dit le Lapin),
> illico, selon mon habitude, vous savez bien.
> Les Cinq, dont vous pensiez qu'ils pouvaient
> être morts, avaient une chance de se sauver.
> Je leur ai dit de la saisir le lendemain.

Vos dépêches fonctionnèrent admirablement.
Purochan n'y comprenait plus rien vraiment.
Avec vos "commencer et stopper vos stop stop"
il était sur le point de tomber en syncope
et il s'est pris dans nos filets bêtement.

Obéissant à vos télégrammes, il attendit .
son piège était prêt et son complot ourdi.
Vos neveux n'ayant aucune raison
de le soupçonner de trahison,
leur sort semblait bien établi.

Ce n'était plus qu'une question de temps
avant que Purochan commette son forfait.
Un bout d'allumette allumé
jeté sur le porche laqué
suffirait à faire frire ces jeunes gens.

Il commençait à se demander dans sa tête
Si Duryodhani ne commettait pas une boulette,
alors que, jour après jour
elle remettait toujours
de les rayer de la planète.

Merci, sir, de vos manœuvres dilatoires,
sans quoi s'effaçaient tous nos espoirs.
Vous nous donnâtes ainsi le temps
d'enfin damer le pion à ce brigand
avec nos pelles, nos pics et nos bêchoirs.

Dès que j'eus établi avec eux le contact
et appris que vos neveux étaient intacts,
nous commençâmes à creuser
un tunnel si démesuré
qu'il provoqua un drôle d'impact.

Nous nous mîmes au travail avec entrain.
Ce Bhim ! Après avoir mangé à sa faim,
il déploie une force de bulldozer
et vous extrait en moins d'une heure
de quoi bâtir un petit fortin.

378

Très vite, notre tâche fut terminée,
un exploit technique glorieux :
un tunnel spacieux,
ventilé, fait ingénieux,
par d'invisibles cheminées.

Nous procédâmes très subrepticement
afin de tout celer à Purochan.
On cacha l'ouverture (assez large)
sous un excellent camouflage
de branchages, disposés à bon escient.

Enfin, nous fûmes prêts à fuir
le piège mortel de Duryodhani.
Nous envoyâmes des invitations
pour une petite réception,
un dîner, offert par Kunti Devi.

Purochan, sans soupçon, arriva
avec tous ses sbires, qui, des mois,
avaient travaillé si dur
à l'élimination simple et pure
des cinq frères Pandava.

Ils mangèrent, burent, firent des danses,
grisés par le sherry drogué de Kunti,
et vers onze heures du soir
tous, plus ou moins noirs,
s'endormirent par terre sans méfiance.

A un signal de moi, vos cinq enfants,
comme des abeilles fuyant la ruche,
gagnèrent sans la moindre embûche
le tunnel creusé opportunément
et filèrent à l'abri, vivants.

Je passai alors à la phase deux du plan.
(Le Lapin est un homme efficace.)
Je mis le feu à ce méchant palace,
à ses rideaux et ses paillasses,
puis, satisfait, je fichai le camp.

Ainsi Purochan eut la mort qu'il méritait :
tel que prévu, son plan fut exécuté,
sa maison brûla, il l'avait voulu,
grâce à la laque, comme un fétu,
mais c'est lui-même qui disparut.

Entre-temps, sous le couvert de la nuit,
Les Pandavas faisaient de la route,
guidés par les étoiles mais aussi
les phares des voitures, nul doute,
ils se réfugièrent dans un autre abri.

– Merci, dit Vidur. Je peux prendre le relais :

Les journaux parlèrent tous de désastre
– la mort des héritiers du maître.
On soupçonna un assassinat
car Purochan n'était plus là
et ses murs de laque au lieu de plâtre.

"Crime affreux", s'écria la presse.
"Honte nationale, quelle tristesse !,
dit le PM le lendemain.
Je suis dévasté de chagrin."
Quant à Duryodhani, eh bien, devinez.

Je fis passer mes ordres aux garçons :
"Faites les morts pour de bon.
Promenez-vous déguisés,
évitez les indiscrets,
et de retour, pas question."

Voilà donc nos Cinq condamnés à errer,
belle Kunti doit cuisiner et lessiver.
De place obscure en lieu ignoré
à travers l'Inde, ils ont tout loisir
de marcher, voir et réfléchir.

Ils s'instruisent sur notre grande nation.
C'est évidemment une éducation
et, quoique redevenus anonymes
et sans domicile éponyme
de vrais Indiens, eux, ils seront.

"Il faudra du temps, leur ai-je dit,
Avant de recommencer à flirter
Avec la gloire, la célébrité
Et les trompettes de la renommée.
Pour l'heure, restez déguisés."

Mes neveux voyageront dans l'ombre
et travailleront dans l'anonymat,
même si ça doit les rendre sombres,
au moins ils seront à l'abri
en conservant un profil bas.

D'une pierre j'ai fait plusieurs coups :
Duryodhani n'a tordu aucun cou,
les ailes de Drona sont rognées
(car il n'est simplement pas équipé
sans mes neveux pour réussir du tout).

Dhritarashtra, mon frère, est enchanté
que son parti ne soit plus menacé.
Mon stratagème providentiel
élimine ses rivaux potentiels
et je suis au pic de ma popularité. »

85

« Ainsi ils vont errer, en parfaite sécurité, et moi
d'autant mieux à l'abri ? Brillant, Vidur, tout bonnement
brillant. » Le soulagement du Premier ministre s'étala,
étincelant, entre ses lèvres retroussées. « Tu vois, Kanika,
la manière dont Vidur a réussi tout ce que tu conseil-

lais sans aucun des affreux moyens que tu proposais ? Je suis si heureux, Vidur, que la violence n'ait pas été nécessaire.

– Il reste, monsieur le Premier ministre, le léger incident de Purochan Lal et ses compagnons, dit Kanika Menon, qui hésitait rarement à énoncer une vérité inopportune (ni d'ailleurs un mensonge opportun).

– Ah... oui. » Dhritarashtra se refroidit un peu. « Je suppose que c'était inévitable, n'est-ce pas, Vidur ?

– Je le crains, monsieur le Premier ministre. » Le ton de Vidur demeura neutre, professionnel. « Il fallait que la police trouve des corps et il ne fallait pas qu'elle trouve Purochan. Cela était le seul moyen d'atteindre les deux objectifs. Et de protéger votre belle-sœur et vos neveux, bien entendu.

– Bien entendu. » Dhritarashtra parut soudain moins enthousiaste. « Mais assez parlé de tout cela. Divertis-moi, Kanika. Qu'as-tu appris au cours de cette visite de notre pays à l'indépendance toute neuve ? Tu dois avoir beaucoup à me raconter.

– Par où commencer, monsieur le Premier ministre ? Chaque jour, je découvre de quelle inestimable collection de collaborateurs tu t'es entouré. Connais-tu la dernière sur notre ministre de la Défense ?

– Non, avoua Dhritarashtra. A moins que ce ne soit celle de sa demande de rendez-vous avec le ministre de la Marine de l'Afghanistan.

– Ah, la vieille blague du pays sans accès à la mer ! Mais, franchement, elle n'est pas si drôle que ça : après tout, même toi, tu as bien reçu le secrétaire d'État américain à la Culture. » Kanika annonçait ses préjugés comme un supermarché ses promotions, en grandes lettres rouges. « Non, l'histoire à laquelle je pensais est née lors de la dernière visite à Londres du Sardar Khushkismat Singh, grand amateur de bonnes grosses plaisanteries, même – et surtout – s'il ne les comprend pas. Au cours d'un dîner en son honneur, Churchill – son niveau, dans son grand radotage, est décidément en baisse – déclara au moment du porto et des cigares : "Messieurs, j'ai une terrible confession à vous faire." Silence stupéfait des invités. "Sept ans durant, dans ma jeunesse dissolue, j'ai dormi avec une femme qui n'était pas mon épouse." Les regards se tournèrent tous vers lui, les oreilles se tendirent, incrédules, en particulier celles du Sardar Khushkismat Singh. Et Churchill, ménageant ses effets, annonça alors : "C'était... ma mère." Les invités s'esclaffèrent, aussi soulagés qu'admiratifs, et notre brave Sardar, quoiqu'un peu mystifié par le sens de cet humour britannique, prit mentalement note de ce qui avait été une plaisanterie fort appréciée. La semaine dernière, il a donné un petit dîner pour moi, auquel il avait convié quelques diplomates et attachés militaires. A la fin, à l'heure du *saunf*, il décide d'essayer son trait d'esprit : "Messieurs, je dois vous confesser que, dans ma jeunesse dissolue, j'ai couché avec une femme qui n'était pas mon épouse." Consternation des invités, égale à celle des convives de Churchill. Le bon Sardar se marche sur les pieds dans sa hâte à vouloir les rassurer : "Ne vous inquiétez pas, ne vous inquiétez pas !" Il agite la main. "C'était la mère de Winston Churchill !" »

Dhritarashtra fut pris d'un fou rire. « Oh, Kanika, je ne sais pas ce que je fais sans toi à Delhi. Mais je ne sais pas non plus comment je ferais sans toi à l'étranger. Hein, Vidur ? Qui nous défendrait passionnément aux Nations unies à propos du Manimir ? » Son visage s'assombrit. « Vois-tu, je n'aurais jamais cru, Kanika, que les Karnistanais renverseraient la situation diplomatique en leur faveur comme ils l'ont fait pour le Manimir. Si j'avais su, je ne me serais pas rendu aux Nations unies pour commencer.

– Non, mais eux l'auraient peut-être fait, dit Kanika. Et des gens qui ne savent rien de notre combat pour la liberté, ni de notre histoire, ni de notre peuple, auraient continué à nous juger. Le Karnistan a été créé pour les musulmans, la majorité des Manimiris sont musulmans, *ergo* le Manimir devrait faire partie du Karnistan. Voilà l'étendue de leur géographie politique. Moi, naturellement, je me dresse pour leur dire que l'Inde ne considère pas que la religion doive déterminer la nationalité et que le gros des Manimiris musulmans était derrière nous quand nos troupes sont allées les protéger de l'invasion karnistanaise. Mais alors, demandent-ils, pourquoi, si tel est le cas, le plus éminent de ces partisans de l'intervention indienne, votre propre ami Cheikh Azharuddin, est-il en prison ?

– Il a fallu que je l'y mette, Kanika, marmonna Dhritarashtra, malheureux. Il devenait impossible, Vidur te le dira.

– Inutile, répliqua Karnika. Je connais toutes les réponses. Dans certains cas, je les ai inventées moi-même. Rappelle-toi que je détiens le record du plus long discours jamais prononcé aux Nations unies et qu'il avait pour sujet le Manimir. Il contenait un tas de réponses, ce discours, et un tas de questions en retour. Qui donc, à la place de l'Inde, aurait toléré sur sa frontière la plus délicate un Cheikh Azharuddin flirtant avec l'idée de l'indépendance pour son État ? C'est ce que je leur ai demandé.

– Je sais, dit Dhritarashtra. Kanika, tu as accompli un excellent travail à l'étranger en établissant et en défendant la position de l'Inde avant et depuis l'Indépendance. Aujourd'hui, je pense qu'il est temps que tu reviennes ici. Je te dénicherai un siège de tout repos pour les prochaines élections. Je te veux de retour en politique et je te veux dans mon cabinet. J'ai même décidé du ministère que je te donnerai.

– Les Affaires étrangères ? demanda Kanika, plein d'espoir. Me lâcheras-tu aux trousses de ces pâles canailles du bâtiment sud ?

– Non. Tu sais bien, Kanika, que c'est le seul portefeuille que j'ai toujours voulu garder pour moi. Les Affaires étrangères sont l'unique domaine dans lequel ma cécité n'a aucune importance ; tout le reste réclame un empirisme dont je suis incapable. Tu comprends ?

– Naturellement. » Le regard d'aigle de Kanika ne laissa rien deviner de sa déception. « Mais où as-tu l'intention de me mettre ? »

Dhritarashtra sourit malicieusement. « A la place du Sardar Khushkismat Singh », dit-il.

86

Se déplaçant vers le sud, guidés par les étoiles et leur instinct, les Pandavas recherchaient la sécurité dans le mouvement perpétuel. A chaque étape, ils accomplissaient une bonne action, pareils aux cow-boys itinérants de westerns idéalistes qui arrivent dans une ville terrorisée, revolvers fumants au poing, démolissent les bons, les mauvais et les truands et repartent dans le crépuscule, laissant la population plus mystifiée que misérable.

Au cours de leurs pérégrinations, les Cinq se trouvèrent remplir un office différent, sinon entièrement dissemblable. Ils débarquaient dans un village dont le prêtre, défiant la nouvelle Constitution, refusait l'entrée du temple aux Intouchables, les Enfants de Dieu de Gangaji ; ou dans un autre où un propriétaire terrien avait chassé une malheureuse famille de fermiers parce qu'elle n'avait pas souscrit à ses exactions ; ou une troisième dans laquelle un fonctionnaire local corrompu, un policier ou un *patwari* exploitait les pauvres et les illettrés à son profit. Dans chaque cas, Yudhidshtir intervenait au nom de la vertu ; si son appel échouait, Arjun tentait le raisonnement et, si cela ne marchait pas non plus, Bhim réglait le problème définitivement grâce à sa technique de persuasion très personnelle, avec Nakul et Sahadev prêts à ramasser les morceaux (et Arjun, le merveilleux Arjun, revenant sur la scène pour réconcilier les victimes de son frère avec le nouvel ordre des choses). A chaque fois, les villageois, admiratifs et reconnaissants, s'empressaient d'offrir un foyer permanent aux cinq étrangers, mais les Pandavas remballaient leurs quelques possessions et repartaient toujours avant que les prières des villageois ne deviennent irrésistibles. En bus, carrioles, camions de passage mais surtout à pied, nos cinq héros et leur mère disparaissaient discrètement à l'horizon, laissant derrière eux, dans chaque localité, une leçon et une légende.

Oui, Ganapathi, dans les villages des plaines alluviales du Gange, au cœur de l'Inde, sur les places poussiéreuses où se rassemblent les pauvres pour oublier leurs malheurs, sur le seuil, au crépuscule, où les vieilles femmes racontent les histoires que leurs filles et nièces chériront, répéteront et transmettront comme un legs précieux, les légendes grandirent des cinq vagabonds qui arrivaient, accomplissaient leurs bonnes actions et repartaient. Les histoires ne cessaient de croître, de se modifier, d'embellir, les détails différaient tant d'une version à l'autre qu'elles auraient pu concerner des êtres fort différents. Dans l'une, les cinq princes de Hastinapur devenaient des mendiants et de saints hommes ; dans d'autres, leur éducation et leur assurance les désignaient comme des exilés d'une cité lointaine ; certaines affirmaient que leur impossible combinaison d'attributs ne pouvait être que d'inspiration divine et ils étaient donc venus du Ciel pour s'assurer que les décrets du *dharma* fussent respectés dans le poussiéreux Adharmapur. La silhouette de Kunti, de moins en moins élégante, devenait tour à tour celle d'une mère, d'une sœur, d'une cuisinière et d'une déesse – Shakti –, avec ses cinq bras humains apportant la justice à un monde mauvais. Et les légendes grandissaient, Ganapathi, même si peu de temps après le passage des Pandavas, les réformes qu'ils avaient effectuées tombaient en quenouille et leurs victimes, persuadées que les vagabonds ne reviendraient pas, reprenaient de plus belle leurs méchantes habitudes.

Non, ne me permets pas d'être aussi catégorique. Sur cinq bonnes actions qu'ils accomplissaient, quatre ne survivaient pas longtemps à leur départ, mais, une fois sur cinq, ils laissaient derrière eux un véritable converti, une nouvelle et inaltérable réalité ou un sincère changement d'attitude. Et il en allait ainsi pour le pays dans son ensemble, Ganapathi. Tandis que le géant qu'était l'Inde indépendante se réveillait lourdement et se mettait lentement en mouvement, le Parlement votait des lois que peu appliquaient et beaucoup ignoraient, des réformes étaient décrétées qui changeaient les vies de la minorité mais que sabotait la majorité, une politique idéaliste était conçue qui élevait certains et puis, pervertie, servait à remplir les poches d'autres, et partout c'était cinq pas en avant, quatre pas en arrière. Mais le pas qui restait marquait une différence, le seul moyen dont le changement s'accomplirait dans un pays inchangeable.

A Delhi, Dhritarashtra l'Aveugle gouvernait, Priya Duryodhani à ses côtés, et il voua la nation moins au gaz et à l'eau chaude de ses tuteurs fabiens, qu'à la fumée et à la vapeur de la révolution industrielle moderne que leurs ancêtres avaient refusée à son pays. Ainsi les usines surgirent au milieu de la boue et du chaume des huttes ; des cheminées gigantesques s'élevèrent à côté des feux de bois de nos cuisines en plein air ; d'immenses barrages se dressèrent au-dessus des puits auxquels nos femmes allaient remplir d'eau leurs amphores d'argile. L'Inde était en passe de devenir la septième puissance industrielle mondiale, quoi que cela signifie, alors que 80 % de ses habitants continuaient à vivre sans électricité ni eau potable.

Même méthode avec les gens. Des institutions d'enseignement supérieur, des collèges de technologie, des écoles de gestion poussèrent comme des champignons dans les sombres forêts humides de notre ignorance. Dans leurs efforts pour fabriquer une classe réduite de petits ronds-de-cuir destinés à faire tourner les rouages de leur bureaucratie, les Anglais avaient négligé l'instruction dans les villages ; nous aussi, dans notre effort d'élargissement de cette classe afin de pourvoir les nouveaux postes au sommet, nous négligeâmes les villages. Très vite nous possédâmes le second plus important réservoir d'effectifs scientifiques du monde, de pair avec le plus grand lac de chômeurs éduqués. Nos écoles de médecine produisirent les médecins les plus doués des hôpitaux de Londres, tandis que des provinces entières souffraient sans le moindre cachet d'aspirine. Nos instituts de technologie furent généreusement subventionnés par nos impôts afin de produire de brillants diplômés pour les laboratoires de recherche des corporations américaines, tandis que nos femmes émaciées trimbalaient des seaux de pierres sur leurs têtes jusqu'aux chantiers des nouveaux instituts. Quand, sur le tard, nos universités acquirent une « conscience rurale » et offrirent des spécialisations en pathologie végétale et méthodes agricoles modernes, les diplômés firent leurs adieux aux terres en friche d'Avadh et d'Annamalai et partirent gagner d'énormes salaires en faisant fleurir les déserts d'Arabie.

Mais, comme d'habitude, Ganapathi, tu n'es pas assez sévère avec moi, et je m'égare ; mon esprit vagabonde à travers les vastes étendues de notre pays comme les cinq héros dont j'essaie de narrer l'histoire. Pourtant, impossible de la raconter en entier : il nous faut nous élever au-dessus des montagnes et des vallées, des bosses et des creux de la géographie de l'Inde, pour avoir une plus large vue de notre caravane de personnages dont les roues sillonnent notre immense pays. Et, de temps à autre, nous devons descendre en piqué pour les observer de plus près tandis qu'ils accomplissent les actes et prononcent les mots qui donnent à notre géographie son histoire.

87

Ainsi nous repérons nos cinq héros dans un village déchiré par un conflit entre deux propriétaires, Pinaka et Saranga. Pinaka, riche et puissant, un aigle perché sur l'épaule, possède d'immenses terres cultivées par des bataillons de fermiers qui sont fort bien payés mais n'ont aucun titre à leur ferme. Saranga, un gros ours d'homme, contrôle un territoire aussi vaste mais a donné la propriété des terres à ses métayers, tout en continuant à leur soutirer un impôt pour prix de cette émancipation. Les deux propriétaires emploient des bandes de voyous armés jusqu'aux dents qui protègent ceux qui sont de leur côté de la ligne de postage et menacent de la voix leurs rivaux. Les Pandavas sont les premiers du village à n'avoir aucun enjeu dans le conflit ; ils arrivent, s'installent, demeurent neutres. Pinaka et Saranga sont d'abord soupçonneux puis débordants de sollicitude : chacun suppose – l'un parce qu'il est généreux, le second parce qu'il est juste – que les Pandavas se rangeront sous sa bannière. Les Cinq n'en font rien, car ils trouvent de la vertu dans chaque argumentation mais ne sont convaincus par aucune ; ils soulèvent l'opprobre des deux hommes.

« Comment pouvez-vous refuser de condamner Saranga quand ses hommes de main ont battu le pauvre Hangari Das, molesté sa femme et enlevé ses enfants simplement parce qu'il voulait garder sa récolte pour lui ? demanda Pinaka, amer.

– A quoi servirait-il de le condamner ? répliqua Arjun. Cela rendrait-il à Hangari Das ses dents, l'honneur de sa femme ou ses enfants ? »

« Comment pouvez-vous refuser de vous ranger de mon côté quand Pinaka refuse de donner leurs terres à ses fermiers, fait tant de bénéfices et remplace sans pitié un fermier s'il en trouve un autre qui peut lui procurer un meilleur revenu ? » Saranga affichait la même amertume.

« A quoi servirait de prendre votre parti ? répliqua Yudhishtir. Cela changerait-il les méthodes de Pinaka, donnerait-il à ses fermiers un titre à leurs terres et la sécurité à ceux qui sont malades ou oisifs ? »

Les propriétaires s'en furent tous deux, accusant les Pandavas d'être sans foi ni loi. Ainsi, se sentant impuissants dans ce village divisé, les Pandavas s'en allèrent sans bruit, abandonnant les deux adversaires à leur interminable dispute.

Et nous aussi, Ganapathi, quittant notre perchoir près du village de Pinaka et Saranga, nous volons à tire-d'aile au-dessus du béton et du bitume de la capitale du pays. Là, installés au centre chaud d'une guerre froide entre les ex-colonisateurs et leurs alliés d'un côté et les barbares bien armés de l'autre, Dhritarashtra et Kanika élaborèrent et développèrent le concept du non-alignement. Dans leurs claires exégèses, cela se traduisait par un refus hautain de prendre parti dans une compétition immorale et destructrice qui pouvait embraser le monde. Oui, Dhritarashtra et Kanika transformèrent en un art le talent de parler au nom de la plus haute conscience de l'humanité. Pour les profiteurs éhontés et moralisateurs auxquels l'ex-puissance colonialiste était alliée, le refus de l'Inde de se rallier aux forces de Dieu, de la lumière et du tout-puissant dollar fit scandale, et Kanika Menon vit son portrait apparaître sur les couvertures des magazines internationaux – un honneur dénié même à Gangaji –, son visage aigu et ses yeux aux paupières tombantes caricaturés de sorte qu'il ressemble à un cobra venimeux. Pour les meneurs d'esclaves et les étatistes rudes et amoraux, de l'autre côté de la barrière, le discours de l'Inde manquait de sincérité et semblait une manœuvre de brahmanes afin de dissimuler l'anglicité de leur langage et de leur éducation ou un astucieux camouflage du cours capitaliste poursuivi par l'Inde sous un vernis de socialisme démocratique.

Ils avaient tout à la fois raison et tort car Dhritarashtra n'était coupable que du manque de sincérité de l'aveugle et Kanika de l'imprécision de l'intellectuel. Tous deux – Dhritarashtra par idéalisme, Kanika par idéologie – croyaient au non-alignement qu'ils prêchaient, mais ni l'un ni l'autre ne pouvaient contrôler les convictions ni même la conduite de ceux qui devaient mettre en œuvre leur politique.

En outre, ni l'un ni l'autre ne pouvaient contrôler leur propre désir de bander les muscles de la nation, que beaucoup à l'extérieur croyaient atrophiés par le manque d'exercice et le pacifisme. Tout comme l'avocat le plus bruyant du célibat est vulnérable à la tentation du péché facile – car l'abstinence doit toujours être soutenue par le manque d'occasions –, l'Inde non violente fut incitée à la folie par les provocations d'un voisin faible et folâtre. Il s'agissait de la dernière enclave coloniale sur la côte indienne, la pittoresque possession portugaise de Comea, pays aux plages généreuses et à l'alcool bon marché, havre pour les femmes légères et les espions sérieux, dont les maîtres refusaient obstinément de se retirer.

Après l'échec d'années de tentatives de persuasion par Dhritarashtra et ses diplomates les plus fins, le ministre de la Défense à la tête d'aigle convainquit son Premier ministre qu'il était temps de virer de bord. Les forces armées de la République indienne s'empareraient de la colonie rétive mais mal défendue.

Sous la direction de deux hommes d'État célibataires, les soldats indiens allaient enfin connaître leur première conquête et en ramener une belle et fertile épousée.

88

C'est à cette époque que les Pandavas, fatigués par une longue journée de marche au cours de leur traversée de l'Inde, décidèrent de passer la nuit dans un bois.

Le voyage avait été épuisant et, longtemps avant d'atteindre le bois, Kunti et les jumeaux s'étaient sentis trop anéantis pour continuer. Bhim les avait pris dans ses bras immenses, mais même ses biceps arborescents commençaient à peiner et, dès la première clairière, il déposa ses fardeaux, arracha à son poteau une pancarte proclamant PROPRIÉTÉ PRIVÉE, ENTRÉE INTERDITE et l'envoya valser avec fracas dans les buissons.

« Qu'est-ce que c'est que ce foutu bruit-là ? » s'enquit Hidimba, un gros type à petite barbichette, propriétaire de la forêt et du vaste bungalow qui en occupait le centre. Il tapota son énorme estomac, chassa sa torpeur dans un bâillement et se tourna vers sa sœur, qui lui servait de domestique. « Veux-tu aller voir ce que c'est ? dit-il. Si c'est un animal ou un coup de vent, je vais me coucher. Si c'est un intrus, je vais m'amuser un peu. » Il repoussa sa chaise et se dressa, une montagne d'homme qui dominait sa sylphide de sœur, dont on aurait cru qu'il avait absorbé la part de gènes de croissance dans le ventre de leur mère.

La jeune fille sortit en hésitant, sa peur du noir vaincue par la terreur que lui inspirait son frère. Quelques pas dans la forêt l'amenèrent à la clairière. Là, elle vit la femme et les quatre jeunes gens endormis sur l'herbe, et puis Bhim, adossé à un arbre, montant la garde. Elle mesura du regard la taille de sa poitrine et la force de ses bras, son dos droit et ses épaules solides, son cou musclé et son regard subtil, et elle en tomba instantanément amoureuse.

Si tu avais vu Hidimba, son monstre de frère, mon cher Ganapathi, tu ne paraîtrais pas si ébahi.

Un doigt sur les lèvres, elle s'avança dans la clairière.
Bhim leva des yeux surpris sur ces hanches rondes et fières.
Qui es-tu ? dit la fille avec un charmant sourire étonné.
Ne sais-tu pas que cet endroit est une propriété privée ?
Mon frère sur sa pancarte prévient tous les intrus ;
il les bat comme plâtre en guise de bienvenue.
Mais suis-moi et je te conduirai dans un lieu secret
où loin de ses regards nous pourrons l'oublier.

Elle accompagna ces mots d'un mouvement suggestif.
L'œil embrumé de rêve comme un étang pensif ;
ses jolis doigts caressant les perles de son collier,
l'air d'un candidat visant un électeur prêt à voter...
Ne dis rien, chuchota-t-elle, alors que Bhim allait parler.
Ne risquons pas que mon frère puisse nous retrouver.
C'est un monstre cruel, vicieux, il me traite en esclave,
exige que pour lui je cuisine, nettoie, couse, lave.

Il m'interdit de sortir et ne laisse personne entrer.
La pensée même d'un autre est un mortel péché
et, s'il attrape quelqu'un qui vient de s'égarer,
il lui flanque une raclée et le fait cher payer.
Il m'a envoyée voir ce qui faisait du bruit.
Si je le lui révèle, il t'avalera, chéri !
Mais consens à me suivre, papillon de ma flamme,
et je te sauverai de l'ire de cet infâme.

Elle était si jolie, petits pieds, seins en pomme,
ses prières passionnées auraient ému tout homme.
Mais Bhim, encore que très capable de s'envoyer en l'air,
était – dans ce domaine aussi – fait d'un métal sévère.
Tu es une idiote, petite sotte, malgré tout ton charme,
de penser qu'à un moment pareil je vais rendre les armes,
oubliant mon devoir et ma famille endormie, épuisée,
que je protège tel un cerf ses biches bien-aimées.

Et tu peux, jeune fille, aller dire à ton frère macaque
que je me charge de lui comme de quiconque m'attaque.
Je n'ai jamais encore rencontré d'homme vivant ou mort...
Mais tu ne l'as pas vu, s'écria la fille, ce dinosaure...
... Qui m'ait effrayé, poursuivit Bhim, sur cette terre !
... Et tu ne m'as pas vue, dit-elle, nue comme un ver.
Notre héros resta cloué sur place, un moment l'air crétin,
fixant, muet, cette créature dont les lèvres disaient : Viens.

Ses yeux tels des poissons d'argent signalaient son désir,
ses seins, gros coquillages, mirent son sexe en délire ;
son ventre rond et brun avec son nombril bien marqué,
tendu comme un tambour prêt à se faire rythmer ;
ses hanches faseyantes, ses cuisses veloutées,
mettant en valeur son joyau duveté,
défiaient le pauvre Bhim, qui, le souffle coupé,
aurait bien pu céder sans de grands cris d'orfraie :

Putain ! Traînée ! Fille de peu ! On aurait cru une sirène,
une dame blanche, mais ce n'était ni femme ni poisson.
Le géant qui entra, les narines fumantes, plein de haine,
ne laissait aucun doute quant à sa force et ses intentions.

Avançant d'un pas lourd, la main levée en marteau,
il aurait en un instant écrasé sa sœur tel un noyau,
mais la belle terrifiée courut cacher sa nudité
et se réfugier derrière un Bhim stupéfait.

Minute ! cria notre héros. Quel genre de type es-tu, non mais ?
Ça te fait donc jouir de taper sur les filles ? Il cracha :
Si c'est le cas, mon gros coco, je m'en vais te tabasser.
Je t'apprendrai à laisser en paix à l'avenir les nanas.
Aagh ! hurla le tyran réduit par la colère aux onomatopées.
Je vais prendre cette fille et la remettre en cage
et, quant à toi, gros étranger, je vais me dépêcher
de te couper en rondelles impossibles à recoller.

Vas-y ! Bhim se leva d'un bond. Ou bien on tire au sort
qui tape le premier ? Et, d'un coup de genou droit au port,
il fait hurler le géant qui se plie en deux, titubant.
Bhim lui marche sur l'orteil, puis, très astucieusement,
Évite l'uppercut qu'allonge Hidimba. Mais au bruit qui redouble
les autres se réveillent et ce qu'ils voient les trouble.
(Imagine-les découvrant Bhim, pantalons déchirés, se battant
contre un monstre sous les *vas-y, olé* d'une fille fesses au vent.)

Qui êtes-vous donc, mademoiselle ? dit Kunti à notre Vénus,
tandis que Hidimba reçoit le poing de Bhim dans le plexus.
La sœur du monstre, répond la belle, tentant de renfiler
sa robe qui, dans la bagarre, s'est méchamment déchirée.
Ces terres, en fait ce bois, appartiennent à mon frère
qui, à la moindre intrusion, se met très en colère.
Je vois, répond Kunti, mon fils aurait aussi cette tendance.
Et, entendant le géant hurler : Tiens, voilà que ça recommence !

Je sais, s'écrie la belle excitée, n'est-il pas fabuleux ?
De tous les hommes que j'ai connus il est de loin le mieux.
Ah, dit Kunti, compréhensive, et combien en connûtes-vous ?
Deux, avoue la petite, dont l'un m'accable de son courroux.
Son vilain frère prenait entre-temps une sacrée raclée,
chaque gnon lui ouvrant plus grand un genre de Voie lactée.
Cela explique-t-il, dit Kunti, un peu gênée, à l'ingénue,
l'état de votre... euh... robe ? (Une photo serait malvenue.)

Oh... oui ! La petite bat pudiquement des cils immenses.
J'aime votre fils et, malgré mon inexpérience,
je sais qu'en toute occasion je le rendrai heureux.
Je fais la cuisine, la lessive, le raccommodage et je peux
affirmer, je parle ici en femme, dit-elle en rougissant,
que mon corps lui plaît. Oh, réplique Kunti, certainement !
Les grognements du monstre devenaient insupportables.
Ça suffit, Bhim, cria Yudhishtir, laisse ce pauvre diable !

D'accord, dit Bhim, un dernier droit du gauche bien placé.
Hidimba tomba raide. Bhim, annonça Kunti, il faut te marier.
Quoi ? Qu'entends-je ? Bhim s'immobilisa comme un chariot
[cassé.
C'est vraiment pas croyable ! Pendant que je me bagarrais,
vous arrangiez mes noces ! Il le faut, dit la mère de famille
froidement. Si tu juges bon de te battre pour une fille,
tu ne peux pas lui prétendre ensuite qu'elle t'a piégé !
D'ailleurs cette petite m'aidera aux travaux ménagers.

C'est trop soudain ! Il me faut réfléchir, dit Bhim. Oh là là !
Voici une heure... non, ça me dépasse, c'est trop pour moi.
Moi, serais-je trop pour toi, mon chéri ? cria la belle,
souriante, les yeux brillants, innocente gazelle.
Bhim la regarda et songea à la femme qu'il avait entrevue,
ce visage de reine, ces lèvres, ces hanches, ces seins nus,
une beauté qu'elle lui offrait sans fard et toute honte bue.
D'accord, dit-il, je t'épouse. Mais... Comment t'appelles-tu ?

89

Comea était tombée. Les nationalistes dansèrent dans
les rues pour célébrer l'expulsion de la dernière puissance
coloniale, la seule qui n'avait eu ni l'intelligence ni la
grâce de se retirer à l'amiable du sol indien. Kanika devint
un héros national pour avoir, en sa qualité de ministre de
la Défense, organisé et mené l'action décisive. On disait
que, quoi qu'il en fût de ses discours sur la paix et la

moralité, Dhritarashtra avait tiré la leçon de ses chichis dans l'affaire du Manimir : il est des occasions où les canons sont plus efficaces que les conférences.

Au nord, cependant, on observa des grimaces sur les mines anticolonialistes des mandarins de la plus populeuse tyrannie du monde, la République populaire de Chakra, devant l'hubris de leurs voisins du Sud.

« Ils commencent à tlompéter plus haut que leuls deliè-les », dit le Chairman, et une douzaine de visages inscrutables hochèrent la tête aussi fort que le col étroit de leurs tuniques réglementaires le leur permettait.

Depuis deux mille ans, les deux pays étaient séparés par le Tibia, vaste pays peu habité qui avait servi de canal à nombre d'innovations religieuses indiennes, du boud-dhisme au tantrisme. Malgré des génuflexions rituelles devant le Nord (chaque fois que les Chakars avaient un régime central assez fort pour justifier la circonspection tibiaine), le Tibia avait maintenu son indépendance jus-qu'à sa conquête banale par sir Francis Oldwife. Convain-cus que c'était le seul endroit qui ne valait pas qu'on y installât une administration civile, les Anglais se retirèrent du Tibia peu après. Mais, histoire de ne pas être venus pour rien, ils prirent la peine de conclure avec leurs récents sujets un traité qui définissait, entre autres, la frontière entre le Tibia et l'Inde britannique. Le traité ayant été rédigé par un Écossais bourru du nom de Mac-Donald, la nouvelle frontière fut baptisée la « ligne Big Mac ».

Quand l'élégant Generalissimo de Chakra le céda aux régiments bruyants du Chairman joufflu, Dhritarashtra fut prompt à applaudir pour de bonnes raisons anti-impéria-listes et pro-socialistes. Le gouvernement indien fut même le premier à accorder au régime communiste l'honneur d'une reconnaissance diplomatique officielle. Durant la phase d'ostracisme international que souffrit à ses débuts la République populaire, l'Inde se montra souvent aux côtés du Chakra, prêchant son admission aux divers forums internationaux, invoquant régulièrement la « coexistence pacifique » avec Snuping, ainsi que se nommait alors la capitale du Chakra. Tandis que Dhritarashtra et Kanika s'agitaient et souriaient au côté de leurs collègues jaune d'œuf pour le bénéfice des flashes de l'univers, un nouveau slogan se répandit en Inde avec la bénédiction officielle : « *Hindi-Chakar bhai-bhai.* » Ce qui voulait dire qu'en dépit de la foi et de la physiognomonie, les Indiens et les Chakars étaient frères, et comme *chakar,* bien prononcé, signifie aussi « sucre » en hindi, le slogan donnait à entendre que la douceur infusait ces liens. Ses créateurs étaient loin de se rendre compte combien il serait bientôt facile de le transformer en un « *Hindi-Chakar bye-bye* ».

Le problème se posa à deux niveaux. Au niveau élémentaire, les Chakars, en dépit de leur nouvelle idéologie égalitaire, n'aimaient guère ce qui, aux héritiers du royaume du Milieu, apparaissait comme le soutien condescendant de voisins ethnologiquement inférieurs. Et puis, au niveau géopolitique, il y avait la ligne Big Mac. Les Chakars étant entrés au Tibia et s'en étant emparés avec encore moins de difficultés que sir Francis, le travail de l'Écossais représentant désormais la frontière entre le Chakra et l'Inde.

Une frontière, du point de vue de Snuping, très indésirable. Pour commencer, elle souffrait l'indignité d'avoir été imposée par un pouvoir colonial, au cours de négociations avec un État qui avait cessé d'exister : la logique voulait par conséquent qu'elle fût renégociée avec la République populaire. D'autre part, MacDonald, avec un manque absolu de considération, avait rendu difficile le passage du Tibia à la province chakare de Drowniang. Quelques rectifications de frontière s'imposaient aux yeux de Snuping.

Les Chakars auraient très bien pu, Ganapathi, grâce à des négociations fondées sur des principes de bon voisinage et un réalisme mutuel, arriver à un accord avec l'Inde. Après tout, peu d'entre nous – et, ne l'oublie pas, j'étais ministre dans le gouvernement de Dhritarashtra en ce temps-là – affectionnaient une frontière tracée par un Écossais et suivant des techniques cartographiques si primitives qu'elles justifiaient déjà une révision de ce seul point de vue. Mais une telle procédure n'aurait satisfait que le second niveau du problème. Snuping préféra une méthode propre à résoudre aussi le premier, et qui tout à la fois, selon des termes dignes de MacDonald, nous flanquerait une bonne raclée, nous apprendrait à vivre et nous remettrait à notre place. Ironiquement, ce fut la conquête bien trop facile de Comea par Kanika qui lui donna l'exemple.

Mon cœur saigne encore en repensant à l'état de notre armée alors, Ganapathi. Nos soldats étaient fiers comme Artaban, pour parler comme eux, d'avoir conquis une enclave mal défendue en y entrant en nombre assez important pour décourager toute résistance. Le seul coup tiré dans la campagne de Comea le fut par une jeune recrue qui, pénétrant accidentellement dans une maison de passe, déchargea son fusil par pure excitation, abattant un lustre en imitation cristal sur la tête de plusieurs notables portugais. Il reçut une décoration pour l'arrestation de ces derniers et des piqûres de pénicilline pour les autres conséquences de son intrusion.

Le résultat principal de la conquête de Comea fut que nous nous reposâmes sur nos lauriers. Kanika se sentit légitimé dans son rôle de ministre de la Défense et prit son triomphe comme une permission de consacrer encore plus de temps à ses distractions préférées : les discours interminables et les calomnies. Il avait, dit-on, sur son bureau un rapport soulignant que les *jawan* de nos régiments montagnards manquaient de rations hivernales et se voyaient réduits à porter des chaussures de tennis dans les neiges de l'Himalaya, mais il l'avait placé sur un plateau débordant de correspondance en attente. Dhritarashtra, entre-temps, ravi de la compagnie et des succès de son populaire ministre de la Défense, n'avait aucun désir d'écouter les avertissements que peu d'entre nous osaient lui prodiguer. D'ailleurs, le peuple dans son ensemble ne partageait pas non plus nos doutes. L'année qui suivit Comea, Dhritarashtra se représenta aux élections pour la troisième fois depuis l'Indépendance, au cours de l'exercice quinquennal qui confirmait notre statut de plus grande démocratie du monde, et l'emporta largement. Kanika fut réélu avec une majorité record.

Imagine donc, Ganapathi, nos soldats, dans les cols glacés, tournant leurs dos mal couverts et sans protection pour chauffer leurs mains nues devant de petits braseros, pendant que le ministre de la Défense Kanika virevolte sur la scène internationale sous le masque *kathakali* d'un conquérant confirmé. Dhritarashtra fait des laïus visionnaires au sujet de l'unité non alignée et de la fraternité entre les Indiens et les Chakars, et les millions de l'Armée de libération populaire du Chakra collent leurs yeux jaunes d'envie aux mires de canons dont les fûts brillants sont pointés sur New Delhi.

90

A ce moment précis, les Pandavas, après avoir longuement promu le moral dans les campagnes, arrivèrent dans la ville d'Ekachakra, leur nombre accru par la naissance du fils de Bhim, Ghatotkach. « Quelques mois de vie domestique nous feront du bien à tous », avait proclamé le nouveau papa, à l'indubitable soulagement de sa mère, et tous avaient pris pension chez un brahmane ami. C'est en plein milieu de leur premier accès d'indolence qu'ils eurent vent du défi lancé par le célèbre champion de lutte Bakasura, venu planter sa tente dans la ville.

« On a vu partout des affiches, dit Nakul, très excité, et tout le monde en parle. Bakasura l'Invincible, on l'appelle. Il paraît qu'il a promis de se battre avec n'importe quel homme d'Ekachakra contre cent roupies de dépôt et, en cas de défaite, il paiera de sa poche cinq mille roupies au vainqueur. Toutes sortes de *pahelwan* ont essayé, mais il les a tous ratatinés. Il s'est déjà enrichi de plusieurs centaines de roupies tandis que son gros lot demeure intact. Il y a même le dessin d'un chèque de cinq mille roupies sur certaines affiches.

– Cet argent nous serait bien utile, je suppose, dit Yudhishtir.

– Oui, allez, Bhim, va te faire ce Bakasura, suggéra Arjun, étirant paresseusement une jambe.

– Pas aujourd'hui, répliqua le papa gâteau, en faisant sauter sur ses genoux son moutard au nom imprononçable. Aujourd'hui, j'ai promis de jouer avec Ghatotkach et de lui donner son biberon. Pas vrai, hein, mon Ghatotkachy-coco ? Une autre fois, peut-être.

– Aujourd'hui est notre unique chance, protesta Nakul. Bakasura plie bagage et part pour la ville voisine ce soir. Je l'ai entendu annoncer. Il déménage dès qu'il n'a plus d'opposants. »

Mais Bhim, tapotant le menton en forme de pointe de flèche de son fils, s'en fichait.

« J'ai l'intention d'assister à une conférence sur le *dharma* de la non-violence, dit Yudhishtir, vers qui les regards s'étaient tournés. Désolé.

– Et je viens de découvrir une bibliothèque à côté, renchérit Arjun. Je veux me rattraper dans mes lectures. La vie n'est pas faite que d'activité physique, tu sais.

– Oh, allez ! plaida Nakul en s'adressant à ses trois aînés. Si je ne m'étais pas tordu la cheville en venant vous annoncer la nouvelle, j'irais moi-même.

– Tiens, voilà une bonne idée, dit Bhim. Pas toi, Nakul, naturellement, mais Sahadev. Enfin, avec tout ce que nous avons appris et pratiqué depuis des années, n'importe lequel d'entre nous devrait être plus que capable de vaincre ce Bakasura. » Sa déclaration fut approuvée en chœur par trois de ses frères. Même Ghatotkach gargarisa son soutien.

« Je ne sais pas », dit Sahadev, dubitatif, mais son hésitation fut noyée par l'enthousiasme irréfléchi des autres.

Et c'est ainsi que les braves, les forts, les sages, les surdoués Pandavas envoyèrent dans l'arène, contre un champion malin et brutal, éprouvé et forgé par ses récents triomphes sur les lutteurs du cru, leur plus jeune frère, un garçon qui n'avait jamais émis d'opinion personnelle et qui n'avait jamais eu à agir seul dans aucune situation sérieuse.

Des bravos s'élevèrent de la foule lorsque Sahadev s'avança timidement sur le ring, son corps mince, imberbe et peu musclé formant un étonnant contraste avec la barrique huilée et luisante de chair solide qu'était Bakasura. Sahadev se tourna pour saluer et les bravos devinrent un rugissement, un rugissement dont il ne comprit que plus tard qu'il était de peur et d'alarme. Il leva les mains en un gracieux *namaste* de gratitude et se retrouva soudain soulevé par les fesses, tourbillonnant au-dessus de la tête de Bakasura à la manière des pales d'un hélicoptère, puis expédié franco de port et d'emballage dans la rangée de sièges occupés par les juges du match. Avant de s'évanouir au milieu des cris et du craquement des chaises, le dernier mot qu'il entendit fut le « Au suivant ! » lancé par Bakasura, qui se tapait la poitrine.

« Il ne m'a pas prévenu, gémit Sahadev plus tard, allongé sur une civière tandis que sa mère appliquait des compresses de curcuma sur un arc-en-ciel de meurtrissures.

– En lutte on ne prévient pas, espèce d'idiot, dit Arjun.

– Personne ne m'a indiqué les règles.

– Tu es censé les deviner à mesure que tu te bats, remarqua Bhim. Si ce Bakasura était encore ici, je lui apprendrais une chose ou deux. J'ai bien envie de le suivre dans la ville voisine et d'aller nous venger.

– Tu ne feras rien de la sorte ! » Kunti le fusilla du regard. « Une leçon pareille ne vous suffit-elle pas ? Si j'avais été présente au moment où vous discutiez de votre plan stupide, pour commencer, je n'aurais jamais laissé ce pauvre Sahadev y aller. Comment avez-vous pu nous permettre d'en arriver là, mes fils ? *Comment avez-vous pu ?* »

91

Comment avez-vous pu nous permettre d'en arriver là ?
Ce fut une question que nombreux d'entre nous, dans le
Parti kaurava, ne pûmes nous empêcher de poser à Dhritarashtra quand les Chakars nous envahirent, écartèrent
avec mépris nos *jawan* mal nourris, mal vêtus et mal
chaussés, et effacèrent inexorablement la ligne Big Mac.
Le temps que nous organisions notre réplique affolée, la
guerre était terminée. Les Chakars avaient annoncé un
cessez-le-feu unilatéral, que nous n'étions pas en état de
refuser. En quelques journées humiliantes, ils avaient
atteint tous leurs objectifs : montrer ce qu'ils pensaient
des talents de dessinateur de MacDonald, conquérir assez
de territoires pour permettre la construction et la protection d'une route permanente reliant le Tibia au Drowniang
et démontré au monde entier la frivolité de nos prétentions
internationales. Ils ébranlèrent même la crédibilité du non-
alignement de Dhritarashtra, car notre Premier ministre
aveugle paniqua au point d'accepter l'offre d'une esca-
drille d'avions de chasse *avec* pilotes que lui fit la super-
puissance dont il avait jusqu'ici repoussé l'alliance. Ce
ne fut pas, Ganapathi, une époque où nous nous couvrîmes
de gloire.

Les critiques, au sein du parti, furent bruyantes et immo-
dérées : nombre de nos députés hurlèrent avec les loups
de l'opposition pour réclamer des têtes. Cette fois, Dhritarashtra n'offrit pas sa démission, comme il l'avait si souvent fait dès que le parti ne le suivait plus sur des questions
de moindre importance. Il ne le fit pas car, pour la première
fois depuis ses débuts en politique, il n'était pas sûr que
son offre ne serait pas refusée à l'unanimité et sans hésitation. Il adopta une solution de rechange et offrit aux
loups une tête d'aigle sur un plateau : celle de son meilleur

ami, Kanika. Le héros de Comea démissionna et fut relégué, en disgrâce, au fin fond du Parlement.

Ce ne fut pas le plus important des prix que la nation eut à payer pour sa défaite. Dhritarashtra, le Dhritarashtra as de la fleur de rhétorique et des éblouissantes métaphores visuelles, le Dhritarashtra des initiatives internationales originales et le grand prêtre du fier non-alignement, ne devait plus jamais être le même. Non seulement l'humiliation militaire fit voler en éclats son amour-propre – elle lui brisa le cœur.

Son déclin fut graduel mais sans appel. Il mangeait peu, se privait de plus en plus des petits réconforts qui nous sont habituels, se résigna à des actes de pénitence douloureuse. Il se mit à dormir par terre et à s'inventer de nouvelles privations. Il remplaça ses séances de massage par des exercices de mortification. Quand il n'avait pas de rendez-vous officiels, on le trouvait dans les bois derrière sa résidence ministérielle, vêtu de haillons et de bandes d'écorce. « Il est temps pour moi, me dit-il, de mener la vie de *vanaprastha*. »

Tu connais l'idée ancienne, Ganapathi, des quatre âges de l'homme : son *brahmacharya*, l'époque où il apprend ce que la vie a à lui offrir, sa phase *grihastha*, parentale et conjugale, au cour de laquelle il accomplit ses devoirs et ses responsabilités domestiques et professionnelles, son *vanaprastha* de renoncement dans la forêt et, pour quelques rares élus, l'ultime *sannyas* des sages. Mais entendre cette doctrine énoncée avec l'accent de Cambridge de la bouche d'un Dhritarashtra agnostique fut pour moi l'indication finale de la perte de son moral.

Il ne survécut pas longtemps après cela. Un matin, il partit ainsi accoutré dans les bosquets. Il respira une dernière fois le parfum chargé de miel des fleurs, sentit les rayons du soleil sur son visage fané et les égratignures des branches de mûriers sur ses jambes émaciées. Puis il s'assit en lotus, son dos nu contre un arbre, face à l'est, où l'aube se lève pour nous tous mais ne l'avait jamais fait pour lui.

Je le trouvai là des heures plus tard, dans cette posture de yoga, parfaitement immobile. Je n'eus pas besoin de toucher son cœur.

Doucement, j'ôtai les lunettes noires de ses yeux sans vie pour qu'ils contemplent le soleil. Puis j'emportai la bouteille vide qu'il avait laissée tomber à ses pieds. Il appartenait à l'éternité, mais pas les instruments de sa mort.

L'acte du libre choix

92

« Je crains d'avoir de mauvaises nouvelles pour toi, dit son père adoptif à Draupadi Mokrasi. Dhritarashtra ne t'a rien laissé dans son testament. »

La jeune fille le regarda de ses grands yeux sereins. Elle était très belle à présent et, bien que sa peau n'eût pas la pâleur prisée par la haute société indienne, elle était délicatement bistrée, du ton lumineux des champs de blé mûris au soleil du Doab. Oui, Ganapathi, notre démocratie était inévitablement plus sombre et d'autant plus à chérir à cause de l'indianité de sa carnation. L'obscurité rayonnante de sa peau illuminait sa beauté, de sorte qu'elle brillait telle une flamme sur une lampe de cuivre. Quand elle entrait dans une pièce, tout être devenait un papillon de nuit irrésistiblement attiré par elle. Cependant, sa beauté n'intimidait ni ne menaçait. La beauté de Draupadi séduisait les hommes et les femmes, les jeunes et les vieux. Tous cherchaient à faire partie de sa beauté : aucun homme n'eut la présomption de tenter de la soumettre.

En la voyant, Ganapathi, je souhaitais que le rayonnement de cette flamme s'étende, enveloppe de sa chaleur tous ceux que je connaissais. Car elle était chaude, notre Draupadi. Sa beauté n'était pas de celles qui se montrent distantes : elle n'était ni arrogante, ni réservée, ni égocentrique, ni même d'ailleurs indépendante. Les autres femmes nourrissaient leur beauté dans l'intimité, avec leurs parfums, huiles et onguents secrets. La beauté de Draupadi était publique, absorbant celle du monde autour d'elle, s'épanouissant au soleil de l'adulation populaire. Isolée, il semblait qu'elle n'aurait pas existé : ce n'était pas là une beauté qui cherchait sa confirmation dans un miroir ; ni une lumière qui brûlait seule pour s'éteindre, sans soins. Non, Ganapathi, Draupadi ressemblait à la flamme d'une lampe de cuivre dans le temple sacré d'un peuple. Imagine-la : une flamme alimentée par un flot continuel d'huile sanctifiée et l'énergie d'un million de voix chantant leur adoration. La flamme d'un *aarti*, le soir, à la fin du *puja*, une flamme offerte aux fidèles tandis que les clochettes tintent et que la fumée d'encens tourbillonne et qu'une centaine de mains se tendent pour recevoir sa chaude bénédiction, une flamme qui ondule vers ces mains, irradiant de plus belle tandis qu'elle se nourrit de leur vénération. Voilà ce qu'était la beauté de Draupadi, une beauté qui rayonnait à ciel ouvert, qui tirait sa subsistance du regard public. Plus les êtres la contemplaient, plus elle paraissait belle.

Cette jeune femme extraordinaire faisait aujourd'hui face aux réalités de la mort de son père.

« Il a tant fait pour moi durant sa vie ; devais-je m'attendre à ce qu'il m'entretienne même après sa mort ?

– Mon enfant, je ne possède rien, répliqua son tuteur. Je t'ai adoptée avec joie pour lui faire plaisir, même si Dieu sait que ça n'a pas toujours été facile. Mais, aujourd'hui, tu es en âge de te marier, et que puis-je pour toi ? Dans ma communauté, il n'est pas de tradition d'arranger les mariages et, d'ailleurs, à qui pourrais-je marier une fille d'origine aussi incertaine ? Draupadi, je ne sais tout simplement pas quoi faire.

– Ne t'inquiète pas, papa, dit Draupadi, ses grands yeux ronds toujours calmes. Je me trouverai mon mari moi-même. »

Ce qui arriva plus vite qu'ils ne l'avaient tous deux prévu.

Le parti traversait des jours difficiles. Dhritarashtra avait été l'immense banian à l'ombre duquel rien ne pousse. Nombre d'entre nous étions bien des leaders d'une certaine influence dans différentes parties du pays, mais aucun n'était de stature assez nationale pour succéder à Dhritarashtra, à part moi peut-être, mais j'étais déjà beaucoup trop vieux pour le poste. Après de longues réunions sans résultat, nous optâmes pour la conduite collective du parti, avec le comité directeur effectivement aux commandes et, comme Premier ministre, le moins inacceptable pour les autres, l'honnête mais pas très crépitant Shishu Pal.

Personne ne savait ce qu'il en résulterait, ni même si le brave et décent Shishu se révélerait à la hauteur. Personne ne pouvait certifier que la démocratie indienne ne tomberait pas entre les mauvaises mains, comme au Karnistan voisin, où une série de gouvernements chaotiques avaient été renversés par un coup d'État militaire.

C'est dans cette situation d'incertitude que je mis sur pied un camp d'entraînement et de renouveau moral pour les jeunes membres du Parti kaurava. Priya Duryodhani m'aida à le diriger. Les Pandavas en étaient : la nouvelle de la mort de Dhritarashtra les avait ramenés à Delhi, puisque la raison avancée par Vidur pour les tenir à l'écart avait disparu. Assistait également à la manifestation qui dura un mois la captivante et sombre beauté dont moi seul connaissais pleinement les origines, Draupadi Mokrasi.

C'est ainsi que Draupadi Mokrasi rencontra les Pandavas pour la première fois et les éblouit, eux et tous les autres garçons du camp, de son éclat. Malgré mon âge avancé, Ganapathi, je ne suis pas insensible à l'effet d'une jeune beauté sur le reste de mon espèce. Mais je me permis de penser que celui de Draupadi serait différent, jusqu'au soir où Priya Duryodhani entra dans ma chambre, arborant un élégant fichu et un fichu mécontentement.

« Il faut absolument réagir. » Comme d'habitude, elle n'y allait pas par quatre chemins. « La fille devient un fléau. Aucun des garçons n'écoute quoi que ce soit :

ils n'ont d'yeux et d'oreilles que pour miss Draupadi Mokrasi. »

Je ne pensais pas que ce fût si grave, mais je haussai les épaules avec un air de sympathie.

« Que veux-tu que je fasse ?

– Il vous faut la marier », répliqua-t-elle carrément.

Elle-même ne s'était jamais mariée, sacrifiant les joies matrimoniales au service de son père, dont elle était l'hôtesse officielle. Venant de sa part, c'était une curieuse proposition.

Je fus, je le crains, trop surpris pour répondre.

« La marier ? répétai-je stupidement.

– Oui, la marier. » Le ton de Priya Duryodhani se fit impatient : « C'est la seule solution. Elle n'a personne d'autre pour arranger son mariage, semble-t-il. Et vous êtes pratiquement *in loco parentis* pour eux tous ici, et donc vous pouvez toujours essayer. Ça calmera peut-être la fille et ça ramènera les garçons à la discipline. On ne peut pas se permettre d'avoir miss Mokrasi lâchée dans la nature. »

Le mariage ! Oui, bien sûr, Draupadi devrait bien se marier un jour. Mais lier cet esprit sans frontières à un seul homme... ce serait un crime : cela la diminuerait et la confinerait, elle et nous tous. Cela reviendrait à emprisonner les rayons du soleil dans une pièce. Et qui pourrait donc être cet homme exceptionnellement heureux, qui mériterait la main de Draupadi dans la sienne ? A pareille question il ne pouvait y avoir qu'une seule réponse : Arjun. Pour beaucoup, l'union signifierait le mariage de la perfection à la magie : il unirait la démocratie à la voix du peuple. Et pourtant je savais que ce n'était pas là la réponse complète. Arjun pourrait se révéler digne d'elle, mais elle ne lui suffirait pas. Son esprit turbulent irait inévitablement à la rencontre d'autres défis, il ne lui serait pas toujours fidèle. Draupadi ne pouvait pas, ne serait pas donnée à un homme qui lui briserait un jour le cœur.

J'avais besoin de temps pour réfléchir.

« Tu as soulevé une question intéressante, Duryodhani, reconnus-je. Et fort importante. Je dois penser à celui qui pourrait convenir à cette fille. As-tu une suggestion ?

– Certainement. » Ses yeux noir anthracite parurent s'égarer vers un point sur le mur derrière moi. « Il faut être un jeune membre du parti, brillant, intelligent, bien informé. Un seul me paraît remplir toutes ces conditions. » Je me rassis, attendant le nom prévu. « Ekalavya. »

J'essayai de ne pas montrer ma surprise. Ekalavya ! Le gamin qui s'était autrefois prétendu élève de Drona et avait été envoyé sur les roses par son mentor dans un geste d'une morale douteuse. Certes j'avais remarqué ici ce jeune type répugnant, avec sa moustache fine et sa voix moqueuse, un garçon intelligent mais arrogant, qui m'avait frappé comme étant trop malin pour son propre bien. Et on chuchotait qu'il n'y avait guère une fille au camp qui n'eût été victime d'une forme ou d'une autre de ses attentions amoureuses. Pourquoi lui ?

Dans un brouillard de souvenirs à moitié remémorés, une image me revint à l'esprit : Ekalavya sortant de la chambre de Priya Duryodhani une nuit, se cognant à moi et s'empressant de dire de son ton suffisant : « J'avais l'espoir de lui emprunter un exemplaire des maximes de Gangaji, mais miss Duryodhani n'est pas dans sa chambre. Puis-je emprunter le vôtre ? » Sur le moment, il ne m'était jamais venu à l'idée de me demander où pouvait bien se trouver Duryodhani à cette heure de la nuit. Tout à coup, je le sus : elle n'avait pas bougé de sa chambre.

Voilà donc comment elle se consolait des occasions perdues à cause de son filial dévouement envers son père aveugle : et était-ce là la récompense qu'elle avait réservée à Ekalavya pour ses services ?

« Il est brillant et capable mais souffre injustement du handicap de sa naissance dans une caste inférieure, poursuivit Priya Duryodhani. Dans notre pays, cela signifie qu'il ne pourra jamais épouser une femme digne de lui. Draupadi serait parfaite : après tout, elle a un problème similaire. Vous leur rendriez service à tous deux. »

Je m'efforçai de garder une voix ferme. « Tu sembles avoir pensé à tout, dis-je. En quoi as-tu besoin de moi ? Tu es (et j'eus conscience de la cruauté de mes mots, Ganapathi, mais je fis exprès d'insister), tu es assez vieille pour les prendre tous deux par la main et organiser leurs noces. »

Elle me lança un bref coup d'œil soupçonneux, mais mon expression n'avait pas changé.

« Qui suis-je ? dit-elle avec amertume. Draupadi ne m'écoutera jamais. Il n'y a pas... la... confiance nécessaire entre nous.

– Alors, ceci est très altruiste de ta part, Duryodhani, répliquai-je. Mais je suis désolé : je dois te répondre non. Je n'ai jamais cru moi-même aux mariages arrangés. Draupadi a besoin d'un mari, mais elle doit faire son propre choix. Un choix que je ne forcerai pas et (je fixai ces yeux de braise couvant sous la cendre) que tu ne dois pas forcer, toi non plus. »

Ce qui se passa ensuite, Ganapathi, et la manière dont cela se fit, je ne me le remémore que très confusément. Il y eut toujours je ne sais quoi de mystique autour de la fille de Dhritarashtra et de sa vice-reine anglaise, comme si elle se déplaçait à un autre niveau que nous, et le souvenir de son choix se mêle inextricablement aux rêves longs et clairs que j'eus plus tard à propos de sa vie et de son œuvre.

Je crois me rappeler un concours. Oui, c'est cela, un concours pour la main de Draupadi. Était-ce au camp du Parti kaurava ou dans quelque palace incrusté de joyaux sorti des profondeurs de ma mémoire mythologique ? Je ne saurais dire. J'ai la vision d'un grand hall tendu d'un dais et débordant d'une foule joyeuse de princes et de nobles se pressant dans leurs plus beaux habits pour se disputer la main de notre héroïne : Draupadi elle-même, resplendissante dans un simple sari couleur crème bordé de rouge vif, ses longs cheveux tombant jusqu'à sa taille. Elle tenait une guirlande de jasmin à la main, prête à parfumer le cou du vainqueur méritant.

Puis le concours commença, et ceci doit relever du rêve car ce fut un concours comme je n'en vis jamais dans notre pays. Une grande boîte en bois pourvue d'une fente fut installée au centre du hall, et tous les invités s'en approchèrent dans une procession d'un silence éthéré pour y glisser un morceau de papier plié. Puis Draupadi s'avança vers la boîte, et moi, gesticulant tel un magicien de foire, je l'installai à l'intérieur, étendue sur un lit de bulletins de vote, sa guirlande blanche à la main. Je refermai la boîte dans un déclic. Ce fut alors le tour des prétendants de Draupadi, qui durent, chacun, essayer d'ouvrir la boîte. Le premier à en extraire Draupadi se verrait passer autour du cou la guirlande nuptiale par miss Mokrasi.

Dans la brume de mon rêve, Ganapathi, une longue file de candidats s'approchait pour réclamer la main de Draupadi Mokrasi. Des hommes riches, des hommes titrés, des citoyens ordinaires, des rois. Et d'autres : Heaslop en costume trois pièces et chapeau melon, serrant sur son cœur des manuels et des contrats commerciaux ; un étrange Américain, vilain, en chemise à fleurs et bermuda, un appareil photo autour du cou ; un commissaire du peuple au nez camus, coiffé d'un bonnet d'astrakan encore dégoulinant du sang des agneaux massacrés pour sa confection ; et même un clone du sinistre et inscrutable Chairman du Chakra. Aucun ne pouvait ouvrir la boîte. A l'intérieur, Draupadi respirait calmement par la fente, ne donnant aucun signe d'anxiété ni d'impatience. Des hommes forts, faibles, grands, petits vinrent prendre leur tour avant de s'éloigner, vaincus, en silence.

Puis Ekalavya marcha à grands pas vers la boîte, mais, lorsqu'il plaça ses doigts sur le loquet, il découvrit que son pouce ne remuait plus. Il recula, saisi de peur et d'étonnement.

Un personnage du passé, un lointain voisin, surgit : Mohammed Ali Karna, son teint doré rayonnant ; mais je lui barrai le chemin, le déclarant inéligible, le bras tendu et l'index pointé sur lui. Il s'arrêta net, son visage perdant l'air de confiance sévère qui l'avait fait ressembler à un conquérant lors de son propre couronnement. Il me fit une grimace amère et entendue, puis s'en alla.

Enfin, ce fut le tour d'Arjun. Il se leva ; la foule retint collectivement son souffle à son apparition, image de la perfection physique, vêtue de lin rugueux. Arjun s'avança du pas élastique de la jeunesse et plaça sa main sur la boîte. Il me regarda dans les yeux, sentant mon angoisse à l'idée du résultat, quel qu'il fût. Puis, sans effort apparent, il souleva tranquillement le loquet.

Le couvercle de la boîte s'ouvrit d'un seul coup et, au milieu des cris excités de la multitude, Draupadi se dressa, son corps gracieux drapé du sari rayonnant, telle une flamme blanche.

Au moment où elle se pencha pour passer la guirlande autour du cou d'Arjun, le hall éclata en applaudissements prolongés ; les autres Pandavas, disséminés dans la foule, se levèrent d'un bond ; et Arjun, la force et la souplesse de ses membres attestées par chacun de ses mouvements, arracha Draupadi à son isoloir.

Dans mon rêve, dans le recoin de mon imagination, je repérais Priya Duryodhani quittant à grands pas le hall. La remarquable *swayamvara* de Draupadi était terminée et je sus, même en me réveillant tout désorienté, qu'une autre des manigances de ma petite-fille desséchée avait fait long feu.

93

Ce qui suivit ne fut pas un rêve

Draupadi Mokrasi avait fait son libre choix, et c'est fiancée à Arjun et escortée par ses quatre frères qu'elle quitta le camp d'entraînement.

La première chose que firent les Pandavas au sortir du camp fut de téléphoner à leur mère. La ligne était mauvaise et bourrée de parasites, la sorte de liaison qui rend la conversation difficile, met à l'épreuve l'humeur et la courtoisie et réduit les propos à l'essentiel. Laissé à Yudhishtir, un appel bref et précis eût été possible. Mais ce fut, comme toujours, l'irrépressible Nakul qui insista pour donner le coup de fil et qui annonça à Kunti, à sa façon habituelle : « Vous ne devinerez jamais ce que nous ramenons, mère ! Nous avons une surprise pour vous ! »

Jamais singulier choix du pluriel ne se révéla aussi capital.

« Je n'ai besoin de rien, répliqua la matriarche le long des kilomètres d'écho. Quoi que vous me rapportiez, partagez-le entre vous cinq, également.

– Qu'avez-vous dit, mère ?

– Partagez votre surprise entre vous. »

Partager Draupadi entre eux ! Imagine la consternation que cette remarque provoqua, Ganapathi ! Comment les cinq frères auraient-ils pu oublier leur serment solennel d'obéir à chaque ordre de leur mère, si banal fût-il ? Tout au long du voyage de retour, ils discutèrent et débattirent, de plus en plus anxieux et confus, pour savoir si leur serment pouvait être interprété de manière à exclure l'ordre de Kunti. Pourtant, malgré son côté choquant, malgré le risque de scandale et de désapprobation sociale, l'idée de partager Draupadi se logea dans un coin de leur esprit et y acquit une urgence palpitante.

Ce fut Yudhishtir qui le premier exprima ce qui jusqu'ici avait semblé impensable :

« Je n'ai jamais eu l'intention de convoler, dit le frère aîné de son ton solennel, mais je crois maintenant que nous devrions tous épouser Draupadi, même Bhim, qui est déjà marié. Autrement, nous violerions notre serment sacré et les préceptes du *dharma*. »

Quand, à leur retour, ils la mirent face au dilemme dans lequel sa phrase irréfléchie avait plongé la famille, Kunti parut fort malheureuse. Les traits d'Arjun reflétaient une agonisante incertitude. Seule Draupadi garda son calme. Droite et sereine au milieu de la confusion générale, elle demeura paisible, confiante, lisant la pensée de chaque frère, nullement dupée par l'ambivalence de Kunti. Son sang-froid silencieux laissait entendre que, tout en ayant donné son cœur au divin jeune homme qui avait conquis sa main, elle comprenait que le destin de la démocratie, et le sien propre, embrassait aussi les frères de son fiancé.

« Il ne nous reste qu'une chose à faire, finit par décider Kunti. Nakul, puisque c'est toi qui as tout déclenché, cours chercher Ved Vyas. C'est le seul qui pourra nous dire ce qui serait... convenable. »

C'est ainsi que je réapparus dans la vie de mes petits-enfants. Kunti m'offrit un coussin sur un tapis doré. Mais, d'abord, les garçons se courbèrent pour me toucher les pieds. Je les écartai avant que leurs doigts ne s'approchent de mes orteils poussiéreux : cette coutume m'agace par son manque de sincérité et d'hygiène. Le geste est censé signifier que celui qui se courbe s'identifie à la poussière sous les pieds devant lesquels il s'aplatit : si quiconque a aussi peu d'estime pour lui-même, je refuse qu'il me touche.

Une fois le rite esquissé, Yudhishtir expliqua gravement le problème.

« Il n'y a rien dans les *Veda* qui sanctionne une femme épousant plusieurs maris, répondis-je de mon ton le plus grave, mais beaucoup en revanche contre le manquement à un vœu, surtout une promesse faite à un de ses parents. La question est de savoir ce qui serait la plus grave violation du *dharma :* briser votre serment à votre mère ou adopter la polyandrie ? Je suis enclin à croire que nos traditions toléreraient la seconde option plus facilement que la première. Il n'y a rien dans nos textes anciens qui exonère le manquement à une promesse. Je ne peux même pas songer à quiconque, si infâme soit-il, décrit comme l'ayant fait. Alors que, dans les *Purana*, on parle de Jatila, épouse simultanée de sept sages : la polyandrie n'est donc pas sans précédent. » Je me tus et repris sur un ton moins pédant : « Mais les textes sacrés ne sont peut-être pas le seul endroit où rechercher une solution à notre énigme. » Je regardai Draupadi dans le blanc des yeux. « Étranges sont les voies de Dieu, mon enfant. As-tu, lorsque tu t'inquiétais de tes perspectives matrimoniales, prié le Ciel d'intervenir ? »

Draupadi baissa ses cils.

« Oui, avoua-t-elle.

– As-tu par hasard, invoquant Shiva, prié : "Donnez-moi un mari" ?

– J'ai prié Shiva, dit Draupadi. J'ai prié Jéhovah, la Vierge Marie de mes parents adoptifs, le Allah des musulmans et (elle rougit à cette allusion à sa foi maternelle) l'archevêque de Canterbury.

– Pauvre enfant troublée ! fis-je, compatissant. Ils ont tous exaucé tes prières. »

Une fois établi que Draupadi s'était attiré ses cinq maris par ses cinq prières, toute résistance à son mariage multiple s'évanouit.

Seul Nakul avait encore une question :

« Et que dit la... la loi ?

– La loi interdit la bigamie mais ne dit rien sur la polyandrie, déclarai-je. Vous ferez cinq mariages religieux qu'en ma qualité de brahmane je célébrerai ; la loi ne vous oblige à en enregistrer aucun. De toute manière, des poursuites judiciaires ne sont guère à craindre : la police indienne a bien trop d'autres chats à fouetter. Ce n'est pas un délit, si délit il y a, pour lequel elle s'estimera compétente.

– Et dire que je me prenais pour l'avocat de la famille ! » s'exclama Yudhishtir, admiratif.

Les mariages furent donc célébrés avec toute la pompe requise, un par soir, durant cinq soirées successives. Pour la dernière fois dans ma longue carrière, je pus faire bon usage des leçons de mon père Parashar de façon que Draupadi arrive vierge à chacun de ses lits matrimoniaux. Elle n'était pas une femme qu'un seul homme pouvait se sentir le premier à posséder.

Et oui, Ganapathi, je vois à ta grimace que tu as perçu la seule note discordante que je me suis jusqu'ici abstenu d'émettre. La femme de Bhim, la sœur sylphide du monstre Hidimba, le quitta, emmenant avec elle son fils Ghatotkach aux muscles de cuivre et au menton en pointe de lance.

« Mon frère, dit-elle tristement, a davantage besoin de moi que toi. »

Juste constatation : les Pandavas, sous la coupe de leur mère, étaient terriblement autonomes, avec cet égocentrisme qui parfois accompagne l'excès d'assurance. Il n'avait pas été facile pour elle de s'intégrer à la famille : peut-être la seule façon d'appartenir aux Pandavas était-elle celle de Draupadi.

Et c'est ainsi, Ganapathi, que l'épouse de Bhim abandonna notre histoire pour ne plus jamais revenir. Et, l'as-tu remarqué, nous ne savons toujours pas son nom.

Après le dernier des mariages, je pris Kunti à part et la remerciai solennellement : « Vous avez très bien joué, mère d'Arjun. Je comprends que ça n'a pas dû être facile pour vous. Mais il était essentiel de maintenir votre ordre de la partager. Draupadi Mokrasi ne peut pas être limitée à un seul époux, si digne d'elle soit-il : elle a besoin de tous. »

Kunti baissa les yeux en gage de notre complicité. Quand elle releva la tête, ses mâchoires indiquaient une ferme détermination.

« J'ai fait ce que vous m'aviez dit, avoua-t-elle, mais je n'ai su que j'avais raison qu'à leur retour à la maison. J'ai compris alors que c'était le seul moyen. La beauté de cette femme aurait détruit l'unité de ma famille.

– Vous avez bien agi, Kunti, dis-je. A présent elle apportera de la force à vos fils, tout comme elle tirera de la force de ses maris. »

Kunti sourit calmement et me quitta. Je la regardai avec la tendresse d'un grand-père rejoindre ses cinq fils et leur épouse commune.

Une fois de plus, Ganapathi, je remplissais mon rôle.

94

Shishu Pal fut un bon Premier ministre, à sa manière décente et bien intentionnée. Mais il appartenait à ceux que le Sort destine au bas des pages de l'Histoire.

Dès le premier jour ou presque, son règne parut marqué au coin de l'intérim. Les Karnistanais aussi virent dans son regard la brume du temporaire. Ils entamèrent leurs préparatifs dès qu'il eut pris ses fonctions et saisirent la première occasion tactique de tenter de mettre la main sur le Manimir.

Mais, comme tout le monde, les Karnistanais avaient sous-estimé Shishu Pal. Celui-ci pria du crépuscule à l'aube, puis donna l'ordre de contre-attaquer. Notre armée avait tiré sa leçon de l'humiliation chakare et elle réagit si fort que nos troupes se trouvaient à sept kilomètres de Laslut, la ville la plus peuplée du Karnistan, lorsqu'un autre cessez-le-feu intervint. (L'histoire des dernières guerres du sous-continent, Ganapathi, se résume à celle d'hommes politiques criant à la fois « Feu ! » et « Cessez ! » au mauvais moment.)

Après quoi, Shishu Pal s'assit à la table de conférence et rendit scrupuleusement tout ce que nos garçons avaient gagné sur le champ de bataille.

« La paix exige le compromis », murmura-t-il en signant l'abandon des cols, des pics et des saillies dont la conquête avait valu à nos meilleurs soldats leurs citations posthumes. Mais il souffrit le martyre pour chaque centimètre carré restitué, mesurant, semble-t-il, la quantité de sang indien qui imbibait chaque motte de terre qu'il relança au Karnistan.

Enfin, la nuit où il signa le traité de paix, conscient qu'au pays les chacals recommençaient à hurler « Trahison ! » mais convaincu que son *dharma* plaçait la préservation de la vie au-dessus de la vengeance, Shishu Pal

finit par trouver un sommeil éternel. Comme si mourir
était le seul moyen dont il disposait pour montrer aux
veuves et aux invalides à quel point il souffrait de leurs
sacrifices.

Et Shishu Pal quitta la une des journaux aussi discrètement qu'il y était venu. Si une guerre brisa le cœur de
Dhritarashtra, c'est une paix qui eut raison du sien.

Nous nous retrouvâmes donc chez moi, les membres
du comité directeur kaurava, maris collectifs de la démocratie indienne, nous posant la question que nous avions
espéré ne pas avoir à nous reposer si vite : « Et maintenant, que faisons-nous ? »

Quelqu'un suggéra la même formule : que l'un de nous
soit élu *primus inter pares*, comme l'avait été Shishu Pal.
Mais, dès que des noms furent avancés, il apparut qu'aucun ne parviendrait à réunir le consensus minimal du « pas
d'objection » qui avait donné à ce brave homme le poste
qui lui coûta la vie.

Finalement, je prononçai les mots qui avaient som-
meillé en moi durant toutes ces années, les mots que
j'avais espéré pouvoir réprimer le moment venu, les mots
que je me savais condamné à dire depuis que Gandhari
la Lugubre, laissant retomber sa tête trempée de sueur sur
son oreiller, avait refusé de regarder son nouveau-né.

« Il n'y a qu'une seule solution à notre dilemme, dis-je,
les mots sortant tout seuls de mes cordes vocales. Priya
Duryodhani.

– Une femme ! »

Imagine, Ganapathi, c'est tout ce qu'ils trouvèrent à
dire ; telle fut la principale objection des gardiens de notre
nation aux forces du Destin.

« Une femme ! s'écrièrent-ils, comme s'ils n'en étaient
pas tous nés.

– Précisément, dis-je, parlant ainsi que j'étais destiné à
le faire. Nous voulons un Premier ministre avec certaines
limites, un Premier ministre qui ne soit pas plus qu'un
ministre, un Premier ministre pour le décor, pour rallier
le soutien du plus grand nombre et nous laisser gouverner

le pays. Aucun d'entre nous ne peut jouer ce rôle aussi bien que Priya Duryodhani. Elle est facile à identifier, elle est connue comme la fille de son père et elle sera plus présentable aux dignitaires étrangers que ne l'était ce pauvre petit Shishu Pal. Et si nous décidons que nous avons assez d'elle, eh bien... ce n'est qu'une femme. »

Que crois-tu, Ganapathi ? Mon irréfutable éloquence l'emporta. Priya Duryodhani prêta serment en qualité de troisième Premier ministre de l'Inde indépendante. Et, une fois de plus, j'avais été l'agent de forces plus fortes que moi-même, laissant l'empreinte de mon pouce sale sur les pages de l'Histoire que j'avais eu pour tâche de tourner.

95

Connais-tu, Ganapathi, l'histoire de Tilottama ?

Tilottama était une *apsara*, la plus ravissante des nymphes célestes, et elle fut envoyée sur terre pour accomplir une tâche que même les Dieux estimaient impossible : la destruction des invincibles souverains jumeaux Sunda et Upasunda.

Les jumeaux étaient des souverains absolus et absolument inséparables : ils régnaient sur le même royaume, assis sur le même trône, partageaient le même couvert et couchaient dans le même lit ; et une faveur divine supplémentaire voulait qu'ils ne meurent que par la main l'un l'autre. Ils étaient si intimes que pareille aventure semblait hautement improbable, mais les Dieux en savent un peu plus sur les hommes. Ils envoyèrent Tilottama en mission et, en quelques jours, sans parler des nuits, elle avait réussi à rendre les jumeaux si fous de jalousie réciproque qu'ils se battirent pour elle, à mort.

Imagine, Ganapathi : ils avaient, comme on dit, tout pour eux, et pourtant ils se tuèrent l'un l'autre pour la possession exclusive d'une femme qui se faisait désirer par calcul.

Bien des leçons peuvent être tirées de cette histoire, en premier lieu que les jumeaux doivent se méfier des femmes nommées Tilottama, mais la morale que retinrent les Pandavas de mon récit fut plus constructive : à savoir que, lorsque plusieurs hommes désirent une seule femme, ils doivent prendre toutes les précautions possibles contre le plus léger risque d'une autodestruction similaire. Les Cinq mirent donc au point des horaires et des procédures compliqués pour le partage de Draupadi, divisant leurs droits en tenant compte des privilèges de l'aînesse et des inconvénients des menstrues. Et ils conclurent par une règle aussi inflexible que celle qui les liait à l'obéissance filiale : si l'un d'eux venait à interrompre Draupadi au cours de ses transports avec un autre, l'intrus serait banni de la maison pour douze mois.

Une règle remarquable que celle-ci, mais les Pandavas formaient un remarquable quintette, Ganapathi. Un jour, leurs vies et leurs croyances seront étudiées par de jeunes et brillants savants à travers le pays, alors examinons-les maintenant, à l'orée de l'âge adulte, comme le ferait un livre. Un manuel scolaire, car ils personnifièrent les espoirs et les limites de chacune des institutions nationales qu'ils servirent. Un manuel scolaire avec des portraits aux lignes simples, accompagnant un texte en gros caractères.

En tête vient Yudhishtir, l'héritier manifeste du legs politique de Hastinapur. Sérieux avant l'heure et prématurément chauve, il passa ses diplômes d'avocat mais fit de la politique sa vocation unique, franchissant avec une inévitable constance les échelons du parti. Son aînesse et son autorité le rendaient si sûr de lui qu'il lui arrivait de passer de l'assurance à la suffisance. Oh, il était poli, courtois envers les vieux, sincère, honnête et dévoué. Mais la certitude lui venait trop facilement, le doute presque jamais. Comme bien des fils aînés en Inde, il croyait invariablement savoir ce qui convenait le mieux à ses cadets et s'attendait automatiquement à en être obéi. Par conséquent, plus il vieillissait et plus diminuait le nombre des gens à qui il devait obéir, moins il devenait accommodant. Imbu de son honnêteté et de sa vertu, il était sourd à la corruption et à l'injustice autour de lui ; il cherchait à avoir raison plutôt qu'à agir avec raison.

Tourne la page de notre manuel, Ganapathi, et tu découvriras un gros personnage musclé en treillis militaire. Bhim incarnait la force physique sans laquelle la nouvelle nation n'aurait pu se défendre. Il s'engagea dans l'armée : pour beaucoup d'entre nous, il fut l'armée. Sa pureté de cœur et d'esprit, son courage et sa bravoure, la profondeur de ses convictions, il les mit à la disposition du pays, aux frontières et, en cas d'urgence, partout où c'était nécessaire. Faisant mentir les abondantes moustaches qu'il s'était fièrement laissé pousser, Bhim se montrait gentil et attentionné avec ceux dont il avait la charge, surtout sa mère et Draupadi Mokrasi. Mais il avait la peau aussi épaisse, aussi peu d'imagination et d'esprit d'initiative qu'un gros bœuf dans un champ fertile.

Notre manuel consacrerait probablement le plus d'espace au parangon de la perfection : Arjun. Il chevaucherait deux pages, son regard lumineux aussi ferme que ses jambes solides. Je pense à Arjun, avec son mélange paradoxal de dons, comme à l'esprit du peuple indien, auquel il prêta avec autant de compétence sa voix de journaliste. L'Inde n'aurait pu être l'Inde sans le brouhaha bruyant, vibrant, excitant d'opinions divergentes que sa presse libre exprime. Arjun, lui-même un être de contradictions, reflétait parfaitement à la fois la diversité et la discordance des masses indiennes, et il se fit l'écho des battements de leur cœur collectif. Sa douceur d'expression, son air réfléchi et fréquemment troublé traduisaient les doutes et les questions qui faisaient autant partie de sa nature que les accès d'activité décisive dont il était saisi quand les circonstances généraient leurs propres certitudes.

Nakul et Sahadev, les jumeaux de Madri (pourra-t-on jamais parler d'eux séparément ?) furent destinés très tôt à être les deux piliers du gouvernement indépendant de

l'Inde : l'Administration et la diplomatie. La rapidité et
l'agilité de Nakul le mettaient toujours un pas devant son
frère. Il parlait à une allure essoufflante, débitant les mots
comme si le seul fait de les prononcer pouvait en assurer
la stabilité et la cohérence. Nakul, déclara Yudhishtir, était
de toute évidence destiné à la diplomatie puisqu'il pouvait
beaucoup discourir pour ne rien dire. Sahadev était à la
fois son opposé et son complément : calme, réfléchi, prêt
à laisser Nakul s'exprimer pour lui, à moins qu'il ne fût
certain de sa propre opinion, auquel cas son manque
d'assurance faisait place à la clarté et la fermeté. On aurait
pu imaginer qu'avec ces qualités il serait revenu à Nakul
d'exprimer les brillantes banalités de la diplomatie et à
Sahadev d'affronter les dilemmes angoissants de l'Administration. Mais le Destin et un jury perspicace chargé par
la Commission des services publics d'interviewer les candidats en décidèrent autrement et chacun entra dans la
profession apparemment faite pour son frère.

Voilà donc les cinq qui partagèrent Draupadi Mokrasi,
qui lui donnèrent nourriture et protection et qui garantirent
leur unité grâce à la règle rigide punissant toute intrusion
par une année d'exil.

C'était une bonne règle dans une certaine mesure, mais,
comme toutes les règles inflexibles, elle souffrait de ne
pas permettre d'exception. Ainsi il arriva qu'un soir je
passai demander à Arjun le manuscrit d'un discours dont
il avait révisé le texte pour moi ; je devais le prononcer
plus tôt que prévu et j'en avais besoin immédiatement.
J'ignorais, bien entendu, qu'Arjun l'avait laissé dans la
chambre à coucher où, à ce moment précis, Yudhishtir et
Draupadi, enlacés, se conjuguaient en pleine félicité. Un
instant, il mesura la certitude de sa faute contre la certitude
de me faire faux bond et fit son choix consciencieux.
Peut-être, sans le savoir, désirait-il au fond de lui-même
partir en exil.

Il entra à pas de loup dans la chambre, afin de ne
pas déranger son frère, et s'empara discrètement du texte
sur la table de chevet sans que le couple en extase le

remarque. Mais, après mon départ, il attendit que Yudhishtir réapparaisse et lui confessa qu'il avait violé leur
promesse mutuelle.

« Eh bien, dans ce cas, je pense que tu dois partir, dit
le vertueux Yudhishtir. Dommage, c'était ton tour demain
puisque Bhim est absent.

– Tu peux prendre ma place, dit Arjun, sans rancune.
Draupadi paraît très heureuse en ta compagnie.

– Tu tiens des propos dangereux, répliqua sèchement
son frère aîné. J'ai plutôt l'intention de réorganiser les
horaires de chacun afin de partager ton tour également
entre les autres. Mais, Arjun, fais attention à ce que tu
dis. Rappelle-toi Sunda et Upasunda.

– Je sais. » Arjun eut aussitôt honte. « Je suis désolé. »
Pourtant, et bien qu'il comprît la nécessité objective de
l'arrangement qu'ils avaient conclu et de l'exil qui en
résultait pour lui, Arjun ne put s'empêcher de se demander, au moment de prendre congé d'une Draupadi en
pleurs, si Yudhishtir aurait été capable de gagner à lui tout
seul la main de Draupadi.

Et songe à Draupadi abandonnée par l'homme qu'elle
avait aimé et désiré épouser, à cause de sa violation inévitable d'une règle qui, en soi, ne servait qu'à limiter l'accès
de son époux à Draupadi. Non pas que les autres lui déplus-
sent mais Arjun avait toujours été son préféré, la raison
pour laquelle elle était une épouse Pandava, et, à présent,
voilà qu'elle devrait se passer de lui une année entière.

C'est, pensa Draupadi Mokrasi cette nuit-là, tout en
se soumettant de nouveau aux caresses studieuses de
Yudhishtir, un monde curieusement injuste.

96

Arjun, sur cette déception sentimentale, s'embarqua
dans l'une des plus grandes sagas érotiques de notre his-

toire. Voyageant dans le pays pour vivre son exil comme envoyé spécial de son journal, il chercha sans répit, et sans la trouver, une consolation dans les bras d'une série de femmes remarquables. Chaque date sur les dépêches qu'il envoya par poste ou câble à la capitale cachait une nuit ou une semaine de passion.

A Hardwar, par exemple, sur les rives du Gange sacré, il y eut Ulupi, une beauté naga qui lui enseigna des plaisirs subaquatiques omis dans les leçons de natation de son adolescence. Dans le Manipur, connu pour sa grande école indigène de danse classique, il trouva Chitrangada, une *danseuse** de talent qui exécuta des duos étonnants avec l'instrument à percussion d'Arjun. A Khajuraho, où il rêvassa en noir sur blanc de la plus sensuelle des attractions touristiques du pays, il succomba à la brune Yaga, qui pratiqua sur lui les résultats de ses études approfondies de la statuaire du temple. A chaque étape, il laissait à la traîne un peu de lui-même, mais il grandissait aussi infiniment. Il repartait, poussé par un désir qu'il ne pouvait décrire ni comprendre, sachant seulement qu'il n'avait pas encore trouvé ce qu'il cherchait.

En dépit des femmes, les voyages d'Arjun ne furent pas que de plaisir. Il vit l'étendue de l'Inde et l'énormité de tous ses problèmes. Dans les campagnes du Bengale, il apprit la rage et la frustration qui conduisaient des jeunes intellectuels bourgeois à jeter des bombes sur de vieux policiers de basse caste – des sous-fifres sous-payés, stupéfaits de se retrouver stigmatisés comme les symboles de l'injustice d'un ordre social oppressif. Il comprit, à son tour, la nature impitoyable des policiers, qui se sentaient plus proches du prolétariat que leurs agresseurs hautement éduqués et qui battaient, éventraient et massacraient les *Naxal* selon le principe qu'il valait mieux le faire aux autres avant qu'ils ne vous le fassent. Et puis Arjun vit les naxalites torturés languir dans leurs cellules infestées de cafards et ne les blâma pas d'abjurer pour en sortir et rallier

* En français dans le texte. (*N.d.T.*)

des compagnies commerciales où ils pourraient diluer leur *angst* dans le cocktail d'une nouvelle conformité.

Dans le Bengale urbain des cafés maoïstes, des bouquinistes et des théâtres surpeuplés, Arjun rencontra un jeune poète barbu au regard perçant qui lui récita avec une intensité douloureuse le refrain : « Calcutta, si tu veux m'exiler, rends-moi aveugle avant de me chasser. » Rends-moi aveugle, comprit Arjun, au désespoir et à la ruine, la crasse et la dégradation, mais aussi à la fulgurante beauté des *gulmohar* et des fleurs d'acacia, flamboyant avec insolence et tendresse le long des routes poussiéreuses, aux terrifiants nuages orageux dévorant les toits avant une tempête de nord-ouest, aux petits bateaux s'agitant doucement sur le Hooghly au crépuscule contre l'ossature d'acier étincelant du gros pont de Howrah. Rends-moi aveugle aux émeutiers, à l'agitation et aux arapèdes humains accrochés aux parois des autobus crachotant la fumée, mais aussi au kaléidoscope de cerfs-volants brillamment colorés bondissant dans le ciel bleu, aux petits garçons jouant au cricket avec un équipement de fortune dans d'innombrables ruelles étroites, à la compassion des étudiants, des ménagères et des nonnes qui s'efforcent d'aider les victimes de la ville. Rends-moi aveugle, enfin, aux formes couvertes d'un drap léger des sans-abri dormant sous les arcades des hôtels élégants, au désespoir résigné contenu dans les yeux grands ouverts de la femme, un nourrisson perché sur sa hanche et deux moutards en haillons derrière elle, mendiant du secours dans un mince gémissement mélancolique qui s'accrocha à l'air longtemps après qu'elle eut reçu en silence l'aumône d'Arjun et qu'elle fut partie.

Arjun partit aussi, mais chaque départ était un nouveau commencement. Dans les contreforts de l'Himalaya, il vit de pauvres villageoises s'attacher aux troncs d'arbre dans un mouvement de défi pour empêcher les scies des entrepreneurs rapaces de les débiter en planches. Dans les déserts du Rajasthan, il découvrit le prix dérisoire auquel s'achetait à vie une femme au bazar du coin et écrivit un article violent sur sa propre acquisition d'une fille pour soixante roupies. (Qui, apprenant alors d'Arjun qu'elle était libre de partir, répliqua : « Pour aller où ? ») Dans la ville de Madras, il marcha au côté des manifestants tamouls hurlant leurs slogans, leurs protestations contre cette langue nordique étrange et barbare, le hindi, qui se prétendait « langue nationale », se désintégrèrent en émeutes au cours desquelles des immeubles et des véhicules, innocents de toute préférence linguistique, furent lapidés et incendiés dans les flammes rageuses de la revendication culturelle dravidienne. Il vit les ravages provoqués par les cyclones dans les prairies vertes luxuriantes de la côte de Coromandel et il se sortit des inondations pour gagner le Bihar ravagé par la famine. Là, il parcourut le four d'argile brûlé par le soleil qui avait fait autrefois partie de la fertile plaine du Gange, sentit la terre se craqueler et s'effriter sous ses pas, apprit la signification du mot « famine » sur les joues creuses et les yeux enfoncés de mères dont les bébés tétaient les seins aussi secs que les lits des rivières voisines. Ici aussi, dans le berceau de la civilisation du Magadha, qui avait régné sur l'Inde plus de deux mille ans plus tôt, il aperçut une vache squelettique tituber et s'écrouler à côté d'un arbre ratatiné ; et en voyant une paysanne se pencher pour verser les dernières précieuses gouttes d'eau de son propre *lota* dans la gueule de l'animal, une pensée le frappa avec une intensité suffocante : Ceci est mon pays.

Un voyage révélateur, déchirant, épuisant. Quand la dernière scène et la dernière nuit eurent passé sans que l'événement ni la femme lui laissent d'impression, Arjun se rendit compte qu'il en avait trop vu et fait. Mais il devait continuer : les termes de l'exil étaient durs.

Ce fut donc un Arjun las, éreinté, qui arriva au bout de la péninsule, la dernière étape de sa longue traversée du pays, la ville fort obscure de Gokarnam, la plus au sud de l'Inde.

Il ne savait pas que ce devait être sa dernière halte. Il était à la recherche d'un jeune phénomène politique encore trop peu connu hors du Sud, l'homme qui avait détrôné du premier coup Kamsa, le redoutable cacique local, devenant par là même une sorte de légende dans la région. Il était le secrétaire du parti de Gokarnam et Arjun pensait qu'un article racontant l'histoire de ce héros qui refusait de briguer un poste au niveau national ne manquerait pas d'intérêt. Il imaginait déjà une courte dépêche, cinq cents mots, « L'HOMME QUI REFUSAIT D'ÊTRE ROI ». Après quoi il s'en irait.

Le bureau du Parti kaurava consistait en une longue pièce à l'odeur de moisi, dans la rue principale défoncée, avec à l'extérieur une pancarte d'aluminium peint proclamant ses buts. A l'intérieur, le bruit dominant était le bourdonnement d'une mouche survolant l'immobilité poussiéreuse de dossiers éparpillés. Un jeune homme en blanc, un scribe ou un factotum, Arjun n'aurait su dire, assis sous un calendrier rouge et noir *Malayala Manorama*, s'éventait paresseusement avec un *Mathrubhoomi Azhichapadippu* jaunissant.

« Le secrétaire est sorti, informa-t-il Arjun avec plaisir. Un travail qu'il a dans un village voisin. Si vous souhaitez y aller, je vous explique comment. »

N'ayant rien d'autre à faire, Arjun souhaita y aller. Il se retrouva bientôt débarquant d'un autobus campagnard asthmatique devant un énorme panneau publicitaire du planning familial qui dominait le centre du village de Karinkolam. Des amateurs de thé, accoudés à la buvette branlante près de l'arrêt de l'autobus, leur *mundu* remonté au-dessus de leurs genoux, sourirent devant ses tentatives d'annoncer l'objet de ses recherches – en anglais, hindi et l'universel langage des signes.

« Krishna, secrétaire du parti ? De Gokarnam ? » Le *chayakadakaran*, le tenancier de la buvette en personne, tira finalement Arjun de son embarras : « Vous le trouverez à Ottamthullal – par là-bas. »

Arjun suivit le doigt pointé sur une piste poussiéreuse menant du centre du village vers et à travers les rizières qui couvraient les environs de Karinkolam. Il s'arrêta en haut de la route, saisi par la stupéfiante simplicité du spectacle. La beauté de la campagne du Kerala était la beauté de l'ordinaire : celle du vert des pousses de riz et du vert des palmiers, de l'éclat du soleil et de la fraîcheur de l'air, de la sueur du travail et du miracle de la moisson. Arjun dépassa les silhouettes affairées des *thozhilali*, enfoncés dans l'eau boueuse jusqu'aux chevilles, penchés au-dessus des pousses agitées par la brise ; il dut ralentir le pas de temps à autre pour laisser place à une bande d'écolières gloussantes ou à un char à bœufs poussif. A présent, il en était à traverser les rizières sur une étroite levée de terre, à peine large de trente centimètres par endroits. Alors qu'il négociait avec précaution une ornière inattendue, les battements rythmés d'un tambour bizarre lui parvinrent aux oreilles. De toute évidence, quelque chose se passait, une fête locale où il pourrait peut-être trouver celui qui le conduirait à Krishna.

A un tournant du sentier, Arjun se trouva brusquement face à une scène rudimentaire abritée par des palmiers. Plus d'une centaine de gens s'étaient rassemblés devant et contemplaient avec attention la démonstration d'un art inconnu d'Arjun. Un danseur, sa tête coiffée d'une couronne de papier mâché peint de couleurs vives, des clochettes autour de la taille et des pieds, sautait – pas d'autre mot – avec de grands bonds souples au rythme du son de trois musiciens, trois hommes impassibles, la poitrine nue et le *mundu* traînant par terre, l'un tapant vigoureusement sur les flancs tendus d'un *madallam*, l'autre frappant du plat de la paume une timbale, le troisième entrechoquant de minuscules cymbales. Un chant, incompréhensible pour Arjun mais à la signification solennelle, voire religieuse, servait de fond sonore.

Arjun examina la foule admirative, puis choisit un type à lunettes, chemise de térylène et stylo dans la poche de poitrine.

« Pardonnez-moi, dit-il en anglais, mais pouvez-vous m'indiquer où se trouve, heu... Ottamthullal ? »

L'homme se retourna pour l'examiner avec intérêt.

« Comment ça, où se trouve Ottamthullal ?

– Je suis étranger au pays et il se peut que je prononce mal le nom, mais je cherche un endroit, ou une maison, appelé Ottamthullal. J'espère y rencontrer quelqu'un.

– Vous l'avez trouvé, votre *Otamthullal*, mais ce n'est ni un lieu ni une maison. C'est une danse. Cette danse. » L'homme fit un geste en direction de l'estrade, d'où le danseur descendait justement sous les applaudissements de la foule. « Qui paraît être terminée. »

Pas tout à fait. Alors qu'Arjun, déconcerté, regardait son informateur et l'assistance enthousiaste, une silhouette en chemise blanche, sur l'insistance, semble-t-il, d'une partie de la foule, se leva et bondit sur l'estrade. Une ovation rugissante salua son apparition. Même les musiciens impassibles lancèrent un bref sourire entendu à l'adresse de leur nouveau compagnon et frappèrent sur leurs instruments avec une vigueur redoublée. Quelques jeunes gens dans le public sifflèrent bruyamment pour manifester leur excitation. Souriant machinalement, le nouveau venu ôta sa chemise immaculée, révélant ainsi un torse sombre, luisant et grassouillet. Il jeta sa chemise à la foule et attrapa adroitement la couronne multicolore et les clochettes qu'on lui lança en retour. Tandis qu'il les attachait, la musique enfla sur un rythme régulier, bien plus gai que le lamento qui avait précédé. Gagné par la joyeuse impatience de la foule, Arjun attendit de voir ce qui allait suivre.

L'homme s'avança sur l'estrade, les genoux écartés et pliés, les pieds pointés dans des directions opposées. Son pied droit frappa un grand coup – la foule applaudit. Il imprima une sorte de torsion à son corps, accéléra le mouvement de ses pieds avec le tempo de la musique. Puis il se mit à chanter. Arjun ne comprenait pas les mots, mais c'étaient des couplets étranges, drôles ; les yeux en amande de l'homme s'élargissaient et se rétrécissaient de manière expressive à chaque phrase, ses mains se tournaient et s'agitaient en gestes d'un classicisme moqueur, chaque mouvement ponctuant les vers salué par des éclats de rire. Arjun se tourna, étonné, vers son informateur.

« C'est très amusant, dit l'homme à la chemise de térylène. Voyez-vous, l'*ottamthullal* est normalement une danse qui illustre les chants de nos *Purana*, en particulier le *Ramayana* et le *Mahabharata*. Mais ce qu'exécute cet homme est une très bonne parodie. Une très bonne danse avec de très bons couplets écrits par T. Chandran, un Malayalam émigré en Angleterre. Ça concerne les manières et les coutumes des Britanniques. Très drôle. » Le type s'esclaffa. « Ah, mais bien sûr, vous ne comprenez pas le malayalam. Naturellement, naturellement. Que je suis bête ! Mais attendez, si vous écoutez bien, vous découvrirez que ce n'est pas si difficile, après tout. »

Arjun tendit l'oreille pour saisir les paroles chantées par le danseur et l'assistance, plus ou moins à l'unisson, mais elles semblaient avoir peu de rapport avec les langues du Nord qu'Arjun connaissait. Un refrain le poursuivait de manière obsédante :

> *Thottathin ellam* – « Merci, merci »,
> *Ottu mushinyal* – « Désolé, désolé »...

Il abandonna pour se concentrer sur la danse. L'homme, le corps luisant de sueur, exécutait des pas de plus en plus vigoureux. Ses pieds tambourinaient, son torse se balançait, ses mains et ses jambes battaient l'air, les clochettes sonnaient furieusement à chaque mouvement. Il se tordait et se retordait, bondissait et s'envolait, s'élevait et retombait.

La danse ne possédait ni beauté ni élégance. Son rythme, sa vigueur étaient étrangers à Arjun. Pourtant il ressentit en lui un émoi, une excitation de l'esprit devant les mouvements de cet homme étrange, magique. Les tambours résonnaient et le danseur marchait, sautait et chantait, ses bras et ses jambes remuant au rythme de la vie. Arjun eut soudain le sentiment que tout ce qu'il avait vu ce jour-là au Kerala s'incarnait en cet homme : le ressac de la mer sur la plage, le balancement des palmiers, le vert ondulant des rizières inondées de soleil, le rire des enfants courant dans la rue du village. L'énergie du danseur se propagea en lui : Arjun sentit sa fatigue morale et physique l'abandonner.

Sur la scène, les mouvements du danseur s'accélérèrent en une sorte de va-et-vient, jusqu'à ce que, dans un énorme crescendo qui parut secouer l'estrade, il pivote, le dos arqué, pour s'arrêter sur une glissade. L'assistance se leva d'un bond et applaudit bruyamment. Souriant, manifestement ravi, l'homme salua de la main et quitta la scène.

« Ça vous a plu ?

– Beaucoup, répondit Arjun, sincère. Je n'ai jamais rien vu de pareil. Cet homme est-il votre expert en *ottam-thullal ?*

– Pas du tout, répliqua le type à la chemise de térylène. Il n'est même pas d'ici. En fait, c'est le député local et le secrétaire du Parti kaurava pour le *taluk*. Il s'appelle D. Krishna Parthasarathi. »

Et Arjun comprit qu'il était enfin au bout de ses recherches.

97

« Appelez-moi Krishna. » Le secrétaire du parti sourit. « Comme tout le monde. Dwarakaveetile Krishnankutty Parthasarathi Menon fait un peu beaucoup, même par ici.

– Merci, Krishna. Je m'appelle Arjun. »

Krishna renouvela son sourire. Il était brun, de taille moyenne, avec des cheveux longs légèrement bouclés et des dents blanches étincelantes qui brillaient comme des perles sur le velours de sa peau chaque fois qu'il souriait, c'est-à-dire souvent. Il sourit à tous ceux qu'il rencontra en allant à l'arrêt du bus avec Arjun, un des bouts de son *mundu* blanc de neige relevé pour faciliter sa marche. Les villageois semblaient tous le connaître et il était salué affectueusement par les jeunes et les vieux, les hommes et les femmes, un être joyeux, rayonnant, avec l'œil malicieux d'un dieu.

Le trajet cahotant du retour en autobus vers Gokarnam marqua le commencement d'une amitié qui devait transcender temps, espace et distance, et donner but et signification à la vie d'Arjun.

Malgré sa relative jeunesse, Krishna était un vétéran de la politique ; il était entré prématurément dans le Parti kaurava : ses parents, tous deux combattants de la liberté, en prison à sa naissance, en avaient fait le plus jeune et le plus braillard des détenus du Raj. L'enfance très peu surveillée de Krishna lui avait valu une certaine réputation, à la fois pour ses espiègleries et sa précocité politique. Le gamin utilisait souvent les *maidan* des réunions du parti en guise de terrain de jeu ; alors que ses camarades de classe lisaient des bandes dessinées, lui se plongeait dans l'abstruse autobiographie de Gangaji ; et il discutait ferme avec les adultes sans attendre qu'on l'interroge.

Les opportunités politiques lui vinrent également très tôt. Il se révéla un candidat populaire et heureux, sans rival ou presque pour le vote féminin. Très tôt dans la vie, Krishna acquit le rare talent de pouvoir s'adresser aux gens à leur niveau. Il était tout aussi à l'aise à taquiner les filles de ferme lorsqu'elles se baignaient dans la rivière qu'à débattre de la théorie de la révolution permanente avec les mau-maoïstes locaux. Il les désarmait tous avec sa bonne nature rieuse, puis résolvait le problème soulevé par une phrase d'une si étonnante perspicacité qu'elle rendait superflue toute autre discussion. Et il l'emportait invariablement sur les membres de l'un et l'autre groupe.

Rien de surprenant là-dedans, car le trait le plus frappant de Krishna était sa gaieté. Il était toujours détendu, toujours rieur, plein d'une espièglerie innocente qui jamais n'obscurcissait sa sagesse profonde, instinctive. La sagesse était toujours présente malgré le rire, non pas une sagesse acquise par l'instruction ou l'expérience, mais une qualité qui émanait du plus profond de lui-même, comme surgissant du sol sous ses pieds.

Arjun fut enchanté. En Krishna il découvrait des qualités qu'il n'avait jamais rencontrées chez aucun homme ni recherchées chez aucune femme. Il fut irrésistiblement attiré par la combinaison quasi magique d'assurance et d'extraversion, d'enfantillage et de maturité, de joie et de raison, et son rare sens du contact. Au lieu de partir, comme il l'aurait dû, après avoir envoyé son papier, Arjun resta à Gokarnam en qualité d'invité et de disciple de Krishna.

Il suivait le secrétaire du parti de Gokarnam dans sa tournée quotidienne de réunions et de discours ; le regardait, accroupi sur ses talons dans une rizière, une tige entre les dents, discuter irrigation avec un paysan aux mains calleuses ; l'aidait à cacher dans les buissons au bord de la rivière les *davani* des jeunes fermières qui se baignaient. Et le soir, après une longue réunion ou un dîner de travail, Arjun s'asseyait seul dans l'obscurité tombante et s'abandonnait aux accents obsédants de la flûte de Krishna, que l'air de la nuit portait vers lui. Chaque note pure et claire de cet instrument magique semblait imprégnée d'une signification mystique ; pourtant, quand au début Arjun essaya d'exprimer son admiration, Krishna tenta en riant de détourner la conversation. Et Arjun comprit que les plus grands éloges ne feraient que diminuer ce que cette musique représentait pour son ami.

Les mots de Krishna, comme sa musique, étaient ceux d'une âme en paix sur cette terre. Mais Arjun apprit que tout n'avait pas été serein dans sa vie. Selon la rumeur, dans son enfance des parents jaloux, menés par son oncle maternel, le patriarche redouté dans le *marumakattayam*, le système matrilinéaire du Kerala, avaient convoité son héritage et cherché à éliminer le gamin. Mais sa vitalité avait triomphé et, dès sa première candidature aux élections, Krishna l'avait emporté sur son oncle, le redoutable politicien local Kamsa. Pourtant, héros populaire et sûr de son siège à l'assemblée législative de l'État, Krishna était trop content de sa vie à Gokarnam pour briguer un siège au parlement national. Connaissant trop bien la politique nationale, Arjun trouvait cette attitude consternante.

« Tu dois me laisser te convaincre, dit-il à son ami, que le pays a besoin de gens comme toi dans le grand courant de la politique.

– Je suis très content de ma petite rivière, merci, dit Krishna en riant. Si tu restais ici un peu plus longtemps et voyais ma vie, ma place dans l'existence de ces gens, tu comprendrais.

– Mais quel gaspillage ! s'indigna Arjun, qui s'échauffait. En échange, tu trouverais une place dans le cœur du pays tout entier.

– Vois-tu, Arjun, je suis très content de mon sort.

– Es-tu marié ? demanda Arjun gauchement.

– Non, répliqua Krishna, montrant ses belles dents étincelantes, mais ma femme l'est. »

Arjun médita cette remarque. Bien que toujours chaleureux et sincère, Krishna était maître dans l'art d'être elliptique sans paraître évasif.

Mais les ellipses de son ami ne suscitèrent jamais ni doute ni anxiété chez Arjun. Krishna devait avoir de bonnes raisons ; Krishna ne pouvait pas se tromper. Vrai, il évitait de s'engager sur le plan national, et puis après ? Il était à lui seul une célébration de la vie ; on ne pouvait pas l'accuser d'esquiver ses défis. Après tout, il aurait pu vivre de son héritage, jouissant sans effort de son prestige et de son rang social, mais il s'était porté candidat et avait renversé Kamsa. Il sortirait de sa retraite quand il le jugerait nécessaire, et pas avant.

Arjun trouva son article impossible à écrire. Il l'avait voulu simple et court, mais chez Krishna rien ne l'était.

98

Pour un homme aussi complètement en accord avec les antiques harmonies de l'Inde, Krishna était étonnamment libéral.

« Qui est cette fille sensationnelle ? s'enquit Arjun, un soir, au cours d'une promenade devant la maison de son hôte, alors qu'ils croisaient un groupe de collégiennes rieuses qui faisaient des signes à Krishna en l'appelant par son nom.

– Laquelle ? » Krishna lui jeta un regard perspicace. « Il y avait sept filles dans ce groupe, à moins que mon babeurre n'ait fermenté plus que je ne le pensais.

– Je n'en ai remarqué qu'une, répliqua Arjun. On aurait dit que les six autres lui servaient de demoiselles d'honneur, comme dans un tableau traditionnel. La fille au teint clair, en rouge, avec de la musique dans la voix et du soleil dans les cheveux. »

Le rire de Krishna résonna dans toute la rue. « Je n'ai ni entendu de musique, ni été aveuglé par le soleil, mais il n'y avait qu'une fille en rouge, gloussa-t-il. Ma sœur Subhadra. »

Arjun s'arrêta net, comprenant soudain. Évidemment ! Voilà ce qui avait attiré son attention – l'incroyable ressemblance de la fille au teint clair avec son ami brun. Il l'avait bel et bien remarquée sur-le-champ, mais sans pouvoir définir ce qui dans cette adolescente le captivait tant. Maintenant il le savait. Malgré l'étonnante différence de couleur – pas très rare dans les familles du Kerala –, chaque geste, chaque mouvement de la tête ou des mains de la jeune fille évoquait ceux de Krishna. Il se surprit à se retourner pour la regarder et il rougit.

« Ta sœur ! Je... j'espère que tu ne m'en veux pas.

– Pas du tout ! » Krishna éclata de rire. « Je ne me trouve pas souvent dans pareille situation. Mais si ç'avait été une des autres.. Alors Subhadra te plaît, hein ?

– Seigneur Dieu, oui ! » dit Arjun avec ferveur. Il regarda le gai visage devant lui et revit sa version féminine souriante. « Je veux lui faire la cour, mais comment m'y prendre ?

– Je croyais que tu te disais marié.

– Oui et non. Enfin, je suis marié, mais pas tout le temps, se hâta d'affirmer Arjun. Je suis libre aux quatre cinquièmes et je voudrais les offrir à Subhadra. Si tu me le permets.

– Te le permettre ? Mon cher Arjun, à quelle époque vis-tu ? Je ne dicte pas à Subhadra qui peut lui faire la cour. D'ailleurs, elle est plutôt difficile sur ce plan-là. Comme beaucoup de filles modernes, elle se croit trop bien pour un homme ordinaire, mais, au contraire de la plupart, elle ne laisse aucun garçon l'approcher pour la contredire.

– Alors dis-moi, Krishna, que dois-je faire ? Comment chercher à la conquérir ?

– Tu es un tenant des conventions chevaleresques médiévales, n'est-ce pas ? Subhadra a toujours déclaré qu'elle choisirait elle-même son mari, mais je doute fort qu'elle sache ce qui lui convient. Mon conseil serait de ne pas lui laisser le choix. Sois Valentino, pas Valentin. Kidnappe-la. Emmène-la sur un blanc destrier !

– Tu veux dire... aller se marier en cachette ?

– Tout cela sonne tellement prosaïque, Arjun, soupira Krishna avec un clin d'œil résigné. Mais oui, je suppose que ça signifie se marier en cachette. A ceci près que si ce genre de mariage implique le consentement des deux intéressés, l'enlèvement serait peut-être beaucoup plus efficace. »

Stupéfait, Ganapathi ? Drôles de manières pour un frère aîné indien, hein ? Si c'est ce que tu penses, tu as peut-être raison, mais c'était là un exemple de plus de l'amoralité innocemment instinctive de Krishna. Il vivait selon des règles venant d'une source antique et ineffable, une source qui transcendait la tradition. Au contraire du reste d'entre nous, y compris Arjun, sa vérité, Krishna la trouvait en lui. Aucun code de conventions n'aurait pu limiter le jaillissement joyeux de vitalité, de vie pure qu'il incarnait.

Des plans furent donc établis. Arjun emprunta une Ambassador blanche en guise de destrier et se cacha à l'affût, la nuit tombée, sur la route que prenait Subhadra au retour de sa leçon de musique classique.

Un peu plus tard que prévu, il la vit sortir d'un immeuble de l'autre côté de la rue avec quelques camarades. Un instant agglutiné sur les marches, le petit groupe se défit vite et essaima dans différentes directions.

Subhadra marchait seule.

Arjun sentit des palpitations dans sa poitrine en tournant la clé du démarreur. Les filles disparaissaient une à une dans les rues.

L'Ambassador est, tu le sais, Ganapathi, le symbole classique du développement industriel de l'Inde après l'Indépendance. Démodée même neuve, inefficace et malcommode, gaspillant l'acier et l'essence, trop chère et trop lourde, avec un système de direction du genre char à bœufs et le châssis d'un tank, protégée et utilisée par nos nationalistes au nom de l'autonomie économique, l'Ambassador a dominé les routes de l'Inde depuis l'arrivée de Dhritarashtra au pouvoir. Les visiteurs étrangers n'ont jamais cessé de s'étonner que ce disgracieux zinzin, d'une laideur si spectaculaire, fasse l'objet de deux ans d'attente chez n'importe quel concessionnaire. Ce qu'ils ignorent, c'est que s'ils avaient à conduire sur des routes indiennes dans des conditions indiennes, ils préféreraient aussi des Ambassador.

Arjun soupira puis ouvrit le coffre et en sortit une preuve supplémentaire de l'adaptation de l'Ambassador aux conditions susdites : la manivelle. Il emporta la barre de fer en L à l'avant de la voiture, l'inséra et la tourna avec vigueur. Le moteur toussa, éternua et recouvra la vie en bafouillant. Arjun était de nouveau dans la course.

Il reprit place au volant et inspecta la rue. Les filles avaient toutes disparu. Mais il était à peu près certain du chemin que Subhadra emprunterait pour rentrer chez elle. Au milieu des hurlements furieux des avertisseurs, il se glissa dans la circulation.

Voilà, c'était là, le tournant, et ça devait être elle, juste après le dernier réverbère tremblotant ? Arjun vira puis se rendit compte qu'il s'agissait d'une rue à sens unique, considération qui ne gêne pas toujours les conducteurs indiens, mais, dans ce cas, l'entrée de la rue était barrée par un énorme camion qu'empêchait d'avancer une vache nostalgique, attelée à une charrette abandonnée. La situation semblait devoir se prolonger ; le chauffeur du camion s'y était résigné et avait placé son tapis de prière sur le capot et entamé sa *namaz*. Arjun décida d'essayer la rue suivante.

Cette fois le virage fut plus facile à exécuter. Arjun procéda avec lenteur, cherchant le premier tournant à gauche qui le ramènerait dans la rue où il avait aperçu Subhadra.

Il n'en trouva point.

Arjun sentit la sueur lui envahir les paumes et la frustration le crâne. Il voulait cette fille ! Il tourna à droite, avec l'espoir de pouvoir virer deux fois à gauche plus tard. Les rues semblaient toutes s'éloigner à des angles impossibles de la direction qu'il voulait prendre. Chaque tournant à gauche semblait suivi d'un sens interdit ou d'une impasse. Il vira, tourna, repartit en marche arrière dans des rues à sens unique, il revint sur son chemin et fit le contraire de ce qu'il avait fait. Finalement, étourdi par dix-sept virages à gauche et treize, involontaires, à droite, il aboutit dans une venelle sombre qui lui parut vaguement familière. Aussi familière que la silhouette en jupe tortillant des hanches là-bas dans l'obscurité.

Subhadra !

Dans la nuit et les ombres confuses de son esprit brilla un clair rayon de détermination. Il allait enfin pouvoir faire ce qu'il était venu faire.

Il tourna et accéléra pour dépasser la fille. La rue était déserte ; les réverbères, qui, au mieux de leur forme, clignotaient sans enthousiasme, avaient même cessé de s'y essayer et s'étaient complètement éteints. Arjun s'arrêta au bord du trottoir et attendit.

Les pas se rapprochèrent et, avec eux, le léger claquement des *chappal* de cuir, accompagné du tintement des *payal* encerclant les chevilles. Le cœur d'Arjun battait au rythme d'une insupportable anticipation.

Comme la fille arrivait à hauteur de la voiture, Arjun ouvrit brusquement la portière, l'attrapa par la taille et, une main sur la bouche pour l'empêcher de crier, la poussa sur le siège arrière.

Sa victime laissa échapper un cri étouffé puis se mit à lutter, pieds et poings. Arjun comprit qu'il y avait des limites à l'efficacité de l'enlèvement comme moyen de promouvoir sa cause.

« Arrêtez, supplia-t-il. Je ne vous ferai aucun mal. J'agis par amour ! Je vous désire comme l'abeille la fleur, la minute l'heure, le *sannyasi* le *moksha* ! » La résistance de la fille parut diminuer. Arjun fit suivre ses paroles d'une cascade de baisers qui réduisirent en effet au silence toute opposition.

Elle réagissait ! Tandis qu'Arjun utilisait sa main libre – l'autre couvrant prudemment la bouche de la fille – pour caresser sa compagne, il sentit son ardeur trouver un écho. Les mains qui, un instant plus tôt, avaient tenté de le griffer et de le frapper caressaient à présent le ravisseur. Le corps de la fille s'arqua et ses doigts tâtonnèrent dans la nuit à la recherche de la virilité d'Arjun.

Celui-ci perdit la tête. Il se dégagea, souleva la jupe de sa compagne et dépensa en une minute de relâchement frénétique une heure d'anxiété, d'anticipation et d'espoir.

« Je t'aime, Subhadra », souffla-t-il après coup, laissant retomber sa tête sur la douce rondeur d'un sein.

Sa partenaire éclata de rire, un son dur, guttural. « Mince, t'étais vraiment pressé, pas vrai ? Je ne l'ai jamais encore fait comme ça ! »

La voix était grossière et Arjun, la vérité de la situation se déversant sur lui comme de l'eau glacée sur un matin froid, tendit la main pour allumer la lumière de la voiture.

« Ça fera quarante roupies, dit une femme maquillée à mort, en clignant des yeux. Et je ne m'appelle pas Subhadra mais Kameswari. » Elle ôta ses jambes du siège arrière. « Mais tu peux m'appeler Subhadra si ça te fait plaisir, mon chou. » Elle secoua la tête. « Ce que vous pouvez être impatients, vous, les jeunes ! Tu ne pouvais pas attendre d'avoir trouvé une chambre d'hôtel ? »

99

Moche, Ganapathi ? Certes. Mais ces Mémoires ne dissimuleront pas la mocheté crasse de leurs héros. Pas plus qu'ils ne seront embarrassés par leur grandeur.

Le lendemain matin, Krishna se moqua gentiment d'un Arjun honteux :

« Il faut que tu me donnes des leçons, dit-il en riant. Quelle finesse dans la technique ! Ta victime ne s'était même pas rendu compte qu'on l'enlevait !

– Attends voir la prochaine fois », répliqua Arjun avec défi.

En effet, quand Subhadra revint un matin du temple, les rayons du soleil tissant de délicats dessins de lumière et d'ombre dans ses cheveux (et le faisant assez brillamment pour ne laisser aucun doute sur son identité), Arjun fonça sur elle et l'emballa, dans tous les sens du terme.

Les gens de Gokarnam, furieux, se fâchèrent tout rouge et exigèrent l'arrestation d'Arjun. Ce fut Krishna qui les calma en faisant remarquer à son père, Vasudevan :

« Subhadra n'aurait pas pu se trouver un meilleur mari et elle aurait pu facilement – tu connais les femmes – faire bien pis. Nous avons décidé, voici longtemps, que nous ne soumettrions pas ma sœur à l'humiliation d'être inspectée comme une poule au marché par une série de beaux-pères en puissance qui fonderaient leur décision finale sur la grosseur de la dot que nous pourrions leur offrir pour nous débarrasser d'elle. En la circonstance, ce qu'Arjun a fait n'est-il pas ce qui pouvait arriver de mieux de notre point de vue ?

– Et Subhadra, alors ?

– Est-ce qu'une femme d'un peu de caractère se laisserait enlever sans y consentir dans une certaine mesure ? Si Arjun lui avait déplu, elle lui aurait rendu la vie si misérable qu'il nous l'aurait réexpédiée dans la journée. Rappelons-les et voyons si Subhadra est heureuse. »

Ce qu'ils firent. Subhadra était très heureuse. Un somptueux mariage fut organisé et Arjun passa le reste de son exil à Gokarnam, jouissant de sa lune de miel et de la compagnie de Krishna. Quand vint le temps pour lui de retourner à Delhi, il lança un dernier appel à son ami :

« Viens avec moi et laisse-moi te présenter aux dirigeants du parti, dit-il. Ton avenir est à Delhi.

– Non, Arjun, je suis désolé. Je ne peux pas. Pas maintenant, pas encore. Mais je promets de venir te voir bientôt et de te donner mon avis chaque fois que tu en auras besoin. » Krishna posa ses mains sur les solides épaules d'Arjun et le regarda droit dans les yeux. « C'est ton avenir à toi qui t'appelle à Delhi et tu dois lui répondre. Quant à moi, je serai heureux de rester ici en coulisses, à Gokarnam, et de te guider lorsque je le pourrai. »

De sages conseils à distance : voilà ce que Krishna consentit à offrir à Arjun et à l'Inde. C'était d'une insuffisance exaspérante ; pourtant il semblait impossible de le faire changer d'avis. Mais après tout, se dit Arjun, il aurait été pire d'essayer d'emprisonner cet esprit superbement libre dans la chrysalide bétonnée de la capitale.

Les amis se séparèrent. Arjun rentra chez lui avec Subhadra. Comment accueillerait-on son épouse dans la maison dont on l'avait exilé, douze longs mois auparavant ? Arjun s'inquiétait malgré lui. Il avait carrément menti à Draupadi dans une carte postale en lui disant qu'il lui ramenait une nouvelle servante. Il savait qu'elle ne le croirait pas et ça n'avait pas d'importance. Il voulait seulement que le mensonge tienne jusqu'à la rencontre des deux femmes. Il savait que le problème se résoudrait alors de lui-même, d'une manière ou d'une autre.

Ne te hâte pas de condamner notre héros bigame, Ganapathi. Il était fidèle à Draupadi, à sa façon, mais la fidélité n'était pas la clé de voûte de leurs rapports. Arjun était lié à Draupadi par l'essence même de leurs natures complémentaires, par l'inexorabilité du destin, *par la force des choses**. Sa relation avec Subhadra était d'une texture différente, faite de légèreté et de joie ; avec elle, il se sentait responsable de son choix et de son amour, conscient que les liens avaient été voulus par lui, et non par des événements sur lesquels il n'aurait eu aucun contrôle. Il avait besoin de Subhadra, alors que Draupadi et lui obéissaient à une nécessité plus grande qu'eux-mêmes.

Après l'anxiété, la comédie. Quand elle eut touché les pieds de Kunti et que sa belle-mère l'eut embrassée, Subhadra se tourna vers Draupadi Mokrasi.

« J'étais très impatiente de vous rencontrer, dit-elle, les yeux brillants de sincérité. J'ai tellement entendu parler de vous.

– Je voudrais pouvoir dire la même chose », répliqua Draupadi.

En résumé, une situation tendue. Les deux femmes se mesurèrent réciproquement du regard durant un moment de silence – je ne peux pas résister à l'expression – gros d'attente. Puis, presque simultanément, elles se précipitèrent sur l'évier de la cuisine et vomirent.

Abhimanyu, le fils de Subhadra, et Prativindhya, l'héritier de Yudhishtir, naquirent moins de neuf mois après. Et dès l'instant où leurs fronts se cognèrent douloureusement au-dessus de l'évier, les deux femmes devinrent les meilleures amies. Ce fut, dans un certain sens, bien natu-

* En français dans le texte. (*N.d.T.*)

rel : car elles possédaient plus en commun, Ganapathi,
que les plus intimes des sœurs.

Et ce n'était pas un accident, après tout, que Sunda et
Upasunda eussent été des hommes. Il aurait fallu aux
Dieux bien plus qu'une Tilottama mâle pour briser les
liens fondamentaux unissant deux sœurs.

Le livre de la jungle
ou le règne de l'erreur

100

Et, tels nos héros et héroïnes, la politique de notre nation subissait la confusion, les malentendus, les accouplements banals et les étonnantes intimités de notre histoire. Après une première année médiocre et mal assurée, durant laquelle Priya Duryodhani parut beaucoup plus consciente de ce qu'elle ignorait que de ce qu'elle aurait pu découvrir, le pays alla voter pour ses quatrièmes élections générales. Nous n'aurions pas dû être surpris par ce qui se passa, mais nous le fûmes : bien que le Parti kaurava gardât le pouvoir en l'absence d'une véritable alternative, nous perdîmes des sièges dans tout le pays au bénéfice d'un éventail hétéroclite de groupes d'opposition. Dans une demi-douzaine d'États, des majorités non kauravas eurent l'occasion de former des gouvernements, ce qui ne s'était pas produit depuis le départ de Karna avec son Groupe musulman. Elles la saisirent de leur mieux, rafistolant des coalitions fondées plus sur l'arithmétique que sur les principes. Dès la première heure, il fut évident que leur métissage politique ne durerait pas, mais le fait même que ces partis aient copulé ensemble et pénétré si avant nos citadelles du pouvoir était profondément vexant.

« Si nous avions eu une direction plus solide, déclara Yudhishtir, lors de la réunion du comité directeur qui suivit les élections, ça ne serait pas arrivé. »

Il était devenu un personnage sévère, presque ascétique, sa maigreur et sa calvitie évoquant Gangaji. Il commençait aussi à être connu pour des manies qui rivalisaient avec celles du Mahaguru, son intérêt pour les mictions reflétant l'obsession de Gangaji à l'égard des lavements. Mais la ressemblance s'arrêtait là. Car l'austérité de Yudhishtir ne s'étendait pas à l'exercice de ses droits conjugaux avec Draupadi ; son végétarisme, qui incluait une passion pour les noix, les pistaches et le chocolat suisse, ne pouvait guère être qualifié de spartiate ; et son sens de la vertu lui donnait un air d'autosatisfaction perpétuel qui contrastait énormément avec la sagesse tissée de doute qu'exprimait le visage du Mahaguru.

« Que veux-tu suggérer par là ? s'enquit Duryodhani sèchement.

– Je ne suggère rien. Je le dis très clairement, répliqua Yudhishtir. Je pense que ce parti a besoin d'être mené de l'avant si nous ne voulons pas continuer à perdre des élections et des gouvernements dans les États. » Il lui jeta un œil noir. Yudhishtir avait été facilement réélu en Hastinapur, mais Priya Duryodhani, bien que se présentant pour le siège très sûr que son père lui avait trouvé aux beaux jours de son pouvoir, avait connu une érosion de sa majorité.

« Si les élections ont démontré quoi que ce soit, c'est que les gens veulent un changement, dit Duryodhani. Je représente ce changement. Le Parti kaurava ne peut pas se passer de moi.

– Je suis prêt à mettre ça à l'épreuve, répondit Yudhishtir.

– Allons, allons, du calme, on ne peut pas continuer comme ça ! », intervins-je. Ma position en tant que plus vieux député du parti en avait pris un coup lors des élections car j'avais été largement battu par un brûlot syndicaliste qui devait être en culottes courtes lorsque j'étais devenu ministre pour la première fois. Mais je n'étais pas le seul à avoir vu ma chaise soustraite à un derrière complaisant. Et j'avais le devoir d'empêcher le parti de se déchirer. « Il y a du mérite dans ce que vous dites l'un et l'autre. » Je fus récompensé par les regards furibards des deux intéressés. « Nous avons perdu des sièges, cela est incontestable et, en ma qualité de membre de la direction du parti, il m'est évident que celle-ci doit accepter la responsabilité de cette défaite. » J'adressai ces mots à Yudhishtir, sachant que Duryodhani fulminait déjà. « En même temps (je me tournai vers notre Premier ministre), il est vrai que ceux d'entre nous qui ont perdu leur siège font partie de ce qu'on appelle la "Vieille Garde kaurava" Priya Duryodhani ne fait certainement pas partie de cette Vieille Garde et ne peut être associée à son apparente impopularité.

– Et comment ! » approuva le Premier ministre. Piètre remerciement pour mon oubli délibéré de souligner qu'elle était partout considérée comme notre création.

« Dhritarashtra nous a appris, dit Yudhishtir, histoire d'apporter de l'eau à son moulin, à respecter les institutions de la démocratie et la volonté de la majorité. Je suggère que nous suivions les mêmes préceptes à l'intérieur du parti. Il est temps que nous élisions vraiment le chef du parti, au lieu de laisser son choix à un petit groupe d'anciens.

– Que dis-tu, Yudhishtir ? » J'étais atterré. « Allons-nous faire étalage de nos divergences internes devant le monde entier ? La démocratie, telle que tu la définis, si on la pousse trop loin là où il ne faut pas, ne peut que mettre en danger la démocratie telle qu'elle devrait exister. Si nous révélons nos dissensions à propos du choix d'un leader, nous ne ferons que renforcer le pouvoir de nos ennemis. Un parti politique est comme une famille, Yudhishtir. Une famille ne décide pas dans la rue qui préparera le dîner du soir.

– Alors la démocratie, au contraire de la charité, ne commence pas chez soi ? s'étonna Yudhishtir en faisant la moue.

– Si tu veux l'exprimer de cette façon, eh bien, non.

– Mais c'est vous qui l'exprimez ainsi, VVji. » Yudhishtir prit soin de garder un ton modéré. « Et pourtant, vous ne pouvez pas savoir – n'est-ce pas ? – puisque vous n'avez jamais eu de famille vous-même. »

Cela me fit mal, Ganapathi, je n'ai pas honte de le dire. Et pourtant le vœu de célibat de mon pâle enfant avait en effet supprimé un lien généalogique direct entre les héritiers de Pandu et moi. Yudhishtir était moins ma famille que Priya Duryodhani.

« Ça m'est égal, dit Duryodhani. Élisons donc un Premier ministre. Ça pourrait ne pas être si mal que de libérer le Premier ministre de sa dépendance à l'égard d'un petit groupe de vétérans non élus. »

Ses mots me firent frémir. Je perçus en eux un présage de tout ce qui allait advenir.

« Yudhishtir, Duryodhani, écoutez un vieil homme et soyez raisonnables, plaidai-je. Ce n'est pas le moment de se déchirer autour d'une élection, quels que soient les arguments en sa faveur. Quand on est faible, encore étourdi des coups douloureux infligés par l'adversaire, on ne peut pas faire un geste qui mettra définitivement à terre. Il existe un compromis possible et je vous supplie tous deux de l'accepter.

– Quel est ce compromis ? demanda Duryodhani, soupçonneuse.

– Il n'y aura pas de changement de Premier ministre, dis-je, parce que aujourd'hui il est impératif que nous montrions une totale loyauté à l'égard de Duryodhani et notre foi en notre choix initial. » Je levai la main pour arrêter Yudhishtir, qui semblait déjà prêt à parler. « Mais, afin de plaire à ceux qui sont d'une opinion contraire, je propose que soit créé un nouveau poste, celui de Premier ministre adjoint, et qu'il soit offert à Yudhishtir. »

Une fois de plus, Ganapathi, j'avais agi dans le sens du plus grand intérêt national. Mais là, je ne devais finalement que ralentir le cours inévitable de l'Histoire, et non le faciliter.

Les deux partenaires putatifs de ce compromis soulevèrent des objections. Pourtant, après des heures de discussion, tout le monde en vint à la conclusion que l'arrangement proposé était la moins indésirable des options possibles. A la fin, Duryodhani et Yudhishtir n'eurent pas d'autre choix que d'accepter. Ils le firent comme des acteurs forcés de jouer ce que nos film-*wallah* de Bombay appellent une scène d'amour, ne dissimulant leur haine réciproque qu'au moment où la caméra tourne. Lors de la conférence de presse tenue ensuite pour couper court aux rumeurs de querelles intestines meurtrières. Yudhishtir se montra comme à l'habitude peu souriant mais correct. Un journaliste lui demanda ce que voulait dire sa nouvelle appellation, sans précédent. Serait-il une sorte de directeur général, tandis que le Premier ministre présiderait le Cabinet comme un conseil d'administration ?

« Vous n'avez qu'à regarder dans le dictionnaire, dit Yudhishtir sans humour. Un adjoint est un adjoint.

– Je n'aurais pas pu mieux dire », approuva Duryodhani, soulagée.

*

Et Draupadi Mokrasi, toujours belle, commença à s'empâter, son sourire instinctif plissant la chair de son visage au point de suggérer l'ombre d'un double menton...

101

Bien entendu, ça ne pouvait pas durer. Priya Duryodhani, confirmée à son poste, les prochaines élections à cinq ans de là, résolut de ne plus jamais subir l'humiliation de voir sa position décidée par d'autres. Elle en avait trop vu et trop appris depuis des années pour en passer par là.

Et elle comprit aussi que, venant de la renommer Premier ministre, les dirigeants du parti ne pourraient pas s'attaquer aussitôt à elle. Sa tâche serait d'assurer son pouvoir de telle sorte que, quand ils le feraient, elle serait prête à la bagarre.

La détermination avait toujours été le meilleur atout de Priya Duryodhani. Une fois sa décision prise et sa position de force évaluée – il n'y avait, après tout, qu'un seul Premier ministre, et c'était elle –, son changement de style fut dramatique. Elle se débarrassa de son incertitude comme un palmier de ses branches. Son attitude hésitante se fit autoritaire ; son insécurité se fit arrogance.

« J'ai vu combien ma mère avait été blessée, dit-elle un jour à un journaliste étranger, et je me suis promis que ça ne m'arriverait pas. » Elle ne permit à personne d'acquérir suffisamment de pouvoir ou d'influence sur elle pour pouvoir lui nuire. Étrange, non, Ganapathi, comme les leçons apprises par des petites filles finissent si souvent par vaincre les plus grands hommes.

A l'égard des chefs du parti, dont le compromis l'avait à la fois sauvée et embarrassée, elle se montra de plus en plus froide et distante. Elle leur fit savoir qu'à son sens c'était notre traditionalisme conservateur qui avait réduit le parti à son état actuel.

Quant à son Premier ministre adjoint, le raide et sévère Yudhishtir, elle procéda carrément comme s'il n'existait pas.

« Je ne peux supporter ça plus longtemps, me confia Yudhishtir un jour de mousson, alors qu'il tombait des cordes. Elle me traite en étranger, dédaigne de répondre à une seule de mes suggestions. Le maximum que j'arrive à tirer d'elle, c'est un haussement de sourcils, comme ceci. » Il tenta d'imiter l'expression pour laquelle Duryodhani était déjà célèbre et ne réussit qu'à se donner un tic nerveux. « Je suis Premier ministre adjoint, mais j'en sais moins sur ce qui se passe que mon propre *chaprassi*. Aucun dossier ou presque n'arrive à moi et mes remarques sur ceux qui me parviennent ne sont jamais prises en compte. Quel merveilleux compromis vous m'avez fait accepter, VVji ! »

Puis, un jour, Yudhishtir découvrit qu'un Conseil des ministres s'était tenu sans même qu'il le sache. Le cabinet du Premier ministre affirma avoir envoyé la note habituelle ; les collaborateurs de Yudhishtir jurèrent ne l'avoir jamais reçue. Il demanda un rendez-vous au Premier ministre pour discuter de l'affaire. Trois jours après, n'ayant toujours pas eu l'honneur d'une réponse, il fit la seule chose honorable à sa disposition : il démissionna.

« Tu es un imbécile, lui dis-je, faisant écho au conseil de Vidur à Dhritarashtra au commencement de la guerre mondiale, conseil qui, s'il avait été suivi, eût peut-être évité la partition du pays. Un siège vide ne sert jamais à rien à celui qui l'a libéré.

– C'était une question d'honneur », répliqua Yudhishtir, têtu.

On dit que ce soir-là Priya Duryodhani ouvrit une bouteille de champagne. Mais de nos jours, Ganapathi, on ne peut plus se fier aux ragots des domestiques comme on le faisait à l'époque où les maîtres étaient anglais.

*

Et Draupadi Mokrasi, prise de fièvre, s'alita, se plaignant d'une alternance de chaud et de froid...

102

Une fois son rival le plus visible mis hors jeu, Duryodhani entreprit de pousser ouvertement son pion à l'intérieur du parti. Elle fit des discours sur les immenses sacrifices accomplis par son père et sa famille pour la cause de l'Indépendance. Elle évoqua les idéaux socialistes de Dhritarashtra et la manière dont ils avaient été trahis par les éléments « réactionnaires » kauravas. Le parti, affirma-t-elle, devait se régénérer sous sa direction à elle. Elle appela tous les gens « de progrès » et de « même pensée » à l'extérieur du parti à s'unir à ses efforts.

Un des premiers à répondre à son appel fut Ashwathaman, le fils barbu et populiste de Jayaprakash Drona.

Depuis le temps de leur agitation dans les campagnes pour une réforme rurale avec les Pandavas, Drona et son fils avaient disparu de la scène politique. Le sage lui-même s'était retiré dans l'obscurité honorable que notre pays accorde à ceux qui, ayant accompli leurs bonnes actions, abandonnent la bagarre. Que ce soit à cause de sa désillusion devant la lenteur du changement ou une simple réticence à répéter sa malheureuse expérience ministérielle, Drona s'installa dans un *ashram* avec une poignée de disciples et se consacra à une réflexion détachée sur les maux de la nation. Bien qu'en bonne santé et en possession de ses « talents spéciaux » pas encore rouillés par le manque d'usage, il n'exerçait plus que des activités respectables et peu menaçantes. On le laissait donc en paix. Il faisait de temps à autre surface dans la presse avec une pieuse pensée sur la paix, le gangajisme (Drona s'était converti après l'Indépendance au dogme de non-violence du Mahaguru) ou la réforme agraire. Chaque année, en mai, apparaissait aussi un filet de trois lignes enterré dans les pages intérieures des journaux, parfois sous la rubrique « Nouvelles brèves » et parfois, s'il y avait de la place, sous le titre « J.D. célèbre son énième anniversaire ». Un salut respectueux à la stature historique d'un homme qui n'était pas encore passé à l'Histoire, précisément la sorte de traitement, Ganapathi, que l'on m'accorde aujourd'hui. Et qui servait alors, comme maintenant, à rappeler annuellement aux politiciens et aux journalistes d'astiquer leurs élégies pour le jour où l'inexorable compte à rebours de Yama atteindrait sa prévisible fin.

Ashwathaman, héritier des opinions politiques de son père et aussi, semble-t-il, de sa méfiance du pouvoir, se laissa pousser la barbe et se joignit à un petit groupe socialiste dissident remarquable pour l'énergie qu'il dépensait à toujours être à côté de la plaque. Sa décision de répondre à l'appel de Priya Duryodhani et d'adhérer au Parti kaurava mit son regard triste et son visage séduisant et rugueux à la une des journaux. Avec son enfance pauvre, son pedigree politique impeccable et l'idéalisme de sa récente carrière sur la frange socialiste (qui le distinguait de l'opportunisme effréné des candidats aux sinécures tournant autour du bureau central du parti à New Delhi), Ashwathaman n'aurait pu avoir de meilleures lettres de crédit. Duryodhani l'accueillit à bras ouverts et, tout en se gardant bien de lui donner un siège au gouvernement, le nomma au comité directeur du parti.

Là, le fils de Drona devint un groupe de pression à lui seul, réclamant bruyamment une impulsion plus socialiste à la politique du parti. Plus les dirigeants lui expliquaient pourquoi ses propositions ne pouvaient être adoptées sur-le-champ, plus Ashwathaman insistait, le Premier ministre l'encourageant par son silence, et parfois son soutien.

« Pourquoi devrions-nous continuer à pourvoir de listes civiles nos ex-maharadjahs ? demandait-il. Pourquoi des gens tels que Vyabhichar Singh devraient-ils être subventionnés avec des tonnes de roupies arrachées en impôts à la sueur du front du laborieux paysan ?

– Le laborieux paysan, Ashwathaman, ne paie pas d'impôts », lui rétorqua sèchement Yudhishtir. Ils avaient fait campagne ensemble, bien des années auparavant, pour l'abolition de l'impôt agraire, à laquelle Shishu Pal avait enfin consenti dans le dernier budget avant sa mort.

« Mais il pourrait bénéficier de cet argent s'il n'était donné à ces oppresseurs du peuple ignoblement riches en échange de leur paresse.

– En réalité, c'est en échange de leur adhésion à l'Union, Ashwathaman.

– Mais il y a vingt ans ans de ça ! Ils ont été largement compensés ! J'affirme qu'on ne devrait plus leur payer la moindre roupie. A partir d'aujourd'hui.

– Qui décide qu'on leur a donné plus qu'assez ? Ils ont abandonné leurs royaumes pour s'unir à une Inde républicaine. Leurs listes civiles ne compensent même pas les revenus qu'ils ont perdus.

– Tu parles comme un vrai prince, Yudhishtir ! »
Yudhishtir le fusilla du regard.

« Je n'ai pas besoin de te rappeler, Ashwathaman, que
Hastinapur ayant été annexé par les Anglais avant l'Indépendance, ma famille ne bénéficie d'aucune liste civile.

– Je ne suggérais pas ça. Mais on voit bien à qui va ta
sympathie.

– Ce n'est pas une question de sympathie ! » Yudhishtir
frappa la table d'un poing tremblant. « C'est une question
de promesses. Nous avons solennellement promis en tant
que nation de leur payer une compensation négociée, à
perpétuité, pour leur sacrifice. C'est dans notre Constitution, un document, Ashwathaman, que je t'incite à lire un
de ces jours.

– Comment oses-tu insinuer que je ne connais pas la
Constitution ! » Ce fut au tour du regard d'Ashwathaman
de s'embraser. « La différence entre nous, Yudhishtir,
c'est que tu cites la lettre de la Constitution alors que
moi, j'en évoque l'esprit. Et les principes directeurs de la
Constitution, qu'en fais-tu, hein ? Et l'égalité et la justice
sociale pour tous ?

– Et que fais-tu de la crédibilité d'un solennel engagement de la nation ? Est-il juste d'aider les pauvres en
trahissant nos promesses aux riches ?

– Trahir des promesses ? Il ne s'agit pas d'un exercice
moral, Yudhishtir. Le Parti kaurava est censé améliorer
le sort du citoyen ordinaire, et pas se gagner une place
collective au paradis.

– Je pense qu'Ashwathaman a raison. » Priya Duryodhani intervenait enfin. « Je suis en faveur d'ajouter cette
clause au programme du parti. Nous devrions proposer une
loi à cet effet lors de la prochaine session du Parlement. »

La majorité du comité directeur la suivit. Les membres
prirent leur décision l'oreille collée au sol, dont ils inter-
prétèrent avec justesse les grondements : il valait mieux,
dans l'opinion populaire, être associé à la violation d'une
promesse plutôt qu'à la défense des privilèges. La résolution d'Ashwathaman fut votée haut la main.

Que pouvait donc faire Yudhishtir ? Il démissionna aussi du comité directeur.

*

Et Draupadi Mokrasi, requinquée par des vitamines et des fortifiants, reprit en vacillant un peu ses tâches ménagères...

103

Les choses se gâtèrent à propos d'une question qui aujourd'hui, tant d'années plus tard, paraît presque trop banale pour avoir provoqué un tel séisme. Ce fut la nationalisation des banques.

T'entends-je ricaner, Ganapathi ? Tu as raison. Aujourd'hui, nous comprenons tous ce que certains d'entre nous comprirent déjà alors : nationaliser signifie transférer des institutions fonctionnant avec succès des mains de capitalistes compétents dans celles de petits bureaucrates prétentiards. La prévalence de la nationalisation face à l'évidence répandue de ses défauts, échecs et inefficacité ne fait que confirmer le typique credo indien selon lequel des pertes publiques sont préférables à des profits privés. Mais, à cette époque-là, nos Ashwathaman ne parlèrent pas de profits ou de pertes : ils parlèrent de service. Des banques nationalisées, avancèrent-ils, rempliraient des fonctions de service public que ne rempliraient pas les banques privées. Les banques nationalisées iraient dans les campagnes faire des prêts aux pauvres paysans alors que les banques privées leur demanderaient des garanties qu'ils ne pourraient pas leur donner. (Si quiconque suggérait que c'était la raison pour laquelle vos économies durement gagnées y étaient en meilleure sécurité, il se faisait, bien entendu, taxer d'égoïsme.) Aujourd'hui nous savons que les bonnes banques nationalisées se méfient autant que les autres des prêts sans garantie, mais elles doivent fonctionner dans un milieu où le succès est jugé sur le nombre d'annulations de dettes qu'on peut fièrement attribuer à la promotion de l'élévation sociale. (Là encore, celui qui insinuait que, si les mauvais prêts avaient vraiment atteint leur but social, ils auraient été remboursés par les emprunteurs socialement élevés eût été qualifié de mauvais coucheur. Surtout par les directeurs de banque dans les vastes poches desquels avait été siphonnée une partie de ces fonds irré-cupérables.)

Mais, une fois de plus, Ganapathi, je m'égare. La natio-nalisation des banques fut mise par Ashwathaman, Duryodhani et leurs semblables au rang des choses indis-pensables au bien du pays, telles que la natalité et le *dal bhaat*. Avant que nous ayons eu le temps de nous en aper-cevoir, Ashwathaman avait présenté un projet de loi au Parlement. Duryodhani, échouant cette fois à s'assurer la majorité du comité directeur, lui apporta son soutien per-sonnel et appela à un vote à la Chambre. En l'absence d'un chef de file (il avait été impossible de s'entendre sur un nom) pour assurer la discipline de vote, et avec l'appui de l'opposition de gauche, socialistes farfelus et communistes lucides, le projet de nationalisation des banques fut voté.

Tandis que le débat faisait rage dans le pays et le parti, tous les regards se tournèrent vers le président de la Répu-blique, le brave universitaire musulman qui occupait à pré-sent le palais, théâtre de l'investiture de lord Drewpad. Son rôle était celui du monarque que les précédents locataires avaient représenté : chef constitutionnel du pays, il trans-formerait avec sa signature ce projet en loi. Qu'allait-il faire ? Les médias, les politiciens, ses amis, ses collègues universitaires et Priya Duryodhani lui donnèrent tous leur avis. Tous, et singulièrement le Premier ministre, le firent dans les termes les plus vigoureux.

Cerné par les conflits et les controverses, mis sur les charbons ardents par la violence des convictions de ses

interlocuteurs et brûlé par les feux d'une publicité inac-
coutumée, le pauvre docteur Mehrban fit, comme d'habitude, la seule chose digne et décente possible. Il mourut.

*

*Et Draupadi Mokrasi se sentit perdre la tête tandis
qu'une crise d'étourdissement succédait à une autre...*

104

L'élection présidentielle qui devait suivre devint capitale pour l'avenir politique de l'Inde. Le comité directeur
du Parti kaurava se réunit rapidement afin de choisir son
candidat au poste. Le président étant élu par les membres
du parlement national et les assemblées législatives des
États – un collège électoral au sein duquel le parti jouissait encore, malgré ses récents revers, d'une majorité
sûre –, le choix du candidat kaurava aurait dû normalement régler l'affaire. Mais il était clair que ce ne serait
plus nécessairement le cas.

Pour commencer, la Vieille Garde (s'habituant très bien
à l'insulte, ses membres s'étaient mis à s'appeler ainsi eux-
mêmes) était résolue à saisir cette occasion pour se regrou-
per. En Priya Duryodhani ils avaient un monstre à la Fran-
kenstein qui devenait soudain impossible à contrôler. S'ils
réussissaient à lui imposer un président qui ne supporterait
pas toutes ses folies et, par exemple, refuserait de signer
sa loi de nationalisation des banques, ils arriveraient à la
freiner un peu. Si, au contraire, Priya parvenait à s'assurer
un candidat qui lui serait favorable, la Vieille Garde pouvait dire adieu à sa dernière chance de contrôle et se réconcilier avec la perte totale d'une autorité qui échappait déjà
à son emprise affaiblie.

Cette réunion du comité fut la plus orageuse à laquelle j'aie jamais assisté, et, crois-moi, j'en ai connu bon nombre. Priya Duryodhani avança le nom d'un de ses ministres, un Enfant de Dieu, avec un long état de services rendus aux opprimés, surtout si ceux-ci étaient de ses parents. La Vieille Garde rechigna et me proposa à la place. Duryodhani perdit.

Mon adoption en qualité de candidat officiel kaurava à la présidence me donna ma dernière chance de jouer un rôle dans l'histoire de la nation. Durant vingt-quatre heures, je crus que je pourrais terminer ma carrière comme un symbole de réconciliation nationale et de l'unité kaurava. Duryodhani semblait avoir accepté ma nomination de bonne grâce.

Puis, au jour limite pour le dépôt des candidatures, un jeune homme, un membre de notre parti ayant à peine dépassé l'âge minimal requis, se porta candidat indépendant. On comptait normalement une demi-douzaine de ces candidatures, qui allaient du boucher du coin au porte-drapeau survivant de la Société pour la restauration (ainsi qu'on l'appelait désormais) du lien impérial, candidatures qui fournissaient un peu de copie amusante aux journalistes avant un vote prévisible. Je parcourus la liste d'un œil distrait, histoire de rire, et m'arrêtai net sur le dernier nom.

C'était celui d'Ekalavya. Et sa candidature avait été proposée par le Premier ministre kaurava en exercice.

*

Et Draupadi Mokrasi, battant des cils, ignorait pourquoi elle se sentait tourner de l'œil...

105

La stratégie de Duryodhani commença à se développer sans heurts, de manière presque prévisible. Horrifiés, les vétérans du parti lui demandèrent d'expliquer son soutien à un candidat qui avait l'intention de s'opposer au candidat officiel kaurava. Elle répliqua qu'il s'agissait simplement d'un geste de loyauté personnelle à l'égard d'un vieil ami. Cela ne signifiait pas nécessairement qu'elle voterait pour lui. En fait, elle espérait, dit-elle, aboutir à une entente avec le candidat officiel sur la perception qu'il avait de son rôle.

« Ah ? demanda la Vieille Garde. Quelle sorte d'entente ?

– Une sorte d'entente générale, répondit-elle, d'un ton vague. Sur la nature cérémoniale de ses fonctions. Sur son engagement à soutenir la volonté du peuple, telle qu'elle s'exprime à travers le Parlement.

– Vous voulez dire, lançai-je, que vous désirez qu'il accepte d'avance de signer tous les projets de loi que vous lui soumettrez ?

– Pas vraiment, dit-elle. Pas exactement. Enfin, oui.

– Vous ne pouvez pas sérieusement vous attendre à ce que je vous donne ce genre d'engagement, protestai-je.

– Mais si, répliqua-t-elle. Quel dommage ! »

Le lendemain, les journaux publièrent deux déclarations simultanées : le Parti kaurava avait mis en demeure Shri Ekalavya de prouver pourquoi il ne devrait pas être expulsé du parti pour manque de discipline, et le Premier ministre avait déclaré que le temps était venu, en Inde aussi, de passer la flamme à une nouvelle génération.

Ekalavya, plus insolent que jamais, répondit à la « mise en demeure » par une lettre qu'il refila en même temps à la presse : « Quand le Parti kaurava, en cette heure de crise nationale, face à la responsabilité de nommer un barreur pour prendre la roue du navire de l'État et assister son capitaine, notre jeune et dynamique Premier ministre, afin de le guider à travers les eaux troubles du communalisme, capitalisme et castéisme, se réfugie derrière la nomination de son plus vieux membre pour cette tâche ardue, on se demande vers quel siècle le parti entend mener le navire », lut-il à voix haute, lors de sa conférence

de presse, accompagné des rires admirateurs de journa-
leux bourrés de whisky. Remarque, je ne cite qu'une partie
d'une phrase de sa lettre et les autres phrases étaient
encore plus longues, mais ce spécimen te suffira à voir la
direction que prenait le bateau de l'État.

Ce coup de semence sur nos avants indiquait de quoi
les munitions de nos adversaires étaient faites. La référence aux trois c qui constituaient la cible favorite de la
gauche tendance Ashwathaman, l'attaque contre mon âge
et mon prétendu conservatisme, l'interprétation du rôle
de président comme censé « assister » le Premier ministre,
tout soulignait la nature de leur message électoral. La
question était : combien de membres du Parti kaurava
l'entendraient-ils ?

Le comité directeur expulsa Ekalavya et appela l'ensemble de ses membres à refuser de soutenir tout autre
candidat à la présidence que celui nommé officiellement
par le parti.

Le Premier ministre sollicita alors un « vote de
conscience » pour l'élection du président. Les questions
en jeu, affirma-t-elle, étaient bien trop graves pour être
balayées sous le tapis de la discipline de parti.

Le comité directeur, fort indigné par cette remarque,
lui demanda de s'expliquer.

Le Premier ministre déclara qu'il n'était pas inconsti-
tutionnel de défendre le principe sacro-saint du secret du
vote.

Le comité directeur se réunit six heures d'affilée et ne
put se mettre d'accord sur une réponse.

Le Premier ministre encouragea toutes les « forces
modernes et progressistes » à voter pour Shri Ekalavya.
Les Partis communiste et socialiste souscrivirent à son
appel et jurèrent de lui apporter leurs voix.

Les Kauravas demandèrent à Priya Duryodhani de bien
vouloir justifier son manquement à la discipline du parti.

Priya Duryodhani ne répondit pas.

Le Parti kaurava réitéra sa demande en exigeant une
réponse sous quarante-huit heures.

Priya Duryodhani fit la morte.

A l'échéance de son ultimatum, le comité directeur, tenant séance pour débattre de la réponse du Premier ministre, découvrit qu'il n'y en avait pas et programma une réunion pour la semaine suivante afin de débattre des questions soulevées par cette absence de réponse.

La veille de cette réunion eut lieu l'élection présidentielle. Shri Ekalavya l'emporta d'une très courte tête – un demi pour cent – et devint ainsi le plus jeune président de la brève histoire de l'Inde indépendante, et le premier qui ne fût pas le candidat officiel du Parti kaurava.

Le lendemain, le comité directeur, se réunissant en l'absence de plusieurs de ses membres, vota l'expulsion de Priya Duryodhani des rangs du parti.

Une heure plus tard, un groupe de gens se disant le « véritable comité directeur du Parti kaurava », rassemblé chez Priya Duryodhani et sous sa présidence, votait l'expulsion des rangs du « véritable Parti kaurava » de tous ceux qui avaient assisté à la première réunion, sauf les trois ou quatre qui, ayant changé d'idée à temps, s'étaient joints à la seconde réunion.

Voilà comment, à partir de la question banale de l'élection d'une figure de proue nationale, l'équivalent politique du dragon sur l'espar d'un navire viking, une élection provoquée par la question encore plus insignifiante de décider si les plus gros banquiers du pays seraient salariés par le gouvernement ou des sociétés privées, le grand Parti kaurava, l'organisation politique anticoloniale la plus ancienne du monde, à seize ans de célébrer son centenaire, se divisa.

La majorité se baptisa elle-même le Kaurava (R) – le R signifiant « Réel » ou « Régnant » ou « Récompensé par Priya Duryodhani », selon le degré de cynisme. Le reste de notre groupe, au début un croupion pas négligeable, fut surnommé le Kaurava (O) – O pour « Officiel », « vieux Ossements » ou « Obsolètes », selon la même aune. Pour la première fois, le Premier ministre représenta un parti qui n'avait pas la majorité absolue au

Parlement. Mais les idéologues à la vue basse de l'opposition de gauche la soutinrent à la Chambre, pensant ainsi s'acquérir une certaine influence sur elle. Ils l'eurent – sur sa rhétorique, cette rhétorique qui lui permit de leur ravir leurs sièges lors des élections législatives suivantes.

Les pauvres idiots ! Jamais, dis-je avec conviction, jamais je n'avais encore vu des moutons voter pour avancer la date d'un *Bakr-Id*. Lorsqu'ils seraient devenus inutiles à Priya Duryodhani, personne ne serait là pour entendre leurs bêlements quand on les emmènerait à l'abattoir électoral.

Que dire de plus, Ganapathi, au sujet de cette phase de mon éclipse dans les oubliettes ? Tirons un voile discret sur l'hémorragie graduelle du Kaurava (O) au profit du Kaurava (R), les attaques du Premier ministre contre les grosses entreprises et le « monopole du capital », la frustration croissante et stérile de la Vieille Garde, la brillante manœuvre de Priya que fut l'organisation, du jour au lendemain, d'élections générales qui nous prirent à notre pire dépourvu, son slogan encore plus brillant : « Supprimons la pauvreté ! » (comme si elle n'avait pas eu jusqu'ici le pouvoir de faire quoi que ce soit dans ce domaine), auquel nous fûmes assez stupides pour répondre par : « Supprimons Duryodhani ! » (comme si le pouvoir nous intéressait plus que la pauvreté). A la fin de tout cela, Priya Duryodhani demeura seule au milieu des ruines de son vieux parti, ayant réduit en pièces tous les piliers et fondations qui l'avaient soutenue dans le passé. Seule, mais entourée par les formes étalées de suppliants nouvellement élus se prostrant parmi les gravats, ces nullités dont les têtes vides donnèrent collectivement à Duryodhani une majorité parlementaire supérieure même à toutes celles obtenues par Dhritarashtra.

Comment avait-elle réussi ? Nous étions tous beaucoup trop en état de choc pour répondre à la question de façon cohérente, mais les théories hasardeuses ne manquèrent pas. Grâce à la magie de son père, dirent certains ; cependant, pour tous ceux qui connaissaient la famille, il était évident que Duryiodhani ne ressemblait pas à Dhritarashtra, mais à Gandhari la Lugubre, si injustement méconnue. Grâce à la suppression des listes civiles et à la nationalisation des banques, suggérèrent d'autres ; mais combien d'électeurs dans le pays comprenaient ou même se souciaient des conséquences de ces problèmes ? Non, Ganapathi, je crois que ce fut grâce à l'innocence. Non pas la sienne, car le peu qu'elle avait eu à la naissance s'était asséché avec la sueur de Gandhari sur son bandeau de satin, mais la nôtre, l'innocence de l'Inde. Elle exploita le profond filon qui courait encore dans notre peuple, l'innocence qui amena trois cent vingt millions de gens à voter pour un slogan (« Supprimons la pauvreté ! ») dépourvu de sincérité, simplement parce que pour la première fois un Premier ministre s'était donné le mal de suggérer que leurs votes serviraient à un but et, mieux encore, qu'ils pouvaient même contribuer à la réalisation de ce but. Avec « Supprimons la pauvreté ! », Priya Duryiodhani trouva les trois mots que l'Inde innocente prit à cœur et mit dans les urnes.

L'Inde eut donc une nouvelle reine-impératrice, sacrée cent ans après la dernière. Et durant une année, ou peut-être deux, les habits neufs de l'impératrice resplendirent tant, éblouirent tant qu'il fut impossible de dire de quoi ils étaient faits ni s'ils étaient faits de quelque chose. Et puis, Ganapathi, ils commencèrent à s'effranger.

*

Et l'on diagnostiqua de l'asthme chez Draupadi Mokrasi, dont le souffle était devenu court, l'air mort coincé dans ses bronches luttant pour sortir, sa poitrine haletant pour respirer librement...

106

Mais avant cela, avant que les vêtements de Duryodhani et les espoirs de la nation commencent à se défaire aux coutures, il y eut ce bref moment de gloire nationale qui devait être connu sous le nom de « guerre du Gelabi Desh ».

Quand le Karnistan fut arraché aux épaules courbées de l'Inde par les bouchers-dessinateurs d'un Raj sur le départ, il fut découpé comme deux pièces de chair humaine dans les deux zones du pays à majorité musulmane, des morceaux de choix pour le carnivore Mohammed Ali Karna. Mais même si les versets coraniques chantés durant l'opération et le foutoir sanglant qui en résulta étaient indubitablement *halal*, dans le domaine du développement économique et politique, les deux moitiés ne furent pas traitées de la même manière sur les fourneaux nationaux. En ce qui concerne le développement, l'un fut cuit à point et l'autre laissé décidément bleu.

La moitié cuite à point fut – inévitablement – le Karnistan occidental, où Karna s'était installé durant sa brève existence de Karnistanais. Elle se flattait de posséder les meilleures infrastructures, les routes, les usines et les canaux les plus importants. Et même la population la plus vigoureuse : les auteurs et les rescapés du carnage le plus sanglant de la Partition. L'autre moitié du Karnistan, la moitié où les bénéfices économiques étaient rares, s'étendait dans l'Est marécageux et humide où les rizières mûrissaient peu à peu sous un soleil toujours jeune, où d'antiques bateaux transportaient les gens à travers des terrains si trempés que les routes avaient sombré, où l'art, la musique et les chansons, la culture et – pourquoi ne pas l'admettre ? – le sommeil étaient jugés plus précieux que l'énergie, l'industrie et le massacre. Le pays qui devint le Karnistan oriental avait été, en fait, le théâtre d'une des rares tentatives réussies de pacification communautaire avant la Partition.

Durant presque vingt-cinq ans, les habitants du Karnistan de l'Est, qui étaient tous ethniquement des Gelabins, avaient supporté d'être méprisés, négligés et exploités comme un corollaire de leur nationalité islamique partagée. Ils avaient vu les profits de leurs exportations de jute servir à payer des voitures de luxe à l'Ouest, le gros de leurs impôts alimenter les coffres de gouvernements provinciaux de l'Ouest, les corps de leurs femmes remplir les bordels des villes de l'Ouest, les bottes des soldats occidentaux piétiner leurs champs et leurs rues pour défendre un ordre légal et constitutionnel imposé par le Karnistan occidental. Ils avaient honoré leur part des emprunts nationaux faits pour financer la prospérité croissante de cette moitié privilégiée. Ils avaient accepté la marginalisation du langage gelabin (qu'aucun Karnistanais de l'Ouest n'avait jamais appris, mais que certains imitaient en se versant un demi-verre d'eau dans le gosier et en se gargarisant, la bouche en cœur, comme les poissons qui assuraient la prospérité des Gelabins). Ils s'étaient même résignés aux lazzis que les créateurs karnistanais de l'Ouest lançaient aux procréateurs de l'Est. (Exemples : « Quelle est la seule période de production au Karnistan de l'Est ? – La nuit. » « Quelle est la différence entre les lapins et les Gelabins ? – Les Gelabins sont plus bruns. » « Pourquoi le Karnistan de l'Est ne devrait-il pas avoir l'électricité ? – Parce que si on pouvait allumer la lumière à la nuit tombée, on réduirait la principale activité des Gelabins. » Etc.)

Mais, brusquement et de manière inattendue, après deux décennies de dictature militaire, Jarasandha Khan, le général fatigué au pouvoir à l'heure du triomphe de Dhritarashtra dans la bataille des nominations, décida d'organiser des élections. N'étant pas sobre au moment où il prit la décision, Jarasandha omit de se rappeler que les élections étaient fort incommodément fondées sur le calcul des votes et que, par conséquent, les leaders rassemblant le plus de partisans l'emportaient. La seule inégalité du Karnistan étant celle de sa population, et le nombre de Gelabins étant fatalement supérieur à celui de tout autre groupe dans le nouveau pays de Karna, la tentative de donner au Karnistan une légitimité électorale signifiait que le plus gros désavantage du Karnistan oriental devenait soudain son meilleur atout. Si ses habitants jouaient bien de leurs bulletins de vote, ils pourraient remporter une majorité de sièges dans le nouveau Parlement karnistanais et diriger ainsi tout le Karnistan.

Ils réussirent... et échouèrent tout à la fois.

Ils votèrent en masse pour le Parti populaire gelabin, qui remporta tous les sièges moins un dans le Karnistan oriental, soit une majorité numérique au Parlement karnistanais. Toutefois, la perspective d'être gouvernés par leurs compatriotes bruns et bavards horrifia tant les politiciens du Karnistan occidental qu'ils persuadèrent Jarasandha Khan de déclarer les élections nulles et non avenues, de proclamer la loi martiale à l'est et de mettre sous les verrous tous les hommes politiques gelabins sur lesquels l'armée karnistanaise pourrait tomber à bras raccourcis. Les rares rescapés réagirent promptement en déclarant la sécession du Gelabin Desh.

Dès le début, l'Inde n'eut d'autre choix que de s'engager dans cette affaire. D'abord, elle sépara les deux parties du Karnistan comme une baleine faisant surface sépare les vagues. Ensuite, la répression qui s'abattit sur les Gelabins avec la loi martiale expédia un flot humain paniqué, brutalisé, à travers nos frontières pour créer sur le sol indien le plus énorme problème de réfugiés que le monde ait jamais connu.

J'ignore s'ils émurent Priya Duryodhani, ces millions d'hommes en haillons, de femmes ravagées et de nuées de gosses qui, avec une dignité tragique, se frayèrent, à coup de souffrance, un chemin dans la conscience du monde. J'ignore si elle se désola ou enragea de les voir se blottir sous des arbres, des tentes, dans des tuyaux géants désaffectés, de l'implacable mousson et de l'implacable humanitarisme des objectifs à foyer variable occidentaux. J'ignore si elle enragea devant la pluie de platitudes et d'offres de charité dont l'univers la gratifia tandis que les réfugiés continuaient à se déverser des blessures sanglantes infligées par l'armée karnistanaise. J'ignore si ce fut par amertume ou mépris qu'elle refusa ces sparadraps et tranquillisants que le monde s'avéra plus disposé à donner que le garrot qu'elle recherchait, la forte pression internationale qui seule aurait pu forcer Jarasandha Khan à retirer ses baïonnettes de la tendre chair gelabine dans laquelle elles étaient si grotesquement enfoncées. J'ignore, Ganapathi, ce qu'elle ressentit. Mais nous savons tous ce qu'elle fit.

Si l'Inde voulait résoudre l'impasse, alléger son problème de réfugiés et en même temps donner au Karnistan la sorte de leçon qu'elle-même avait reçue pas si longtemps auparavant du Chakra, il lui faudrait mettre ses régiments en marche.

Elle les mit. Priya Duryodhani n'était certes pas un ange, mais elle ordonna à l'armée indienne d'entreprendre ce qui, à mon avis, fut l'une des deux seules guerres moralement justifiables dans ce siècle de carnage. Dix-sept jours suffirent pour traverser les champs et les fleuves du Karnistan oriental et redonner leur Gelabin Desh à ces millions d'êtres misérables. Pour un court moment cela les rendit moins misérables et pour un moment plus court encore cela fit de Priya Duryodhani une héroïne nationale.

Oui, Ganapathi, l'Inde accorda à Duryodhani son ultime accolade : elle en fit une déesse et une mère. Cette femme qui ne s'était jamais mariée et qui paraissait incapable de produire ou de soutenir une vie humaine devint « Maman Duryodhani » et « Duryodhani Amma » pour un peuple qui vit en elle l'incarnation du principe femelle de Shakti, le pouvoir et la force d'une déesse mère nationale.

C'est à cette époque que commencèrent mes rêves. Des rêves extraordinairement précis, en costumes et technicolor, avec des dialogues parfaitement authentiques prononcés en sanscrit. Oui, Ganapathi, je rêvais en sanscrit et je rêvais de nos légendes. Pourtant mes rêves étaient peuplés non par les Ramas et Sitas des contes de ta grand-mère, mais par des personnages contemporains transportés incongrûment à travers le temps dans leurs décors mytho logiques et oniriques.

Je rêvai par exemple de Jarasandha devenu le fils de notre roi mythique Brihadratha, le fruit, littéralement ou presque, de ses épouses jumelles. Les épouses de Brihadratha avaient conçu après des années de stérilité en mangeant chacune la moitié d'une mangue donnée en cadeau à leur mari par le sage Kaushik, et chacune avait produit la moitié d'un garçon. Les deux moitiés s'étaient fondues en un Jarasandha fort et indépendant, dont la grande puissance physique n'avait qu'un seul mais fatal défaut : son corps, étant la fusion de deux parties séparées, pouvait être un jour recoupé en deux.

Et, dans mon rêve, Duryodhani était une reine qui décidait d'accomplir le sacrifice de Rajasuya et de se couronner impératrice. Mais elle ne pouvait pas le faire tant que le méchant et puissant Jarasandha régnait sur ses royaumes jumeaux ; elle envoya donc une expédition, composée de Bhim, le soldat, Arjun, l'espion, et Krishna, le penseur, pour anéantir Jarasandha.

Pénétrant dans son royaume sous le couvert de déguisements, notre trio, après mensonges et manœuvres dilatoires pour rassurer Jarasandha, attaqua enfin le tyran. Bhim le provoqua en duel.

Jarasandha se battit courageusement, mais il n'était pas de taille face à Bhim, qui le coupa par deux fois en deux et jeta les morceaux par terre pour les voir se refondre ensemble et Jaransandha réapparaître tout prêt pour la bagarre. A la fin, Krishna, le conseiller politique, accrocha le regard ahuri de Bhim, ramassa un brin de paille, le brisa net et jeta les bouts dans des directions opposées. Bhim comprit aussitôt, saisit Jarasandha en hurlant, le déchira en deux et lança les morceaux de chaque côté, les empêchant de se réunir.

Voilà, Ganapathi, comment Jarasandha fut tué dans mon rêve et voilà comment, quand je rouvris les yeux, le Karnistan, le pays taillé à la hache, fut lui-même haché en deux.

⁂

Et Draupadi Mokrasi recouvra la santé, pendant des périodes entières où son souffle doux et clair alimentait ses poumons et où l'éclat de la vie lui rosissait les joues...

107

Mes rêves continuèrent, tandis que dans le monde réel autour de moi Duryodhani gaspillait les bonnes grâces, l'adulation, la position dont elle jouissait en montrant qu'elle ne savait pas quoi en faire. Rien ne changea dans la vie quotidienne des Indiens ordinaires, qui continuaient à labourer et travailler la terre pour tirer une existence précaire d'un sol épuisé ou à chercher une misérable amélioration à leur sort dans les bidonvilles fétides des grandes cités. La majorité de notre peuple demeurait illettrée ; une plus grande majorité encore demeurait en dessous d'un seuil de pauvreté pourtant fixé de plus en plus bas par les experts de Duryodhani ; et une majorité écrasante se résignait à être écrasée par la malchance, la maladie, la malnutrition et l'exploitation, et par l'ineptie cruelle de celle en qui elle avait placé sa confiance.

J'enrageais alors comme j'enrage aujourd'hui à la lecture des rapports occidentaux parlant des « Indiens mourant de faim ». S'ils mouraient de faim, Ganapathi, il n'y aurait pas de problème puisqu'ils ne seraient plus là pour en constituer un. Ils ne mouraient pas de faim parce qu'ils s'échinaient, s'acharnaient, semaient, soignaient, servaient, grappillaient afin d'apaiser la faim au creux de leur ventre et trouvaient juste de quoi survivre – sous-alimentés, sous-développés, sous-vêtus, sous-éduqués, sous-employés, sous-estimés et maltraités, mais parvenant à survivre. Pourtant, avec quelle sympathie leur sous-développement était décrit sous la plume des sous-fifres de Duryodhani ! Les rédacteurs de ses discours assaisonnaient sa rhétorique avec force hommages aux malheureux de la terre indienne, elle proclamait son pedigree démocratique et ses convictions socialistes du haut de chaque chaire et de chaque estrade et elle acquérait de plus en plus de pouvoir en leur nom.

Ah, Ganapathi, les causes auxquelles les pauvres de l'Inde se prêtèrent entre ses mains ! Elle rationna le papier aux journaux sous le prétexte qu'ils étaient « complètement coupés » des masses (tu vois comme elle se rappelait bien les conversations de Kanika avec son père), elle entrava la justice en exigeant des magistrats qu'ils « s'engagent » envers le peuple (dont elle et elle seule, bien entendu, connaissait les besoins véritables), elle émascula son parti en nommant ses dirigeants au lieu de les laisser élire (car elle seule savait juger qui pouvait le mieux servir le peuple). Et tout cela, Ganapathi, pendant que les pauvres restaient plus pauvres que jamais, pendant que les syndicalistes en grève étaient battus et arrêtés, que les manifestations paysannes étaient combattues et brisées, pendant qu'un nombre croissant de lois étaient codifiées pour permettre à Priya Duryodhani de prohiber, proscrire, profaner, prostituer toutes les libertés que le mouvement national avait obtenues de haute lutte durant toutes mes années de militant kaurava.

Et je rêvai alors, Ganapathi, du grand incendie de forêt de notre épopée. D'Arjun et de Krishna, assis sur les rives du Jamuna et voyant venir à eux un personnage resplendissant, plus grand qu'un cocotier, sa peau dorée rayonnant telle une flamme sacrificielle, ses yeux lançant des étincelles. « Je suis Agni, le dieu du Feu, annonçait-il d'une voix solennelle. Aidez-moi à brûler cette forêt. » Et nos deux héros, l'un noir comme la nuit, l'autre blond comme les étoiles, se postaient à chaque bout de la forêt tandis qu'Agni rageait à l'intérieur, empêchant les victimes du dieu du Feu de s'enfuir, massacrant ceux qui, à l'agonie, s'avançaient en titubant vers eux ; leurs armes cinglaient, tranchaient, tourbillonnaient dans un brouillard de lumière et de mouvement, tandis qu'Agni embrasait, grillait et dévorait chaque branche, chaque arbre, chaque créature de la jungle, et que la fumée montait, les troncs s'abattaient, les ruisseaux bouillonnaient, les animaux gémissaient, les maisons devenaient des bûchers, les martinets piaillaient, leurs ailes roussies étouffant leur chant, les tigres rugissaient, leurs rayures lacérées par les flammes, les biches fermaient leurs yeux tendres et bondissaient pour se suicider avec grâce dans la fournaise, et Arjun et Krishna, Krishna et Arjun, faisant leur devoir envers la divinité, condamnaient toute évasion, repoussaient les serpents qui s'enfuyaient en sifflant sur l'herbe grésillante, faisaient obstacle aux ours dont les queues calcinées les obligeaient à sortir de leurs antres enfumés, tuaient les chacals qui tentaient en hurlant d'échapper au cercle de feu. Puis, à la fin, quand il ne resta plus qu'un tas de cendres noires un peu fumantes au milieu de la dévastation, le dieu du Feu, satisfait, se tourna vers nos héros et les remercia pour leur aide efficace dans le massacre :

« Dites-moi ce que vous voulez, dit-il, demandez-moi une faveur et vous l'aurez. »

C'est Arjun qui parla, mais Krishna, je crois, qui lui donna l'idée.

« Donne-nous, Agni, le pouvoir de créer comme nous avons la force de détruire, dit-il.

– Vous l'aurez, répondit Agni, mais il vous faudra attendre. »

Sur quoi la brillante silhouette du dieu du Feu s'éloigna en scintillant et mon rêve s'acheva.

La goutte de miel : une parabole

108

Enfin le peuple se souleva. Ou plutôt, comme toujours en Inde, une partie du peuple se souleva, menée par un personnage inattendu, sorti, semblait-il, des livres d'Histoire. Jayaprakash Drona émergea de sa retraite et appela à un soulèvement populaire contre Priya Duryodhani.

Ce fut un choc, d'autant que le fils de J. D., Ashwathaman, était encore dans le camp kaurava, quoique de plus en plus à la frange. Et pour le Premier ministre le choc fut d'autant plus rude que Priya Duryodhani n'avait rien fait pour empêcher le nom et l'image de Drona de survivre, tel un vieux bibelot de famille sur un dessus de cheminée noirci. Drona avait même bénéficié peu auparavant d'un bref retour à la une des journaux quand le gouvernement lui avait demandé de persuader les féroces dacoïts moustachus des sauvages ravins du Chambal d'abandonner leurs violentes méthodes, ainsi qu'il l'avait fait lui-même. La sincérité de Drona était si transparente, son propre exemple si transcendant que nombre de dacoïts, coupables chacun de vingt et trente meurtres, viols ou enlèvements, l'écoutèrent et se convertirent. Ils sortirent de leur clandestinité lors de cérémonies époustouflantes où ils jetèrent leurs armes aux pieds de Drona sous les applaudissements des familles de leurs victimes, et sans rien de plus en échange que la promesse d'un procès équitable.

Or ce fut ce même Drona qui se leva un jour, baigna ses pieds dans les eaux sacrées du Gange et proclama qu'il ne pouvait en supporter davantage. Il avait converti les petits criminels, mais les plus grands étaient ceux qui gouvernaient le pays – et ceux-là refusaient de l'écouter. La malhonnêteté et le cynisme du régime de Priya Duryodhani étaient une insulte à sa conscience qu'il ne pouvait plus tolérer. Le temps était venu, déclara-t-il, d'un soulèvement populaire qui restaurerait les antiques valeurs de l'Inde au sein de son gouvernement.

Où se trouvaient tous nos protagonistes à ce moment-là ? Commençons par le haut de l'échelle des vertus, avec le fils de Dharma. Yudhishtir était à présent un chef respecté de l'opposition, endossant gravement la mante du vétéran chevronné de la politique que je ne pouvais plus porter (oui, Ganapathi, on peut être trop vieux même pour être un vétéran chevronné). Ses critiques de Duryodhani, ses démissions motivées par ses principes lui conféraient la sainte auréole de celui qui a vu juste avant tout le monde – même si beaucoup auraient préféré le voir se soucier de papiers politiques plus que de papier hygiénique.

Bhim était encore dans l'armée qu'il avait si bien servie au cours de la guerre ayant détruit Jarasandha et brisé le Karnistan. Il avait ses limites, mais, cervelle à part, il n'en existait aucun, en Inde ou dans les environs, qui pût le défier.

Arjun, le parfait Arjun, avait enfin révélé un défaut majeur : son indécision. Durant la crise du Parti kaurava, il n'eut le courage ni de soutenir son aîné au collet toujours plus monté, ni de se joindre à Ashwathaman, l'idéaliste barbu. A ce sujet, son beau-frère, dans le contentement de son sort, ne lui donna aucun conseil, sauf de faire ce qu'il estimait le mieux. « Si je savais ce qui est le mieux, se plaignit Arjun à un Krishna fort serein, je ne te demanderais rien ! » Mais le frère de Subhadra refusa en souriant de s'avancer plus loin.

Krishna lui-même semblait trouver dans les convulsions nationales une justification de sa préférence pour la politique locale. « Ton courant national, dit-il à Arjun, n'est pas assez propre pour qu'on s'y baigne. » Il restait, avec la Vieille Garde kaurava, un de nos rares partisans à se passer de la bénédiction de la fille de Dhritarashtra pour conserver son siège, et il pouvait donc se permettre de garder avec elle ses distances, à la fois géographiques et politiques. Mais l'opposition de Krishna à Priya Duryodhani n'était pas assez active pour amener Arjun à l'imiter. Pas plus que la marginalisation croissante d'Ashwathaman dans les rangs kauravas ne risquait d'inspirer à Arjun l'envie d'adopter l'idéalisme radical de son ami. Priya Duryodhani se contentait de maintenir le fils de Drona au sein du comité directeur pour qu'il exhale de temps à autre des jets de vapeur socialiste qu'elle continuait à ignorer en pratique tandis qu'elle alimentait ses réchauds démagogiques sous des bouilloires plus noires. Arjun abandonna donc la politique et se consacra, avec compétence mais guère plus de conséquences, à Subhadra, à Draupadi et au journalisme.

Nos seconds rôles ne bénéficièrent pas d'une plus grande unité de but que les acteurs principaux. Kunti, ses cheveux presque aussi blancs que les saris de veuve qu'elle avait enfin adoptés, régnait sur le ménage Pandava comme une digne mère. Elle avait renoncé aux cigarettes turques de sa solitude inquiète et mâchait désormais son *paan banarsi* avec autant d'aplomb que n'importe quelle matrone indienne. Nakul, avec sa capacité de s'exprimer au pluriel, avait intégré l'Administration, dont Vidur s'était enfin retiré (tout en maintenant assez de consultations gouvernementales pour ne pas remarquer la différence). Sahadev, son jumeau silencieux, mit au service de la diplomatie sa réserve et son don de se laisser dire ce qu'il devait raconter. Et moi, Ganapathi, ruminant pensivement la réalité nouvelle entre mes gencives édentées, observant les quelques mèches blanches qui se dressaient de consternation sur mon crâne, je continuai à vieillir, à regarder et à rêver.

109

La révolte de Drona fut, cela va de soi, pacifique ; un mouvement de masses plutôt qu'un soulèvement. Un mouvement qui, toutefois, capta l'imagination des gens et enflamma celle de l'opposition. Drona prêchait contre Duryodhani, contre tous les maux qu'elle n'avait pas supprimés et qu'elle avait fini par incarner à ses yeux : vénalité, corruption, brutalité policière, inefficacité bureaucratique, augmentation des prix et diminution des stocks dans les magasins, aliments frelatés, marché noir, manque de céréales, d'emplois et du reste, discrimination entre les castes et haine entre les communautés, naissances négligées et dots impayées – toute la panoplie des maux nationaux, ceux-là mêmes contre lesquels le Premier ministre avait fait campagne lors des élections. On demandait compte à Priya Duryodhani des promesses qu'elle n'avait pas tenues, des espoirs qu'elle avait trahis et des miracles qu'elle n'aurait pas pu accomplir.

En quelques mois, le mouvement ébranla les fondations fragiles du gouvernement en rendant le pays impossible à mener. Dans les villes et les villages, Drona prêcha une nouvelle désobéissance civile, pressant les étudiants de boycotter les cours, les employés de ne pas payer leurs impôts, les travailleurs de faire la grève dans les usines de l'État, les législateurs de démissionner des assemblées auxquelles ils avaient été élus et la police d'enfreindre les ordres d'arrêter les rebelles. Il s'avérait que le peuple jugeait le Premier ministre sur l'absence de résultats intérieurs plutôt que sur la stature stratégique internationale acquise par le détournement des énergies gouvernementales.

Les partis de l'opposition furent prompts à sauter dans le train de Drona. Ils lui donnèrent un peu de ses poumons, beaucoup de ses muscles et énormément de son impact politique. Avec le Kaurava (O) et les autres partis dans ses rangs, le soulèvement populaire se concentra bientôt sur des cibles spécifiques, dont les plus vulnérables étaient les gouvernements provinciaux kauravas. Dans l'État natal de Drona, le gouvernement fut paralysé par le besoin de contenir son mouvement, les dépenses de la police s'élevant à la somme colossale de cent mille roupies par jour. Oui, Ganapathi, un *lakh* de roupies, de quoi nourrir vingt mille familles indiennes, avec un petit supplément pour le dessert. En Hastinapur, après des semaines d'agitation populaire, culminant dans une marche de ménagères tapant sur des poêles et des casseroles devant sa maison, le Premier ministre de Duryodhani démissionna. Comme New Delhi renâclait à organiser l'élection d'une nouvelle assemblée – préférant contrôler Hastinapur directement sous la « loi présidentielle » –, Yudhishtir, le plus célèbre dirigeant politique de l'État, décida de jeûner à mort. Il n'avait pas maigri d'un kilo que Duryodhani cédait et organisait les élections demandées... que son parti perdit complètement. La marée politique se retirait clairement de dessous les pieds du Premier ministre.

J'observais tout cela, Ganapathi, avec une sinistrose croissante. Je n'admirais certes pas Priya Duryodhani ni ce qu'elle représentait, mais j'étais navré par le soulèvement populaire de Drona et par le chemin qu'il nous faisait prendre. Pour l'Inde indépendante que j'avais passé ma vie à mettre sur pied, se perdre en manifestations, contre-manifestations, rassemblements de masse et arrestations en masse était pitoyable. Pour le gouvernement, consacrer toute son attention à mater l'opposition au lieu de développer le pays était tragique. Pour notre précieuse indépendance, être réduite à l'anarchie, à la trahison et au chaos était carrément criminel.

Si seulement ils avaient attendu, Ganapathi ! On approchait de la date des élections ; Drona et Yudhishtir auraient pu rallier l'opposition autour d'eux, consolider leur organisation et balayer Duryodhani aux urnes. Au lieu de quoi ils réclamèrent à grands cris, et dans la rue, son départ immédiat et celui des gouvernements provinciaux aux mains de son parti.

Priya Duryodhani avait le dos au mur, position dans laquelle elle se battait toujours le mieux. Surtout quand le mur était sur le point de s'écrouler derrière elle.

Oui, Ganapathi. Car en pleine crise politique, un tribunal provincial intègre, et (trop) légaliste, déclara le Premier ministre coupable de « pratique électorale corrompue » pour avoir, durant sa dernière campagne, partagé une tribune avec le président Ekalavya. Le président étant un personnage apolitique, Priya Duryodhani n'aurait pas dû « exploiter sa présence à des fins partisanes ». Je ne sais pas ce qui était le plus risible : la suggestion que le Premier ministre avait tiré le moindre gain du rayonnement politique du président (lequel ne reflétait que le sien) ou sa condamnation pour un délit dont les crimes bien plus grands perpétrés et perpétués autour d'elle et de son gouvernement soulignaient la banalité.

La sentence, qui la priva de ses privilèges parlementaires en attendant le jugement en appel, fournit au soulèvement populaire l'étincelle nécessaire. Les rebelles transformèrent leur mouvement en une réclamation massive et orchestrée de sa démission. Plus grave encore pour Priya, Drona entama des conversations avec une faction à l'intérieur de son parti conduite par Ashwathaman, qui demandait au Premier ministre de démissionner « temporairement » afin d'apaiser l'opposition et de donner au jugement le temps d'être rendu.

Mais si Priya Duryodhani avait appris une chose de sa mère, c'était de ne jamais, au grand jamais, faire passer quoi que ce fût avant son propre intérêt. Elle ne laisserait personne placer un bandeau sur ses yeux de braise. Et ses instincts furent confirmés par son conseiller le plus proche, président (choisi par elle) du Parti kaurava (R) et connu comme le « Kanika de Duryodhani », l'avocat bengali Shakuni Shankar Dey.

Shakuni était une montagne d'homme, huileuse et luisante, avec un crâne chauve étincelant, des boutons d'or étincelants sur sa *kurta* blanche immaculée et de l'émail étincelant à la place des dents, brisées par une foule chagrinée (qu'il eût fait acquitter un assassin sur un point de procédure). Le Kanika de Duryodhani chassa d'une pichenette un brin de peluche égaré sur sa manche et se tourna vers le Premier ministre.

« Ne démissionnez pas, même en apparence, dit-il fermement. Pourquoi faire plaisir aux hyènes hurlantes au-dehors et donner le temps aux opportunistes à l'intérieur du parti de vous arracher le pouvoir ?

– Mais ai-je le choix ?

– Le Premier ministre a toujours le choix, grogna-t-il. Vous n'avez pas à faire quoi que ce soit simplement parce qu'on l'attend de vous. Mais vous pouvez faire quelque chose d'autre, ajouta-t-il, d'un ton éloquent.

– Quoi donc ? »

Shakuni posa ses ongles manucurés sur le bureau ministériel en face de lui. « Rendre les coups. »

Le Premier ministre le regarda comme une institutrice regarde un enfant qui a trop bien répondu.

« Évidemment. Mais comment ? Je ne peux tout de même pas mettre sous les verrous tout ceux que j'aimerais faire boucler.

– Vous le pouvez.

– Oh, bien sûr que je le peux ! dit Duryodhani, exaspérée. Mais je ne tiendrais pas un jour de plus si je le faisais.

– En effet, si vous ne changiez rien, répliqua lentement Shakuni. Mais vous pourriez modifier les règles du jeu. Vous pourriez déclarer l'état de siège.

– Mais on l'a déjà fait ! » Ce qui était vrai : l'état d'urgence déclaré dans le pays pendant la guerre du Gelabi Desh n'avait jamais été levé.

« Oui mais celui-là a été déclaré pour faire face à une menace externe dont chacun sait qu'elle n'existe plus depuis longtemps, dit l'avocat. Ce que vous pourriez déclarer aujourd'hui, c'est un état de siège interne. Contre une grave menace à la stabilité et la sécurité du pays provoquée par des troubles civils.

– Ce qui est très vrai. »

Pensive, Priya Duryodhani hocha la tête.

« Personne n'a jamais défini les procédures autorisées durant un état de siège, ce qui nous en laisse plus ou moins le loisir, ajouta Shakuni. Elles pourraient par prudence inclure la détention préventive de quelques-uns de nos plus turbulents politiciens...

– De tous, dit le Premier ministre avec fermeté.

– Ou de tous, en effet, confirma Shakuni. Sans parler de la censure de la presse, la suspension de certains droits fondamentaux – liberté d'expression, d'assemblée, ce genre de choses – et des mesures destinées à remettre les magistrats à leur place.

– Continuez », dit Duryodhani. Ses traits pincés et anxieux s'illuminaient. « Ça me plaît beaucoup.

– Bien entendu, ce plan nécessitera la coopération ou, du moins, la signature du président. »

Le visage du Premier ministre revêtit son célèbre air de détermination. « Il est temps, remarqua-t-elle, qu'Eka-lavya justifie ses émoluments. »

110

Tandis que se déroulait cette conversation, Yudhishtir, flanqué de Drona et autres éminences de l'opposition, s'adressait à un gigantesque meeting organisé sur les pelouses du Boat Club par le soulèvement populaire pour réclamer le départ de Priya Duryodhani.

« Je *sais*, déclara Yudhishtir, je *sais*, debout devant vous, que le changement est proche. Je *sais* que l'Inde ne peut plus être la même. J'offre en votre nom mes salutations respectueuses à notre guru Drona. » Applaudissements enthousiastes. « Mon regard va de vous à mes collègues sur cette estrade (un large geste de sa main embrassa ses anciens rivaux et critiques des autres partis de l'opposition) et je sais qu'il n'y a point de retour en arrière (rugissements de la foule), que nos divergences n'existent plus (autre rugissement), qu'ensemble nous allons chercher et atteindre notre but *suprême*, le renversement de ce gouvernement inique et corrompu. » Autre grondement, cette fois plus bruyant que tout le reste ; la foule s'est levée ; des banderoles sont brandies par des travailleurs kauravas (O) judicieusement répartis dans le public : « A bas Priya Duryodhani ! Yudhishtir, *zindabad !* Vive l'unité de l'opposition ! Soulèvement populaire, *zindabad !* »

Mais leur unité semblait de pure opportunité, leur programme sévèrement limité et leur comédie d'autant plus irréelle. Depuis plusieurs jours maintenant, ils demandaient la démission du Premier ministre sans penser le moins du monde par qui ou par quoi la remplacer. Des manifestations eurent lieu dans chaque coin du pays, condamnant le gouvernement et réclamant le renvoi du Premier ministre. Décidé à les contrer, Shakuni fit réquisitionner les transports publics pour amener dans Delhi des autobus entiers de paysans venus des terres voisines afin d'exprimer bruyamment leur soutien au gouvernement devant la résidence du Premier ministre. Parfois, les deux groupes s'étaient affrontés ; parfois les innocents fermiers avaient prêté leurs voix à la mauvaise cause. Mais ils n'étaient pas les seuls à ignorer le reste du scénario.

C'était, je suppose, des événements grisants, du grain à moudre pour les magazines étrangers, qui relataient les guerres et conflits politiques sur le même ton que les coucheries de Hollywood, mais l'opinion que j'en avais était ambivalente. Je savais qu'en Inde rien ni personne n'était blanc ou noir ; pas plus qu'il n'existait de gris uniformément sale. Au lieu de quoi, la moralité politique et les valeurs publiques étaient une illusion optique mystérieuse, floue, où alternaient les blancs et les noirs dans diverses nuances de mat et de brillant. Le Premier ministre régnait comme une déesse : noire pour les libéraux démocrates, noire pour ses opposants (qui n'étaient pas tous des démocrates libéraux), blanche pour les pauvres sans-culottes en adoration, blanche aussi pour les capitalistes gros et contents d'eux qui se fichaient de sa stridente rhétorique socialiste et alimentaient la machine électorale de son parti avec les profits réalisés grâce à sa politique peu socialiste. Un juge honnête l'avait disqualifiée par une lecture impartiale (et peu imaginative) des lois : blanc pour ceux qui croyaient au règne de la loi, blanc pour ses critiques et ennemis (qui ne croyaient pas au règne de la loi), noir pour ceux qui souhaitaient que Duryodhani tînt la barre du navire de l'État indien afin d'en assurer la stabilité, noir aussi pour tous les flagorneurs et autres parasites qui pâtiraient de sa chute. Un éventail compliqué de noirs, blancs et gris incertains : aucune raison par conséquent d'avoir honte d'une ambivalence brahmanique.

Avec le temps, Ganapathi, mon ambivalence deviendrait de moins en moins défendable.

111

Le spectacle de Yudhishtir au Boat Club connut une exaltante première, mais il n'y eut pas d'autre représentation. Le soir même, les plans de Shakuni furent mis à exécution, et des équipes de policiers aux yeux rouges frappèrent avant l'aube à la porte des leaders du soulèvement pour les emmener dans les prisons et les « maisons de repos » – leurs résidences pour les mois à venir.

Je ne sais pas ce qui m'attrista le plus, le fait que le Premier ministre de l'Inde libre arrête ses adversaires politiques ou la surprise de ces derniers lors de leur arrestation. L'étonnement de Drona me confirma combien il vivait dans le passé. Tout ce qu'il réussit à prononcer, ce fut une phrase de sanskrit vieille de deux mille ans, celle qui était venue aux lèvres de Gangaji dans les jardins de Bibigarh,

voilà tant d'années : « *Vinasha kale, viparita buddhi.* » Tu
te rappelles à cette occasion que les Grecs avaient un dicton
semblable : « Les Dieux rendent fous ceux dont ils veulent
la perte. » Mettre en doute la santé mentale du vainqueur
est le seul recours ouvert à toute civilisation vaincue par des
forces qu'elle ne peut comprendre.

Je n'eus pas l'honneur de coups frappés à ma porte
avant l'aube. Priya Duryodhani me jugeait trop vieux pour
être enfermé. Mais ce n'est pas la raison pour laquelle je
ne me joignis pas au concert de condamnations qui s'éleva
dans la presse occidentale et les salons indiens à propos
des événements. Tu vois, Ganapathi, je fus sensible au
formalisme excessif de certaines attaques contre l'état de
siège : les critiques semblaient penser que la démocratie
avait été renversée, sans prêter beaucoup d'attention au
contenu de cette démocratie, ni aux résultats de son abrogation. Je ne pouvais pas, à ce stade-là, considérer le
problème comme se résumant simplement à la question
de la liberté contre la tyrannie. Oui, les motifs de Duryiodhani pour proclamer l'état de siège, arrêter un grand nombre d'adversaires et imposer une censure de la presse
étaient d'abord cyniques et égoïstes : sans ces mesures
elle n'aurait pas pu contenir la pression croissante des
demandes de démission. Mais je continuais à penser que
le chaos politique dans le pays, nourri par le soulèvement
idéaliste et quelque peu brouillon de Drona, qu'une
variété d'opportunistes avaient rejoint et exploité, n'aurait
pu nous mener qu'à l'anarchie.

L'état d'urgence fut accompagné par la proclamation
d'un programme économique en vingt points, que le gouvernement paraissait déterminé à exécuter. Avec l'interdiction des grèves et des manifestations politiques, on
sentait comme une nouvelle direction là où avaient régné
la dérive et l'incertitude. Dans l'indolent mais oh combien
vital univers de l'Administration, l'Administration entre
les mains de laquelle reposait l'espoir de progrès pour
tant de nos malheureux pauvres, les absentéistes professionnels revenaient partout au travail ; dans certains

bureaux gouvernementaux on était soudain à court de chaises, tant il y avait longtemps qu'elles n'avaient été occupées. Je sentis (et le dis à un Arjun dont l'inquiétude traduisait l'inconfort à être prisonnier de son dilemme) que si l'état de siège, si bas que fût son motif à l'origine, devait permettre au gouvernement de servir l'homme de la rue mieux qu'auparavant, alors ceux qui, comme nous, avaient perdu des libertés qu'eux seuls savaient exercer n'avaient pas le droit de s'y opposer. Le but du gouvernement démocratique était le plus grand bien du plus grand nombre. Nul doute que plus d'Indiens bénéficieraient de l'abolition du servage et de l'application de la réforme agraire qu'ils ne pâtiraient de la censure des articles d'Arjun, si élégants fussent-ils.

Et puis, Ganapathi, j'avais le respect du vieil homme politique pour les désirs du peuple. L'état de siège, l'arrestation des agitateurs, le silence dans les rues avaient été acceptés par l'Inde apolitique sans un murmure. Le seul son qui remplaça les mois de clameur fut le sifflement d'un long soupir de soulagement public.

« Étrange, VVji, ce silence, dit Arjun. Même en tant que journaliste j'en étais venu à penser que l'Inde sans politique serait comme Atlantis sans eau.

– Pourquoi "même" ? » Je m'adossai confortablement à mon traversin. « C'est vous, les journalistes, qui avez contribué à ce sentiment. Y a-t-il une limite dans vos journaux à l'espace que vous allouez à la politique ? Vos colonnes d'informations et une grosse partie de vos pages éditoriales sont inondées de comptes rendus de discours, de querelles, d'accusations et de contre-accusations, d'élections partielles, de démissions, défections, nominations, départs, réunions, *padayatra, satyagraha*, jeûnes, manifestations, accusations de manquement à la discipline du parti, mises en demeure, expulsions, scissions. Un jour sur deux, on relate l'histoire d'un "leader" provincial avec plusieurs centaines de partisans (ils sont toujours "plusieurs centaines") passant à un autre parti et jurant fidélité à ses anciens rivaux en présence d'un de ses *neta* nationaux. Pour quelqu'un comme moi qui sors peu de cette pièce et dépends de ce que les journaux me disent du monde extérieur – encore que, Dieu merci, ils ne soient pas ma seule et unique source –, il semblerait, à lire nos quotidiens, que la vie indienne consiste presque exclusivement en une variété ahurissante de comportements politiques.

– C'est ce que veulent les lecteurs », dit Arjun sur la défensive. La défensive était devenue pour lui une sorte de seconde nature.

« Foutaises ! aboyai-je gaiement. La majorité des lecteurs indiens ont appris à passer rapidement sur de tels comptes rendus, même s'ils fournissent de la pâture à des gens comme moi. La vérité, c'est que la satiété conduit au cynisme : nous en avons trop lu et entendu pendant trop longtemps pour les prendre au sérieux.

– N'en a-t-il pas toujours été ainsi, VVji ?

– Pas dans le mouvement nationaliste. Tout le monde se passionnait alors. » Je me surpris à adopter l'attitude de vertu méritoire des nostalgiques et changeai de ton : « Certes, les problèmes étaient différents. Mais en luttant pour l'indépendance, nous luttions aussi pour la participation à la démocratie parlementaire, dont nous nous sentions exclus. En gagnant notre liberté, il allait de soi que nous l'avions gagnée aussi. Malgré tous ses péchés et défauts, c'est là une conviction que Dhritarashtra n'a jamais trahie. Même s'il ne laissa à personne d'autre la chance de devenir Premier ministre – ou peut-être à cause de cela –, il ne cessa de réaffirmer et d'encourager l'institution de la démocratie parlementaire dans le pays. Mais le pauvre garçon ne vit pas que derrière la solide façade de l'édifice, les pièces étaient vides. » Je secouai la tête. « Nous, les Indiens, Arjun, sommes très doués pour respecter les formes extérieures tout en ignorant la substance. Nous avons pris les formes de la démocratie parlementaire, nous les avons préservées, nous les avons mises sur un piédestal et leur avons rendu hommage. Mais nous avons ignoré le fait fondamental que cette démocratie ne

peut fonctionner que si ses dirigeants ne cessent de répondre aux besoins du peuple et si les parlementaires sont
qualifiés pour légiférer. Aucune de ces conditions n'a été
remplie depuis longtemps en Inde. » Je gratifiai Arjun
d'un sourire dépourvu d'humour et de dents. « Aujour-
d'hui, la plupart des gens sont simplement conscients de
leur propre manque d'importance dans le processus. Ils
se voient demeurer sur la touche pendant que les politiciens professionnels et les parlementaires non professionnels s'unissent pour mener le pays à la ruine. »

Je me tus, fatigué par mon propre désarroi, et me versai
un verre d'eau d'une carafe à ma portée. Arjun se leva
pour m'aider, mais je l'écartai d'un geste de la main et
repris :

« Ce que nous avons fait, c'est trahir le défi de la démocratie moderne. Tu dois comprendre, Arjun, que dans
notre pays le processus politique et gouvernemental a
toujours été éloigné de la grande masse du peuple. Cela
a été sanctifié par la tradition et renforcé par le colonialisme. L'image du pouvoir politique dépeinte dans
l'*Arthashastra* est celle d'une autorité lointaine, pas plus
accessible à l'homme du commun que les institutions du
futur règne impérial. Deux cents années de Raj britannique ont souligné le détachement des Indiens ordinaires à
l'égard des mécanismes de leur propre gouvernement. Le
plus bel accomplissement de Gangaji fut de faire sentir à
l'ensemble des gens qu'ils avaient un enjeu dans la lutte
pour la liberté. Sous sa direction, le mouvement nationaliste inspira un bref élan d'enthousiasme, qui l'emporta
sur l'apathie générale. Mais tout cela a disparu. » Je haussai les épaules. « Les Indiens ont appris à parler de la
politique comme les Anglais du temps, exprimant de
l'inquiétude sans escompter un changement.

– Et maintenant ils acceptent la perte de leurs droits
politiques sans protester, dit pensivement Arjun.

– Exact. Pas si surprenant après tout, non ? » Je ris
sans joie ni amertume. « Mais, Arjun, nous, les Indiens,
sommes notoirement doués pour nous résigner à notre

sort. Notre fatalisme va au-delà – même s'il en vient – de l'acceptation hindouiste du monde tel qu'il est destiné à être. Laisse-moi te raconter une petite histoire, une merveilleuse fable de nos *Purana*, qui illustre notre faculté à la fois de résister aux chocs et de nous plier aux circonstances. » Je me redressai sur mon traversin : « Un homme, un être très semblable à toi – un symbole, dirons-nous, du peuple indien –, est poursuivi par un tigre. Il court vite, mais son cœur haletant lui dit qu'il ne pourra guère courir plus longtemps. Il voit un arbre. Soulagement ! Il accélère et l'atteint d'une enjambée ultime et désespérée. Il grimpe sur l'arbre. Le tigre au bas du tronc montre les crocs, mais l'homme sent qu'il a enfin échappé à ses mâchoires. Mais non... quoi, qu'est-ce ? La branche sur laquelle notre homme est assis est faible et se courbe dangereusement. Ce n'est pas tout : des souris sont en train de la ronger et, avant peu, elles l'auront coupée et elle cassera. La branche pend au-dessus d'un puits. Aha ! Une issue ? Peut-être notre héros peut-il nager ? Mais le puits est sec et des serpents grouillent et sifflent au fond. Que va faire notre héros ? Alors que la branche cède de plus en plus, il aperçoit un brin d'herbe qui pousse, solitaire, sur la paroi du puits. Sur le brin d'herbe brille une goutte de miel. Que fait notre homme puranique, notre Indien quintessentiel dans cette situation ? Il se penche sur sa branche et lèche le miel. »

J'éclatai de rire devant la tension et l'inquiétude peintes sur le visage d'Arjun. « A quoi t'attendais-tu ? A une solution claire et nette du problème ? Le tigre change d'idée et s'en va ? Amitabh Bachhan, notre plus célèbre acteur, bondit à la rescousse ? Ne sois pas sot, Arjun. La force de l'esprit indien, c'est de savoir que certains problèmes ne peuvent être résolus, et il apprend à s'en accommoder le mieux possible. C'est la réponse indienne à la difficulté insurmontable. On ne se bat pas contre ce qui doit vous vaincre à coup sûr, mais on trouve le meilleur moyen de vivre avec. C'est notre esthétique nationale.

Sans elle, Arjun, l'Inde telle que nous la connaissons ne pourrait pas survivre. »

Mais, malgré toutes mes certitudes, je savais, et je savais qu'Arjun savait, que ce que j'avais dit n'était pas vraiment une solution à son dilemme. Concernant l'état de siège décrété par Priya Duryodhani, il sentait la nécessité de faire un choix, alors que je ne pouvais qu'expliquer comment éviter d'en faire un.

112

Et ainsi donc nous parlions – et je peux te dire, Ganapathi, que nous n'étions pas les seuls. Duryodhani censura la presse, étouffa les débats publics et émit même des restrictions sur le compte rendu des discours des quelques piliers de l'opposition qui restaient à la Chambre pour critiquer les lois nouvelles qu'elle forçait à travers le Parlement. Oui, on disait en privé tout ce qu'il était maintenant illégal de dire en public. Les opinions se déversaient des bouches indiennes comme le Gange à travers Bénarès ; abondant, stimulant et souillé des déchets des autres. Des boutiques de thé villageoises aux cafés des villes, les Indiens donnèrent libre chuchotement à leur imagination, une liberté ponctuée de coups d'œil prophylactiques pardessus l'épaule.

Souvent ces opinions, comme ceux qui les exprimaient, n'avaient aucun moyen d'existence, mais les opinions indiennes sont rarement fondées sur le sens des responsabilités ou l'attente d'une action réaliste. Malgré tout son astucieux cynisme, Duryodhani ne réussit pas à faire ce simple constat à propos de ceux qu'elle gouvernait : l'on pouvait les laisser dire ce qu'ils voulaient sans se sentir obligé d'intervenir. Il n'y avait nul besoin de la censure qu'elle avait imposée sur les commentaires politiques de l'élite. En Inde, l'expression des opinions privées n'était pas une preuve de l'existence d'une opinion publique viable et exigeante.

Oui, Ganapathi, ce fut une des ironies de l'autoritarisme de Duryodhani : il fut plus autoritaire que nécessaire. Elle aurait pu permettre aux journaux d'écrire ce qu'ils voulaient et ça n'aurait rien changé. Au lieu de quoi, le fait même de le leur interdire devint une question brûlante pour ceux dont la parlote était maintenant la seule soupape.

Et, comme si souvent dans la vie indienne, Ganapathi, et d'ailleurs comme si souvent dans ces Mémoires, les questions importantes ne furent pas résolues par l'action, mais par les discours. C'est ainsi que nous cherchons à atteindre à l'objectivité dans un pays dont chaque crise compliquée réclame à grands cris la subjectivité. Pour chaque histoire que je t'ai racontée, chaque impression que j'ai transmise, il en existe cent autres tout aussi valables que j'ai omises et que tu ignores. Je ne m'en excuse pas. Cela est mon histoire à moi de l'Inde que je connais, avec ses préjugés, choix, omissions, déformations, tous miens. Mais on ne peut pas tirer sa cosmogonie d'une seule naissance, Ganapathi. Chaque Indien doit porter à jamais avec lui, dans sa tête et son cœur, sa propre histoire de l'Inde.

Avec quelle facilité, nous, Indiens, découvrons plusieurs facettes à chaque question ! C'est ce qui fait de nous de si bons bureaucrates et de si mauvais autocrates. On dit que les nouvelles organisations créées par les merveilleusement optimistes (quoique tenant de l'oxymoron) Nations unies sont remplies de fonctionnaires indiens très efficaces, à l'esprit subtil et la langue suave, éternellement prêts à comprendre toute crise mondiale du point de vue de toutes les parties en conflit. C'est pourquoi ils réussissent si bien, Ganapathi, dans toute situation qui réclame une conscience instinctive de la subjectivité de la vérité, de la relativité du jugement et de l'impossibilité de l'action.

Pourtant, un jour, à la fin d'une conversation avec un Arjun de plus en plus troublé, je trouvai impossible de défendre ma confortable ambivalence.

J'étais lancé sur l'état de la politique indienne, essayant de me convaincre moi-même autant qu'Arjun que ce qui avait été perdu ne valait pas la peine d'être conservé ; la démocratie indienne était si atrophiée et les gens si séparés d'elle que l'état de siège de Priya Duryodhani ne méritait pas d'être condamné. (C'était, Ganapathi, un cas typique de la victoire de l'esprit sur la matière – si ça ne vous tourmente pas l'esprit, alors il n'y a pas matière à s'en faire.) Puis, soudain, Arjun se mit à parler avec une conviction plus grande que celle dont il avait témoigné durant ces mois de règne absolu d'une femme : « Il faut que tu aies tort, VVji, dit-il avec une infinie tristesse, il faut que tu aies tort ou alors le monde entier n'aurait plus de sens. »

113

Le monde entier n'aurait plus de sens. Ce sont ces mots, je crois, prononcés avec une douce sincérité par le plus pur des Pandavas, qui pénétrèrent ma conscience si profondément qu'ils brisèrent l'équilibre soigneux que j'y avais établi, fragmentèrent mon contentement comme un miroir qui se brise. Mon monde, je me surpris à me le demander, avait-il encore un sens ? M'étais-je, dans mon ambivalence brahmanique, tourné et tortillé si intelligemment que je n'avais pas réussi à rester dans la même place, dérapant à mon insu vers un ancrage différent ? N'avais-je pas vu ou, pis, prétendu ne pas voir que le soleil, la lune et les étoiles de mon univers ne brillaient plus là ou ils avaient brillé auparavant ?

Ah, Ganapathi, pas question d'échapper à ces questions ! J'essayais de me persuader que les réponses ne comptaient pas, que les questions devaient être posées différemment. Mais je savais, comme toi aussi tu peux l'avoir deviné, que, malgré la souplesse avec laquelle

j'avais cherché à définir la vérité et la prudence avec
laquelle j'avais délimité mon univers, j'avais passé trop
de temps à éviter de songer à un aspect de cet univers, un
visage rayonnant, un être. Oui, Ganapathi, tu as raison,
tu m'as surpris à me mentir : durant trop d'heures et trop
de pages je n'ai pas fait allusion à Draupadi.

Que te dire, Ganapathi ? Puis-je regarder la blessure
dans ses yeux et déclarer que ça n'avait pas d'importance ? Puis-je mentionner les petites coupures, bleus et
brûlures que j'avais remarqués sur ses bras, ses mains et
son visage lors de chacune de mes visites et les traiter à
la légère, comme le fit Kunti, en petits incidents ménagers ? Puis-je avouer le terrible soupçon que ses époux la
maltraitaient, l'exploitaient, la négligeaient, voire l'ignoraient, et m'excuser encore de n'être pas intervenu ?
Puis-je me rappeler la chair flasque qui avait commencé
à masquer sa beauté intérieure, les rides de souffrance qui
se dessinaient autour de ses yeux de cristal, la lassitude
dans sa voix habituellement ferme, et prétendre que je
n'avais rien vu, qu'aucune de ces choses, peut-être pas
même Draupadi, n'était réelle ?

Je ne peux pas, Ganapathi, et pourtant je dois encore
me détourner de la réalité. Car, lorsque les mots tranquil-
les d'Arjun brisèrent mon équilibre mental et me forcèrent
à songer à Draupadi, je me remis à rêver.

114

Je rêvai une fois de plus des légendes du passé, de
palais chatoyants et d'hommes moustachus en resplendissante armure de bronze et de lumineuses princesses avec
des bracelets d'or et des guirlandes parfumées, du glorieux Hastinapur, pays de mes ancêtres. Je rêvai de Dhritarashtra, depuis si longtemps disparu, revenu à une vie
invisible, sur un trône royal ; de Duryodhani au visage

aigu, son héritière ; du vertueux Yudhishtir et des frères
Pandava ; et de la belle Draupadi au teint frais, leur épouse
commune.

Je rêvai aussi de Karna, le Tailladeur, fort et fier ; de
sa mère méconnue, Kunti la Veuve ; du sourire brillant de
Krishna, là-bas, à Gokarnam, mais dont le regard perspicace ne s'écartait jamais des événements de Hastinapur.
Et je rêvai du sinistre et visqueux Shakuni, frottant des
mains sur lesquelles étincelaient une profusion de bagues,
tandis qu'il s'approchait de la princesse Duryodhani.

« J'ai un plan, siffla-t-il à voix basse. Un plan qui piè-
gera les frères Pandava comme cinq poissons dans un
filet.

– Oh, dites-moi vite, Shakuni ! répliqua Duryodhani,
impatiente.

– Vous voulez vaincre Yudhishtir, mais il ne peut pas
l'être facilement sur un champ de bataille. Nous avons
donc cherché un autre stratagème. Je crois l'avoir trouvé.

– Oui ? » Duryodhani aurait pu être une jeune fille
attendant l'annonce du nom d'un prétendant, tant elle
paraissait excitée.

« Yudhishtir aime jouer aux dés. » Shakuni vit l'incompréhension se peindre sur le visage de la princesse.
« D, É, S. Vous savez, les petits cubes d'ivoire avec des
points dessus.

– Ah, oui. Mais qu'est-ce que le fait de jouer aux dés
a à voir avec ?...

– Tout. En tant que prince de Hastinapur, il ne peut
honorablement refuser mon défi d'une partie de dés avec
moi. Pour un enjeu. Un très gros enjeu. » Shakuni leva
les yeux au ciel.

« Je crois que je commence à comprendre. » Duryodhani prit un ton de gamine. « Je suppose que vous jouez
aux dés plutôt bien, Shakuni ?

– Plutôt bien ! » Shakuni pouffa de manière incongrue,
ses bajoues tremblant de plaisir. « Je suis imbattable, tout
bonnement imbattable. J'ai, expliqua-t-il, réduisant sa voix
à un croassement confidentiel, une paire de dés très spé-

ciale. Et nos règles traditionnelles veulent que le challenger fournisse les dés.

– Bénies soient les règles traditionnelles, dit Duryodhani. Je suis ravie. Je vous apporterai tout le soutien dont vous aurez besoin.

– Pour commencer, il faut penser à votre père, fit remarquer Shakuni. Dhritarashtra permettra-t-il que la partie ait lieu dans son palais ? C'est le seul endroit qui rendrait mon défi respectable et où Yudhishtir ne pourrait pas le refuser, même si on le lui conseillait.

– Hum, fit Duryodhani. Je vais essayer. » Et elle partit en hâte, flottant dans mon rêve comme un fantôme, rejoindre son père. Dhritarashtra était assis sur un trône doré, l'ombrelle blanche royale vacillant au-dessus de sa chevelure clairsemée.

« Une partie de dés ? s'étonna Dhritarashtra. Je ne suis pas sûr que ce soit dans l'esprit des lois que j'ai rédigées pour le royaume, Duryodhani. Mais rien ne s'y oppose explicitement. Je vais te dire, ma chérie. Dans des cas de ce genre, je consulte normalement l'Administration. Laisse-moi demander à Vidur ce qu'il en pense.

– Non ! » Duryodhani fit la moue. « Il s'y opposera, c'est couru. Tu sais comment sont ces bureaucrates, ils détestent que quiconque s'amuse. Pourquoi ne pas laisser la décision à tes ministres ? Shakuni pense que c'est très bien, et il est ministre. »

Le roi aveugle soupira, comme il le faisait souvent face aux demandes insistantes de sa fille. « Alors bon, d'accord, dit-il enfin, le dernier mot se prolongeant en écho dans mon esprit. Fais comme tu veux. »

Les chacals hurlèrent de nouveau, Ganapathi, les vautours tournoyèrent et crièrent, les corbeaux battirent de leurs ailes noires contre les vitres du palais, et le ciel devint gris, la couleur des cendres sur un bûcher funéraire. Priya Duryodhani repartit d'un bond vers Shakuni lui annoncer le consentement du roi.

« Laissez-moi me charger du reste », dit le ministre.

Dans mon rêve, c'était Vidur qui arrivait au palais de Yudhishtir pour l'inviter à la partie de dés.

« Cette histoire ne me plaît pas du tout, déclara le fonctionnaire. Mais je crains qu'il ne soit de mon devoir, Yudhishtir, de te demander de venir.

– Oh, je viendrai, répliqua Yudhishtir, impassible. C'est mon devoir aussi, en tout honneur, de relever le défi de Shakuni. D'ailleurs, je ne suis pas mauvais aux dés moi-même. »

Et les cinq frères, accompagnés de leur épouse, se mirent en route pour Hastinapur, au son d'un chant du départ au rythme irrégulier :

> Il est temps de partir,
> dit Yudhishtir,
> tenir un rendez-vous fixé
> avec la destinée ;
> le Sort nous a appelés ;
> il ne faut pas tarder
> ni hésiter.
>
> Dans cette affaire, je le sais bien,
> je n'ai pas de voix,
> pas de choix ;
> nous ne sommes que des pantins
> à lancer trois fois
> avec les dés du Destin.

Arrivés au palais, ils se courbèrent devant Dhritarashtra assis sur son trône pour lui toucher les orteils en hommage rituel. Les étourneaux gazouillaient dans les arbres et l'odeur sucrée des fleurs de frangipanier précédait Draupadi à chaque pas tintinnabulant de ses pieds rougis au henné.

« Bienvenue, dit Dhritarashtra. Si je comprends bien, Yudhishtir, tu as relevé le défi de Shakuni.

– C'est mon devoir, répondit simplement Yudhishtir.

– Tu n'y es pas obligé, tu sais, lança le vieux roi. Tu peux partir tout de suite, si tu préfères.

– Mon honneur m'interdit de fuir un défi, répliqua Yudhishtir. De plus, je suis entre les mains du Destin, comme nous le sommes tous.

– Pas moi, intervint Priya Duryodhani, l'ultime bénéficiaire des talents de Shakuni. Je vais les surveiller.

– Je ne crois franchement pas que ce soit une bonne idée, dit Vidur, derrière le trône. Quand nous avons rédigé les lois du royaume, Dhritarashtra, nous n'avons rien envisagé de pareil.

– Vas-y, Yudhishtir ! fulmina le vieux Drona, debout sur la touche. Bats ce pourri de Shakuni et rafle-lui tous ses trésors au nom du peuple ! Tu le peux !

– Je le crois aussi, acquiesça Yudhishtir, prenant place face au ministre chauve et luisant. Lancez les dés, Shakuni. »

Dans mon rêve, les nuages qui s'étaient écartés à l'arrivée de Draupadi se regroupèrent et les cieux s'assombrirent de nouveau. Et Shakuni tonna :

« Que pariez-vous ?

– Je parie mon palais, ma position, ma part du royaume kaurava », répondit Yudhishtir, en lançant les dés.

Shakuni joua à son tour et annonça : « Je gagne ! » Un grand gémissement s'éleva dans le lointain, comme les hurlements de mille loups dans une forêt sous la lune. Les joueurs n'y prêtèrent pas la moindre attention.

« Et que pariez-vous maintenant ?

– Je parie la Constitution, les lois, la paix du peuple, proclama avec raideur Yudhishtir en rejouant.

– Je gagne. Ensuite ?

– Je parie ma propre liberté, en même temps que celle de dix mille fidèles travailleurs du parti, le soutien de la presse et la chance de nouvelles élections. »

Shakuni relança les dés et les marques sur les cubes d'ivoire brillèrent sombrement sous les yeux de Yudhishtir comme les croûtes d'une urticaire virulente.

L'aîné des Pandavas demeura immobile et regarda son vainqueur droit dans les yeux.

« Je suis ruiné, dit-il calmement. Je n'ai rien d'autre à parier.

– Oh, mais que si ! » La grosse boule de billard se pencha vers les cinq silhouettes consternées de la famille Pandava, alignée contre le mur. « Vous les avez, eux. »

Un filet de transpiration, tel un rang de perles transparentes, apparut sur la lèvre supérieure de Yudhishtir. Il sembla sur le point de dire quelque chose mais se ravisa :

« Je parie mes frères, annonça-t-il d'une voix tendue.

– Il faut les arrêter, sir, plaida Vidur, s'adressant à son demi-frère aveugle. Dhritarashtra, cela ne peut pas continuer. Nous serons tous damnés. Le jeu de Shakuni n'est pas honnête. Yudhishtir est pris au piège. Vous devez les arrêter ou bien le pays entier sera ruiné. »

Mais Priya Duryodhani se trouvait à portée de voix. « Ne l'écoute pas, papa, insista-t-elle. Il a toujours été de leur côté même quand il prétendait t'aider. Shakuni sait ce qu'il fait. Quant au pays, nous pouvons le diriger aussi bien sans les Pandavas. Probablement mieux. »

Dhritarashtra était trop absorbé par le jeu pour répliquer à quiconque. Vidur retomba dans un silence boudeur, les bras croisés sur sa poitrine, se dissociant d'une affaire que son invitation avait pourtant amorcée.

« Je joue tes frères. » Shakuni lança les dés, qui tombèrent moqueusement aux pieds de Yudhishtir, exhibant leurs points gagnants.

« Ils sont maintenant vos prisonniers, concéda Yudhishtir, les yeux baissés, évitant les regards accusateurs que ses frères désespérés et impuissants lui lançaient de leurs places en touche.

– Il reste encore Draupadi, fit remarquer Shakuni. Joue-la, Yudhishtir, et vous pourrez peut-être recouvrer votre liberté. Qui sait comment les dés retomberont ? »

A ces mots les hurlements recommencèrent dehors, Ganapathi, les battements d'ailes reprirent et le tonnerre gronda dans les cieux. « Fermez les fenêtres ! » ordonna Duryodhani.

Dans mon rêve, Yudhishtir ne jeta pas le moindre coup d'œil à sa femme recroquevillée avec un air de chien battu contre le mur. Il annonça d'une voix basse et rauque : « Mon épouse Draupadi, la plus désirable de toutes les femmes, dans la pleine fleur de sa jeunesse, orgueil de notre nation et mère de nos espoirs les plus chers, je la mets en jeu. » Et le visage doré de Karna, la demi-lune palpitant sur son front, se fendit en un rire de spectre qui résonna tout autour de la pièce.

Les dés s'envolèrent des doigts de Shakuni en un mouvement rapide du poignet. « J'ai gagné ! s'écria-t-il. Draupadi est à moi. »

Et les hurlements s'élevèrent à nouveau dans le lointain, un éclair traversa la fenêtre et illumina la joie peinte sur les traits pincés de Duryodhani et l'horreur sur celui des frères Pandava et jeta une ombre sur Draupadi blottie contre l'épaule d'Arjun.

« Fais-les venir au centre de la pièce, dit Duryodhani à Vidur, assis près du trône, la tête entre les mains. Que chacun voie ce que Yudhishtir a perdu.

– Non, grogna Vidur, se réfugiant derrière le dernier bastion des bureaucrates. Cela n'entre pas dans mes fonctions. »

Un garde alla chercher les Pandavas. Seule Draupadi refusa de bouger de sa place.

« Demandez à Yudhishtir, dit-elle, de quel droit il s'est servi de moi comme enjeu alors qu'il s'était déjà perdu lui-même. Un mari déchu peut-il jouer sa femme alors qu'il n'est plus libre ? »

Le garde répéta la question devant l'assemblée silencieuse.

« Comment ose-t-elle nous faire perdre notre temps avec de telles fadaises ? » coupa Duryodhani. Elle se tourna vers un serviteur fidèle, l'organisateur des fêtes du palais, un homme d'une loyauté indiscutable et d'une grossièreté indiscutée. « Va nous la chercher, Duhshasan ! »

Duhshasan, avec ses yeux rouges et son nez de Pathan, sa cruelle moustache et sa langue venimeuse, s'avança

503

vers Draupadi Mokrasi, qui, criant de terreur, s'enfuit en direction du quartier des femmes. Mais le vilain fut plus rapide qu'elle : d'un plongeon, il l'attrapa par ses longs cheveux noirs et entreprit de la traîner au centre de la pièce.

« Laissez-moi, supplia-t-elle. Ne m'humiliez pas. Ne voyez-vous donc pas que j'ai mes règles ?

– Règles ou pas, tu es à nous, maintenant, ma belle, ricana le Pathan, toujours tirant, tandis que les *payal* d'argent se brisaient et s'éparpillaient sur le sol.

– Comment pouvez-vous tous laisser faire cela ? » hurla-t-elle au désespoir, et Yudhishtir se sentit frappé au cœur par ces mots qui résonnèrent autour de la pièce, lancés avec rage contre un Dhritarashtra aveugle, un Arjun indécis, un Bhim qui serrait les poings, un Vidur tremblant, un Drona brisé. Mais aucun d'eux ne répondit : aucun d'eux ne pouvait répondre.

« Cela n'est pas bien. » Ashwathaman intervenait pour la première fois. « Je vous ai soutenue jusqu'ici, Duryodhani, mais la moindre décence...

– Gardes ! Arrêtez cet homme ! » L'ordre de Priya Duryodhani coupa la phrase du personnage barbu, amputant sa prière. Ashwathaman fut emmené, trop choqué pour résister.

« Comment pouvez-vous ? » Un dernier cri désespéré, car Duhshasan enroulait la chevelure de Draupadi autour de sa main, attirant inexorablement à lui l'épouse des Pandavas tandis que ses cinq maris, en proie à une rage impuissante, grinçaient en vain des dents.

« On le peut, dit Shakuni, parce que je vous ai gagnée, ma chère. Au nom de tous ceux qui sont rassemblés ici. Vous êtes notre esclave, Draupadi Mokrasi. »

Un vivat jaillit parmi les sbires de Duryodhani, assez bruyant ou presque pour noyer le hurlement insistant des chacals au-dehors.

« Non ! implora Draupadi, au moment où le bras de Duhshasan se refermait autour de sa taille. Yudhishtir ne savait pas ce qu'il faisait. Il jouait selon son vieux code et il a eu affaire à un tricheur.

– Silence ! aboya Priya Duryodhani. Comment osez-vous accuser notre distingué ministre Shakuni de tricher ? Silence, esclave ! »

Et, dans mon rêve, Draupadi en pleurs se tourna vers le roi aveugle et sa cour rassemblée, tendant ses bras meurtris en un geste de supplication. Mais Dhritarashtra ne pouvait pas la voir et les autres, surtout après ce qui venait d'arriver à Ashwathaman, n'osaient pas intervenir.

« Je vous en prie, gémit-elle, alors que les doigts de Duhshasan s'étalaient sur son ventre, on l'a piégé. »

Bhim poussa un rugissement de fureur qui arrêta même un instant Duhshasan. Ses yeux rougis lui sortaient d'orbites remplies de rage. Ses muscles, noués par la haine, saillaient à des endroits que les autres hommes ne possèdent même pas. « Même une putain n'aurait pas été risquée dans un pari aussi sordide. Comment as-tu pu faire cela, Yudhishtir, à notre précieuse Draupadi Mokrasi ? Nous avons toujours considéré que tu avais raison dans tout ce que tu faisais, mais là tu as eu tort, impardonnablement tort ! Tu n'aurais rien dû faire qui mette Draupadi dans une telle situation. Donne-moi du feu, Sahadev, et je brûlerai ces mains de pissificateur qui ont perdu Draupadi ! »

Sahadev pâlit, mais il n'eut pas besoin d'interpréter l'ordre de son frère à la lettre puisqu'il était tout aussi prisonnier que Bhim. Et Arjun était déjà en train d'apaiser son vigoureux frère, qui tremblait de fureur mal contrôlée.

« Tu ne dois pas crier ainsi. Yudhishtir n'a fait que ce qu'on lui a enseigné comme étant juste. Il a joué en toute liberté et honnêtement. Que peut-on lui reprocher ? Le Destin a décidé du reste. »

Avec un effort qui secoua sa montagneuse stature comme la brise un palmier, Bhim garda le silence.

Ce fut Karna qui parla alors, la demi-lune sur son front palpitant d'un éclat irréel : « Comment se fait-il que ces esclaves, défiant la coutume, se présentent tout habillés devant leurs maîtres ? Ils ont perdu aussi leurs vêtements, qui appartiennent désormais à Shakuni. Duhshasan, ôte-les-leur. »

Duhshasan s'avança pour exécuter l'ordre.

« Inutile, dit Yudhishtir. Nous connaissons les coutumes et n'avons besoin d'aucune aide. » Fièrement, les cinq frères, par honneur, ôtèrent leurs chemises et les jetèrent aux pieds de Shakuni.

Seule Draupadi ne bougea pas, l'effroi le disputant à l'incrédulité sur son visage.

« Il semble que Draupadi Mokrasi ait besoin de ton aide, Duhshasa », dit Karna dans mon rêve.

Le Pathan sourit méchamment et tendit la main vers la blouse de Draupadi.

« Non ! cria-t-elle, d'un cri qui déchira l'air, alors que la grosse patte de son tourmenteur arrachait d'un seul geste sauvage l'agrafe et le tissu, révélant à la cour les seins pâles de la jeune femme. Non, je vous en supplie, ne me faites pas ça, sanglota-t-elle, la honte ruisselant sur ses joues. Je suis votre esclave mais... ne m'humiliez pas de la sorte.

– Humiliation ? » Karna de nouveau. « Jolis mots sur les lèvres très savourées d'une femme pourvue de cinq maris ! Tu n'es pas une chaste innocente, Draupadi Mokrasi, mais un objet de plaisir pour beaucoup d'hommes. Eh bien, tu seras le nôtre maintenant. Déshabille-la, Duhshasan ! »

Et les chacals recommencèrent à hurler, Ganapathi, les loups aboyèrent, le braiment des ânes couvrit le tout, les vautours crièrent, leurs ailes reprirent leurs battements insistants contre les vitres, les griffes de créatures inconnues grattaient horriblement le verre, mais à l'intérieur il ne régnait que le silence mortel et forcé de spectateurs d'un châtiment public au moment où Duhshasan attrapa le *pallav* du sari de Draupadi et l'arracha de son épaule.

Tout en se débattant pour se dégager de sa diabolique étreinte, Draupadi hurla : « Krishna ! J'ai besoin de ton aide maintenant, Krishna ! Viens ! »

Elle se mit à courir, pour tenter d'échapper à son poursuivant, mais Duhshasan tirait sur le sari qui se défaisait.

Draupadi glissa et tomba par terre. Éclatant d'un rire mal-
veillant, Duhshasan continua de tirer, le sari de se défaire
et Draupadi de rouler loin de lui...

« C'est un foutu long sari », dit Duhshasan.

En effet, il tenait déjà à la main des mètres de tissu,
bien plus que les six de rigueur, mais Draupadi continuait
de rouler, et le sari de se dérouler, et, dans mon rêve, toute
la Cour se mit à flotter devant mes yeux : Duhshasan les
yeux exorbités regardait le tissu se déverser entre ses
doigts, Dhritarashtra les oreilles dressées tel un épagneul
essayait d'identifier un bruit lointain, Duryodhani, les
lèvres étirées en un sourire terrifiant d'excitation, Karna,
sa brillante demi-lune palpitant tandis qu'il observait le
lent déshabillage ; les sons dehors résonnaient dans ma
tête, mêlés au cacardement rauque d'un millier d'oies
affolées, au bêlement d'un *lakh* d'agneaux torturés, aux
meuglements d'un million de vaches sans lait, pendant
que les seins de Draupadi, tel un supplice de Tantale, tour
à tour apparaissaient et disparaissaient à mesure qu'elle
tournait, et le sari continuait de se dérouler, et des visages
bondissaient des murs pour venir la regarder dans mon
rêve, lord Drewpad la montrant du doigt, sir Richard, plus
rougeaud que jamais, un gros appareil photo noir sur
l'épaule, Heaslop riant à gorge déployée, Vyabhichar
Singh souriant sous un halo, un derrière brun pointant
entre ses jambes, Vidur plaçant ses paumes sur ses yeux
et puis écartant deux doigts pour jeter un coup d'œil,
Drona secouant tristement la tête comme pour chasser la
vision de ce spectacle, Ashwathaman menottes aux mains
pleurant ses remords, les cinq frères en proie à leur rage
impuissante, alors que Duhshasan continue de tirer et le
tissu du sari de s'étaler partout sur le sol, et Draupadi de
se tortiller, de tourner et de rouler, et dans mon rêve ce
n'était plus Krishna qu'elle appelait en criant, mais moi...

Duhshasan s'arrêta, épuisé. Les murs se redessinèrent
avec précision. Je sortis de ma somnolence. Devant la
Cour silencieuse, Duhshasan contemplait stupidement le
bout du sari qu'il tenait toujours à la main et le tissu

multicolore qui envahissait le sol de marbre. Il regarda aussi d'un air incrédule le corps gisant à moitié nu de Draupadi, sa féminité sanglante pas encore tout à fait dévêtue et entourée par suffisamment de soie resplendissante pour l'habiller pendant des années. Honteux, l'homme s'assit au milieu de la masse de tissu.

Yudhishtir eut un sourire vengeur.

« Par tous les serments de mes ancêtres, jura Bhim, je te tuerai pour cela, Duhshasan. »

C'est alors que le visage de Krishna apparut au plafond, juste au-dessus du regard effaré de Duryodhani. Sa face brune brillait à la lumière du chandelier.

« Tu auras beau faire, Priya Duryodhani, dit-il d'une voix calme, profonde, ni toi ni tes hommes ne réussirez jamais à dépouiller complètement Draupadi Mokrasi. Dans notre pays, elle aura toujours de quoi sauvegarder sa dignité. Qu'en sera-t-il de la tienne ? »

Et il disparut. Mais son message avait été entendu par chaque oreille dans la pièce, y compris celles d'une Duryodhani moins fringante.

Cette fois, à ma surprise, ce fut Arjun qui parla :

« Une autre partie de dés nous donnerait une dernière chance de regagner notre dignité et notre liberté, dit-il avec calme, s'adressant à Dhritarashtra, silencieux sur son trône. Vous nous devez au moins cela, au nom de l'honneur.

– J'accepte, dit le roi avant que sa fille ait pu élever la voix.

– Yudhishtir a perdu sa partie avec Shakuni. Mais moi... moi, je voudrais jouer avec votre héritière, Duryodhani. » Arjun s'exprima avec fermeté.

« D'accord », dit Dhritarashtra. Duryodhani secoua la tête, mais trop tard.

« Bel exemple de la race kaurava, ricana Karna. Jouer aux dés avec une femme !

– Je jouerai avec toi, Arjun », dit calmement Duryodhani, comme sentant là un dernier moyen de restaurer sa crédibilité. Elle s'avança pour prendre des mains de Shakuni la paire de dés que le ministre se penchait pour lui donner.

Arjun l'arrêta net :

« Pas avec ces dés. C'est mon défi, tu te rappelles ? »

Duryodhani laissa bruyamment tomber par terre les dés pipés, dont les six étincelèrent inutilement sur chaque surface polie.

« Nous n'avons pas apporté de dés avec nous, dit Arjun. Roi Dhritarashtra, pourriez-vous en faire quérir dans votre palais ?

– Je vais m'en occuper », répondit Vidur, le gardien des conventions, disparaissant à l'intérieur. Il revint avec deux cubes neufs, de grande taille, aux marques bien visibles. On les aurait crus faits de papier, le matériau des bulletins de vote, mais, quand Vidur les lança pour un coup d'essai, ils donnèrent une impression de solidité et atterrirent dans un bruit très prometteur.

« Laisse-moi jouer la première », dit Duryodhani.

Elle ramassa les dés, les regarda, puis fixa Arjun et les visages tout autour de la pièce. Et, au moment où elle allait les lancer, Ganapathi, je compris, même dans mon rêve, que je n'avais plus besoin de rêver davantage. Ses trais tirés, son regard fixe, le tremblement de ses mains à l'instant de ramasser les instruments de son destin racontaient leur propre histoire.

Elle allait perdre.

115

A mon réveil, mon sentiment d'ambivalence avait disparu.

Parfois, Ganapathi, les rêves vous permettent de voir la réalité plus clairement. Je regardai autour de moi et découvris l'évidence partout où j'avais omis de la chercher. J'envoyai Arjun parler à Krishna. Je fis venir Nakul de son ministère de l'Intérieur pour me donner les informations qu'il était payé pour dissimuler ; j'écrivis à Sahadev à Washington pour obtenir les informations qu'il était payé pour démentir. Même étendu sur mon lit brahmanique, je me rendis compte à quel point Duryodhani et ses âmes damnées avaient dépouillé la nation des valeurs et des institutions que nous avions eu raison de chérir.

Le tableau qui résulta de mon enquête, Ganapathi, était écœurant à voir. L'état de siège était devenu synonyme d'une licence pour la police de faire à peu près ce qu'elle voulait – régler des comptes, enfermer des suspects, des ennemis et parfois des créanciers sans la procédure requise, et surtout de ramasser des jeunes gens dans les boutiques de thé pour leur couper les canaux déférents afin d'assurer les quotas arbitraires de stérilisation que Shakuni avait persuadé le Premier ministre d'adopter. Plus ça allait et plus il m'apparaissait douloureusement, même assis dans mon salon comme je l'étais, que la raison pour laquelle j'avais tu mes critiques n'était plus défendable. La suspension des libertés des privilégiés n'avait nullement amélioré le sort des pauvres : ceux-ci se retrouvaient même plus mal en point qu'auparavant, assujettis désormais au harcèlement policier, aux déplacements forcés sous prétexte de nettoyage des bidonvilles et de renouveau urbain, aux vasectomies obligatoires en application de campagnes de contrôle démographique pour lesquelles ils n'avaient jamais voté. Même l'abolition du servage n'avait fait qu'ajouter à la masse mouvante des chômeurs. L'esclave qui n'avait travaillé que pour un toit sur sa tête et deux repas par jour découvrait qu'il était libre de dormir dans la rue et de crever de faim.

Et tout cela sans la moindre soupape à la frustration et l'humiliation des déshérités. Ils ne pouvaient pas prétendre à un redressement des torts devant les tribunaux (qui venaient aussi de déclarer que l'*habeas corpus* n'était pas un droit fondamental) et ils étaient privés du recours à l'isoloir. Pas plus que les médias, réduits au silence, ne pouvaient refléter leurs plaintes. Quand, au bout d'un an,

Arjun et Krishna prirent catégoriquement parti contre lui, l'état de siège ne pouvait plus être justifié en leur nom.

Se réclamant de la meilleure tradition politique héritée des Britanniques, Duryodhani avait donné la suprématie au Parlement parce qu'elle pouvait le contrôler. Elle ne se rendait pas compte que le concept de la primauté du Parlement provenait d'une interprétation très superficielle de l'histoire constitutionnelle anglaise. Ce n'est pas le Parlement qui a la suprématie mais le peuple. Duryodhani ne comprenait pas que le Parlement n'a rien de magique en soi et qu'il n'a d'importance que dans la mesure où il représente la volonté populaire. Dès que ce lien n'existe plus, le Parlement n'a aucune signification en tant qu'institution démocratique. Un Parlement qui se place au-dessus du peuple qui l'a élu n'est pas plus démocratique qu'une armée qui pointe ses canons sur les hommes qu'elle est chargée de défendre. C'est pourquoi la tyrannie parlementaire de Priya Duryodhani ne valait pas mieux que les dictatures militaires du Karnistan voisin.

Il me fallut quelque temps pour comprendre tout cela et l'ironie du sort voulut, Ganapathi, que des Indiens tels que moi soient en train de changer leur tournure d'esprit brahmanique juste au moment où les médias occidentaux – et américains en particulier – commençaient à changer la leur dans une direction contraire. Quand nous avions été prêts à laisser au gouvernement le bénéfice du doute, les analystes américains n'en avaient accordé aucun : ils avaient condamné l'abrogation des droits constitutionnels, l'arrestation des opposants, la fin de la liberté de la presse. Pas question pour eux de compromis sur ces idées-là. Mais, à mesure qu'ils s'habituaient au régime de l'état de siège, ils commencèrent à y voir des vertus : la discipline industrielle, davantage d'ouvertures pour les affaires américaines, des actions décisives sur le front de la démographie, la disparition de cette lenteur pétrifiante de « l'État mou » que l'Inde en voie de modernisation avait été. Et quand les opposants emprisonnés furent peu à peu relâchés, que la presse accepta de s'autocensurer et la

Constitution de se réconcilier avec la nouvelle situation, les reporters américains finirent par juger l'Inde pareille à d'autres régimes autocratiques non communistes qu'ils avaient couverts sans excès d'indignation. Si vitales que j'eusse trouvé les sources d'information américaines au sujet de l'Inde transmises par Sahadev, cela fut une remarquable leçon sur les limites de l'envoyé spécial étranger, neutre et objectif.

Non, Ganapathi, Draupadi était indienne, elle était à nous et il lui fallait porter un sari. Nous ne pouvions pas l'inscrire dans des concours de beauté universels pour être jugée comme ses sœurs occidentales, par le galbe de ses jambes ou la coupe de sa robe. Eût-elle été comme les autres et porté les jupes, les robes ou même les pantalons des femmes des démocraties occidentales, elle aurait pu être beaucoup plus facilement mise à nu.

Krishna se dressa contre ce que Duryodhani faisait, et son opposition, ferme et décisive, eut enfin raison de l'irrésolution d'Arjun. Quand un Yudhishtir penaud et un Drona mortellement malade furent libérés de prison, Krishna leur conseilla de ne pas agir de manière irréfléchie et de prendre leur temps. Bhim parla de quitter l'armée avec assez d'explosifs dans sa musette pour expédier Duryodhani rejoindre ses ancêtres. Arjun et Krishna durent tous deux le calmer.

« Tôt ou tard, dit Krishna, notre heure viendra. »

Le chemin du salut

116

Elle vint plus tôt que prévu. Au plus fort de son régime de répression, avec une presse muselée, des stérilisations accrues, des travailleurs terrifiés et des pauvres terrorisés – et les trains continuant à marcher à l'heure –, Priya Duryodhani surprit le monde, sinon Krishna, en suspendant l'état de siège et en décrétant des élections générales libres.

Nul ne sut ce qui provoqua ce changement d'attitude. A travers le pays, des théories fantaisistes furent tissées avec assez d'étoffe pour confectionner un sari tout neuf à Draupadi. On disait que Priya Duryodhani avait reçu la visite d'un sage politique, un homme noir du Sud. On suggérait aussi qu'elle avait consulté un astrologue du nom de Krishna, qui lui avait prédit un grand succès si les élections avaient lieu à une certaine date. (Tu sais bien, Ganapathi, comment, dans notre pays, pas un mariage n'est arrangé, pas un voyage en avion organisé, pas un projet inauguré avant que les thèmes astraux n'aient été établis et consultés. Un Indien sans horoscope est comme un Américain sans carte de crédit, et il subit les mêmes inconvénients dans la vie. Peu d'hommes politiques prennent d'importantes décisions sans vérifier au préalable ce que prédisent les étoiles, et ce n'était donc pas une théorie tellement invraisemblable, après tout.) Quelqu'un d'autre en décerna le mérite (et plus tard le blâme) aux services du renseignement : ils lui avaient dit ce qu'elle voulait entendre, à savoir qu'elle était si populaire qu'elle ferait un tabac aux urnes. (Une leçon pour nos futurs dirigeants, Ganapathi : si vos espions ne vous donnent que de bonnes nouvelles, c'est que quelque chose cloche terriblement.) Et puis courait aussi la malicieuse théorie selon laquelle c'était l'annonce par Zaleel Shah Jhoota de l'autre côté de la frontière, au Karnistan, d'élections dans sa petite tyrannie qui avait amené Priya Duryodhani à s'adresser au peuple indien. Que le Karnistan, dont les seules institutions politiques étaient le coup d'État et la populace, et où Zaleel régnait, depuis la mort de Jarasandha, grâce à l'usage de vilaines menottes et de pieux mensonges, puisse organiser un spectacle électoral pour le reste de l'univers tandis que la « plus grande démocratie du monde » se transformait en la plus vaste des républiques bananières était intolérablement vexant pour la fille de Dhritarashtra. Le Karnistan était un pays dont les dirigeants écrasaient la volonté populaire avec leurs refus impopulaires, mais grâce à ses élections Jhoota gagnerait tout de même l'estime internationale. L'estime internationale commençait à importer à Priya Duryodhani, qui n'aimait pas ce que les journalistes étrangers faisaient de ses jolis traits hastinapuriens dans leurs caricatures plus noires que nature de l'état de siège.

Des élections furent donc organisées, les mutins en prison libérés, la presse tirée des fers. Les Indiens respirèrent l'air oublié de la liberté et il chatouilla suffisamment leurs poumons pour les inciter à crier. C'est alors qu'ils comprirent qu'ils ne pourraient plus crier si, dans cinq semaines, Duryodhani, ainsi qu'elle s'y attendait, gardait le pouvoir. Et à ce moment-là un grand nombre d'Indiens qui n'avaient jamais pris le moindre intérêt à la politique, les lecteurs des journaux qu'Arjun et moi avions évoqués, décidèrent que l'enjeu était trop gros pour qu'ils demeurent sur la touche. La plus suivie des campagnes électorales de l'histoire indienne commença.

Les élections, tu le sais, Ganapathi, sont un grand *tamasha* indien donné en fanfare à des intervalles irréguliers et à des niveaux différents. Il faut abattre une forêt de belle taille pour produire le papier nécessaire aux trois cent vingt millions de bulletins, et chaque élection offre au moins une anecdote de scrutateurs affrontant la neige ou la jungle pour s'assurer que les souhaits démocratiques des électeurs les plus éloignés soient dûment enregistrés. Aucune couverture d'élections n'est complète non plus pour un journal sans la photo d'au moins une électrice dont l'enthousiasme pour le suffrage universel n'est nullement diminué par le fait qu'elle soit vieille, aveugle, illettrée, édentée ou en *purdah*, ou tout à la fois. Les urnes sont bourrées, les isoloirs « capturés », le collaborateur/ candidat/ électeur est agressé/kidnappé/tué, mais rien n'arrête le droit de vote. Et, malgré tous ses défauts, le suffrage universel fonctionne en Inde, fournissant un instrument inestimable pour l'expression de la volonté publique. Les électeurs indiens, traités avec mépris d'analphabètes et d'ignorants par les cyniques, se sont superbement adaptés au système électoral, renversant candidats et gouvernements, établissant la différence entre élections locales et nationales. Certes, à chaque élection, quelqu'un découvre un nouveau produit chimique qui ôtera la tache indélébile sur l'ongle de votre petit doigt et vous permettra de voter deux fois (comme si cette commodité faisait une grande différence dans des circonscriptions de la taille des nôtres) ; à chaque élection, un électeur distingué clame que son nom manque dans les registres ou bien que quelqu'un a déjà voté à sa place (en général pas les deux). A chaque élection, un comptable astucieux produit un tableau de chiffres démontrant que seul a été dépensé un dixième de ce qui l'a été en fait ; quelqu'un prononce un discours pour réclamer avec insistance que la limite légale des frais de campagne soit augmentée de façon que moins de talent soit requis pour trafiquer les comptes. Et tout le monde rentre chez soi content.

Mais ces élections furent quelque peu différentes. L'enthousiasme était là – les collaborateurs de Yudhishtir se firent un devoir de demander aux candidats de Duryodhani de montrer leurs certificats de stérilisation avant de briguer les suffrages, ce qui provoqua quelques rires et pas mal d'irritation dans le camp kaurava (R), mais il y avait là-dessous un remarquable sérieux, comme si chacun se rendait compte qu'il était donné au pays une chance que nul autre n'avait jamais eue, la chance de choisir dans une élection libre entre la démocratie et la dictature. En fait, certains dirent entre le *dharma* et l'*adharma*.

Mais cette équation facile avec les valeurs traditionnelles de l'Inde me troublait. Et quand un journaliste – un des très rares, Ganapathi, qui jugeaient à l'époque le vieux croulant réchappé de tant de batailles que j'étais une source encore utilisable pour leur copie – me demanda, faisant allusion à la grande bataille du *Mahabharata* : « Ne pensez-vous pas que cette élection est un Kurukshetra contemporain ? », j'explosai :

« J'espère bien que non, aboyai-je, parce qu'il n'y a pas eu de vainqueurs à Kurukshetra. Sauf dans les puériles versions populaires de l'épopée. L'histoire du *Mahabharata*, jeune homme, ne se termine pas sur le champ de bataille. Viennent ensuite tragédie, souffrance, futilité, mort. Ce qui souligne la seule morale de cette bataille et de cette épopée : il n'y a pas de vrais vainqueurs. Tout le monde est perdant au bout du compte.

– Mais... mais alors, que faites-vous du grand conflit entre les Pandavas et les Kauravas, la bataille entre *dharma* et *adharma*, entre le bien et le mal ?

– Ce fut une bataille entre cousins, répliquai-je sèchement. Ils se tuaient entre eux, tirant des flèches sur leurs propres gurus, mentant à leurs aînés afin de gagner. Il y eut du bon et du mauvais, déshonneur et tricherie, trahison et mort, des deux côtés. Il n'y eut pas de victoire glorieuse à Kurukshetra. »

Je vis son expression affolée et j'eus pitié de lui :

« Jeune homme, dis-je avec moins de sévérité, il faut que vous compreniez une chose. Cette élection n'est pas Kurukshetra, la vie est Kurukshetra. Le combat entre *dharma* et *adharma* est un combat dans lequel notre nation et chacun de nous en son sein s'engagent chaque jour de leur existence. Cette lutte, elle a eu lieu avant ces élections, elle continuera après. »

Il s'éloigna en titubant et n'écrivit aucun article. J'ignore ce qu'il raconta à ses collègues du Press Club, mais aucun autre journaliste ne chercha à m'interviewer durant la campagne.

Tout aussi bien, Ganapathi, car dans cette élection singulière l'inconvénient de l'enjeu, c'est qu'il n'avait rien de traditionnel : il s'agissait de la déroute ou de la restauration de la démocratie.

La démocratie, Ganapathi, est peut-être la plus arrogante de toutes les formes de gouvernement parce que seuls les démocrates ont la prétention de représenter un peuple entier : les monarques et les oligarques n'avancent rien de tel. Mais les démocraties qui deviennent autoritaires vont encore plus loin dans l'arrogance : elles affirment représenter un peuple s'asservissant lui-même. L'Inde était maintenant le laboratoire de cette étrange expérience politique. Notre peuple serait le premier au monde à voter sur son propre asservissement.

Ah, quelles journées, Ganapathi ! Quel bonheur que d'être vivant, ce printemps-là, mais d'être vieux et sage tenait tout simplement du paradis. Je vis avec ravissement la grande cause de Gangaji, de Dhritarashtra et de Pandu renaître dans le cœur et l'esprit des foules de jeunes à chaque coin de rue. Je vis la signification de l'Indépendance reprendre vie tandis que des paysans illettrés se levaient dans les villages pour venir voter pour la démocratie. Je vis des journalistes nés après la Constitution réapprendre la signification de la liberté en découvrant ce qu'ils avaient perdu quand le mot avait été effacé de leurs calepins. Je vis le visage de Draupadi rayonner ouvertement, la flamme de son éclat brillant plus que jamais. Et je sus que tous nos efforts en avaient valu la peine.

A travers la clameur et la confusion de la campagne électorale, Krishna agit avec une sérénité confiante. Au début, les deux factions vinrent à lui : le Parti kaurava de Duryodhani, dont il n'avait jamais cessé d'être membre, et l'opposition, dans sa quête de défections illustres des rangs du parti régnant. Aux deux il réitéra son refus de briguer un siège au Parlement, affirmant que sa place était dans son assemblée législative locale, représentant ses voisins. Mais comme cela n'était pas l'enjeu des élections actuelles, il était libre de faire campagne dans la bataille nationale, et les deux candidats vinrent lui demander son soutien actif et celui des cadres dévoués qu'il avait si efficacement formés. L'heure était trop grave : Krishna ne pouvait pas demeurer en marge.

« Chacun de vous prétend que la victoire de l'autre sera un désastre pour le pays, dit-il, rêveur. Peut-être avez-vous tous deux raison. Le désastre ne s'approche pas de sa victime enveloppé de nuages orageux, dégoulinant de sang. Il préfère se glisser en silence sans se faire remarquer, son visage masqué d'ambiguïté, faisant voir à chacun de nous le bien dans le mal et le mal dans le bien. Il y a du bien et du mal dans les deux arguments. Certains disent que, sous Priya Duryodhani, l'Inde est menacée d'extinction, d'autres font remarquer qu'elle n'a jamais été aussi heureuse. J'ai mon opinion, mais qui peut dire qu'elle soit bonne pour tout le monde ? » Il se tourna tranquillement vers les représentants des deux factions devant lui. « Il ne m'est pas facile de prendre position. J'ai été le secrétaire du Parti kaurava ici depuis trop longtemps pour y renoncer, mais j'ai aussi, dans ma vie politique, défendu trop longtemps certains principes pour les abandonner. Permettez-moi donc de proposer ceci : un côté peut m'avoir, seul, non comme candidat et sans financement, mais totalement engagé dans sa campagne ; l'autre aura la masse de mes militants, des hommes et des femmes disciplinés et dévoués qui obéiront à mon ordre de travailler avec une vigueur inaltérée même s'ils me voient de l'autre côté de la barrière. Un juste partage ? Peut-être pas, mais je vous laisse le choix à chacun : que voulez-vous ? Moi seul ou bien mes cadres, avec leur expérience, leurs véhicules, leurs talents ? »

Le représentant du Parti kaurava (O) et le vieil envoyé de l'opposition se regardèrent, mal à l'aise. Ce fut Krishna lui-même qui rompit le silence :

« Par respect pour votre ancienneté, VVji, je dois vous inviter à choisir le premier », dit-il.

Je répondis sans hésitation : « Je vous choisis, vous. »

Et c'est ainsi que Duryodhani et Yudhishtir pensèrent chacun avoir tiré le meilleur de cette division, les militants kauravas demeurant fidèles à leur allégeance, tandis que Krishna allait animer la campagne nationale de l'opposition. Avec ses dents étincelantes entre ses lèvres pourpres et ses yeux profonds souriant divinement à l'électorat, Krishna apporta au charivari d'une bataille menée par haut-parleurs l'esprit d'une Inde plus ancienne, une Inde où le son charmant de la flûte appelait les filles de ferme à la rivière pour laver leur innocence sous les rires de leur dieu.

La tâche la plus difficile de Krishna survint quand Arjun, sur le point de se porter candidat pour l'opposition, fut de nouveau assailli par les doutes qui avaient empoisonné sa vie de journaliste. « Est-ce bien ? Dois-je me bagarrer ou, si je me contentais d'écrire, n'éclairerais-je pas mieux les gens ? » Telle était la nature de ses hésitations. « Si tu ne te bagarres pas aujourd'hui, lui répliqua carrément son beau-frère, tu n'auras plus de sujets d'article demain. »

J'entendis une partie de leur conversation alors qu'ils s'étaient arrêtés pour réfléchir autour d'une tasse de thé à l'hôtel Ashoka, et ils ne me remarquèrent pas assis à la table voisine. Ashoka, le grand conquérant devenu pacifiste du troisième siècle avant Jésus-Christ, est le personnage de notre histoire qui a le plus inspiré le génie gouvernemental schizoïde de l'Inde indépendante. Sa tolérance et son humanisme, son dévouement à la paix et à la justice imprègnent nos déclarations politiques ; sa puissance militaire, sa *pax indiana* imposée à ses voisins nourrissent nos actions. Nos porte-parole nationaux ont hérité sa foi missionnaire, selon laquelle ce qui est bon pour l'Inde est bon pour le monde et, dans son choix d'un symbole national, notre gouvernement préféra sa puissante trinité de lions au rouet proposé par Gangaji. Mais, typiquement, la seule institution à laquelle on jugea bon de donner le nom d'Ashoka fut un hôtel cinq étoiles. Et, de manière assez appropriée, ce fut ici que prit place le dialogue qui devait changer pour de bon, sinon pour le mieux, la vie d'Arjun.

Suivons cette affaire, Ganapathi, sous la forme qui me paraît la plus apte à ces sonnets quasi célestes de sophisme et de bon sens. Il est temps d'un dernier manquement à la prose dans ces Mémoires : ne devrions-nous pas, nous aussi, nous agenouiller devant la porte dorée du goût contemporain et tenter de rendre un hommage iambique au tétramètre ?

117

Arjun vit pères, oncles, frères, amis, cousins,
enseignants, prédicateurs, fils et voisins
alignés devant lui par douzaines et certains
que leurs moyens justifiaient leurs fins.
La pitié l'envahit. Il parla tristement :
Krishna, ceci est de la folie simplement,
tous ces ennemis sont nos propres parents.
Qui lavera alors leurs péchés, franchement ?
La volonté me manque. Ma gorge est desséchée.
Je pense à tout cela et me sens frissonner.
Moi, j'ai toujours été en faveur de la vie.
Et, quoique je sois prêt, mon arc bien tendu,
mon esprit bouleversé me dicte le refus.
Ma fermeté vacille et mon âme dévie.

Comment les attaquer, eux qui font leur devoir ?
Priya Duryodhani, fille de Dhritarashtra,
n'est certes pas jolie à pousser des hourras,
mais elle est député et mérite son perchoir.
Son règne, je l'admets, ne fut pas toujours juste,
elle nous trahit parfois, et puis nous tarabuste,
mais c'est, tout compte fait, le chef du pays,
et les masses la réclament à cor et à cri.
Si donc nous attaquons et tuons notre reine,
brisant la tradition d'une lignée ancienne,
Ne nous semblera-t-il pas possible, même bien,
de nous débarrasser du prochain roi indien ?
Et le Mahaguru ne nous apprit-il pas
à bien traiter la paix, en lotus délicat ?

Krishna prit une très longue inspiration.
Pourquoi avoir soudain autant d'hésitations ?
Pourquoi pleurer avant de faire une victime ?
Pourquoi trembler alors que ton parti prime ?
Le sage ne déplore ni les vivants ni les morts.
Car nous sommes bien plus que des têtes et des corps.
Toi et moi, vois-tu, sommes de toute éternité ;
nos âmes et nos esprits ont toujours existé.
Et, quoi qu'il arrive, nous ne cesserons d'être.
Car l'âme passe dans une autre pour y renaître,
la mort n'est que la sœur de la renaissance.
Ne songe point trop à ce que disent tes sens ;
mais transcende et comprends ce que je te disais :
tout sur cette terre n'est rien que passager.

Chaleur torride, froid glacial, plaisir, douleur,
victoire ou bien défaite, appétit, continence,
tout cela va et vient comme l'abeille sur la fleur.
Aucun ne dure longtemps, aucune permanence.
Ce qui n'est pas ne le sera jamais ;
ce qui est le restera pour l'éternité.
L'Esprit qui nous meut, toi et moi,
est immortel et le demeurera.
L'Esprit existe, il ne détruit pas,
pas plus d'ailleurs qu'on ne le détruira.
Il ne naquit pas, ne fut pas fabriqué,

il est insensible, jamais contrarié ;
non né, éternel, omniprésent
seul l'Esprit est permanent.

Mais l'Esprit immuable change tel un nuage
traversant nuit et jour tempêtes et orages.
Il s'étend souplement sur un espace sans bornes,
modifiant, rejetant ses corps et ses formes.
L'Esprit apparaît et disparaît.
Il va, il vient, réapparaît.
Les gens et les choses qu'il imprègne
(car l'Esprit pénètre tout, il nous baigne)
s'élèvent et chutent, vivent et meurent.
Mais l'Esprit continue, immuablement.
Sa nature doit être traitée convenablement.
Respecte-le, Arjun, et sans verser de pleurs.
Ne crains pas d'envoyer tes cousins *ad patres*
car la naissance suit la mort, et l'inverse.

En d'autres mots, Arjun, n'hésite plus jamais.
Il est indigne de toi de tout laisser tomber.
Priya Duryodhani est un méchant tyran
et non une pucelle au physique séduisant.
Allons, prends sur toi-même, cesse de minauder
comme une vieille fille impossible à marier.
Lève-toi, vas-y, pars, bats-toi comme un homme ;
et puisque enfin la police désormais chaume
contre les opposants à ce gouvernement,
pourquoi ne pas pousser à un renversement ?
Et si l'âme de l'Inde est permanente,
Priya n'est pas une nécessité évidente.
D'autres à leur tour viendront prendre sa place
qui bientôt, eux aussi, tomberont en disgrâce.

Oui, sans doute il y aura bien des tâtonnements,
des succès, des échecs, des revirements,
mais que veux-tu, mon garçon, ainsi va la vie,
inutile de trembler ni de gémir à l'infini.
Le doute moral est souvent une excuse
pour tous ceux qui secrètement se refusent
à se lancer dans une mêlée confuse ;

mais, Arjun, je te le dis aujourd'hui,
tu ne peux nous lâcher, mon ami.
Peu importe la victoire ou la défaite,
la neutralité est une sornette.
Il nous faut de l'action, je le répète.
(De même que tout pilote peut conduire un airbus
ainsi peut-on citer les *Veda* tant et plus.)

Mets de côté l'Évangile, bannis le doute.
Notre philosophie n'a aucune séduction
pour ceux qui sottement ne sont pas à l'écoute
des cris de leurs amis les conviant à l'action.
Accepte le mal et le bien sur le même pied ;
reconnais la vraie nécessité de frapper ;
abandonne tout attachement,
comme le flot coule librement,
et jette-toi dans la campagne à corps perdu.
Ce devrait être pour toi une question d'orgueil.
N'oublie pas Draupadi, face à ces grands écueils ;
tu dois la protéger. Il ne faut pas, vois-tu,
lui causer de la peine. Pense que c'est pour elle
et la paix que tu luttes, et tu auras des ailes.

Je t'en conjure, Arjun, ne tergiverse plus.
Tu ne peux vraiment pas renier cette cause.
Et pour ton beau pays, tu ne peux que deux choses :
soit méditer longtemps, soit aller droit au but.
Songe, dans nos classiques, il est dit clairement :
Arjun, tu dois accomplir ton devoir à présent.
Agir docilement, sans goût de récompense,
sera le premier pas que tu feras, je pense,
vers le bonheur éternel ; car ce que tu fais,
d'autres l'imiteront, pour ainsi célébrer
ta cause, ta personne et ton immense don
d'initier chez les autres un peu de cette action.
Regarde-moi : je n'ai aucun siège qui m'attire,
pourtant j'agis, et cette campagne, je l'inspire.

Il vaut mieux, certes, Arjun, accomplir ton devoir
que celui d'un autre. Mais sans chercher la gloire,
car, si une action juste confère un avantage,

il faut bien se garder, maladie de nos âges,
de se laisser aller à vanter ses hauts faits
et d'imiter ainsi le philanthrope raté.
Nous, ce que nous voulons, c'est un homme d'action,
quelqu'un qui vienne agir en ne pensant qu'aux autres,
un sage au-dessus des factions, un apôtre
pour mettre fin au désordre qui est le nôtre.
Qui se sacrifiera pour le bien du pays.
Sa récompense ? L'accomplissement vrai.
Le doute ne devrait pas assiéger un tel homme
agissant pour l'Esprit, sans vénale pensée ;
qui, libre de tout lien et sans ultimatum,
fera cette campagne pour ses frères opprimés.
Le péché de la Fille ne l'atteindra pas plus
que l'eau douce de l'étang ne tache le lotus.
Quant à savoir si Priya est adorée des masses,
Qu'importe – toutes les masses sont des bécasses.
Le soldat de l'Esprit doit viser bien plus haut,
content que son action lui serve de drapeau,
sachant que de son rôle lui viendra le salut
car tout geste bien fait contient en soi son but.
Il ne faut pas par pitié éviter l'obligation,
ce ne serait là qu'une mauvaise renonciation.

Or donc, Arjun, arrête de douter ; lève-toi,
sers l'Inde, sers-moi, qui incarne l'Esprit.
Je suis les monts et les vaux, l'Himalaya, Vindhya ;
je suis l'adoration, le sacrifice, le rituel émoi ;
je suis le prêtre, le chant hindi, le *sloka*,
le fais et ne fais pas, le peux et ne peux pas,
Je suis le *ghee* sur le feu, et le feu qui ondule,
je suis celui qui verse, je suis celui qui brûle,
je suis le commencement et puis je suis la fin,
le tireur, la cible, l'arc et la flèche,
l'origine, les parties, l'huile et la mèche,
le sculpteur, le marbre, la statue, le burin.
Je suis amant, mari, père, fils, Être et Néant,
nation, pays, mère, regard, Voyant et Omniscient.

Viens me servir, Arjun, sans rechercher la gloire.
Si tu peux traiter le désastre et la victoire

en imposteurs (mais quelqu'un l'a déjà dit),
alors tu te seras montré un homme, mon fils.
Le regard très brillant, Arjun se retourna,
la mâchoire ferme, car il avait enfin compris.
Tu as raison, dit-il. Merci, mon cher Krishna,
de jouer les prêcheurs avec ton vieil ami !
J'ai honte d'avoir été si piètre paroissien
car, au lieu de ne penser qu'à l'Esprit
et d'agir sans me soucier de mon mérite,
je gémissais telle une flûte fêlée.
Mais terminé. Il faut que pour ces élections
nous fassions l'union de toute l'opposition.

118

Et ils la firent : comme en Hastinapur, avant l'état de
siège, les diverses factions de l'opposition se réunirent en
un Front populaire. Elles furent très vite rejointes par les
rats (et les Rams) désertant le navire en détresse de Priya
Duryodhani, et par ceux de ses fidèles serviteurs, tel Ashwathaman, qu'elle avait maltraités et emprisonnés. La
bataille électorale fit rage. Même moi, je quittai mon lit
pour prononcer des discours avec cette voix rauque de la
sagesse que l'âge et une ultime passion m'avaient donnée.

Tout le monde participa : il y eut peu d'abstentionnistes.
Seuls les bureaucrates hésitèrent. Ce qui était bien dans
le droit-fil des choses. La bureaucratie est, Ganapathi,
simultanément la plus paralysante des maladies indiennes
et la plus haute forme des arts indiens. Aucun autre pays
n'a élevé à un tel pinacle de raffinement la quintuplication
des procédures et le lent cheminement des retards. C'est
presque une déclaration philosophique au sujet de la
société indienne : chaque chose a sa place, prend son
temps et doit subir le processus rituel du passage par un
certain nombre de mains, chacune ayant une fonction

allouée à remplir dans cette chaîne sans fin. Chaque acte officiel dans notre pays comporte cinq étapes de plus que n'importe où ailleurs et exige cinq fois plus de gens pour le remplir ; mais, chemin faisant, il garde en fonction cinq équipes de chômeurs potentiels en plus. Le génie bureaucratique dicta aussi le rôle de nos administrateurs dans les campagnes. Ils restèrent dans leurs bureaux et attendirent les résultats.

Nakul et Sahadev, comme leurs pairs, ne prirent aucune part au conflit politique. Pour des raisons très similaires à celles avancées autrefois par le Mahaguru à Vidur, Krishna leur avait demandé de demeurer à leur poste, mais, à la différence de Vidur, nos jumeaux bureaucrates ne s'étaient pas précipités pour offrir leur démission. Nakul, à dire vrai, était même très peu sûr que sa démission fût justifiée : il était assez cynique ou raffiné pour penser que les choses auraient pu être pires. Le franc rejet par Sahadev de la politique intérieure du gouvernement s'opposait à son manque d'assurance. (Notre corps diplomatique, Ganapathi, est rempli de gens sincères se sentant si peu en contact avec les masses qu'ils estiment ne pouvoir parler en leur nom qu'à l'étranger.) Tous deux acceptèrent donc avec célérité de demeurer en place tandis que les flammes électorales brûlaient et crépitaient autour d'eux.

Quant à Bhim, la rumeur courut qu'il pourrait être tenté d'intervenir ; mais tout le monde, y compris Yudhishtir, s'empressa de l'en dissuader, et il resta dans sa caserne, surveillant d'un œil torve la campagne kaurava. Je soupçonne cependant qu'il se débrouilla pour obtenir au moins une permission. Un beau matin, alors que la fureur populaire contre les excès de l'état de siège avait atteint son zénith, on retrouva Duhshasan attaché à un arbre, non loin du célèbre quartier des bordels de Delhi, son pyjama sur ses chevilles et le reste de son élégant ensemble *kurta-sherwani* pendant en loques sur ses épaules, ses fesses à l'air quadrillées par les zébrures rouges et gonflées laissées par les lanières d'un fouet. Il avait été, semble-t-il, fouetté sans pitié juste avant l'aube avec un sari mouillé et noué

dont le *pallav* avait été posé par dérision sur ses parties intimes, afin de lui fournir une miette incongrue de décence.

Le camp Duryodhani poussa des cris d'horreur étouffés. Le Premier ministre parla même de mystérieuses tentatives d'assassinat contre ses partisans par les forces de
la violence et de l'anarchie. Mais Duhshasan, lui, se révéla
singulièrement réticent à porter plainte, voire à identifier
son agresseur. Rien de pareil ne se reproduisit et l'épisode
fut bientôt oublié. Il ne laissa de trace que dans le sourire
de Draupadi Mokrasi, le sourire d'une femme qui sait
qu'on ne la bousculera pas de nouveau.

Le soir des élections, j'eus un autre rêve.

Je rêvai d'Arjun : d'Arjun, peut-être, au cours de ses
voyages dans l'Himalaya, durant ces mois d'exil forcé qui
lui avaient valu son mentor et son épouse. Et, dans mon
rêve, Arjun était assis sur un rocher, vêtu du pagne des
pénitents, ses cheveux longs collés par manque de soins,
les côtes saillantes d'un affamé, les yeux rouges de veille
ascétique. Prière et sacrifice sur la montagne, Ganapathi :
combien de nos légendes ne décrivent-elles pas cette
scène, au moment où un héros demande aux Dieux une
dernière faveur ?

Mais, dans mon rêve, aucun dieu n'apparaissait pour
troubler la méditation d'Arjun. Au lieu de quoi, un animal
attira son attention, un cerf himalayen, dansant gaiement
devant lui comme pour s'offrir à l'homme affamé. Arjun
prit alors son arc et tua le cerf, mais avant qu'il eût pu
ramasser son trophée, une étrange apparition s'interposa :
un chasseur primitif, vêtu de peaux d'ours et portant aussi
un arc. Devant un Arjun stupéfait, le chasseur ramassa le
cerf et le hissa sur ses épaules immenses. Arjun protesta,
réclamant l'animal ; avec la clarté muette du rêve, le chasseur fit lit de ses imprécations. Furieux, Arjun lâcha ses
flèches, mais le chasseur les évita avec mépris et, quand
il se jeta sur l'intrus, notre jeune héros se retrouva valsant
sur lui-même avant d'aller s'écraser au sol, évanoui. Le
chasseur éclata de rire. Arjun revint à lui, reprit ses dévo-

tions et invoqua le nom du dieu auquel il avait offert ses sacrifices : Shiva. Alors, dans la sorte d'avatar que seul un miracle ou un rêve peut provoquer, le chasseur se fit dieu : Shiva lui-même, le plus puissant des Dieux, Shiva à la peau bleue, vêtu d'or au lieu de peaux d'ours, son arc métamorphosé en trident.

Arjun se prosterna et demanda pardon d'avoir dans son ignorance combattu un être tel que Shiva. Et le dieu, vainqueur, satisfait par les privations ascétiques de son suppliant, lui pardonna et l'autorisa à demander ce qu'il voulait. Arjun, tout le pouvoir de sa bravoure illuminant son regard, demanda la seule faveur jamais encore sollicitée de Shiva : l'usage de *Pashupata*, l'arme ultime, absolue.

Le dieu s'efforça de ne pas montrer sa surprise : personne n'avait jamais osé demander un instrument de destruction aussi puissant, un instrument qui n'exigeait ni rampe de lancement ni silo, ni pupitre de commande ni système de livraison, mais qui pouvait être imaginé dans la tête, amorcé par une pensée, actionné par un mot, et qui fonçait sur sa cible à une vitesse divine, inexorable, invincible, irrésistible.

Et Arjun dit : « Je sais tout cela, mais je te demande quand même, ô Shiva, cette arme. »

Et Shiva, ouvrant son troisième œil, répliqua : « Elle est à toi. »

Dans mon rêve, Ganapathi, tandis que le savoir de *Pashupata* passait entre des mains mortelles, l'Himalaya même fut secoué par ce geste, les chaînes montagneuses tremblèrent, des forêts entières oscillèrent comme des feuilles, le vent rugit, la terre vibra. Shiva monta au ciel, sur un chariot doré embrasé, lançant des rayons de feu, dispersant les nuages roussis ; le cercle de flamme forma un halo autour du chariot où Arjun vint prendre place. Les étoiles brillèrent en plein jour, des météores tombèrent, lançant leurs étincelles en sillages ardents à travers le ciel, les planètes s'illuminèrent, sphères de transcendance enflammée, et Arjun continua à monter avec le chariot, son regard fixé sur un point de la terre bien au-dessous de lui. Et un seul et unique mot résonna comme l'écho d'un millier de coups de tonnerre à travers le firmament : « Détruire ! Détruire ! Détruire ! »

119

Sahadev se fraya un chemin dans la foule rassemblée devant les bureaux du journal. Le bruit était assourdissant – cris, encouragements, grommellements, prières même, montaient de la cohue. Les résultats des élections filtraient peu à peu, et c'était là l'endroit par excellence pour les recueillir. Plus personne ne croyait à la radio.

Or voilà, Ganapathi, une triste ironie. Bien que sous contrôle gouvernemental, *Akashvani* – « La Voix du Ciel » – était aussi la voix de millions de postes de radio, transistors et haut-parleurs mugissant sous les *pandal* de *puja* et dans les boutiques de thé. Son ubiquité traduisait l'indispensable nécessité de la radio dans un pays où la majorité des gens ne savent pas lire, son contenu – en dépit de la main souvent lourde de la bureaucratie sur ses programmes – représentait l'éventail des problèmes de la nation. Des inflexions apaisantes de ses speakers aux demandes de chansons de films populaires, *All-India Radio* reflétait les triomphes et les banalités qui animaient le pays. Mais sa modération signifiait aussi médiocrité et, durant l'état de siège, en vint même aussi à vouloir dire mensonge. C'est l'héritage de Priya Duryodhani, Ganapathi, qui veut qu'aujourd'hui, quand un Indien désire de véritables informations, il passe sur la BBC ; pour des analyses détaillées, il s'en remet aux journaux ; pour les distractions, il va au cinéma. Le reste du temps, il écoute *Akashvani*.

Un petit péon en chemise kaki et pyjama blanc, debout sur le dernier barreau d'une échelle branlante, installait les lettres sur le tableau d'affichage avec une lenteur atroce. « D-H-A-N-I ». Priya Duryodhani. Et après ? Les gens au premier rang crièrent à l'homme de leur donner d'abord les nouvelles de vive voix avant de mettre les lettres suivantes. Il demeura insensible à leurs prières. Peut-être ne les entendait-il pas au-dessus du tintamarre. Il avait à suspendre les lettres en aluminium : peut-être n'était-il pas sûr de ce qu'elles signifiaient. Peut-être savait-il juste assez l'alphabet anglais pour installer les titres des « Nouvelles instantanées » chaque jour, sans comprendre ce que le journal annonçait par son truchement.

« D, dit Nakul à côté de lui. D pour déclarée gagnante. » *All-India Radio* avait déjà annoncé des victoires substantielles pour le parti de Duryodhani dans certains États.

« B, répliqua Sahadev en voyant la lettre monter sur le tableau.

– Ballottage ? » s'étonna Nakul.

B.A. Puis, alors que la foule semblait retenir collectivement son souffle, T.

Un immense cri de joie s'éleva.

« Ça pourrait être "Bat son adversaire", risqua Nakul. Dans sa circonscription, tu comprends.

– Pas question, *bhai-sahib*. » Sahadev sourit à s'en fendre les oreilles : il venait de se rendre compte de ce qu'il avait souhaité tout du long. « Le type n'a pas assez de lettres pour écrire ça. »

La foule rugissait déjà son approbation. Des bravos dispersés déchirèrent l'air. Les gens, ravis, se tapaient dans le dos mutuellement. T. Enfin, le *meghdoot* en kaki, accélérant l'allure, posa un U, puis un E. BATTUE. Priya Duryodhani avait été battue.

« Je le savais, je le savais ! » Sahadev se surprit à presser triomphalement l'épaule de Nakul. « Oh, je suis si content d'avoir pris mon congé maintenant, Nakul. C'est formidable ! C'est tout bonnement formidable ! »

Nakul semblait encore sous le choc. Autour d'eux, on vociférait ; quelques jeunes garçons énergiques avaient commencé à danser une *bhangra* impromptue. Les gens lançaient des pièces de monnaie et des billets au péon qui avait installé la manchette. Le petit homme les attrapait avec extase et agilité.

« J'avais tort, dit Nakul, abandonnant le pluriel pour la première fois peut-être. C'est fini.

– Non, frérot, ce n'est pas fini, le contredit son jumeau avec une assurance fort peu caractéristique. Ça ne fait que commencer. »

120

Ils se trompaient tous deux. Quelque chose s'était passé dont l'ombre demeurerait à jamais et quelque chose avait commencé qui ne durerait pas. Car c'est mon sort, Gana-pathi, que d'avoir à raconter non un triomphe sublime, mais un moment de ridicule. Le peuple indien se donna le luxe de remplacer un tyran déterminé et plein de sang-froid par une collection de novices indécis.

J'en fus en partie responsable, mais en partie seule-ment. Les élections terminées, on voulut d'un commun accord éviter une compétition entre les membres victo-rieux du Front janata. Il fut décidé que Drona et moi, le Messie et Mathusalem, désignerions conjointement le nouveau Premier ministre qui serait ensuite « élu » à l'unanimité par les députés janatas. Sur le moment, cela parut une manière raisonnable d'éviter un conflit mal venu à l'orée du nouveau régime. C'est seulement plus tard que m'apparut l'ironie d'entamer la restauration de la démo-cratie par un procédé si antidémocratique.

Et ce n'était pas qu'ironie. Dans notre sagesse éternelle, Drona et moi n'avions pas compris ce que la plupart des lycéens savent : si vous entamez un examen en évitant la question la plus difficile, c'est justement cette question qui assurera finalement votre échec.

Nous parlâmes tous deux à notre tour avec les chefs de chacun des partis qui composaient le Front. Il y en avait plusieurs, chacun avec ses prétentions à mener les autres : les partis politiques, après tout, poussent chez nous comme des champignons, se divisent telles des amibes et sont aussi originaux et productifs que des mulets. La plupart des dirigeants avaient appartenu à un moment ou un autre au Parti kaurava, mais l'avaient quitté ou bien en avaient été exclus, à différentes étapes de la mainmise de Duryodhani. Drona et moi passâmes en revue des choix peu séduisants et décidèrent d'opter pour le seul homme parmi eux dont l'honnêteté et la sincérité ne pouvaient pas plus se discuter que la priorité d'âge : Yudhishtir.

Je fis cette suggestion, ne sachant que trop combien les qualités de mon petit-fils convenaient peu à ce poste. Drona accepta parce que, fidèle à lui-même, il s'inquiétait plus de faire un choix moral qu'un choix politique. Mais nous fûmes suffisamment politiques pour avoir un geste d'apaisement envers tous ceux qui s'opposaient au conservatisme du nouveau Premier ministre : presque aussitôt après avoir annoncé notre opinion selon laquelle Yudhishtir serait le choix unanime du Front pour la direction du pays, nous demandâmes à Ashwathaman, le populiste, de présider à l'organisation du Front en tant que parti.

Il y eut, Ganapathi, un bref et brillant moment d'espoir, quand les dirigeants du Front, leur ego adouci par l'euphorie d'une victoire sans précédent, se réunirent devant ce symbole de la grandeur permanente du pays, le Taj Mahal, et prêtèrent collectivement serment de défendre la gloire de l'Inde et ses traditionnelles vertus. Draupadi était présente, ce jour-là, en invitée d'honneur, le teint rayonnant d'une santé et d'une beauté intérieure qui lui avaient fait défaut depuis nombre d'années. Elle souriait, éblouissant les badauds par la force et la blancheur de ses dents. Même moi, je ne pus deviner la faiblesse des racines sous cet étincelant étalage d'assurance orale.

Il parut inapproprié, Ganapathi, que le Front eût choisi le Taj pour cette confirmation publique de son dessein démocratique. Le Taj Mahal représente l'Inde sur d'innombrables affiches touristiques et a vu plus d'objectifs d'appareils photo cliqueter devant lui que tout autre édifice sur la surface du globe. Et pourtant, comme on oublie facilement que ce monument d'amour inégalé est une tombe, le lieu de sépulture d'une femme qui souffrit treize fois les douleurs de l'enfantement et mourut dans le martyre d'une quatorzième tentative ! Peut-être cela le rend-il d'autant plus digne d'être le symbole de notre Inde – cette terre de beauté et de grandeur au cœur de la souffrance et de la mort.

Je m'attardai après la cérémonie, après le démantèlement des *shamiana* et l'envol des *shama*, une fois leurs chants terminés. Je m'assis sur le marbre blanc du monument jauni par les fumées d'anhydride sulfureux d'une raffinerie voisine et je regardai le soir se draper tel un vieux châle autour du dôme familier. La nuit était tombée maintes fois sur le Taj ; maintes fois l'aube avait brisé ses promesses de la veille. Mais il avait survécu ; ébréché, vandalisé, pillé, piétiné, récuré, admiré, adoré, envié et exploité, il avait survécu. Et l'Inde survivrait aussi.

Les espoirs soulevés par cette émouvante cérémonie furent bientôt trahis. Krishna repartit dans sa province du Sud, et ce fut comme s'il avait emporté avec lui le don d'accomplissement créateur accordé par Agni. Le Front commença à gaspiller rapidement ses énergies en rivalités et récriminations réciproques. Yudhishtir se montra aussi raide, dur et dépourvu d'humour que ses critiques l'avaient toujours dépeint, et son pharisianisme colossal ne fut pas aidé par sa totale incapacité à juger l'impression qu'il faisait sur les autres. Tandis que les « hommes forts » de son cabinet se querellaient méchamment à chaque réunion, le Premier ministre demeurait refermé sur lui-même, apparemment inconscient que la moitié des gens assis avec lui sur la branche de l'exécutif s'activaient vaillamment à la scier.

Yudhishtir souffrait du défaut de s'attendre à ce que chacun le prît autant au sérieux qu'il le faisait lui-même. Quand, en réponse à une question d'un reporter de télévision américain, le premier journaliste suffisamment indiscret pour lui demander en public ce que ses pairs lui avaient gaiement confirmé en privé – « Monsieur le Premier ministre, est-il vrai que vous buviez votre urine tous les jours ? » –, quand, Ganapathi, devant les quatre-vingts millions d'Américains incrédules d'une heure de grande écoute, quintuplés par les retransmissions par satellite sur chaque chaîne au monde possédant l'argent et le mauvais goût nécessaires pour le diffuser, quand, avec le même manque de pondération dont il avait fait preuve en acceptant le défi de Shakuni, Yudhishtir entama une homélie pateline sur les propriétés miraculeuses de la thérapie auto-urinaire, il relança les dés du gouvernement aux pieds des Kauravas.

Sa réponse affirmative fut citée dans chacun des journaux ressuscités de l'Inde. Caricaturistes et amuseurs patentés associèrent la confession de Yudhishtir à sa position bien connue en faveur de la prohibition. (« Si je buvais ce qu'il boit, je serais aussi pour la prohibition ! » « Inviteriez-vous le Premier ministre à une réception où chacun apporterait sa bouteille ? ») Des graffiti firent leur apparition sur les murs des pissotières du pays, plus d'un écriteau à l'entrée repeint pour annoncer « Distributeur de jus de Yudhishtir ». Tandis que le Premier ministre drapé dans son sérieux faisait rigoler la nation entière, sa coalition se défaisait peu à peu sous ses pieds. Écris ça pour ajouter à son épitaphe, Ganapathi : notre héros pissait pendant que la maison brûlait.

Non que ce Front qui se démaillait eût été jamais très bien tricoté. En quelques semaines il était devenu le véhicule des ambitions personnelles d'au moins trois vieux politiciens, en dehors du Premier ministre. Avec leur adresse à camoufler leurs propres petits intérêts sous de beaux discours verbeux autour de l'élévation des (selon les nuances précises de leurs bases) « classes arriérées », « castes arriérées » ou « couches arriérées de la société », ils acquièrent rapidement pour leur parti le sobriquet de Front arriéré ». Pendant qu'ils pataugeaient d'embrouilles en disputes, l'anarchie explosa, les prix montèrent en flèche, l'Administration sombra sous les toiles d'araignée de la paperasserie et chaque décision politique se trouva entravée par les désaccords partisans. Leur ineptie aida Priya Duryodhani à se remettre rapidement du choc de sa défaite. « Le Front arriéré ne peut ni faire avancer, ni faire reculer le pays, put-elle déclarer sous les applaudissements malaisés de réunions publiques étonnamment bien suivies. Il va simplement de travers. »

Qu'elle fût libre de déverser autant de mépris mordant sur ses vainqueurs était un exemple de plus de la faiblesse de l'alliance vertu-avarice du Front face à un adversaire aussi redoutable. Juste au-delà de la frontière, le chaos faisant suite à des charges d'intimidation, de bourrage des urnes et de votes truqués dans les élections-spectacles avait conduit au renversement de Zaleel Shah Jhoota, que ses généraux avaient jeté en prison ; ses bourreaux militaires débattaient à présent pour savoir s'ils le feraient fouetter ou pendre pour ses turpitudes, ou bien les deux. En Inde, cependant, le Front avait décidé de traîner l'ex-Premier ministre devant le tribunal sur l'accusation ésotérique de détournement de pouvoir, une manière juridique polie de dire qu'elle avait trahi la Constitution. Cela ne semblait pas une accusation qui exigeât beaucoup de preuves. Mais le moyen choisi ne servait pas la plus choisie des fins : les tribunaux, Ganapathi, à l'exception récente de l'Argentine de l'après-guerre des Malouines, ne sont pas des endroits pour un peuple où demander des comptes à ses ex-dirigeants. Priya Duryodhani et ses talentueux avocats (moins Shakuni, qui à présent affirmait haut et fort ses titres démocratiques et désavouait l'état de siège, le Premier ministre et ses œuvres) roulèrent dans leur subtilité les témoins du Front. On avait l'impression d'un jeu compliqué entre des équipes de forces inégales. Le droit rivalise avec le cricket en tant que sport national de notre élite urbaine. Tous deux sont chers aux cœurs indiens et absorbent une grande partie de l'énergie du pays.

L'affaire traîna et, après quelques premières révélations sensationnelles, versa dans l'irréalité. Les avocats de Duryodhani réussirent si bien à la transformer en une vitrine de leurs talents légaux que les questions en jeu derrière leur découpage juridique de cheveux en quatre furent bientôt oubliées. Survint le tournant fatal : les gens s'ennuyèrent. Leur ennui banalisa le mal que Duryodhani avait fait.

Le procès se trouvait dans les méandres de son quatorzième mois quand la crise à l'intérieur du Front, désespérément déchiré par des conflits de son propre fait, éclata.

Tout commença avec un sage que Yudhishtir alla voir, un homme-dieu à la robe ocre dont le vocabulaire était aussi démodé que l'accoutrement.

Les hommes-dieux sont le principal article d'exportation de l'Inde de ces deux dernières décennies, offrant manne et mysticisme à un assortiment d'étrangers qui en ressentent le besoin. Une fois de temps à autre, cependant, ils acquièrent également des partisans dans le pays en appelant au respect, profondément ancré chez tous les Indiens, de la sagesse spirituelle et de la paix intérieure, un respect enraciné dans les conditions de la vie indienne, qui rendent si difficiles pour la majorité d'entre nous d'acquérir l'une ou l'autre. Ces hommes-dieux de derrière les fagots, au contraire de la variété réservée à l'exportation, se contentent de manifester leur sainteté par de la sanctimonie, produisant de longs discours peu intelligibles dans lesquels leurs auditeurs peuvent déchiffrer la signification qu'ils veulent. (Si la religion est l'opium du peuple indien, Ganapathi, les hommes-dieux en sont les pipes divines.)

L'homme-dieu que Yudhishtir alla voir appartenait à cette catégorie et conseillait des mesures soit si peu attaquables (prière régulière), soit si attaquées (consommation systématique par chacun de ses propres déchets liquides) que ses paroissiens se limitaient à un petit nombre de dévoués dévots. A dire vrai, personne ne lui aurait peut-être prêté attention si on n'avait pas découvert un jour le Premier ministre écoutant un de ses discours. Un discours, en fait, dans lequel l'homme-dieu, par imprudence, manque d'imagination ou perversité, peu importe franchement, avait fait allusion aux traditionnels parias de la nation en usant du mot « Intouchables ».

C'était tout, remarque. Il ne suggéra pas qu'ils méritaient d'être là où ils se trouvaient, n'insinua pas qu'ils devaient être interdits de temple ou bannis des chambres de nos filles ; il les appela simplement « Intouchables » au lieu d'utiliser l'euphémisme « Enfants de Dieu » inventé par Gangaji pour tenter d'effacer le stigma de ce terme. Et Yudhishtir commit, aux yeux de ses critiques les plus radicaux, l'impardonnable péché de ne pas le corriger ni de quitter les lieux.

Or tu sais aussi bien que moi, Ganapathi, que les mots comptent au nombre des palliatifs traditionnels de l'Inde : nous adorons cacher nos problèmes en changeant leur nom. Il importait peu aux hommes et aux femmes au dernier degré de l'échelle sociale d'être appelés selon la plus notoire de leur infirmité ou selon la fiction d'une paternité divine prétendument partagée avec tout le monde. (Ce qui était tout aussi moche, parce que si tout un chacun était un Enfant de Dieu, pourquoi étaient-ils les seuls à être étiquetés de la sorte ?) Mais pour les politiciens professionnels, avides de marquer des points contre mon insensible petit-fils, le silence de Yudhishtir lorsque le terme avait été employé à portée de son oreille signifiait l'approbation d'une insulte collective. Le gouvernement, déclarèrent-ils, soutenus par une Priya Duryodhani enthousiaste, était contre les Intouchables.

Ashwathaman, le dirigeant gauchiste du Front, fut le premier à critiquer le Premier ministre. Il ne pouvait pas en toute conscience, annonça-t-il, continuer à soutenir un gouvernement qui avait révélé son « castéisme ». Les rivaux de Yudhishtir, sentant cet hallali sonner le signal de leur propre ascension, en tombèrent d'accord.

Soudain, la fragile unité du Front commença à s'effriter. Un député déclara qu'il ne pouvait plus se soumettre à la discipline de vote du parti ; un autre exigea que le Front

expulse ses « crypto-castéistes ». On parla ouvertement
de former un nouveau Front, purgé des « éléments réactionnaires ». Une majorité des élus du parti au pouvoir
attendait simplement, disait-on, le signal d'abandonner
Yudhishtir. Ce signal devait venir de l'homme dont le
soulèvement les avait mis sur le chemin du pouvoir :
Drona.

121

Mais le nouveau Messie gisait sur son lit, le foie dévasté
par les privations subies dans les prisons de Priya Duryodhani. Malade, épuisé, amèrement déçu par la manière dont
la marée populaire de ses rêves s'était peu à peu perdue
dans les sables arides des conflits stériles, Drona était
déchiré entre sa loyauté au gouvernement qu'il avait créé
et le fils pour lequel il avait changé sa vie, des années
auparavant.

« Je ne peux pas me permettre de le laisser se ranger
de l'autre côté, me dit Yudhishtir. Il faut que j'obtienne
une déclaration de lui en ma faveur avant qu'Ashwathaman ne revienne de sa tournée des États du Sud et ne me
batte au poteau.

– Yama, le dieu de la Mort, pourrait bien vous battre
au poteau tous les deux », dis-je. Mon âge avancé a rendu
mon imagerie encore plus traditionnelle, du moins sur le
sujet de la mortalité. « Je l'ai vu ce matin et j'ai eu le
sentiment qu'il ne passerait pas la journée. Mais s'il est
encore là, Yudhishtir, il ne va pas te soutenir contre son
fils.

– Je le sais. Et s'il ajoute sa voix à celle d'Ashwathaman, je suis fini, dit Yudhishtir d'un ton très naturel. Le
temps est venu pour moi d'agir comme nos ancêtres
l'auraient fait. » Sans répondre à mon sourcil interrogateur, le Premier ministre fit signe d'approcher à son plus

jeune frère. « Sahadev, je veux que tu ailles chez Drona sur-le-champ lui dire que l'avion d'Ashwathaman s'est écrasé en revenant à Delhi. »

Je demeurai assommé par ses mots.

« Tu ne peux absolument pas faire ça, protestai-je dès que j'eus repris mon souffle.

– Dis-lui aussi, ajouta sans me prêter attention Yudhishtir, que j'arrive pour lui annoncer la nouvelle moi-même. Je te suivrai dans dix minutes. Assure-toi que personne d'autre n'est là quand tu lui parleras ou quand j'arriverai.

– Mais, Yudhishtir, explosai-je, tu n'as jamais menti de ta vie !

– Et je ne mentirai jamais, répliqua pieusement mon petit-fils.

– Drona le sait, lui fis-je remarquer. Et il te demandera forcément confirmation des nouvelles données par Saha-dev.

– Précisément. » Yudhishtir ne semblait pas troublé.

« Tu ne pourras pas lui mentir, alors ! Un mourant... ton propre guru...

– Ne vous inquiétez pas, VVji. Je ne mentirai pas. »

Je me rendis chez Drona avec lui. Le vieil homme gisait dans une chambre obscure, entouré par les médicaments et les appareils qui le gardaient en vie. Sahadev, malheureux, était accroupi à son chevet. Je fus bouleversé de voir que le Messie pleurait.

A notre entrée, il se tourna vers Yudhishtir avec une expression d'angoisse désespérée que même sa fragilité ne pouvait effacer. « Il m'annonce qu'un sort terrible a frappé mon fils, gémit-il. Dis-moi, Yudhishtir, est-ce vrai ? Je ne peux pas le croire, à moins que tu ne me le dises toi-même. Dis-moi, Ashwathaman est-il sain et sauf ? »

Une expression de tristesse sincère se peignit sur le visage du Premier ministre. « Je suis désolé, Dronaji, répliqua Yudhishtir. Ashwathaman est mort. »

Même moi, je le crus alors, car Yudhishtir ne mentait jamais. Son honnêteté était comme la radiance du soleil ou l'humidité de la pluie, un des éléments de la nature : tout simplement indiscutable.

« Ashwathaman, répéta-t-il doucement, est mort. »

Un cri terrible s'échappa des lèvres de Drona, qui détourna son visage vers le mur peint à la chaux, sa voix drainée de toute émotion. « Alors je n'ai plus aucune raison de vivre. » Il ferma les yeux.

« Je suis navré, Drona, de vous demander cela à un moment si pénible, chuchota le Premier ministre, mais ne soutiendrez-vous pas l'unité du Front que vous avez tant fait pour créer et porter au pouvoir ? »

Le Messie ne le regarda pas. « Oui, murmura-t-il. Naturellement. »

Je lus le triomphe dans les yeux de Yudhishtir en même temps que je voyais la lumière s'éteindre dans ceux de Drona. Quelques minutes après, le vieux guru mourait.

Nous le veillâmes tandis que la vie le quittait et je sentis le regret envahir mon âme. A travers sa vie, durant ses jours de violence et de paix, ses années d'enseignement et de retraite, Drona avait été un des hommes les plus simples de l'Inde. Un magazine dominical l'avait baptisé « le nouveau Mahaguru », mais c'était un Mahaguru imparfait, un homme dont la bonté n'était pas contrebalancée par l'astuce de l'original. Il avait dépassé ses pairs, un saint laïque dont le combat pour la vérité et la justice était indiscutable. Mais, quoique sa loyauté envers les idéaux d'une Inde démocratique et égalitaire ne pût être discutée, sa haine du pouvoir l'avait rendu inapte à l'exercer. Il avait offert de l'inspiration mais pas d'engagement, du charisme mais pas de changement, de l'espoir mais pas de rênes. Ayant abandonné la politique alors qu'il semblait l'héritier naturel de Dhritarashtra, il tenta de demeurer au-dessus des partis après la chute de la fille de Dhritarashtra et il laissa ainsi la révolution qu'il avait provoquée tomber entre les mains de gens indignes de ses idéaux. A présent, il mourait et la nation ne savait pas ce qu'elle allait pleurer.

« J. D., notre Messie moderne, n'est plus, annonça audehors Yudhishtir, quand tout fut fini. Et ses derniers mots ont été une prière émouvante pour l'unité du Front. Ce n'est pas un secret qu'il avait été attristé par les troubles que connaissait le gouvernement, son gouvernement, un gouvernement que plus que tout autre il avait contribué à rendre possible. Il est tristement vrai que Dronaji est mort en homme profondément déçu, mais son héritage survit dans le cœur des Indiens, à qui il enseigna leur propre force. » Yudhishtir marqua un temps d'arrêt, la voix brisée, puis reprit : « J'en adjure aujourd'hui tous ses héritiers et partisans : ne gaspillons pas cette force. En cette tragique occasion, j'appelle chaque membre du Front – et, en particulier, Ashwathaman, le fils de Dronaji, le président de notre parti – à se consacrer de nouveau à la cause si chère à J. D. »

« Ashwathaman ? demandai-je un peu plus tard à Yudhishtir, dès que nous fûmes seuls. Je croyais que tu avais dit au vieux qu'il était mort. » Je secouai la tête, fort déçu. « Toi, Yudhishtir ! Toi ! Je croyais que tu ne pouvais pas mentir.

– Vous aviez raison, VVji, répliqua Yudhishtir, implacable. Je n'ai pas menti cette fois non plus. Quand j'ai dit qu'Ashwathaman était mort, je disais la vérité. Avant de quitter la maison, j'ai attrapé un cafard dans le placard et je l'ai baptisé Ashwathaman avant de l'écraser d'un coup de mon portefeuille ministériel. Et donc vous voyez, VVji, je n'ai pas menti à Drona : je ne lui ai jamais dit que c'était son fils qui était mort. »

Je le regardai fixement, le souffle coupé par sa sophistique. Puis je lâchai enfin : « Tes mots, Yudhishtir, ont éteint chez ce vieillard sa dernière étincelle de vie. En fait, ils l'ont tué.

– Vous êtes injuste, rétorqua Yudhishtir. Il était malade ; il était mourant. Peut-être son chagrin hâta-t-il sa fin, mais ne dit-on pas que l'heure de notre départ est fixée dès notre naissance ? Je n'ai peut-être pas dit l'entière vérité, mais je n'ai émis aucune contrevérité et mes mots pourraient bien avoir aidé à nourrir une vérité plus grande en lui faisant soutenir mon appel à l'unité. Aurait-il été préférable de laisser son immense autorité morale être manipulée par la populace radicale pour abattre le gouvernement qui a restauré la démocratie indienne ? Je crois, VVji, avoir agi justement, en pleine conformité avec le *dharma*. Le *dharma*, vous savez, est chose subtile.

– Mais pas si subtile que cela, Yudhishtir, répondis-je tristement. Je ne crois pas que tu tireras aucun bénéfice de ton subterfuge. Notre devise nationale, c'est "*Satyameva Jayate*", la Vérité triomphera. Non pas ta vérité ou la mienne, Yudhishtir. La Vérité, un point c'est tout. Une Vérité trop immuable pour être énoncée seulement à la lettre et violée en esprit. » Je me levai, serrant ma canne si fort que j'en eus mal à la paume. « Au revoir, Yudhishtir. Tu ne me reverras jamais. »

Je ne me retournai pas pour voir si mon départ avait momentanément ébranlé sa confiance.

122

Peu importait car, bien entendu, j'avais raison. La bénédiction de Drona mourant n'accomplit pas davantage que ses croisades de son vivant. Une majorité des députés du Front abandonnèrent l'étreinte-émonctoire du Premier ministre. Le gouvernement tomba ; et, dans les élections qui suivirent, Priya Duryodhani regagna haut la main le pouvoir. Le procès qui lui était intenté, toujours en cours, reçut un discret non-lieu. Après un tour complet, le *dharma* était revenu à la case départ.

123

Que reste-t-il à dire, Ganapathi ? Il y a, bien sûr, la question des espérances. Cette histoire, comme celle de notre pays, est une histoire d'espérances trahies, les tiennes autant que celles de nos personnages. Il n'y a aucune histoire et beaucoup trop d'histoires ; il n'y a aucun héros et beaucoup trop de héros. Ce qui n'est pas dit importe tout autant que ce qui l'est.

Laisse-moi, comme si souvent dans notre récit, m'écarter du sujet une fois encore. Il existe, Ganapathi, un parallèle curieux. Pour la plupart des étrangers qui ne savent rien de notre pays, le seul livre indien dont ils sachent quelque chose, c'est le *Kama-sutra*. Pour eux, c'est le Grand Inédit indien. Le *Kama-sutra* pourrait bien être le seul de nos ouvrages qui ait été lu par plus d'étrangers que d'Indiens. Pourtant ce n'est dans sa plus grande partie qu'un traité d'étiquette sociale concernant la manière de faire sa cour dans l'Inde antique, et ceux qui voient en son auteur, Vatsyayana, une sorte de pornographe du quatrième siècle doivent être rudement déçus à la lecture de son minutieux catalogue d'activités amoureuses qui ressemble plus à un manuel scolaire qu'à un roman à suspense. Mais quelle distance parcourue de la précision du *Kama-sutra* à la pruderie de l'Inde contemporaine ! Je ne cesse de m'étonner, Ganapathi, qu'une civilisation capable d'autant de franchise érotique soit plongée dans l'ignorance, la superstition et la lubricité qui caractérisent les attitudes sexuelles indiennes d'aujourd'hui. Peut-être le problème est-il que la galanterie amoureuse raffinée du *Kama-sutra* ne peut pas aller très loin dans un pays qui possède un si grand nombre de femmes et si peu de chambres à coucher.

Il n'en va guère mieux avec les grandes histoires de nos épopées nationales. Comme nous nous sommes éloignés de la gloire et de la splendeur de nos aventureux héros mythologiques ! Le pays de Rama, entamant sa glorieuse croisade contre les ravisseurs de sa divinement pure épouse, Sita, le pays où la vérité et l'honneur, la bravoure et le *dharma* furent révérés comme les principes cardinaux de l'existence, ce pays est maintenant une nation de pactiseurs à la volonté défaillante, de chefs incapables de commander, de corruption effrénée et de perfidie endémique. Nos démocrates jouent avec la démocratie ; nos candidats dictateurs ne savent pas quoi édicter. Nous nous consolons avec les berceuses de notre histoire ancienne, notre remarquable culture, notre mythologie inspirante. Mais notre présent est si déprimant que nos gouvernants ne peuvent seulement parler que de l'avenir à moyen terme... ou du passé immédiat.

Quoi que nos ancêtres aient attendu de l'Inde, Ganapathi, ce n'était pas cela. Pas un pays où *dharma* et devoir en sont venus à ne plus rien signifier ; où la religion est prétexte à conflit plutôt que code de conduite, où la piété, au lieu de marquer la sagesse, masque un manque paralysant d'imagination. Pas un pays où l'on brûle les jeunes mariées dans des cuisines imbibées de pétrole parce qu'elles n'ont pas amené une dot suffisante ; où l'intégrité et l'amour-propre sont à vendre au plus offrant ; où l'on arrache à un autobus des hommes que l'on massacre à cause de la longueur d'une mèche de cheveux ou l'absence de prépuce. Toutes ces choses que j'ai évité de mentionner dans mon récit parce que j'ai préféré prétendre qu'elles n'avaient pas d'importance.

Mais elles en ont, bien entendu, car dans notre pays le terre à terre est aussi pertinent que le mythique. Nos philosophes essaient de faire tout un plat de notre grande religion védique en soulignant sa spiritualité, son pacifisme, son pansophisme élevé ; et ils laissent de côté, ou bien maquillent, ses superstitions, ses inégalités, son obscurantisme. Cela est très typique, très typiquement hindou. L'hindouisme est la religion de 80 % d'Indiens et, en tant que mode de vie, il envahit presque toute chose indienne, apportant à la politique, au travail et aux relations sociales la même souplesse de doctrine, respect pour la coutume et éclectisme absorbant qui caractérisent la religion – ainsi que la même tendance à respecter un dogme usé jusqu'à la corde, adorer les vaches sacrées et prodiguer une déférence indue aux gurus. Sans parler de sa grande capacité à négliger – ou à transcender – une vérité dérangeante.

J'ai été dans l'ensemble un bon hindou au cours de ce récit. J'ai dépeint une nation en lutte, mais en omettant sa lutte, contre elle-même, en ignorant les régionalistes, autonomistes, séparatistes et autres sécessionnistes qui, aujourd'hui encore, tentent de déchirer le pays. Pour moi, Ganapathi, ils ne sont d'aucune conséquence sur l'histoire de l'Inde ; ils cherchent à diminuer quelque chose de bien supérieur à ce qu'ils pourront jamais comprendre. D'autres n'en tomberont pas d'accord avec moi et rejetteront mon opinion en l'attribuant à la naïveté de ceux qui souffrent d'une nostalgie fatale. Ils diront que l'Inde des guerriers épiques est morte sur les champs de bataille mythologiques et que l'Inde d'aujourd'hui est un pays de falsification, de marché noir, de corruption, de conflit communal, de meurtres pour dots et le reste, et que cela est la seule Inde qui importe. Non pas mon Inde, où des batailles épiques sont livrées au nom de grandes causes, où la liberté et la démocratie sont discutées, gagnées, trahies et perdues, mais une Inde où la médiocrité règne, où la cause la plus grande est l'acquisition de l'argent, où la malhonnêteté est l'art le plus répandu et la corruption le talent le plus dominant, où le pouvoir est une fin en soi plutôt qu'un moyen, où les vraies questions politiques du jour sont animées non par des principes mais par l'esprit de clocher. Une Inde où une Priya Duryodhani peut être réélue parce que sept cents millions de gens ne peuvent pas produire quelqu'un de mieux, et où son immortalité peut être garantie par son plus grand échec : l'aliénation de certains des plus loyaux citoyens du pays au point que deux d'entre eux considèrent un plus grand devoir de la tuer que de la protéger, ainsi qu'ils étaient employés pour le faire.

Peut-être avaient-ils raison. Ou peut-être ne sais-je plus distinguer entre le juste et l'injuste, le réel et l'irréel. Car en arrivant à la fin de mon récit, Ganapathi, je me suis mis de nouveau à rêver.

J'ai encore rêvé de Hastinapur. Pas, cette fois, du glorieux palais de l'ère princière, resplendissant de richesse et baignant dans la chaude adulation du peuple, mais d'une bourgade minable avec des rues sordides et des murs pelés, des ordures pourries s'accumulant dans les espaces en friche de ce qui fut autrefois les jardins de Bibighar. De grands vents brûlants ravageaient la ville, la remplissant de tourbillons sableux. On ne voyait plus le soleil. De ce brouillard étouffant surgissaient avec une sauvage irrégularité des objets volants lancés du ciel et qui venaient exploser sur le sol, mutilant au hasard passants et vagabonds endormis sur les trottoirs. Dans cette lumière sale, entre chien et loup, les mains tendues comme en quête d'une direction, erraient cent personnages sans tête, les trous béants de leur cou suppurant horriblement. Le fleuve sacré qui coulait le long du palais renversa son cours en un torrent jaillissant qui le balaya, le faisant remonter vers sa source.

Je gémissais dans mon sommeil en voyant ces choses, Ganapathi, mais j'eus beau me tourner et me retourner, impossible de chasser ces images de mon esprit fiévreux. Hastinapur s'écroula devant mes yeux. Des rats aux dents féroces couraient dans la ville, ravageant les provisions de blé et de grain, la végétation, les câbles électriques et les doigts des vagabonds mutilés. Sur chaque réchaud, le lait bouillant débordait, dégageant des puanteurs de chair calcinée. La vaisselle se fêlait, les pots blancs noircissaient au lavage. Le lait le plus pur tournait en eau et les mangues mûres avaient un goût plus amer que le potiron. Les sacs de riz contenaient plus de pierres que de grain. La nourriture la plus soigneusement préparée grouillait d'asticots. Les puits devenaient boueux, les routes se défonçaient, les toits s'écroulaient. Je rêvai, Ganapathi, de la pire forme de dévastation : celle de la nature se retournant contre elle-même.

Même la pleine lune demeura invisible à la date prévue. Les koyals, autrefois des oiseaux chanteurs, ne cessaient de croasser ; les vaches brayaient comme des ânes et mettaient bas des mulets plutôt que des veaux ; et les chacals hurlaient dans les rues comme s'ils appartenaient aux maisons de Hastinapur et non à la jungle voisine.

Je compris dans mon sommeil que rien n'arrêterait le processus et qu'on pouvait seulement tenter d'y échapper. Sur les hauteurs au loin, dominant Hastinapur, se dressait le sommet neigeux d'une montagne étincelante, et de là, une paix céleste peinte sur leurs visages, Gangaji, Dhritarashtra et Pandu nous souriaient et nous faisaient signe d'approcher. Au milieu des ruines de la ville, la tête levée vers cette lumière brillante sur la montagne, nos récents acteurs décidèrent d'entreprendre l'ascension.

Ils ne s'étaient pas mis en marche que Krishna s'écroula par terre, saignant abondamment d'une profonde blessure au talon. Le visage tordu par la souffrance, il agrippa son pied. « Je ne peux plus bouger », souffla-t-il. Ses traits sombres se creusèrent sous l'effet de la douleur. « Je peux m'asseoir, je peux parler, je peux vous conseiller, mais je ne peux pas vous accompagner. Partez sans moi. »

Et donc, tandis que les autres s'éloignaient désolés, la vie de Krishna s'en alla goutte à goutte dans la terre de mon rêve. Venue du sommet de la montagne, une voix résonna dans ma tête : « Il aurait pu empêcher tout cela, mais il a choisi de ne pas agir. Il s'est contenté de son petit domaine, donnant avis et versa à Arjun et puis retournant à sa petite vie confortable, laissant tout cela arriver L'Inde a trop de Krishna. Son éclat s'est consumé sans illuminer le pays. Il n'atteindra pas le sommet. »

L'abandonnant derrière eux, les autres entreprirent leur marche par monts et par vaux, à travers rocs et ravins. Un petit chien vint les rejoindre, qui se mit à trotter au côté de Yudhishtir. Ils avancèrent puis grimpèrent jusqu'à ce que chaque pas leur paraisse insupportablement difficile et que l'air raréfié leur irrite par trop les poumons. Alors Draupadi s'effondra à son tour.

« Pourquoi elle ? demandai-je aux voix sans visage de mon rêve.

– La démocratie est toujours la première à flancher, répondit l'écho. Elle ne peut être soutenue que par la force de ses époux. Leur faiblesse est son défaut fatal. Elle n'arrivera pas au sommet. »

Les autres poursuivirent leur chemin. Après s'être traîné des heures durant dans les fondrières de mon esprit, Sahadev trébucha et tomba. Dans mon rêve je n'avais plus besoin de poser la question – la voix répondit à mon interrogation muette : « Il savait ce qu'il fallait faire, mais il n'a rien fait de ce savoir, dit-elle. Il est resté hors du pays, a pu juger avec recul de sa grandeur et de ses défauts, mais il ne s'est pas engagé dans la véritable bataille de sa survie. Il ne peut pas atteindre le sommet. »

Puis ce fut le tour de Nakul d'abandonner.

« Il fut trop empressé à servir des institutions plutôt que des valeurs. Le *dharma* ne se limite pas à l'accomplissement du devoir dans l'étroite définition de la tâche d'un individu. Il y a un devoir plus large, un devoir envers une cause plus grande, que Nakul a ignoré. Il ne verra pas le sommet de la montagne. »

Quand Arjun tomba, je me rappelle le choc que je ressentis, même dans mon rêve.

« Quoi ! Arjun, le parangon de vertu qui par la volonté unanime du peuple succéda à Priya Duryodhani ! Comment peut-il, lui, tomber ?

– Il s'est cru parfait, résonna l'écho, et il a laissé les autres le croire. Mais l'Inde fait échec à la perfection, tout comme les nuages de pluie obscurcissent le ciel. Son arrogance l'a fait trébucher lorsque son regard a voulu voir plus haut même que le pic de la montagne. Il n'atteindra jamais le sommet. »

Ils étaient encore à une certaine distance de la crête lorsque Bhim tomba lourdement à genoux.

« Il a protégé les Pandavas et le pays, mais ce n'était pas suffisant. Il n'a pas assez protégé Draupadi Mokrasi des mauvais traitements car il ne s'est estimé que l'un de ses gardiens et a fait passer son engagement à l'égard de ses frères au-dessus de son engagement envers elle. Il ne sera pas au sommet de la montagne. »

Infatigable, Yudhishtir continua à grimper régulièrement, seul, excepté le petit chien qui trottait toujours à
son côté.

« Pourquoi lui ? demandai-je. Yudhishtir, avec sa moralité de pharisien, son insensibilité aveugle aux autres, son
empressement à jouer Draupadi aux dés, son adhésion
égoïste à la lettre de l'honnêteté plutôt qu'à son esprit.
Comment peut-on lui permettre de monter alors que les
autres sont tombés ? »

La voix parut surprise par ma question. « Mais il n'a
pas cessé d'être fidèle à lui-même, dit-elle. Il a été fidèle
au *dharma*. »

Et, en effet, Yudhishtir atteignit enfin le sommet de la
montagne ; d'un coup d'œil, il embrassa les pics et les
vallées au-dessous, à niveau avec les petits nuages blancs
légers qui flottaient telles des peluches échappées du voile
de la nature.

Un des nuages descendit soudain vers lui, sur lequel
était assis un personnage superbe, d'une splendeur divine,
portant une couronne dorée sur son front lisse et sans rides
et qui lui dit, avec un sourire éblouissant :

« Je suis Kaalam, le dieu du Temps. Tu as atteint le
sommet de la montagne, Yudhishtir : ton temps est venu.
Monte avec moi sur mon chariot et gagnons la cour royale
de l'Histoire.

– Je suis très honoré, répliqua notre héros. Ce chien
peut-il venir aussi ?

– Non, impossible, dit Kaalam avec un certain dégoût.
L'Histoire n'a pas de place pour les chiens. Viens, il faut
nous dépêcher.

– Je suis désolé. » Yudhishtir prit un air pincé. « Ce
chien a été mon fidèle compagnon durant ma longue
ascension. Je ne peux pas l'abandonner maintenant que
j'ai atteint le sommet. »

Kaalam s'impatientait :

« Alors, je vais devoir partir sans toi.

– Eh bien, partez si vous le devez. » Le ton et la mine
de Yudhishtir étaient fermes. « Je ne viendrai pas sans

le chien. Ce ne serait pas digne du *dharma* que de récompenser le dévouement de cette manière.

– Tu dois être fou ! s'exclama Kaalam. Tu veux abandonner une place dans l'Histoire pour l'amour d'un chien ? Une créature associée à des choses impures, en présence de laquelle on ne prend pas de repas, on ne célèbre pas de cérémonies ? Comment le noble et vertueux Yudhishtir a-t-il pu forger un lien aussi singulier ?

– Je n'ai jamais abandonné quiconque, homme ou créature, qui m'ait été fidèle, répliqua Yudhishtir. Je ne vais pas commencer aujourd'hui. Au revoir. »

Et pendant qu'il regardait le petit chien, celui-ci se transforma, dans mon rêve, en un splendide Dharma, dieu de la Justice et de la Vertu. Le vrai père de Yudhishtir.

« Tu as réussi l'épreuve, mon fils, déclara Dharma. Viens avec moi réclamer la récompense de l'Histoire. »

Les trois personnages embarquèrent à bord du chariot nébuleux de Kaalam pour flotter en toute sérénité en direction de la cour de l'Histoire. Là, Yudhishtir connut son premier choc : assise sur un trône en or, éventée par de jeunes servantes nubiles, se trouvait son récent bourreau, Priya Duryodhani.

« Je ne comprends pas, bégaya-t-il, une fois qu'il eut repris son souffle. Ce tyran, cette destructrice d'hommes et d'institutions, ce bourreau de la Vérité et de la démocratie siégeant de la sorte sur un trône en or ? Je refuse de voir sa tête. Emmenez-moi là où sont mes frères, là où se trouve Draupadi.

– Les jugements de l'Histoire ne sont pas si facilement prononcés, mon fils, répliqua Dharma. Pour certains, Duryodhani est un personnage révéré, le sauveur de l'Inde, une Jeanne d'Arc brûlée sur le bûcher de la démocratie par les ignorants et les bigots. Dépouille-toi de ta vieille rancœur ici, Yudhishtir. Il n'y a pas d'inimitiés à la cour de l'Histoire.

– Où sont mes frères ? demanda Yudhishtir avec entêtement. Et ma pure et patiente épouse ? Pourquoi ne les vois-je point ici où Duryodhani tient sa cour ?

– Ils sont dans un lieu séparé, mon fils, dit Dharma. Si c'est là où tu souhaites aller, je t'y emmènerai. »

Il conduisit Yudhishtir le long d'un sentier rude et cabossé, couvert de décombres et de verre brisé. Ils se frayèrent un chemin à travers les ronces et du fil de fer barbelé, de la végétation pourrie et des bûchers fumants. Yudhishtir brava la fumée, la chaleur croissante, la puanteur des cadavres animaux en décomposition. Les moustiques bourdonnaient à ses oreilles. Ses pieds se cognaient à de la pierraille et parfois à des ossements. Mais il continua à cheminer sans flancher.

Dharma s'arrêta brusquement. « Nous y voici », dit-il, bien qu'ils ne semblaient pas être arrivés en ce lieu précis. L'obscurité cernait Yudhishtir telles les mains froides d'un cadavre. Malgré la chaleur, il frissonna.

C'est alors que s'éleva un gémissement autour de lui dans la nuit, un cri suivi d'un autre, et encore un autre, jusqu'à ce que l'esprit de Yudhishtir et le mien semblent se réduire à la chambre d'écho d'une complainte incessante. Yudhishtir finit par y reconnaître les voix qui l'appelaient pitoyablement à l'aide : celles de Bhim, Arjun, les jumeaux, Draupadi même...

« Qu'est-ce que cela signifie ? éclata-t-il. Pourquoi mes frères et mon épouse se trouvent-ils ici, dans cette obscurité ignoble, pendant que Duryodhani jouit des luxes d'une adulation posthume ? Suis-je devenu fou ou le monde a-t-il cessé d'avoir un sens ?

– Tu es sain d'esprit, mon fils, répondit Dharma calmement. Et tu peux le prouver en quittant ces lieux malsains avec moi. Je ne t'ai conduit ici que parce que tu me l'as demandé. Tu n'es pas ici à ta place, Yudhishtir.

– Mais eux non plus ! s'indigna Yudhishtir. Qu'ont-ils donc fait de mal pour souffrir de la sorte ? Allez, je resterai avec eux pour partager leurs souffrances imméritées. »

A ces mots, la nuit se leva, la crasse et la puanteur disparurent. Une brise tendre vint rafraîchir le front de Yudhishtir, dont les sens furent calmés par un délicieux arôme de fleurs à peine écloses tandis que ses yeux découvraient une splendide réunion des personnages de notre histoire.

Oui, Ganapathi, ils étaient tous présents dans mon rêve : la charmante Draupadi et le charmeur Drewpad, le bruyant Bhim et le fracassant sir Richard, Gandhari la Lugubre et Shikhandin le Sinistre, les Karnistanais et les Kauravas, les Brits et les brutes ; Pandu le Pâle embrassant ses épouses, Dhritarashtra l'Aveugle et Georgina l'Aveuglée. Et ils souriaient, riaient, applaudissaient. « Tu as réussi ton ultime épreuve, Yudhishtir ! proclama Dharma. Tout cela n'était qu'une illusion, mon fils. Tu ne seras pas davantage condamné à une éternité de misère que Duryodhani ne jouira d'un bonheur éternel. Chacun doit avoir au moins un aperçu de l'autre monde : l'homme fortuné goûte d'abord l'enfer afin de mieux apprécier ensuite le goût du paradis. Tous ceux que tu vois autour de toi sont passés par ces portes eux-mêmes ; demain, tu seras parmi eux pour accueillir un nouvel arrivant, à son entrée. Et les illusions continueront.

– Les épreuves que vous m'avez fait subir, demanda Yudhishtir, le sourcil froncé, tous ceux ici présents les ont-ils passées ?

– Oui, mais très peu les ont réussies aussi bien que toi, répondit Dharma.

– Et que sont-elles censées prouver ?

– Prouver ? » Dharma parut vaguement surpris. « L'importance éternelle du *dharma*, simplement.

– Dans quel but ? Si cela ne fait aucune différence pour tous ces gens qui ont tous leur place ici...

– Chacun, dit Dharma, trouve sa place dans l'Histoire, même ceux qui n'ont pas observé le *dharma*. Mais il est essentiel de reconnaître vertu et droiture et de louer celui qui, comme toi, a constamment défendu le *dharma*.

– Pourquoi ? interrogea Yudhishtir.

– Que veux-tu dire, répliqua Dharma, irrité, que veux-tu dire par "pourquoi" ?

– Je veux dire "pourquoi", répliqua Yudhishtir, s'adressant aux gens rassemblés autour de lui. A quoi cela a-t-il servi ? Ma vertu nous a-t-elle aidés, moi, mon épouse, ma famille ou mon pays ? La justice triomphe-t-elle en Inde ou bien dans son histoire ? Qu'a donc accompli dans notre propre aventure l'adhésion au *dharma ?*

– Cela est un sacrilège, souffla son précepteur. Si un grand principe indien a été passé de génération en génération à travers les âges, c'est bien celui de l'importance capitale d'une pratique à tout prix du *dharma.* La vie elle-même ne vaut rien sans lui. Seul le *dharma* est éternel.

– C'est l'Inde qui est éternelle, dit Yudhishtir. Mais ce que le *dharma* lui attribue à différentes étapes de son évolution a varié. Je suis désolé mais la vérité aujourd'hui, c'est qu'il n'existe pas de vérités classiques valides pour toute époque. J'ai cru qu'il en était autrement et cela m'a coûté d'être vaincu, humilié et réduit à l'inutilité. Il est trop tard pour y faire quoi que ce soit : j'ai eu ma chance. Mais depuis de trop nombreuses générations nous nous sommes laissés aller à croire que l'Inde avait toutes les réponses et qu'il lui suffisait de les appliquer correctement.

– Que dis-tu là ? demanda Dharma et, à son étonnement, Yudhishtir vit le magnifique *deva* à côté de lui se retransformer lentement en un chien.

– Finies les certitudes ! cria-t-il désespérément à la silhouette qui reculait. Acceptons le doute et la diversité. Laissons chaque homme vivre selon son propre code de conduite, tant qu'il en a un. Inspirez-vous du monde autour de nous, et non d'un héritage dont la pertinence doit constamment être mise à l'épreuve. Rejetons aussi la stérilité des idéologies et les ordonnances passionnées de ceux qui se croient infaillibles. Défendons la décence, adorons l'humanité, affirmons les valeurs fondamentales de nos concitoyens, celles qui ne changent pas, et laissons le reste en paix. Avouons qu'il n'y a pas qu'une seule Vérité, une seule Loi, un seul *dharma...* »

Je fus réveillé par l'écho d'aboiements vains et affolés.

Je m'éveillai, Ganapathi, à l'Inde d'aujourd'hui. A notre pays d'ordinateurs et de corruption, de mythes et de politiciens et de *box-wallah* aux attachés-cases de plastique moulé. A une Inde assaillie d'incertitudes, pataugeant chaotiquement en direction du vingt et unième siècle.

Tes sourcils et ton nez, Ganapathi, se tordent en un point d'interrogation éléphantesque. Êtes-vous arrivé, sembles-tu demander, à la fin de votre histoire ? Comme tu as peu de mémoire ! Pas plus tard que l'autre jour, je te disais que les histoires ne finissent jamais, elles se continuent simplement ailleurs. Dans les montagnes et dans les plaines, dans les cœurs et les foyers de l'Inde.

Mais mon dernier rêve, Ganapathi, me laisse avec un problème beaucoup plus grave. S'il possède une signification, une signification quelconque, c'est que j'ai raconté jusqu'ici mon histoire d'un point de vue complètement erroné. J'y ai réfléchi, Ganapathi, et je me rends compte que je n'ai pas le choix. Il me faut la raconter de nouveau.

Je vois la consternation se peindre sur ton visage. Je suis navré, Ganapathi. J'en toucherai un mot demain à mon ami Brahm. Entre-temps, reprenons au commencement.

Ils me disent que l'Inde est un pays sous-développé...

Postface

Nombre des personnages, épisodes et problèmes conte
nus dans ce roman sont fondés sur des êtres et des évé
nements décrits dans le grand poème épique du *Mahabharata,* une œuvre qui demeure une éternelle source de
délices et d'inspiration pour des millions d'Indiens. Je ne
suis aucunement un spécialiste du sanscrit et je me suis
donc fié seulement à une lecture hautement subjective
d'une variété de traductions anglaises. J'aimerais en particulier mentionner ma dette à l'égard des versions de
C. Rajagopalachari et P. Lal, les interprétations les plus
lisibles de ce que les savants appellent respectivement
les recensions nord et sud de l'œuvre. Les deux diffèrent
suffisamment dans leur approche, style et contenu narratif
pour être complémentaires, bien que toutes deux traitent
des aspects essentiels de la même histoire. Je me suis
fortement appuyé sur l'une et l'autre.

Si certaines scènes du *Grand Roman indien* sont ins-
pirées de situations décrites dans des traductions du
Mahabharata, j'ai pris bien trop de libertés avec le poème
pour associer aucun de ses traducteurs à mes péchés. Ceux
de mes lecteurs qui souhaiteraient se plonger dans le
Mahabharata lui-même pour y retrouver les sources de
mon inspiration n'ont pas besoin d'aller chercher plus
loin que la « transcréation » de Lal, la saga épisodique de
Rajagopalachari ou bien la traduction savante, soigneuse
bien qu'incomplète, du professeur J. A. B. Van Buitenen,
pour les Presses de l'université de Chicago. Alors que ce

roman était déjà entre les mains de mon éditeur, j'ai découvert l'adaptation théâtrale faite par Jean-Claude Carrière de la très agréable traduction de Peter Brooke et je la recommande chaudement. La responsabilité de la présente version, entièrement inventée, est, bien entendu, seulement mienne.

A *propos du* dharma

De tous les mots et idiomes indiens utilisés dans ce livre dont, pour la plupart, la signification est aisément compréhensible grâce au contexte (ou au glossaire), le seul terme qu'il soit peut-être nécessaire d'élucider est *dharma.*

Fait sans doute unique : *dharma* est un terme sanscrit intraduisible, qui figure, néanmoins, allègrement comme une entrée normale, non italicisée, dans un dictionnaire anglais. Le *Chambers Twentieth-Century Dictionary* offre la définition suivante : « la vertu qui sous-tend la loi ; la loi. » Tout en étant une amélioration définitive de la traduction en un mot offerte dans de nombreux manuels élémentaires de sanscrit : « religion », cette définition ne traduit encore pas toutes les nuances que contient le terme. « L'anglais n'a pas d'équivalent pour *dharma* », écrit P. Lal dans le lexique qui accompagne sa « transcréation » du *Mahabharata* dans lequel il définit le dharma comme un « code de bonne conduite, modèle de vie noble, règles et observations religieuses ».

Mon ami Ansar Hussain Khan suggère que le *dharma* est le plus simplement défini comme « ce par quoi nous vivons ». Oui – mais ce « ce » englobe beaucoup de choses. Que, dans sa superbe étude analytique de la culture et de la société indiennes, *The Speaking Tree,* Richard Lannoy définisse le dharma d'au moins neuf façons différentes selon le contexte dans lequel il use du terme donne une idée de l'immensité et de la complexité du concept. Voici ces définitions : loi morale, ordre spirituel, loi sacrée, morale salvatrice, ensemble d'harmonie sociale, morale et spirituelle, vertu, ordre universel, cycle magico-religieux, force morale, idéaliste, spirituelle. Lannoy cite aussi l'excellente version de Betty Heimann dans son ouvrage publié en 1937, *Indian and Western Philosophy : A Study in Contrasts* : « Le dharma est la responsabilité cosmique totale, incluant Dieu, une justice universelle bien plus inclusive, large et profonde que tout équivalent occidental tel que "devoir". »

Le lecteur du *Grand Roman indien* est invité, à chacune de ses rencontres dans ces pages avec le *dharma,* à supposer que le terme signifie l'une ou toutes les définitions ci-dessus.

Shashi Tharoor.

Glossaire

(Tous les mots traduits le sont du sanscrit et/ou de l'hindi, sauf indication contraire.)

Aarti : rite religieux hindou impliquant le balancement cérémonial de lampes allumées devant l'objet à adorer ou à honorer.

Angrez : Anglais (familier).

Apsara : nymphe de la mythologie hindoue.

Arthashastra : traité politique classique attribué à Chanakya (Kautilya), homme d'État et philosophe du IVᵉ siècle avant Jésus-Christ, comparable à Machiavel.

Asana : position de yoga.

Ashram : ermitage d'un maître spirituel et lieu de retraite pour ses disciples.

Ayah : nurse.

Babu : fonctionnaire subalterne, un employé aux écritures.

Bakr-Id : fête musulmane durant laquelle on sacrifie des chèvres.

Banarsi : de Bénarès.

Banian : nom donné par les Arabes aux marchands hindous.

Barfi : douceur indienne faite de lait et souvent couverte de papier d'argent mangeable (*vark*).

Bhangra : danse indienne (très endiablée).

Byriani : mets indien.

Chakra : roue.

Chakravarti : empereur universel.

Chappal : sandale.

Chaprassi : planton.

Chela : élève, acolyte.

Dal bhaat : riz et lentilles (nourriture de base).

Darshan : vision ou spectacle générateur d'inspiration, utilisé pour indiquer une audience accordée par un roi ou un saint homme.

Deva : nom donné à toutes les divinités en général.

Dharampatni : épouse.

Dharma : voir note ci-dessus.

Dharna : acte d'agitation ou de manifestation politique qui, en général, amène les agitateurs à s'asseoir devant la porte des autorités concernées jusqu'à ce que les revendications soient satisfaites.

Dharti : terre.

Dhobi : laveur de linge.

Dhoti : pièce de tissu drapée autour des reins, vêtement traditionnel masculin dans la plupart des régions de l'Inde.

Doodhwala : laitier.

Durwan : garde, veilleur.

Ghee : beurre clarifié.

Gulmohar : arbre aux fleurs spectaculaires.

Gurkha : caste dominante hindoue au Népal qui a fourni d'excellents soldats à l'armée britannique des Indes.

Gurudwara : temple sikh.

Havildar : adjudant.

Holi : fête hindoue du printemps marquée par de grands éclaboussements d'eau colorée.

Howdah : siège sellé sur un éléphant.

Janmabhoomi : mère-patrie.

Jawan : soldat.

-ji : suffixe marquant le respect.

Kalaazar : une sorte de maladie.

Karanavar : mot malayalam signifiant propriétaire, aîné d'une grande famille du Kerala.

Karma : cycle hindou de naissance et renaissance pré-destinées ; destin.

Kathakali : drame dansé du Kerala mimant les épisodes du *Mahabharata*.

Khadi : cotonnade tissée à la main.

Khidmagar : serviteur, laquais.

Kshatriya : nom d'une caste de brahmanes.

Kukri : poignard gurkha (voir ci-dessus).

Kundalini : force vitale d'énergie cosmique incarnée dans chacun et représentée comme un serpent lové à la base de la colonne vertébrale.

Kurta : chemise vague sans col.

Lakh : unité de 100 000.

Lance-naïk : caporal.

Langda : une qualité de mangue grosse et douce, très populaire.

Lathi : bâton de bambou ou de bois utilisé par les policiers indiens.

Lota : récipient, carafe.

Madallam : sorte de tambour.

Maidan : terrain de jeux.

Mathrubhoomi Azhichapadippu : hebdomadaire populaire du Kerala.

Meghdoot : nuage messager (d'après un poème classique de Kalidas dans lequel on supplie un nuage de donner des nouvelles d'une épouse perdue).

MLA : membre de l'assemblée législative (d'un État, plutôt que du parlement national de Delhi dont les membres sont appelés des MP).

Mofussil : provincial, rural.

Moksha : salut.

Mullah : religieux musulman.

Mundu : *dhoti* de l'Inde du Sud.

Mushaira : représentation théâtrale.

Namaskar, namaste : salutations traditionnelles hindoues, en général avec les mains jointes.

Namaz : prière (musulmane).

Naxalites, Naxal : révolutionnaires maoïstes violents,

particulièrement actifs au Bengale dans les années 1967-1971.

Neta : chef, leader.

Padayatra : long périple à pied, entrepris en général dans un but social ou politique à travers une région affectée par une calamité.

Pahelwan : champion, lutteur professionnel.

Panchayat : conseil du village.

Pandal : structure temporaire couverte pour des réceptions ou des cérémonies à l'extérieur.

Pani : eau.

Patideva : terme respectueux pour époux

Patwari : autorité du village.

Payals : bracelets de cheville.

Puja : joueurs rituels.

Punkah-wallah : serviteur préposé au maniement des grands éventails faisant office de ventilateurs.

Puranas : recueils anciens des mythes et légendes populaires hindous avec une signification religieuse et sociale.

Purdah : un écran ou un rideau qui sépare les femmes des hommes.

Razai : édredon.

Rishi : saint homme, sage.

Sadhu : saint homme hindou.

Sainik : soldat.

Samandi : mets indien.

Sannyasi : saint homme hindou, en général un ascète.

Satyagraha : littéralement « force-vérité », utilisée par le Mahatma Gandhi pour définir son agitation non violente.

Satyagrahi : celui qui entreprend une *satyagraha*.

Saunf : grain d'anis.

Sepoy : simple soldat.

Shaitaan : Satan.

Shama : oiseau chanteur de la famille de la grive.

Shamiana : grande tente de cérémonie.

Shastra : livres sacrés hindous, spécialement ceux traitant des lois et des préceptes.

Sherwani : veste traditionnelle (descendant à hauteur du genou) du Nord de l'Inde.

Shri : monsieur.

Sloka : vers.

Subedar : sous-officier.

Sudra : membre de la plus basse caste hindoue.

Swadeshi : indigène, c'est-à-dire Indien.

Swaraj : autonomie.

Swayamvara : cérémonie au cours de laquelle une jeune fille noble choisit un époux parmi ses prétendants rassemblés.

Taluk : province.

Tamasha : amusement, spectacle.

Thana : poste de police, commissariat.

Tiffin : repas.

Veda : un des quatre principaux textes sacrés des Hindous – le Rig Veda, le Yajur Veda, le Sama Veda et le Artharva Veda – composés entre 1500 et 1200 avant Jésus-Christ et consistant en hymnes sanscrits.

Yuddha : guerre.

Zamindar : propriétaire terrien.

Zenana : les appartements des femmes.

Zilla : subdivision provinciale.

Zindabad : Vive !...

Remerciements

Je tiens à exprimer ma profonde reconnaissance au professeur P. Lal pour sa permission de reproduire des citations extraites de son livre, *The Mahabharata of Vyasa*.

Ma reconnaissance va aussi à Tony Lacey, David Davidar et Julia Sutherland pour leurs précieux conseils éditoriaux ; à mon agent, Deborah Rogers, pour son dévouement et sa persévérance ; à mon beau-frère, le docteur Shandra Shekhar Mukherji, pour ses encouragements précoces et répétés au cours de mon travail ; à mes amis Deepa Menon, Margaret Kooijman, Ansar Hussain Khan et Arvind Subramanian pour s'être infligé volontairement la lecture du manuscrit et l'avoir faite avec affection et discernement ; à mes sœurs, Shobha Srinivasan et Smita Menon, pour leurs tendresse, soutien et hospitalité sur deux continents ; à ma femme, Tilottama, pour m'avoir supporté tout au long des difficiles soirées et week-ends d'écriture et tenté (avec un succès relatif) de m'obliger à me rapprocher de ses critères élevés, et à mes parents, Chandran et Lily Tharoor, qui m'ont appris à avoir de l'ambition et qui ont soutenu ma foi en ce livre comme ils ont soutenu tout ce que j'ai écrit depuis tant d'années.

Table

RÉALISATION : I.G.S. CHARENTE-PHOTOGRAVURE À L'ISLE-D'ESPAGNAC
IMPRESSION : S.N. FIRMIN-DIDOT AU MESNIL-SUR-L'ESTRÉE
DÉPÔT LÉGAL : NOEMBRE 2002. N° 56488-2 (62956)